Collection *Leçons de choses*
fondée par Michael POLLAK †
et dirigée par Luc BOLTANSKI

Luc BOLTANSKI, *L'Amour et la Justice comme compétences (Trois essais de sociologie de l'action)*

Michael POLLAK, *L'Expérience concentrationnaire (Essai sur le maintien de l'identité sociale)*

Michael POLLAK, *Les Homosexuels et le sida (Sociologie d'une épidémie)*

Howard BECKER, *Outsiders (Études de sociologie de la déviance)*

Anselm L. STRAUSS, *Miroirs et masques (Une introduction à l'interactionnisme)*

Francis CHATEAURAYNAUD, *La Faute professionnelle (Une sociologie des conflits de responsabilité)*

Jean PENEFF, *L'Hôpital en urgence (Étude par observation participante)*

Jean-François LAE, *Travailler au noir*

Bruno LATOUR, *Les Microbes : guerre et paix* suivi de *Irréductions*

Jean-Louis DEROUET, *École et Justice (De l'égalité des chances aux compromis locaux ?)*

Patrice PINELL, *Naissance d'un fléau (Histoire de la lutte contre le cancer en France, 1890-1940)*

Monique de SAINT-MARTIN, *L'Espace de la noblesse*

Nicolas DODIER, *L'Expertise médicale (Essai de sociologie sur l'exercice du jugement)*

MICHAEL POLLAK

UNE IDENTITÉ BLESSÉE

Études de sociologie
et d'histoire

*Publié avec le concours de l'Agence française de lutte contre le sida (AFLS),
de l'Agence nationale de recherches sur le sida (ANRS)
et de la Mission recherche expérimentation (MIRE).*

ÉDITIONS MÉTAILIÉ
5, rue de Savoie - 75006 Paris
1993

L'organisation de cet ouvrage est l'œuvre d'un collectif composé de :

François Bédarida, Luc Boltanski, Lucien Brams, Alain Desrosières, Robert Frank, Nathalie Heinich, Claudine Herzlich, Brigitte Mazon, Jean-Pierre Pitico, Marianne Ranson, Marie-Ange Schiltz, Yves Souteyrand, Claude Thiaudière.

Ce collectif, en hommage à Michael Pollak, a décidé de publier une sélection (précédée d'une brève présentation) des textes les plus importants et les plus significatifs de ce pionnier prématurément disparu.

PRÉFACE

Michael Pollak est mort le 7 juin 1992 à l'âge de quarante-trois ans. A plusieurs de ceux et celles qui ont été ses compagnons de travail il a semblé que son œuvre, prématurément interrompue, mais d'une portée considérable — elle comporte quelque deux cents publications — méritait, si l'on voulait qu'elle échappe à la dispersion, d'être ramassée sous la forme d'un volume où seraient groupés ses textes les plus significatifs. Au demeurant y a-t-il meilleur hommage à rendre à celui qui fut si vaillamment un pionnier sur le front sociologique de notre temps ? De là le présent ouvrage, œuvre d'un collectif composé de François Bédarida, Luc Boltanski, Lucien Brams, Alain Desrosières, Robert Frank, Nathalie Heinich, Claudine Herzlich, Brigitte Mazon, Jean-Pierre Piticco, Marianne Ranson, Marie-Ange Schiltz, Yves Souteyrand, Claude Thiaudière : un ouvrage formé d'extraits brièvement commentés, choisis tantôt pour leur caractère représentatif tantôt pour leur valeur méthodologique, de manière à éclairer un large pan de la recherche socio-historique des années soixante-dix et quatre-vingt.

On pourra bien sûr contester certains de ces choix. Dans cette œuvre surabondante, à la fois pluridimensionnelle et polyphonique, il a fallu procéder à de difficiles compromis. Convenait-il de privilégier les écrits intellectuellement les plus porteurs quitte à reproduire des textes plus connus et souvent plus accessibles ? Fallait-il au contraire donner la priorité aux articles dispersés dans de petites revues en vue de les arracher aux risques de l'oubli ? Nous ne cacherons pas que ce condensé de l'œuvre de Michael Pollak est le fruit d'arbitrages que l'on s'est efforcé de rationaliser au mieux. Que s'il donnait au lecteur l'idée et le goût d'aller regarder de plus près les écrits ori-

5

ginaux et intégraux, il aurait pleinement atteint son but. Et ce lecteur-là serait à coup sûr payé de son effort. De toute façon, on trouvera à la fin du livre une bibliographie à peu près complète (avec un auteur aussi fécond nul n'oserait dire exhaustive) de l'œuvre de Michael Pollak : ainsi l'on pourra repérer les lacunes de ce livre tout en mesurant la productivité d'un esprit d'exception.

Une autre difficulté tenait à la variété des champs thématiques balayés par M. Pollak durant sa courte carrière. Encore que chacun d'eux porte, comme en filigrane, une dimension transversale, qui fait l'unité de l'œuvre et que ce livre, on l'espère, servira à dévoiler. Quitte à schématiser, on peut dire que ces travaux s'articulent autour de trois thèmes majeurs. D'abord, dans une perspective internationale, l'histoire des sciences sociales, en procédant par voie comparative et en étudiant les transferts de concepts et de paradigmes d'un pays à l'autre : par exemple, comment Max Weber a été traduit, reçu et acclimaté en France, ou comment la Fondation Ford a développé dans l'Europe d'après-guerre une stratégie de reconstruction des sciences sociales en imposant un modèle international au détriment des spécificités nationales.

En deuxième lieu, Michael Pollak, très marqué par la mémoire des drames de la Seconde Guerre mondiale, en a cherché des clefs tant dans l'analyse de la contribution apportée par l'anthropologie et le droit à la politique raciale nazie que dans une reconstitution minutieuse des itinéraires de vie de femmes déportées à Auschwitz : travail d'où il a tiré, en 1990, son beau livre *L'Expérience concentrationnaire*.

Enfin, à partir du milieu des années quatre-vingt, le chercheur, toujours soucieux de répondre à la demande sociale, s'est tourné vers l'étude des effets sociaux du sida, en particulier dans la population homosexuelle, devenant très vite un expert internationalement écouté à la suite de la publication de son ouvrage *Les Homosexuels et le sida : sociologie d'une épidémie*. Aucune épidémie, on le sait, n'a suscité en cette fin de siècle autant d'angoisse et de fascination, tant ressurgissent à cette occasion, devant cette maladie implacable encore non maîtrisée par le savoir médical, les peurs ancestrales et les tabous millénaires. Pathologie neuve, le sida est apparu à Michael Pollak comme un objet scientifique inédit, au carrefour de l'ordre biologique, social et moral. Et il lui a consacré une proportion grandissante de sa recherche, alors qu'il se savait lui-même irrémédiablement atteint par le mal.

Cette activité tous azimuts ne lui a cependant pas fait oublier ses racines autrichiennes puisqu'il a consacré, en 1984, dans la collection « Archives » son premier livre à Vienne, capitale au bord de l'implosion et minée par un sentiment d'identité blessée en dépit (ou à cause) de l'extraordinaire bouillonnement intellectuel, artistique et social des années 1890-1920. Parallèlement, bien d'autres champs intellectuels ont attiré cet esprit investigateur et curieux de tout, depuis l'analyse des retombées sociales du nucléaire (objet de l'un de ses premiers articles que l'on pourra lire plus loin et qui annonce de façon prémonitoire l'approche écologique d'aujourd'hui) jusqu'à la méthodologie de l'histoire orale et à la réflexion sur la mémoire. Et qui sait que dort dans un tiroir un brillant projet d'histoire du CNRS élaboré en 1985, mais qui n'a jamais vu le jour ?

Michael Pollak, né à Vienne le 26 juillet 1948, est arrivé en France en 1971 après des études supérieures à la Faculté de Sciences sociales et économiques de l'université de Linz, où il a obtenu une maîtrise de sociologie. Il s'inscrit alors comme étudiant à la VIe Section de l'École pratique des hautes études, où il prépare un doctorat de 3e cycle, soutenu en 1975, sur « Les incidences de la politique scientifique sur l'évolution du champ scientifique : le cas de la sociologie et de la science économique ». Lui qui avait été marqué par la pensée de Karl Kraus, il subit alors fortement l'influence de Pierre Bourdieu. Très vite le jeune Autrichien s'impose dans les milieux français de la recherche comme un cerveau de haute volée, doté de surcroît d'une puissance de travail peu commune. Toutefois c'est à l'OCDE, où il travaille de 1973 à 1978, qu'il se fait connaître par un coup d'éclat. On était alors dans l'effervescence du début des années 1970, en pleine recomposition du champ des sciences sociales durement secouées par la crise de 1968. Aussi l'OCDE avait-elle commandé un rapport sur l'état de ces sciences en France à trois sommités : Wassili Leontieff, Henri Tajfel et Stanley Hoffmann. Ceux-ci avaient eu l'heureuse idée de confier le travail préliminaire d'établissement des données et d'esquisse du schéma directeur au jeune chercheur autrichien, dont ils avaient deviné le talent intellectuel. Non seulement c'est pour une bonne part grâce à lui que les trois auteurs ont pu produire un rapport qui a fait date, mais ils ont été aussitôt les premiers à reconnaître que jamais ils n'auraient pu formuler un diagnostic aussi pertinent s'ils n'avaient disposé des analyses élaborées par ce débutant de vingt-cinq ans.

Michael Pollak passe alors plus de deux ans aux États-Unis, à l'université de Cornell, en tant qu'associé de recherche dans un programme « Science, technologie et société », puis en 1982, il réussit à être recruté au CNRS comme chargé de recherche à l'Institut d'histoire du temps présent. Grâce au CNRS, où il partage son temps entre l'IHTP et le Groupe de sociologie morale et politique de l'EHESS et où il devient directeur de recherche en 1990, Michael Pollak va donner la pleine mesure de sa maîtrise intellectuelle, animant séminaires et enquêtes, participant à de nombreux colloques à travers le monde, dirigeant recherches d'équipes et travaux d'étudiants, et surtout publiant sans relâche (comme on peut en juger par la bibliographie à la fin de ce volume) des articles, des rapports, des notes, des livres au large retentissement.

L'année 1985 constitue une année tournant dans ses orientations de travail et dans son activité de chercheur. En effet, c'est au printemps de cette année-là que Michael Pollak s'adresse à la MIRE pour lui demander de financer une enquête sur les homosexuels et le sida [1]. Démarche pionnière car à cette époque la prévention du sida n'avait nullement un statut de cause prioritaire dans la politique de la santé. De prévention on parlait peu ; de la relation entre le milieu homosexuel et l'épidémie encore moins. Malgré tout, grâce à l'appui de Lucien Brams, le contrat de recherche fut accordé et bientôt commencèrent les enquêtes de *Gai Pied Hebdo* sur les comportements de cette population à risque, qui, en dépit du stigmate ressenti de la transgression, trouvait là le moyen de s'exprimer à travers une véritable libération de la parole. Mais sur-

---

1. MIRE : Mission interministérielle recherche-expérimentation, organisme créé en 1981 en commun par les ministères de la Recherche et des Affaires sociales, en vue de développer des travaux sur les champs sanitaires et sociaux.

tout, en prenant cette initiative, M. Pollak est devenu, en même temps qu'une autorité scientifique, le promoteur d'un dialogue entre les pouvoirs publics et le monde de l'homosexualité, dialogue qui depuis lors s'est poursuivi, élargi et approfondi. Lui-même, après avoir réussi à surmonter les réticences tant de l'administration que des chercheurs, est devenu tout naturellement une personnalité marquante du comité « Santé publique/Sciences de l'homme et de la société » (dont, à partir de 1990, il assume la présidence) au sein de l'Agence nationale de recherches sur le sida.

Pour lui, c'est bien là un monde nouveau — le monde de la maladie, de la recherche biomédicale et de l'épidémiologie —, dans lequel il s'insère sans effort, en réussissant à combiner trois logiques : l'exigence scientifique, l'engagement éthico-politique, la liberté d'existence personnelle. Il faut souligner toutefois que son équipement intellectuel, tel qu'il résultait de ses travaux antérieurs, s'avérait tout à fait pertinent pour aborder le nouveau champ d'investigation, qu'il s'agisse de l'identité en situation extrême, du témoignage ou du lien entre la science et l'action. Aussi à travers le drame personnel qu'il a été bientôt amené à vivre, puisque c'est l'époque où il se découvre séropositif, ce thème majeur et ultime de recherche le conduit à se révéler encore davantage à lui-même aussi bien sur le plan intellectuel que sur le plan humain. Est-ce ces interrogations qui l'amèneront durant ses derniers mois d'existence à effectuer un cheminement spirituel par lequel il renouera avec la foi très fervente de sa jeunesse ? Personne ne saurait s'aventurer à pénétrer ainsi dans le mystère des êtres. Malgré tout, la question reste posée.

Ce qui, chez Michael Pollak, fait le prix et l'originalité de la démarche du sociologue-historien, c'est sa capacité à maîtriser une triple dialectique. D'abord, à la suite de Norbert Elias, la dialectique « *involvement/detachment* », c'est-à-dire le couple implication personnelle/distanciation critique, engagement/objectivité. S'investir et en même temps prendre du recul, marier l'affect et le logos, voilà la voie étroite sur laquelle doit avancer le scientifique épris de rigueur. Très jeune, Michael Pollak avait montré un tempérament porté à l'engagement : c'est ainsi qu'au lycée il s'était chargé de responsabilités, et que, devenu étudiant, il avait activement participé à la vie politique et associative de l'université. Une fois adulte, il s'est toujours senti personnellement concerné par ses thèmes de recherche, qu'il s'agisse de Vienne, de la déportation ou du sida et des homosexuels. Chez lui, le savoir produit était au service d'une cause, l'objectif étant d'aider les êtres blessés, malades ou souffrants, à fortifier leur identité personnelle de façon à éviter le danger de désintégration. Comme l'a écrit avec pénétration l'auteur d'une nécrologie parue à Londres, « sa vie de scientifique autant que de personne a été constamment hantée par le sens d'un devoir moral envers les êtres menacés de disparaître [2] ». Mais lui-même, si présent qu'il fût aux drames du siècle soit en son milieu (le génocide) soit en ses années finales (le sida), connaissait trop bien les règles et les canons de la méthode scientifique pour céder aux sirènes des bons sentiments et il leur a toujours opposé les exigences de la « neutralité axiologique ».

Deuxième tension dialectique que Michael Pollak a eu à gérer à travers toute sa carrière scientifique : la dualité approche empirique/ambition de théorisation. En effet, s'il a toujours eu à cœur l'observation de la réalité empirique, en recourant aux études de cas, aux enquêtes de terrain, et jusqu'au travail sur archives, en même temps il a manifesté constamment une volonté bien arrêtée de conceptualisation de façon à intégrer les données empiriques patiemment assemblées dans une analyse théorique. Pour lui, comme il l'a écrit, il s'agissait de « penser la singularité et l'universalité, non pas en termes d'antagonisme, mais de conditionnement réciproque [3] ». Ce qui lui a évité de tomber, comme tant d'autres, dans le Charybde d'un empirisme flottant au gré des enquêtes ou dans le Scylla d'une théorisation abstruse et fumeuse.

Troisième jointure intellectuelle : la dialectique du savoir et de l'action, ou si l'on préfère, l'articulation entre la connaissance scientifique et le champ socio-politique. Nul plus que lui n'a été fasciné par la demande sociale et n'a manifesté avec autant de persévérance la volonté de « scientifier » les politiques sociales, en analysant en finesse l'interaction entre scien-

2. *The Independent*, 11 juin 1992.
3. M. Pollak, *L'Expérience concentrationnaire*, p. 23.

tifiques et décideurs, chacun dans sa logique propre. Nul n'a autant refusé les cloisons étanches entre, d'un côté, le monde du pouvoir, de la politique et de l'administration, de l'autre, l'univers de la science. Ni science éthérée (une science qui aurait les mains pures, mais pas de mains) ni science prostituée (comme la biologie ou l'anthropologie fangeuse utilisée par les dirigeants nazis). Mais une action en mesure de changer la société, en particulier en luttant contre les exclusions de tous ordres. C'est pourquoi Michael Pollak accordait tant d'importance à la définition de la notion d'expertise et à la fonction des experts, ainsi qu'à leur responsabilité dans une démocratie, afin de garantir un *continuum* entre le champ scientifique et l'espace politique.

Au total, l'épicentre dans cette quête intellectuelle a bien été la recherche d'identité. C'est elle qui est au cœur de la démarche sociologique et historique du chercheur. Qu'il s'agisse d'identité individuelle ou d'identité collective, l'appartenance identitaire apparaît en permanence menacée. Car c'est une construction fragile, en équilibre instable, dépourvue de propriétés fixes, en constante composition ou recomposition, incapable d'échapper, surtout dans les situations extrêmes, aux pathologies de la désintégration. Quel drame alors que la perte de l'identité en tant qu'image à la fois pour soi et pour autrui ! D'où l'immense compassion de Michael Pollak pour les identités blessées, aux victimes desquelles il a toujours voulu apporter le réconfort de sa lumineuse intelligence en même temps que de sa générosité sans limites.

Son rôle historique dans le champ intellectuel, à lui qui avait le privilège de maîtriser trois cultures — la germanique, la française et l'anglo-saxonne —, peut se résumer en un mot : il a été un médiateur, sorte de pontonnier travaillant jusqu'à mi-corps en plein courant, au confluent des disciplines — sociologie et histoire, anthropologie et statistique, psychanalyse et épidémiologie — et au point de jonction entre l'international et le national (songeons au problème des traductions qui l'a tant fasciné). C'est peut-être autour de l'étude du sida qu'il a le plus rempli cette fonction pionnière de médiateur, faisant communiquer les pouvoirs publics, le milieu de la recherche biomédicale, le monde des sociologues et les groupes organisés d'homosexuels. Oui, l'œuvre de Michael Pollak se définit avant tout comme celle d'un *passeur*, un passeur qui a patiemment et savamment construit d'audacieuses passerelles, entre cultures, entre champs scientifiques, entre chercheurs, dans un esprit d'humilité et de service, jusqu'au jour où c'est lui-même qui a dû passer sur l'autre rive.

François BÉDARIDA

1

MÉMOIRE, OUBLI, SILENCE

Mémoire, oubli, silence[*]

Dans son analyse de la mémoire collective, Maurice Halbwachs met l'accent sur la force des différents repères qui structurent notre mémoire et qui l'insèrent dans celle de la collectivité à laquelle nous appartenons [1]. En font partie bien évidemment les monuments, ces lieux de la mémoire analysés par Pierre Nora [2], le patrimoine architectural et son style qui nous accompagnent tout au long de notre vie, les paysages, les dates et personnages historiques dont on nous répète inlassablement l'importance, les traditions et coutumes, certaines règles d'interaction, le folklore et la musique et, pourquoi pas, les traditions culinaires. Dans la tradition méthodologique durkheimienne qui consiste à traiter des faits sociaux comme des choses, il devient alors possible de prendre ces différents repères comme autant d'indicateurs empiriques de la mémoire collective d'un groupe donné ; une mémoire structurée avec ses hiérarchies et classifications, une mémoire également qui, en définissant ce qui est commun à un groupe et ce qui le différencie des autres, fonde et renforce les sentiments d'appartenance et les frontières socioculturelles.

Dans cette démarche durkheimienne, l'accent est mis sur la

---

* Le texte de cette communication a été lu par Jean-Marc Rennes au colloque « Psychanalyse et sciences sociales » auquel Michael Pollak n'a pu se rendre — colloque organisé par la Mission interministérielle de recherche et d'expérimentation (MIRE), le ministère de la Recherche et de la Technologie et le ministère des Affaires étrangères, conjointement avec l'Académie des sciences de Russie, qui s'est tenu à Moscou du 31 mars au 5 avril 1992.

Une première version de ce texte a été publiée en portugais dans *Estudos Históricos*, vol. 2, 3, 1989.
1. M. Halbwachs, *La Mémoire collective*, Paris, PUF, 1968.
2. P. Nora, *Les Lieux de mémoire*, Paris, Gallimard, 1985.

force quasi institutionnelle de cette mémoire collective, sur la durée, la continuité et la stabilité. De même Halbwachs, loin de voir dans cette mémoire collective une imposition, une forme spécifique de domination ou de violence symbolique [3], met l'accent sur les fonctions positives remplies par la mémoire commune, à savoir de renforcer la cohésion sociale non par la contrainte mais par l'adhésion affective du groupe, d'où le terme qu'il utilise : «communauté affective». Dans la tradition européenne du XIXe siècle, y compris chez Halbwachs, la nation est la forme la plus achevée d'un groupe, et la mémoire nationale la forme la plus accomplie d'une mémoire collective.

A plusieurs endroits, Maurice Halbwachs laisse entendre non seulement la sélectivité de toute mémoire, mais encore un processus de «négociation» pour accorder mémoire collective et mémoires individuelles : «Pour que notre mémoire s'aide de celle des autres, il ne suffit pas que ceux-ci nous apportent leurs témoignages : il faut encore qu'elle n'ait pas cessé de s'accorder avec leurs mémoires et qu'il y ait assez de points de contact entre l'une et les autres pour que le souvenir qu'ils nous rappellent puisse être reconstruit sur un fondement commun [4].»

Cette reconnaissance du caractère potentiellement problématique d'une mémoire collective annonce déjà un changement de perspective qui marque les travaux actuels sur ce phénomène. Sans qu'on puisse parler d'influences directes, repérables dans les citations, trois courants intellectuels ont favorisé ce renouvellement de la mémoire. Tout d'abord, la psychanalyse a fourni les concepts pour penser les différents liens au passé et les mécanismes psychiques afférents : inconscient, refoulement, retour du refoulé. Dans leur ensemble, ces concepts pourraient être lus comme un vaste programme de recherche sur la mémoire et l'oubli. Or, à peu d'exceptions près, l'emprunt fait à la psychanalyse par des historiens n'a pas encore permis l'aplication aux collectifs hautement agrégés de concepts issus de la clinique individuelle. Tout en structurant son livre autour de concepts psychanalytiques, Henry Rousso

---

3. Pour le concept de violence symbolique, voir P. Bourdieu, *Le Sens pratique*, Paris, Minuit, 1980, p. 224.
4. M. Halbwachs, *op. cit.*, p. 12.

avertit ainsi son lecteur qu'il s'agit là d'un usage « métaphorique [5] ». Cet avertissement reconnaît explicitement la difficulté d'un transfert conceptuel par ailleurs très séduisant. Parmi ces difficultés on trouve le degré de généralisation facilement adapté quand on recourt aux concepts psychanalytiques : peut-on, par exemple, parler de l'« inconscient » ou du « refoulement » d'un peuple ? Et comment délimiter empiriquement l'étendue de tels phénomènes collectifs ?

En sociologie de la science, la démarche constructiviste s'est substituée, ces vingt dernières années, aux approches privilégiant les effets de structure et les fonctions institutionnelles. En saisissant le travail scientifique tel qu'il se fait, les sociologues de la science ont mis en évidence les éléments qui font du discours scientifique le résultat de négociations, d'alliances, d'enjeux, de concurrence [6]. Dans une perspective constructiviste, il ne s'agit plus de traiter les faits sociaux comme des choses, mais d'analyser comment les faits sociaux deviennent des choses, comment et par qui ils sont solidifiés et dotés de durée et de stabilité [7]. Appliquée à la mémoire collective, cette approche s'intéressera donc aux processus et aux acteurs qui interviennent dans le travail de constitution et de formalisation des mémoires. Comment se constituent les noyaux des interprétations contrastées d'événements donnés, comment gagnent-ils en importance et en force ? Comment fonctionnent les réseaux indissociablement sociaux et cognitifs qui s'apprêtent à faire triompher leur vision du passé et qui, pour se faire, s'engagent dans des épreuves ? Comment finalement ce travail aboutit-il à des mémoires durcies qui s'imposent à tout

---

5. H. Rousso, *Le Syndrome de Vichy, 1944-198...*, Paris, Le Seuil, 1987.

6. Dans son article sur « le champ scientifique », *Actes de la recherche en sciences sociales*, n°s 2-3, 1976, p. 88 *sq*, P. Bourdieu a formulé cette problématique tout en restant attaché à la question des déterminants en termes de fonctionnement d'un champ plutôt qu'aux procédures du travail des acteurs. En France, Bruno Latour représente le mieux le courant constructiviste qui a émergé dans le sillage de la revue anglaise *Social Studies of Science* : B. Latour.

7. Pour ces perspectives opposées en sciences humaines, voir A. Desrosières, « L'opposition entre deux formes d'enquête : monographie et statistique », *in* L. Boltanski, L. Thévenot, éds, *Justesse et justice dans le travail*, Paris, PUF, 1989, pp. 1-9.

le monde comme des points de passage obligés de la pensée sur le passé ?

En privilégiant l'analyse des exclus, des laissés-pour-compte et des minorités, l'histoire orale a fait apparaître l'importance de mémoires souterraines qui, partie intégrante des cultures minoritaires et dominées, s'opposent à la « mémoire officielle », en l'occurrence la mémoire nationale. Dans un premier temps, cette approche fait de l'empathie avec les groupes dominés étudiés une règle méthodologique [8] et réhabilite la périphérie et la marginalité. Contrairement à Maurice Halbwachs, elle met l'accent sur le caractère destructeur, uniformisant et opprimant de la mémoire collective nationale. Par ailleurs, ces mémoires souterraines qui poursuivent leur travail de subversion dans le silence et de façon presque inaperçue affleurent à des moments de crise en de brusques sursauts exacerbés [9].

La mémoire devient enjeu. Les objets de recherche sont choisis de préférence là où il y a conflit et compétition entre mémoires concurrentes.

La mémoire : un enjeu

La prédilection actuelle des chercheurs pour les conflits et les enjeux plutôt que pour les facteurs de continuité et de stabilité est à rapprocher des véritables batailles de la mémoire auxquelles nous assistons et qui ont pris une ampleur particulière ces quinze dernières années en Europe.

Prenons à titre d'illustration le rôle joué par la réécriture de l'histoire aux deux moments forts de la déstabilisation, d'abord après le XXe Congrès du PC de l'Union soviétique quand Nikita Khrouchtchev avait pour la première fois dénoncé les crimes staliniens. Ce revirement de la vision de l'histoire

---

8. M. Pollak, Pour un inventaire, « Questions à l'histoire orale », *Cahiers de l'IHTP*, n° 4, Paris, 1987, p. 17.

9. G.Herberich-Marx, F. Raphaël, « Les incorporés de force alsaciens. Déni, convocation et provocation de la mémoire », *Vingtième Siècle*, n° 2, 1985, p. 83.

indissociablement lié à celui de la ligne politique s'est traduit par la destruction progressive des signes et symboles rappelant Staline en Union soviétique et dans les pays satellites et, finalement, par l'éloignement de la dépouille de Staline du mausolée de la place Rouge. Cette première étape de déstalinisation, menée de façon discrète au sein de l'appareil, avait donné lieu à des débordements et à des manifestations, dont la révolte hongroise était la plus importante, et qui saisissaient la destruction des statues de Staline et l'intégraient dans une stratégie d'indépendance et d'autonomie.

Tout en égratignant un des mythes historiques dominants de « Staline père des peuples », cette première déstalinisation n'a pas pu véritablement s'imposer, et avec la fin de l'ère khrouchtchévienne s'arrêtent aussi les tentations de révision de la mémoire collective. Une préoccupation semblable réémerge quelque trente ans plus tard dans le cadre de la « glasnost » et de la « perestroïka ». Là encore, le mouvement est lancé par la nouvelle direction du parti autour de Gorbatchev. Mais contrairement aux années 1950, la nouvelle ouverture donne vite lieu à un mouvement intellectuel avec la réhabilitation de certains dissidents contemporains et, de façon posthume, de dirigeants devenus dans les années 1930 et 1940 victimes de la terreur stalinienne. Mais ce souffle de liberté et de critique déborde largement ces mesures limitées. Il réveille des traumatismes profondément ancrés. Au nom de la vérité, les victimes sont sollicitées à témoigner. Le noyau initial de militants et d'historiens s'élargit et donne lieu à un mouvement revendicatif qui s'organise autour du projet de la construction d'un monument à la mémoire des victimes du stalinisme [10]. Luc Boltanski a bien mis en lumière cette logique de la dénonciation d'une injustice qui procède par une rhétorique visant à convaincre et à mobiliser d'autres personnes afin de les associer à la protestation, de sorte que la violence consécutive au dévoilement soit à la mesure de l'injustice dénoncée [11].

---

10. H. Carrère d'Encausse, *Le Malheur russe*, Paris, Fayard, 1988 ; N. Okhotine, « Grandeur et servitudes de Mémorial », *La Nouvelle Alternative*, n° 16, déc. 1989, p. 60 *sq.*

11. L. Boltanski, « La dénonciation », *Actes de la recherche en sciences sociales*, n° 31, 1984, p. 3.

Ce phénomène, même s'il peut « objectivement » jouer le rôle d'une force d'appoint au courant réformateur contre l'orthodoxie qui continue à occuper d'importantes positions dans le parti et dans l'État, ne peut pas être réduit à cet aspect. Plutôt constitue-t-il l'irruption de ressentiments cumulés dans le temps et d'une mémoire de la domination et de souffrances qui n'ont jamais pu s'exprimer publiquement. Ces « débordements » prouvent la capacité très limitée de contrôle dont dispose, dans les cas invoqués, le chef d'orchestre individuel ou collectif : direction d'un parti, d'un gouvernement. Les mémoires auparavant « interdites », et donc « clandestines », occupent vite toute la scène culturelle, l'édition, les médias, le film et l'art pictural, en prouvant, s'il en était besoin, le fossé qui sépare de fait la société civile de l'idéologie officielle d'un parti et d'un État prétendant à la domination hégémonique. Une fois le tabou rompu, une fois que les mémoires souterraines réussissent à envahir le public, d'autres se saisissent de cet enjeu de mémoire, et l'instrumentalisent à leurs fins.

Cet exemple montre la nécessité pour les dirigeants d'accompagner un profond changement politique d'une révision (auto)critique du passé. Il renvoie également aux risques inhérents à cette révision, dans la mesure où les dominants ne peuvent jamais contrôler parfaitement jusqu'où mèneront les revendications qui se forment en même temps que tombent les tabous gardés par la mémoire officielle antérieure. Cet exemple montre aussi la survie pendant des dizaines d'années de souvenirs traumatisants, souvenirs qui attendent le moment propice pour être exprimés. Malgré l'important endoctrinement idéologique, ces souvenirs, longtemps voués au silence et transmis d'une génération à l'autre oralement et non par voie de publications, restent vivaces. Le long silence sur le passé, loin de renvoyer à l'oubli, est la résistance qu'oppose une société civile impuissante au trop-plein de discours officiels. Cette résistance s'organise dans des réseaux informels, parfois privés, et cherche la protection d'institutions qui ont su maintenir un degré d'indépendance et échapper au contrôle total, telle l'Église catholique en Pologne et protestante en RDA. Sans forcément épouser les positions des Églises, les dissidents se mettent ainsi à l'abri de la répression directe et attendent l'heure de vérité et de redistribution des cartes politiques. Inutile de dire que l'«heure de vérité» se transforme facilement en heure de revanche, y compris violente.

Ces «heures de vérité» sont des situations d'épreuve [12] aux enjeux multiples : à la révision de la mémoire officielle s'ajoutent les revendications de réhabilitation des personnes et des groupes lésés et dont les griefs n'ont jamais été reconnus publiquement. Si, dans certains cas, comme ceux des victimes des procès staliniens, la réhabilitation prend forme de cassation du jugement, de reconnaissance civique et morale et de compensations matérielles, les demandes de révision de traités «injustes» et «imposés par la force» peuvent profondément mettre en question l'équilibre et l'ordre politique et social établis. En mettant, par exemple, en question la légitimité du fondement même de leur rattachement à l'Union soviétique, le traité entre Hitler et Staline, les Républiques baltes touchent à l'équilibre institutionnel et à la question des frontières de l'Union.

Finalement, la réhabilitation d'une catégorie de «victimes de l'histoire» heurte facilement les sentiments d'autres et fait rebondir les controverses. Peu de temps après son élection, Vaclav Havel, président de la République tchécoslovaque, avait l'intention de reconnaître publiquement les torts faits à la population germanophone chassée des Sudètes dans l'immédiat après-guerre. Apprenant cette intention, un citoyen tchèque menaçait de se mettre en grève de la faim en invoquant les privations et les souffrances infligées par les Allemands au peuple tchèque.

Ces premiers exemples nous rappellent immédiatement les liens entre, d'un côté, les formes concurrentes de la mémoire et, de l'autre, les formes et le degré de la domination. Ce n'est pas par hasard que les exemples donnés et les illustrations les plus fortes de notre propos viennent de systèmes de domination excluant officiellement le pluralisme des idées et la concurrence entre visions différentes du monde et du passé. Si toute expérience extrême est révélatrice des constituants de l'expérience «normale», dont le caractère familier fait souvent écran à l'analyse, ce choix nous aide à avancer dans la réflexion sur

---

12. Dans le sens que donnent L. Boltanski et L. Thévenot à ce terme : *Les Économies de la grandeur*, Paris, PUF, 1987, pp. 1-31.

les liens entre oubli et mémoire collectifs. Car si l'analyse historique peut montrer l'existence de mémoires souterraines et concurrentielles, y compris dans les systèmes classés comme totalitaires par les philosophes du politique, elle nous force de ne plus réfléchir en termes abstraits, « total » ou « totalitaire », mais en degrés empiriquement observables et variables d'un pays, d'une région, d'un groupe socioculturel à l'autre.

Quoique la plupart du temps lié à des phénomènes de domination, le clivage entre mémoire officielle et dominante et mémoires souterraines, ainsi que la signification du silence sur le passé, ne renvoie pas forcément à l'opposition entre État dominateur et société civile. Les silences conjoncturels ne sont pas seulement l'effet d'interdits venant d'en haut, ils peuvent être la conséquence d'une intériorisation de sentiments d'infériorité, de honte, de l'anticipation de discriminations.

Un autre exemple est celui des survivants des camps de concentration rentrés après leur libération en Allemagne ou en Autriche. Leur silence sur le passé tient tout d'abord à la nécessité de trouver un *modus vivendi* avec ceux qui, de près ou de loin, avaient, au moins sous forme de consentement tacite, assisté à leur déportation. Ne pas provoquer la mauvaise conscience de la majorité est alors un réflexe de protection de la minorité juive. Toutefois, cette attitude est encore renforcée par la mauvaise conscience profondément enfouie que peuvent avoir les victimes elles-mêmes. Il est connu que l'administration nazie avait réussi à imposer à la communauté juive une part importante de la gestion administrative de sa politique antisémite, depuis la préparation des listes des futurs déportés jusqu'à la gestion de certains lieux de transit et à l'organisation du ravitaillement pendant les convois. Les représentants de la communauté juive se sont laissés amener à négocier avec les autorités nazies, espérant d'abord pouvoir infléchir la politique officielle, plus tard « limiter les dégâts », pour finalement aboutir à une situation dans laquelle s'était effrité jusqu'à l'espoir de pouvoir négocier un meilleur traitement pour les derniers employés de la communauté. [...]

Face à ce souvenir traumatisant, le silence semble s'imposer à tous ceux qui veulent éviter de blâmer les victimes. Et certaines victimes, qui partagent ce même souvenir « compromettant » sont, elles aussi, vouées au silence. [...]

Ce thème omniprésent dans la littérature autobiographique de rescapés renvoie à plusieurs phénomènes. Tout d'abord, il faut qu'ils trouvent la volonté d'écoute des autres. D'autre part, la coupure qui sépare l'expérience concentrationnaire de la morale courante confronte le survivant avec la nécessité de trouver le ton qui rende compréhensible l'«extrêmement étrange» et qui évacue auprès de son auditeur tout jugement *a priori*. Finalement s'y ajoute le problème très réel de la capacité de mémoire et des erreurs délibérées ou inconscientes. Ces différentes dimensions entremêlées de l'oubli ou de la transformation de la mémoire sont très difficiles à analyser. Primo Levi consacre un de ses derniers livres au titre significatif, *Les Naufragés et les Rescapés*, à ce problème et tire les conclusions de décennies de préoccupations (auto)biographiques et de recherches pour trouver le style de narration approprié [13].

Germaine Tillion consacre de longs passages à ce problème dans les écritures successives qu'elle a faites sur son expérience à Ravensbrück. Elle fait un inventaire détaillé des changements de ses souvenirs, qui vont de la restitution précise de certains événements et dates à des souvenirs plus vagues, devenant de plus en plus brouillés avec le temps. Cette perte de précision temporelle s'accompagne d'une interprétation de plus en plus nuancée, dépouillée de toute amplification. Tout en changeant de caractère — de la précision chronologique à la distance analytique —, son histoire reste profondément la même en ce qui concerne les événements marquants retenus qui en forment le fil conducteur. Mais aux yeux de certains, de telles transformations mettent en question la crédibilité du récit [14].

Dans le cas des victimes du nazisme, le silence a des raisons bien complexes [15]. Pour pouvoir faire part de ses souffrances,

---

13. *Cf.* P. Levi, *La Trève*, Paris, Grasset, 1963 ; *Si c'est un homme*, Paris, Julliard, 1987 ; *Les Naufragés et les Rescapés : quarante ans après Auschwitz*, Paris, Gallimard, 1989.

14. G. Tillion, *Ravensbrück*, Paris, Le Seuil, 1973 et la réédition de 1988 qui, de fait, est une réflexion sur la transformation de la mémoire. Voir également l'analyse que fait G. van den Berghe de la littérature biographique des rescapés : *Met de Dood vorr Ogen*, EPO, 1987, p. 231 *sq.*

15. Parmi tous les exemples de ce phénomène d'oublis successifs et de réécriture de l'histoire biographique, un des derniers, celui du président autrichien Kurt Waldheim, est particulièrement parlant. L'interprétation

il faut tout d'abord trouver une écoute. A leur retour, les déportés trouvaient effectivement cette écoute, mais très vite, l'investissement de toutes les énergies dans la reconstruction d'après-guerre a tari la volonté d'écouter le message culpabilisant des horreurs dans les camps. La déportation évoque nécessairement des sentiments ambivalents, voire de culpabilité, incompris dans les pays vainqueurs où, comme en France, l'indifférence et la collaboration avaient marqué la vie quotidienne au moins autant que la résistance. Ne voit-on pas, dès 1945, disparaître des commémorations officielles les anciens déportés en costume rayé, qui éveillent aussi la mauvaise conscience et qui s'intègrent mal à un défilé d'anciens combattants : « 1945 organise l'oubli de la déportation, les déportés arrivent quand les idéologies sont déjà en place, quand la bataille pour la mémoire est déjà commencée, la scène politique déjà encombrée : ils sont de trop [16]. » A ces raisons politiques du silence s'ajoutent celles, privées, qui consistent à vouloir épargner aux enfants de grandir dans le souvenir de leurs blessures. Quarante ans plus tard, des raisons politiques et familiales concourent à rompre ce silence : au moment où les témoins oculaires savent qu'ils vont bientôt disparaître, ils veulent inscrire leurs souvenirs contre l'oubli. Et leurs enfants, eux aussi, veulent savoir, d'où la prolifération actuelle de témoignages et de publications de jeunes intellectuels juifs qui font « de la recherche de leurs origines l'origine de leur recherche [17] ». Entre-temps, c'étaient les associations de déportés qui avaient, tant bien que mal, conservé et transmis cette mémoire.

Un dernier exemple montre à quel point un statut ambigu et prêtant à malentendu peut, lui aussi, vouer au silence avant de donner lieu au ressentiment à l'origine de revendications et de contestations inattendues. Il s'agit des incorporés de force

---

psychanalytique élaborée par A. et M. Mitscherlicht, *Le Deuil impossible*, Paris, Payot, 1972, reste une des meilleures approches de ce phénomène.

16. G. Namer, *La Commémoration en France, 1944-1982*, Paris, Papyros, 1983, p. 157 *sq* ; M. Pollak avec N. Heinich, « Le témoignage », *Actes de la recherche en sciences sociales*, n°s 62-63, 1986, p. 3 *sq*.

17. N. Lapierre, *Le Silence de la mémoire. A la recherche des juifs de Plock*, Paris, Plon, 1989, p. 28. Voir également le livre touchant de C. Vegh, *Je ne lui ai pas dit au revoir*, Paris, Gallimard, 1978.

alsaciens, étudiés par Freddy Raphaël [18]. Après l'échec d'une politique de recrutement volontaire mise en œuvre au début de la Seconde Guerre mondiale par l'armée allemande dans l'Alsace annexée, l'incorporation de force fut décidée par des ordonnances du 25 et 29 août 1942. D'octobre 1942 à novembre 1944, 130 000 Alsaciens et Lorrains furent incorporés dans différentes formations de l'armée allemande. Des actes de révolte, de résistance et de désobéissance se produisirent tout comme des désertions en nombre non négligeable. Malgré ces indices du caractère contraignant de cette participation à la guerre aux côtés des nazis, la question était posée, après la guerre, du degré de leur collaboration et compromission. Faits prisonniers de guerre sur le front de l'Est par l'armée rouge, beaucoup d'entre eux y sont morts ou sont rentrés au milieu des années 1950 seulement. Il s'agit, par définition, d'une expérience difficilement dicible dans le contexte du mythe d'une nation de résistants si prégnant pendant les premières décennies de l'après-guerre.

Depuis, Freddy Raphaël distingue trois grandes étapes : à la mémoire honteuse d'une génération perdue se substitua celle des associations de déserteurs, évadés et incorporés de force qui se battaient pour la reconnaissance d'un statut valorisant de victimes et de « Malgré nous » en soulignant leur attitude de refus et résistance passive. « Mais aujourd'hui, cette mémoire canalisée et aseptisée se rebiffe, elle s'affirme à partir d'un sentiment d'absurde et de dérélection. Elle s'estime méconnue et bafouée, et s'engage dans un combat contestataire et militant [19]. »

La mémoire souterraine des incorporés de force alsaciens prend le dessus et s'érige alors contre ceux qui avaient essayé de forger un mythe afin de leur retirer le stigmate de la honte. « L'organisation des souvenirs s'articule également sur la volonté de dénoncer ceux à qui l'on attribue la responsabilité première dans les avanies subies... Il semble, cependant, que la culpabilité allemande comme facteur de réorganisation des souvenirs intervienne relativement peu ; en tout cas, son incidence est significativement amoindrie en comparaison de la

---

18. G. Herberich-Marx, F. Raphaël, art. cité.
19. *Ibid.*, pp. 83 et 93.

dénonciation de la barbarie russe, ainsi que de la lâcheté et de l'indifférence française [20]. » Au moment du retour du refoulé, ce n'est pas l'acteur du « crime » (l'Allemagne) qui occupe la première place des accusés, mais ceux qui, en forgeant une mémoire officielle, vouent les victimes de l'histoire au silence et au reniement de soi.

Ce mécanisme est commun à beaucoup de populations frontières en Europe qui, plutôt que de pouvoir agir sur leur histoire, l'ont souvent subie bon gré mal gré : « Mon grand-père français a été fait prisonnier par les Prussiens en 1870, mon père allemand a été fait prisonnier par les Français en 1918 ; moi, Français, j'ai été fait prisonnier par les Allemands en juin 1940, puis enrôlé de force dans la Wehrmacht en 1943, j'ai été fait prisonnier par les Russes en 1945. Voyez-vous, monsieur, nous avons un sens de l'histoire très particulier. Nous sommes toujours du mauvais côté de l'histoire, systématiquement : les guerres, nous les avons toujours terminés dans l'uniforme du prisonnier, c'est notre seul uniforme permanent [21]. »

La fonction du « non-dit »

A première vue, les exemples exposés jusqu'ici n'ont rien en commun : l'irruption d'une mémoire souterraine favorisée, sinon suscitée par une politique de réformes qui met en crise l'appareil du parti et de l'État ; le silence des déportés, ces victimes par excellence, en dehors de leurs réseaux de sociabilité montre les difficultés d'intégrer leurs souvenirs dans la mémoire collective de la nation ; les incorporés de force alsaciens, quant à eux, renvoient à la révolte de la figure du « mal aimé » et de l'« incompris » qui vise à surmonter son sentiment d'exclusion et à rétablir ce qu'il considère être la vérité et la justice.

Mais ces exemples ont en commun de témoigner de la vivacité des souvenirs individuels et de groupes pendant des dizaines

---

20. *Ibid.*, p. 94.
21. *Mémoires d'un mineur lorrain*, recueillis par Jean Hurtel, cité dans G. Herberich-Marx ; F. Raphaël, art. cité.

d'années, voire des siècles [22]. S'opposant à la mémoire collective la plus légitime, la mémoire nationale, ces souvenirs sont transmis dans le cadre familial, dans des associations, dans des réseaux de sociabilité affective et/ou politique.

Par conséquent, il existe dans les souvenirs des uns et des autres des zones d'ombre, des silences, des « non-dits ». Les frontières de ces silences et « non-dits » avec l'oubli définitif et le refoulé inconscient ne sont, bien évidemment pas étanches et elles sont en perpétuel déplacement [23]. Cette topologie de discours, de silences, et également d'allusions et de métaphores est façonnée par des angoisses de ne pas trouver d'écoute, d'être sanctionné pour ce qu'on dit ou au moins de s'exposer à malentendus. Au niveau collectif, ces processus ne sont pas si différents des mécanismes psychiques mis en évidence par Claude Olievenstein : « Le langage se condamne à être impuissant parce qu'il organise la mise à distance de ce qui ne peut pas se mettre à distancer. C'est là qu'intervient en toute puissance le discours intérieur, le compromis du non-dit entre ce que le sujet s'avoue à lui-même et ce qu'il peut transmettre à l'extérieur [24]. »

Les souvenirs interdits (le cas des crimes staliniens, par exemple), indicibles (le cas des déportés) ou honteux (le cas des incorporés de force) sont transmis dans des structures de communications informelles ou associatives tout en restant inaperçus de la société environnante. Là encore, les souvenirs se modifient, en fonction de ce qui se dit au présent, en réaction à ce qui se dit autour de soi ; en fonction des conditions matérielles de transmission (support oral ou écrit, institutionnel ou clandestin) et, à plus long terme, des rapports entretenus entre générations.

Ces différentes mémoires se transmettent et se construisent souvent indépendamment les unes des autres, les unes contre les autres, mais il y a aussi des points de rencontre, des conjonctures favorables à la confrontation publique. Nicole Loraux a montré l'impératif de l'oubli à la sortie de conflits déchi-

---

22. Voir Ph. Joutard, *Ces voix qui nous viennent du passé*, Paris, Hachette, 1983.
23. C. Olievenstein, *Les Non-Dits de l'émotion*, Paris, Odile Jacob, 1988.
24. *Ibid.*, p. 57.

rants dans la cité. Pour apaiser les protagonistes, il faut d'abord faire taire les haines et les passions et se concentrer sur la préservation du bien commun. Les tabous les plus durables de la mémoire touchent souvent aux guerres civiles. Seule la distance dans le temps permet de sortir de ce silence consenti parfois d'un commun accord [25]. Et souvent la rupture du silence se fait avec beaucoup de prudence afin d'empêcher que la discussion de blessures anciennes ne ravive les haines du passé. Un exemple extrême de cette prudence est l'instauration, en Autriche, au début des années 1970, de commissions historiques paritaires composées de témoins et d'historiens, proches des camps conservateur et social-démocrate, chargées de faire l'éclairage sur la guerre civile de 1934, sa genèse et les différentes responsabilités.

La frontière entre dicible et indicible, avouable et inavouable, sépare, dans nos exemples, une mémoire collective souterraine de la société civile dominée ou de groupes spécifiques d'une mémoire collective organisée qui résume l'image qu'une société majoritaire ou bien l'État veut donner et imposer.

Distinguer entre des conjonctures favorables ou défavorables aux mémoires marginalisées, c'est d'emblée reconnaître à quel point le présent colore le passé. Suivant les circonstances, il y a émergence de certains souvenirs, l'accent est mis sur tel ou tel aspect. Surtout le souvenir de guerres ou de grands déchirements renvoie sans cesse au présent déformant le passé en le réinterprétant. De même y a-t-il permanente interaction entre vécu et appris, vécu et transmis. Et ces constats s'appliquent à toute forme de mémoire, individuelle et collective, familiale, nationale et de petits groupes [26]. Le problème qui se pose sur la longue durée aux mémoires clandestines et inaudibles est celui de leur transmission jusqu'au jour où elles peuvent saisir une occasion d'envahir l'espace public et de passer du « non-dit » à la contestation et revendication, le problème de toute mémoire officielle est celui de sa crédibilité, de son

25. N. Loraux, « Pour quel consensus ? », *in Politiques de l'oubli. Le genre humain*, n° 18, 1988, p. 12.
26. D. Veillon, « La Seconde Guerre mondiale à travers les sources orales », *Cahiers de l'IHTP*, n° 4, « Questions à l'histoire orale », 1987, p. 53 *sq.*

acceptation, et aussi de sa mise en forme. Pour qu'émerge dans les discours politiques un fonds commun de références qui peuvent constituer une mémoire nationale, un intense travail d'organisation et de mise en forme est indispensable pour surmonter le simple bricolage idéologique, par définition précaire et fragile.

Ce travail d'encadrement est soumis à des contraintes de justification et à des exigences de crédibilité. Si personne n'accomplit ce travail de mise en commun, il n'y a pas de passage de souvenirs individuels aux mémoires collectives. On peut facilement imaginer des groupes et des sociétés entières pour qui le souvenir n'a aucune importance, qui se définissent exclusivement par rapport au présent et/ou à l'avenir. D'où également l'absence de mémoires collectives. Mais l'instauration de droits codifiés et l'émergence de litiges impliquant le recours à l'argument de l'autorité constituent la nécessité de justifier les droits par référence au passé et de les ancrer dans la mémoire. Les mémoires collectives ne sont pas la simple sommation de souvenirs individuels, elles sont le résultat d'un travail spécifique qui vise justement à faire accéder les groupes à une conscience historique d'eux-mêmes qui transcende les consciences individuelles.

L'encadrement de la mémoire

La mémoire, cette opération collective des événements et des interprétations du passé qu'il s'agit de sauvegarder, s'intègre, on l'a vu, dans des tentatives plus ou moins conscientes de définir et de renforcer des sentiments d'appartenance et de frontières sociales entre collectivités de tailles différentes : partis, syndicats, Églises, villages, régions, clans, familles, nations, etc. La référence au passé sert à maintenir la cohésion des groupes et des institutions qui composent une société, à définir leur place respective, leur complémentarité mais aussi les oppositions irréductibles.

Maintenir la cohésion interne et défendre les frontières de ce qu'un groupe a en commun, dont le territoire (dans le cas d'États), voilà les deux fonctions essentielles de la mémoire commune : fournir un cadre de références et de repères. Il est donc tout à fait approprié de parler, comme le fait Henry Rousso, de mémoire encadrée, un terme plus spécifique que celui de mémoire collective [27]. Qui dit « encadré » dit « travail d'encadrement » [28].

Ce travail d'encadrement de la mémoire a ses acteurs professionnalisés, professionnels de l'histoire de telle ou telle organisation dont ils sont membres, clubs et cellules de réflexion. Dans son livre sur la résistance juive à Lyon, Annette Wieviorka montre à quel point les préposés s'approprient voire même détournent la mémoire d'un groupe minoritaire [29]. On peut alors suivre l'analyse que fait Howard S. Becker des « entrepreneurs de morale » et parler, par analogie, d'entrepreneurs de mémoire [30], qui se composent de deux catégories : ceux qui créent les références communes et ceux qui veillent à leur respect. Ces entrepreneurs de mémoire sont convaincus d'avoir une mission sacrée à accomplir et s'inspirent d'une éthique intransigeante en établissant une équivalence entre la mémoire qu'ils défendent et la vérité.

Ce rôle existe aussi, quoique de façon moins clairement définie, dans les associations de déportés ou d'anciens combattants. On peut s'en rendre compte quand on approche, dans le cadre d'une recherche d'histoire orale, les responsables de telles associations. Pendant mon enquête sur les rescapés du camp d'Auschwitz-Birkenau, une des responsables de l'association m'avait dit avant de me mettre en contact avec quelques-unes de ses camarades : « Vous devez comprendre que nous nous considérons un peu comme les gardiennes de la vérité. » Ce travail de contrôle de l'image de l'association implique une opposition forte entre le « subjectif » et l'« objectif »,

---

27. H. Rousso, « Vichy, le grand fossé », *Vingtième Siècle*, n° 5, 1985, p. 73.

28. Le travail politique est sans aucun doute l'expression la plus visible d'un tel travail d'encadrement de la mémoire : P. Bourdieu, « La représentation politique », *Actes de la recherche en sciences sociales*, n°s 36-37, 1981, p. 3 *sq.*

29. A. Wieviorka, *Ils étaient juifs, résistants, communistes*, Paris, Denoël, 1986.

30. H.S. Becker, *Outsiders*, Paris, Métailié, 1985, p. 171 *sq.*

entre la reconstruction de faits et les réactions et sentiments personnels. Le choix des témoins par les responsables de l'association est perçu comme d'autant plus important que l'inévitable diversité des témoignages risque toujours d'être saisie comme la preuve de l'inauthenticité de tous les faits relatés. Dans le souci de l'image que donne l'association d'elle-même et de l'histoire qui est sa raison d'être, la mémoire des déportés, il s'agit donc de choisir des témoins sobres et fiables aux yeux des dirigeants, et d'éviter que des « mythomanes que nous avons aussi » prennent publiquement la parole[31].

Si le contrôle de la mémoire s'étend ici au choix de témoins autorisés, il est effectué dans les organisations plus formelles par l'accès des chercheurs aux archives et par l'embauche d'« historiens maison ».

En plus d'une production de discours organisés autour d'événements datés et de grands personnages, les traces de ce travail d'encadrement sont des objets matériels : des monuments, des musées, des bibliothèques, etc.[32]. La mémoire est ainsi gardée et solidifiée dans les pierres : les pyramides, les vestiges archéologiques, les cathédrales du Moyen Age, les grands théâtres, les opéras de l'époque bourgeoise du XIXe siècle et actuellement les buildings des grandes banques. Quand nous voyons ces repères d'époques lointaines, nous les intégrons souvent dans nos propres sentiments de filiation et d'origine, de sorte que certains éléments sont progressivement intégrés dans un fonds culturel commun qui dépasse les frontières. En ce sens, ne pouvons-nous pas tous dire que nous descendons des Grecs et des Romains, des Égyptiens, bref de toutes ces cultures qui, ayant disparu, sont en quelque sorte à la disposition de nous tous ? Ce qui par ailleurs n'empêche pas ceux qui vivent sur les lieux de ces héritages d'en tirer une fierté toute particulière. Mais tout comme la formation d'une mémoire collec-

---

31. M. Pollak avec N. Heinich, « Le témoignage », *Actes de la recherche en sciences sociales*, n°s 62-63, 1986, p. 13 ; M. Pollak, *L'Expérience concentrationnaire*, Paris, Métailié, 1990.

32. G. Namer, *Mémoire et Société*, Paris, Méridiens/Klincksiek, 1987, analyse cette fonction appliquée aux bibliothèques et F. Raphaël et G. Herberich-Marx analysent les musées dans cette même perspective : « Le musée, provocation de la mémoire », *Ethnologie française*, 17, 1, 1987, p. 87 *sq.*

tive, la constitution d'un tel fonds culturel commun est un processus sélectif. Et si un long travail a placé les Égyptiens ou les Grecs parmi les ancêtres de tout l'Occident, on ne peut pas en dire autant de l'Islam, de la Chine ou du Japon.

Dans les souvenirs plus proches, ceux dont on garde des souvenirs personnels, les repères souvent mis en avant dans les discussions sont, comme l'a montré Dominique Veillon, d'ordre sensoriel : le bruit, les odeurs, les couleurs.

S'agissant du débarquement et de la libération de la France, les habitants de Caen ou de Saint-Lô, au centre des batailles, n'accordent pas la place centrale dans leurs souvenirs à la date de l'événement rappelée dans maintes publications et commémorations, le 6 juin 1944, mais aux grondements et vrombissements d'avions, explosions, bris de verre, hurlements de terreur, pleurs des enfants. Il en va de même des odeurs : celles des explosifs, du soufre, du phosphore, de la poussière ou du brûlé très précisément enregistrées [33]. Bien qu'il soit techniquement difficile ou impossible de capter tous ces souvenirs dans des objets de mémoire confectionnés aujourd'hui, le film est le meilleur support pour y réussir : d'où son rôle croissant dans la formation et la réorganisation et donc l'encadrement de la mémoire. Il s'adresse non seulement aux capacités cognitives, mais capte les émotions. Il suffit de penser à l'impact du film *Holocauste*, qui malgré toutes ses faiblesses, a permis de capter l'attention et les émotions, de susciter des questions et ainsi de forcer une meilleure prise en compte de cet événement tragique dans des programmes d'enseignement et de recherche et, indirectement, dans la mémoire collective. L'œuvre monumentale de Lanzmann, *Shoa*, de tous les points de vue incomparable avec le film grand public *Holocauste*, veut empêcher l'oubli par le témoignage de l'insoutenable.

Le film témoignage et documentaire est devenu un instrument puissant des réaménagements successifs de la mémoire collective et, par télévision interposée, de la mémoire nationale. Ainsi, les films *Le Chagrin et la Pitié*, et plus tard *Français si vous saviez* ont joué un rôle clé dans le changement de l'appréciation de la période de Vichy par l'opinion publique française, d'où les controverses que ces films avaient suscitées

---

33. D. Veillon, art. cité.

et leur interdiction à la télévision pendant de longues années [34].

On voit que les mémoires collectives imposées et défendues par un travail spécialisé d'encadrement, sans en être le seul ciment, sont certainement un ingrédient important de la pérennité des groupes du tissu social et des structures institutionnelles d'une société. Dans des groupes minoritaires, la défense de la cohésion et le refus de l'intégration ressentie comme la perte de la spécificité, se fait souvent par le culte des traditions, des généalogies, de livres du souvenir et d'objets rituellement transmis d'une génération à l'autre. Pour ceux qui vivent en marge ou en situation de rupture avec leur communauté d'origine, ces traditions sont souvent ressenties comme plus contraignantes que la culture dominante dans laquelle ils investissent leurs espoirs d'émancipation.

Le dénominateur commun de toutes les mémoires et les tensions entre elles interviennent dans la définition du consensus et des conflits à un moment conjoncturel donné. Mais aucun groupe social, aucune institution, aussi stables et solides qu'ils puissent paraître, ne sont assurés de leur pérennité. Leur mémoire, toutefois, peut survivre à sa disparition, prenant souvent la forme d'un mythe qui, faute de pouvoir s'ancrer dans la réalité politique du moment, puise souvent dans les références culturelles, littéraires ou religieuses. Le passé lointain peut alors devenir promesse du futur et parfois défi lancé à l'ordre établi.

Contraintes de justification

Tout travail d'encadrement d'une mémoire de groupe a des limites, elle ne peut pas être construite arbitrairement. Il doit satisfaire à certaines contraintes de justification [35]. Refuser de prendre au sérieux l'impératif de justification sur lequel repose

---

34. On en trouve l'analyse dans H. Rousso, *op. cit.*
35. L. Boltanski, *Les Économies de la grandeur*, Paris, PUF, 1987, p. 14 *sq.*

la possibilité de coordination des conduites humaines revient à admettre le règne de l'injustice et de la violence.

Aucun travail de mémoire ne s'accomplit en parfaite autonomie et indépendance. S'il est peu probable qu'on puisse construire une « mémoire » *ex nihilo*, son imposition est à la limite de l'impossible. On peut prendre pour exemple les « révisionnistes » qui, contre les évidences factuelles, nient le génocide et les chambres à gaz. Tout en admettant, en suivant l'analyse de Pierre Vidal-Naquet, que ce discours, comme tout discours de secte, « a une vocation totalitaire dans la mesure où il se veut discours vrai face au mensonge régnant [36] », on imagine mal comment un tel discours peut convaincre et enrôler un nombre important d'adeptes et s'instaurer, par la suite, comme une mémoire communément admise. S'y opposent, en premier lieu, les matériaux accumulés par des générations d'historiens qui prouvent le contraire. A cette résistance des sources s'ajoutent l'opposition et la résistance qu'un tel discours devrait surmonter pour augmenter sa crédibilité, résistance formée en l'occurrence par les mémoires communautaires des victimes et toute la profession des historiens.

Le travail d'encadrement de la mémoire puise dans le matériel fourni par l'histoire. Celui-ci peut, certes, être interprété et assorti d'une multitude de références associées, guidé par le souci non seulement de maintenir les frontières sociales, mais aussi de les modifier. Mais la contrainte de justification limite la falsification pure et simple du passé dans sa reconstruction politique, le travail permanent de réinterprétation du passé est contenu par une exigence de crédibilité tributaire de la cohérence des discours successifs. Toute organisation politique par exemple — syndicat, parti, etc. —, véhicule son propre passé et l'image qu'elle s'est elle-même forgée. On ne peut changer de cap et d'image brutalement qu'au risque de tensions difficiles à maîtriser, de scissions et même de sa disparition, si les adhérents ne peuvent plus se reconnaître dans la nouvelle image, dans les nouvelles interprétations de leur passé individuel autant que dans celui de leur organisation. Ce qui se joue

---

36. P. Vidal-Naquet, « L'épreuve de l'historien : réflexions d'un généraliste », *in* F. Bédarida, dir., *La Politique nazie d'extermination*, Paris, Albin Michel, 1989, p. 45.

dans la mémoire c'est aussi le sens de l'identité individuelle et du groupe. On en a des exemples lors de congrès de partis qui donnent lieu à des réorientations déchirantes, mais aussi lors d'un retour réflexif sur le passé national [37], comme le passage en France d'une mémoire idéalisante qui accentue le rôle de la Résistance à une vision plus réaliste reconnaissant l'importance de la collaboration [38].

A la lumière de tout ce qui a été dit plus haut sur les mémoires souterraines, on peut se poser la question de la possibilité et de la durée d'une mémoire imposée sans se soucier de cet impératif de justification. Bien qu'ils croient presque toujours que « le temps travaille pour eux », que « l'oubli et le pardon s'installent avec le temps », ceux qui s'appuient sur la falsification de l'histoire sont souvent amenés à reconnaître, trop tard et avec regret, que l'intervalle peut contribuer à renforcer l'amertume, le ressentiment et la haine qui s'expriment alors dans les cris de la contre-violence.

On observe l'existence, dans une société, de mémoires collectives concurrentes tout aussi nombreuses que les unités qui composent la société. Quand elles s'intègrent bien dans la mémoire nationale dominante, elles s'accommodent de leur coexistence, à l'inverse des mémoires souterraines discutées plus haut. En dehors des moments de crise, celles-ci sont difficiles à repérer et exigent de recourir à l'instrument de l'histoire orale. Des individus et certains groupes peuvent s'entêter à vénérer justement ce que les encadreurs d'une mémoire collective à un niveau plus global s'efforcent de minimiser ou d'éliminer. Si l'analyse du travail d'encadrement, de ses agents et de ses traces matérielles, est une clé pour étudier par en haut comment des mémoires collectives sont construites, déconstruites et reconstruites, la démarche inverse, celle qui, avec les moyens de l'histoire orale, part des mémoires individuelles fait apparaître les limites de ce travail d'encadrement en même temps qu'un travail psychologique de l'individu qui tend à maîtriser les blessures, les tensions et les contradictions entre l'image officielle du passé et ses souvenirs personnels.

---

37. D. Veillon, art. cité.
38. H. Rousso, *Le Syndrome de Vichy*, Paris, Le Seuil, 1987.

Le mal du passé

De telles difficultés et contradictions sont particulièrement marquées dans des pays qui ont connu des guerres civiles dans un passé proche, tels l'Espagne, l'Autriche ou la Grèce. Les discussions en Allemagne sur la fin de la Seconde Guerre mondiale en sont un autre exemple.

S'agissait-il d'une libération ou d'une guerre perdue, ou des deux à la fois? Comment mettre en scène une commémoration d'un événement qui provoque autant de sentiments ambivalents traversant non seulement toutes les organisations politiques, mais souvent un même individu?

A l'opposé, une volonté d'oublier les traumatismes du passé répond souvent à la commémoration d'événements déchirants. Une analyse de contenu de quelque quarante récits autobiographiques de survivantes du camp de concentration d'Auschwitz-Birkenau publiés en français, anglais et allemand et complétés par des entretiens fait apparaître dans beaucoup de cas le désir, simultané au retour des camps, de témoigner et d'oublier pour pouvoir reprendre une vie « normale »[39]. Souvent aussi le silence des victimes internées officiellement pour des motifs autres que « politiques » reflète une nécessité de bien se situer par rapport aux représentations dominantes qui valorisent les victimes de la persécution politique plus que les autres. Ainsi, le fait d'avoir été condamnée pour « honte raciale », délit qui, selon la législation de 1935, interdisait les rapports sexuels entre « Aryens » et « Juifs », a constitué un des plus grands obstacles que ressentait une des femmes interviewées à parler sur elle-même[40]. Une enquête d'histoire orale menée en Allemagne auprès de rescapés homosexuels des camps témoigne tragiquement du silence collectif de ceux qui, après la guerre, craignaient souvent que la révélation des raisons de leur internement puisse provoquer dénonciation, licenciement

---

39. M. Pollak avec N. Heinich, art. cité.
40. G. Botz, M. Pollak, « Survivre dans un camp de concentration », *Actes de la recherche en sciences sociales*, n° 41, 1982, p. 3 *sq.*

ou révocation d'un bail de logement [41]. On comprend pourquoi certaines victimes de la machine de répression de l'État SS, les criminels, les prostituées, les « asociaux », les vagabonds, les gitans, les homosexuels ont été consciencieusement évités dans la plupart des « mémoires encadrées » et n'ont guère eu de parole dans l'historiographie. La répression dont ils sont l'objet étant acceptée, l'histoire officielle s'est longtemps gardée de soumettre l'intensification meurtrière de leur répression sous le nazisme à une analyse spécifique.

Tout comme une « mémoire encadrée », un récit de vie recueilli par voie d'entretien, ce condensé d'une histoire sociale individuelle, est lui aussi susceptible de multiples modes de présentation en fonction du contexte dans lequel il est fait. Mais tout comme dans le cas d'une mémoire collective, ces variations d'un récit de vie sont limitées. Au niveau individuel tout autant qu'à celui du groupe, tout se passe comme si cohérence et continuité étaient communément admises comme les signes distinctifs d'une mémoire crédible et d'un sens de l'identité assurés [42].

Dans tous les entretiens — récits de vie d'une longue durée — dans lesquels la même personne revient à plusieurs reprises sur un nombre restreint d'événements (soit à sa propre initiative, soit provoquée par l'enquêteur), ce phénomène peut être constaté jusque dans l'intonation. Malgré d'importantes variations, on retrouve un noyau dur, un fil conducteur, une sorte de leitmotiv dans chaque récit de vie. Ces caractéristiques de tous les récits de vie suggèrent que ceux-ci doivent être considérés comme des instruments de reconstruction de l'identité et pas seulement comme des récits factuels. Par définition reconstruction *a posteriori*, le récit de vie ordonne les événements qui ont jalonné une existence. De plus, en racontant notre vie, nous essayons généralement d'établir une certaine cohérence au moyen de liens logiques entre des événements clés (qui apparaissent alors sous forme de plus en plus solidifiée ou stéréotypée), et d'une continuité par la mise en ordre chro-

---

41. R. Lautmann, *Der Zwang zur Tugend*, Francfort, Suhrkamp, 1984, p. 156 *sq.*
42. M. Pollak, « Encadrement et silence : le travail et la mémoire », *Pénélope*, n° 12, 1985, p. 37.

nologique. Par un tel travail de reconstruction de soi-même, l'individu tend à définir sa place sociale et ses relations avec les autres.

On imagine la difficulté que pose à ceux et à celles dont la vie a été marquée par de multiples ruptures et traumatismes un tel travail de construction d'une cohérence et d'une continuité de leur propre histoire et de son insertion dans une mémoire collective générale. Tout comme les mémoires collectives et l'ordre social qu'elles contribuent à constituer, la mémoire individuelle résulte de la gestion d'un équilibre précaire, d'une multitude de contradictions et de tensions. On en a trouvé les traces dans notre recherche portant sur des femmes rescapées du camp de concentration d'Auschwitz-Birkenau, et surtout parmi celles auxquelles aucun engagement politique n'a pu conférer un sens plus général de la souffrance individuelle. Ainsi les difficultés et blocages qui ont pu apparaître tout au long des entretiens ne sont que rarement le fait de trous de mémoire ou d'oublis, mais d'une réflexion sur l'utilité même de parler et de transmettre son passé. En l'absence de toute possibilité de se faire comprendre, le silence sur soi — différent de l'oubli — peut même être une condition nécessaire (présumée ou réelle) pour le maintien de la communication avec l'environnement, comme dans le cas de nombreux survivants qui ont choisi de rester en Allemagne.

Un entretien mené avec une déportée vivant à Berlin a montré qu'un passé qui reste muet est souvent moins le produit de l'oubli que d'un travail de gestion de la mémoire selon les possibilités de communication. Pendant tout l'entretien, la signification des mots « Allemande » et « Juive » avait changé en fonction des situations qui apparaissaient dans le récit. En utilisant ces termes, cette femme tantôt s'intègre tantôt s'exclut du groupe et des caractéristiques ainsi désignées. De même, le déroulement de cet entretien a fait apparaître qu'elle avait organisé toute sa vie sociale à Berlin autour d'une possibilité non pas de pouvoir parler de son expérience concentrationnaire, mais d'une manière apte à lui procurer un sentiment de sécurité, à savoir d'être comprise sans avoir à en parler. Cet exemple suggère que même au niveau individuel le travail de la mémoire est indissociable de l'organisation sociale de la vie. De la part de certaines victimes d'une forme limite du classement social, celui qui avait voulu les réduire au statut de « sous-hommes », le silence, au-delà de l'accommodement avec l'entourage social, pourrait également constituer le refus de laisser intégrer l'expérience concentrationnaire, une situation limite de l'expérience humaine, dans une forme quelconque de « mémoire encadrée » qui par définition n'échappe guère au travail de définition de frontières sociales. Tout se passe comme si cette souffrance extrême exigeait un ancrage dans une mémoire très générale, celle de l'humanité, celle aussi qui ne dispose ni de porte-parole, ni d'un personnel d'encadrement approprié.

2

INNOVATION CULTURELLE ET IDENTITÉ SOCIALE DANS LA VIENNE «FIN DE SIÈCLE»

Présentation

Poursuivie de 1978 à 1988, la réflexion sur Vienne au tournant du siècle est révélatrice des principales caractéristiques qui, par-delà la variété de ses thèmes de recherche, font la cohérence du parcours de Michael Pollak. C'est elle qui fera l'objet de son premier ouvrage publié en français, dont le titre porte cette expression si frappante d'« identité blessée » — expression qui vaudrait aussi bien pour ses travaux sur la déportation ou sur les homosexuels et le sida.

Cette identité blessée, éclatée en éléments à la fois inconciliables et indissociables, et à laquelle on ne peut pas plus échapper qu'on n'échappe à sa propre culture, c'est la situation à la fois individuelle et collective des Viennois lorsque Vienne était encore la capitale d'un empire éclaté en plusieurs nationalités, plusieurs langues, plusieurs religions, plusieurs traditions, en même temps que le lieu de réunion de penseurs et de créateurs eux-mêmes traversés par ces multiples contradictions, à quoi s'ajoutaient les différences de générations. C'est ainsi que derrière la fascinante unité spatio-temporelle qu'offre une ville exceptionnellement active, à un moment exceptionnellement fécond de son histoire intellectuelle, se découvre la douloureuse hétérogénéité des instruments de référence identitaire, la multiplicité parfois contradictoire des points d'appui, des projets, des idéaux et, plus généralement, des moyens par lesquels les individus se connectent à des collectifs.

C'est là en même temps, pour le chercheur attentif à une telle problématique, un extraordinaire terrain de recherche, une mine de matériel empirique pour étudier les conditions auxquelles se fait et se défait le sentiment d'identité, cette cohérence de soi si indispensable au maintien dans le monde, et pourtant si inégalement, si difficilement accessible parfois selon

43

*les circonstances. S'intéresser ainsi au «sentiment d'identité»,
c'était arracher la question de l'identité non seulement à la
conception spontanément substantialiste du sens commun, postulant l'appartenance identitaire comme une réalité de fait ;
mais aussi à la tradition psychologique ou anthropologique,
travaillant sur le contenu de la «personnalité» (individuelle)
ou de la «culture» (collective) en considérant ces propriétés
comme un donné, indépendamment de la façon dont elles sont
perçues et élaborées par les sujets. Se demander par contre à
quelles conditions ceux-ci les vivent, les subissent ou les
construisent, dans une structure capable d'intégrer ces différents contenus de façon qu'ils puissent s'y retrouver, c'est prendre pour objet cet accès à la cohérence de soi qu'est le
«sentiment d'identité».*

*Dans ces conditions, l'expression du malaise identitaire ne
peut plus être considérée comme un simple moyen d'accès à
l'objet : le matériel empirique utilisé dans cette recherche — à
savoir les œuvres des principaux penseurs et créateurs de l'époque — en devient l'objet même, dans la mesure où c'est la crise
identitaire qui rend nécessaires les élaborations intellectuelles
ou artistiques. Encore faut-il pour cela en respecter la logique, en l'occurrence la pluridisciplinarité, constitutive de cette
culture-là : ce qui amena Michael Pollak à se faire non seulement sociologue et historien — ce qu'il fut indissociablement
dans tous ses travaux — mais aussi politologue et épistémolo-
gue, historien de l'art et de la littérature.*

*Cette capacité à ne pas dissocier le contenu des témoigna-
ges des conditions de leur énonciation, à considérer la prise
de parole non comme un médium transparent mais comme un
objet opaque, interrogeable pour lui-même, élément à part
entière de l'expérience relatée, c'est sans doute avec le travail
sur Vienne qu'elle a trouvé sa première et plus visible réalisation. Car pas davantage que les témoignages des déportés ne
sont la simple expression transparente de leur expérience, pas
davantage que les données recueillies auprès des homosexuels
ne sont le simple miroir d'une communauté, pas davantage
que les conditions sociales de la recherche ne sont le simple
arrière-plan des sciences sociales — pas davantage les œuvres
produites à Vienne autour de 1900 ne sont une simple traduction de la blessure identitaire : elles en sont la matière même,*

en tant qu'elles contribuent à la gérer, à la supporter, à l'assumer, en même temps qu'à l'exprimer et, pourquoi pas, à la sublimer. C'est là le geste de chercheur, la signature constante des travaux de Michael Pollak : cette sorte de tour de passe-passe ou, plus simplement, de tour de main, qui consiste à amener sur le devant de la scène ce qui était tenu à l'arrière-plan, à faire du matériel étudié non le moyen d'accès à l'objet mais l'objet lui-même — qu'il s'agisse du témoignage, de l'élaboration statistique, de l'entretien sociologique ou des conditions institutionnelles de la recherche.

A cela s'ajoute cette autre constante de ses travaux qu'est la dualité entre implication et détachement : implication du chercheur lorsque celui-ci est un héritier de la culture viennoise, un héritier de l'Autriche compromise avec le nazisme, un homosexuel, un militant anti-nucléaire ou un utilisateur des crédits et institutions de recherche ; et détachement, en même temps, de celui qui, fidèle à l'impératif weberien de « neutralité axiologique », s'efforce constamment de transmuer la sensibilité, l'émotion, la responsabilité morale, en instruments non d'opinion ou d'action (ce qu'ils peuvent être aussi, en d'autres circonstances) — mais de compréhension.

Innovation culturelle et identité sociale dans la Vienne « fin de siècle »

Comment expliquer l'extraordinaire jaillissement créatif qui a marqué, dans tous les domaines, la vie culturelle à Vienne à la fin du siècle dernier ? Et comment se fait-il que des Juifs aient joué un rôle aussi déterminant dans cette renaissance culturelle ? Voici deux questions auxquelles je vais tenter d'apporter une réponse. Dans une précédente analyse, Steven Beller a montré jusqu'à quel point un certain nombre de Juifs ont été amenés à jouer un rôle stratégique au sein de la *Bildungsbürgertum*, l'élite cultivée viennoise. Dépassant la dimension sociologique, dont l'importance n'est plus à démontrer, je voudrais étudier la relation entre des événements historiques — vus sous l'angle du déclin des régimes politiques —, et l'impact sociopsychologique qu'a eu ce processus sur certains groupes sociaux en leur redonnant espoir en l'avenir, sens de leur identité sociale et sentiment de sécurité, ainsi que les conséquences de tout ceci sur les orientations intellectuelles et artistiques de ces mêmes groupes.

Passons rapidement en revue les changements sociaux qui sont à l'origine de la métamorphose de Vienne — une capitale impériale où il faisait bon vivre, tranquille, bien disciplinée, réputée pour son excellente musique et son charme —, en un foyer décapant, novateur, incarnant symboliquement depuis lors cette culture d'Europe centrale qu'évoquent les noms de Kraus, Schœnberg, Kokoschka, Freud et Wittgenstein.

C'est à Vienne, en effet, que convergèrent les effets dynamisants du libéralisme, dont le jeune empereur François-Joseph était l'un des ardents défenseurs et qui, en dépit d'un développement quelque peu chaotique, réussit à libérer des forces créatrices nouvelles qui l'emportèrent sur le style plus sage

— quoique toujours de mise — connu sous le nom de « Biedermeyer ». A ce mouvement de flux et de reflux de l'histoire et des modes, est venu s'ajouter un relâchement progressif des restrictions à la liberté de circulation tant sur le plan géographique que social. Il n'est donc pas surprenant de constater que les Juifs, jusque-là les plus reclus et les plus exclus de tous les sujets de l'Empire des Habsbourg, ont été parmi ceux qui, avec le plus d'enthousiasme, ont cherché et réussi à tirer le meilleur parti des possibilités que laissait présager l'ère libérale.

Cette grande migration historique au sein de l'Empire des Habsbourg ne fut évidemment pas une simple affaire de choix individuel, mais traduisait une détermination collective de la part de dizaines de milliers de Juifs vivant dans l'arrière-pays, qui espéraient en une vie meilleure dans la grande et belle capitale. Arrivant de diverses régions de l'Empire, les Juifs, à l'instar de toute minorité ethnique migrante, eurent tendance à s'installer dans un même quartier de la ville et à chercher du travail dans les secteurs d'activité les plus ouverts et promis à un développement rapide. Bien que leur migration à l'intérieur du pays ait coïncidé avec celle d'autres communautés (en particulier celle des Tchèques), ce n'est pas en vertu de leurs communes origines régionales que se nouèrent les liens entre les nouveaux migrants — malgré la ségrégation sociale et culturelle dont tous avaient été victimes jusqu'alors dans les provinces —, mais ils se regroupèrent à Vienne selon leurs spécificités ethniques respectives. Sans que ce soit la règle générale, cette différenciation se manifeste également dans la fréquentation des établissements d'enseignement secondaire, certains plus que d'autres attirant les élèves juifs. Si le taux des conversions et des mariages mixtes est assez élevé comparativement aux autres grandes villes européennes, il reste bas et ne laisse en aucune manière présager une désintégration générale de la communauté [1].

L'assimilation qu'a entraînée cette mobilité sociale a été décrite comme « une rationalisation et une laïcisation de la vie

---

1. Concernant les chiffres statistiques, voir I. Oxaal, M. Pollak, G. Botz, Eds., *Jews, Antisemitism and Culture in Vienna*, Londres/New York, Routledge and Kegan Paul, 1987, chapitres 1 et 2. Voir également M.L. Rozenblit, *The Jews of Vienna, 1867-1914 : Assimilation and Identity*, Albany, State University of New York Press, 1983, p. 47 *sqq.*

juive qui tendait à remplacer un judaïsme religieux par un judaïsme laïc [2] ». La tendance « assimilationniste » était d'autant plus manifeste que l'on s'élevait dans l'échelle sociale, tandis que la majorité des récents arrivants de Galicie restait attachée aux rites religieux orthodoxes. Dans un pays ne connaissant pas la séparation de l'Église et de l'État et dans lequel certaines religions jouissaient d'un statut officiel, l'appartenance à telle ou telle d'entre elles était un critère important de l'identité sociale de chacun. En Autriche, l'influence décroissante d'un catholicisme omniprésent dans la vie publique et la sécularisation des religions minoritaires favorisèrent pour un bref laps de temps l'unité de la bourgeoisie libérale, unité dont le commun dénominateur résidait dans la conviction que la culture germanique était supérieure aux cultures des autres nationalités.

Ma thèse est que la désintégration imminente de l'Empire et la montée des tendances centrifuges ont vidé ce commun dénominateur de sa crédibilité et que la mise en doute de l'existence même d'un État multinational a entraîné en retour, dans chacun des différents groupes sociaux, une réévaluation des systèmes de référence ayant forgé leur identité culturelle, les forçant à reconsidérer leurs traditions et leurs origines, ainsi que les relations qu'ils avaient établies avec tous les autres groupes. A la fin du siècle dernier les Juifs, tout comme les non-Juifs, se posent le problème de leur identité. Un sentiment convergent de crise gagne tant les consciences individuelles et collectives que le monde extérieur, prenant sa forme la plus aiguë là où les conflits entre groupes et les tensions sont les plus forts, c'est-à-dire en haut de l'échelle sociale.

Essayons dès lors de reconstituer cette relation entre la crise politique et ses conséquences culturelles et sociales. Dès sa fondation en 1804, les grandes dates qui marquent l'histoire de l'Empire autrichien se lisent comme les signes précurseurs de sa décomposition. Même victorieuse, l'issue des guerres napoléoniennes n'en laissa pas moins transparaître la fragilité de ce pays multinational et la montée des revendications nationales. Parallèlement, la disparition en 1806 du Saint

---

2. G. Herlitz, B. Kirchner, Eds., *Jüdisches Lexicon*, vol. 1, Berlin, Jüdischer Verlag, 1927, pp. 519-520.

Empire romain germanique plaça l'Autriche en compétition avec la Prusse pour la domination de l'Allemagne. La proclamation d'une constitution hongroise fit aussi de la révolution bourgeoise de 1848 une révolution nationale, mettant en danger l'unité de l'Empire. La défaite infligée par les Prussiens à Sadowa en 1866 et la fondation du régime dualiste consacrèrent la division de l'Empire entre l'Autriche et la Hongrie en même temps que sa perte d'influence en Allemagne. De surcroît, et malgré une croissance économique considérable durant la seconde moitié du XIXe siècle, les pressions externes et les forces centrifuges internes vont croissant jusqu'à la veille de la Première Guerre mondiale dont l'une des conséquences fut la dissolution définitive de l'Empire multinational.

Dans ce contexte, la situation de la bourgeoisie juive alors en plein essor est très différente selon que l'on est en Hongrie ou en Autriche. En Hongrie, la coexistence au sein du régime nationaliste libéral (1867-1918) des élites non-juives et de la bougeoisie juive montante, aux idéaux assimilationnistes [3], fut facilitée par un projet d'État national uni que la disparition de la monarchie bicéphale n'affecta guère. Par contre, en Autriche, le loyalisme envers la dynastie se trouva remis en question dès 1870, face au pressentiment de la décomposition de l'Empire, ce qui favorisa l'émergence d'un nationalisme pangermanique, la composante germanique se muant ainsi « [d']une force de consolidation capable de favoriser le développement culturel de notre pays [...] en une force de décomposition intérieure [4] ».

Selon le modèle de la Révolution de 1848, on trouve encore côte à côte, au début des années 1870, des Juifs et des non-Juifs dans les mêmes organisations étudiantes nationales-libérales ou « fraternités » (*Burschenschaften*), qui opposent

---

3. Voir les études sur l'antisémitisme en Hongrie : V. Karady, « Les Juifs hongrois face aux lois antisémites », *Actes de la recherche en sciences sociales*, n° 56, 1985, p. 3 *sqq* ; V. Karady et I. Kemeny, « Antisémitisme universitaire et concurrence de classe : la loi du *numerus clausus* en Hongrie entre les deux guerres », *Actes de la recherche en sciences sociales*, n° 34, 1980, pp. 67-97.

4. Lettre d'Anastasius Grün au comte Leo von Thun-Hohenstein, Dornau, 6 août 1866, cité dans le catalogue de l'Exposition *Jugend im Wien, Literatur um 1900*, Marbach, Kösel, 1974, p. 17.

le pangermanisme au loyalisme envers la nation et la dynastie. Dans ces associations d'étudiants, adversaires des ligues catholiques et loyalistes, militent Victor Adler, Sigmund Freud, Gustav Malher, et plus tard, Theodor Herzl aux côtés d'Englebert Pernersdorfer et de Hermann Bahr, tous unis dans une même admiration pour la prétendue supériorité de la culture allemande [5]. Au commencement des années 1870, on peut voir les futurs fondateurs et leaders de la social-démocratie, du sionisme, du nationalisme pangermanique, coudoyer les innovateurs culturels de la fin du siècle. Cet enthousiasme pro-allemand des années 1870 est surprenant à deux titres : sa résolution passionnée et son existence éphémère.

Au milieu des années 1880, à l'époque où le mouvement libéral se démantèle, il devient évident dans le monde intellectuel et universitaire que le nationalisme pangermanique est également l'un des principaux soutiens de l'antisémitisme. Le festival de 1883, organisé par les étudiants allemands de Vienne pour commémorer la mort de Richard Wagner, se transforme en une démonstration politique dont les relents proprussiens et antisémites constituent un défi éclatant à l'existence même d'un État multinational [6]. Propagé à l'origine par le seul mouvement pangermanique de Georg von Schönerer — qui remporta il est vrai quelques succès électoraux sans jamais devenir un mouvement de masse —, l'antisémitisme fut rapidement adopté par le catholicisme politique, alors en pleine crise de mutation, qui l'utilisa à ses propres fins. Le mouvement chrétien-social était issu de l'alliance entre les réformateurs fédéralistes du néo-absolutisme qui perdit le pouvoir en 1853, et les réformateurs sociaux-catholiques regroupés autour de Freiherr von Vogelsang. Dès la fin de 1890, ce mouvement se transforme en un parti populaire qui peut tabler sur un réseau dense et décentralisé de communication et d'associations professionnelles et, à Vienne, sur le charisme très influent de son

5. C.E. Schorske, « Conflits de génération et changement culturel. Réflexions sur le cas de Vienne », *Actes de la recherche en sciences sociales*, nos 26-27, 1979, pp. 109-116.
6. Voir les commentaires de presse, du 7 au 9 mars 1883, dans les plus importants quotidiens libéraux : *Presse, Neue Freie Presse* et *Fremdenblatt*.

chef Karl Lueger [7]. Avec la transformation du mouvement chrétien-social, l'antisémitisme gagna une large fraction de la société que le parti pangermanique, composé d'une clientèle bourgeoise, n'aurait jamais été en mesure d'atteindre. Mieux préparé pour présenter des programmes conformes aux traditions typiquement autrichiennes et donc catholiques, le mouvement chrétien-social va faire accréditer son antisémitisme en le présentant dans le contexte d'un passé historique « glorieux » où l'Autriche joue le rôle de principal défenseur de la foi chrétienne contre tous ses ennemis. En exploitant dans leur propagande les manifestations de l'ascension sociale de la bourgeoisie juive et en tirant argument des origines juives de certains leaders sociaux-démocrates — dont le mouvement est alors en plein essor —, les chrétiens-sociaux pouvaient se fonder sur une base sociale très hétérogène. Avant même 1900, un antisémitisme politique se met en place en Autriche, constituant le plus bas commun dénominateur d'intérêt général au sein de larges secteurs de la société. Cet antisémistisme chrétien-social unissait dans une même lutte défensive contre le « grand capital juif » une aristocratie affaiblie et une fraction très importante de la petite bourgeoisie. Faisant d'une pierre deux coups, on l'utilisait aussi contre les marxistes sociaux-démocrates, prétendument menés par des « leaders juifs ».

Dès 1897, le poids électoral des chrétiens-sociaux contraignit l'empereur à retirer son veto qui avait empêché Karl Lueger d'accéder jusqu'ici à la fonction de maire de Vienne. Dès lors, l'appartenance religieuse et les racines culturelles devinrent des questions inéluctables. Si ces attributs ont toujours été, partout et de tout temps, une part constitutive de la personnalité et de l'héritage de chacun, ils acquirent dans la période qui nous concerne un caractère crucial. Le fait d'être ou de ne pas être juif, ainsi que les critères religieux, culturels et raciaux invoqués pour justifier cette discrimination devinrent des sujets d'une telle importance qu'il fut pratiquement impossible de se soustraire à cette question d'appartenance. A ce stade, construire son identité sociale devint pour chacun l'objet d'un processus complexe et d'un affrontement entre des aspirations d'ordre intime et d'ordre collectif : il s'agis-

---

7. A. Klose, *Katholisches Soziallexikon*, Innsbruck, 1964, p. 755 *sqq*.

sait à la fois d'accéder à une position sociale flatteuse tout en se dotant d'une identité personnelle face aux traditions et aux divers groupes constituant la société viennoise. Il se produisit alors de tels amalgames entre les diverses formes d'autodéfinitions arborées par chacun au sein d'un groupe particulier et les réactions collectives de ce même groupe face à la désignation sociale utilisée par des tiers à leur endroit, qu'une analyse historique en devient parfois problématique.

La fin du libéralisme et la montée de l'antisémitisme furent ressenties de façon poignante par les Juifs dont le statut était directement menacé par la désintégration de l'État des Habsbourg et que la très officielle histoire de la monarchie publiée en 1883 désigne comme un « peuple », sans lui reconnaître les qualités d'une nation [8]. Si l'Empire se désintégrait, les Juifs constitueraient alors, selon cette définition, le seul peuple au sein de la monarchie à ne pouvoir revendiquer un territoire qui lui soit propre. Même si cette crainte ne fut jamais ouvertement exprimée à l'époque, la chute de l'Empire, annoncée par l'effondrement du libéralisme, allait menacer non seulement l'identité sociale des Juifs mais jusqu'à leur intégrité physique [9].

Les retournements extrêmement rapides des allégeances idéologiques et politiques s'exprimèrent de manière encore plus évidente dans la presse viennoise qu'au niveau des politiques gouvernementales, soumises aux lois électorales. Le tirage des gros journaux « *Kaisertreu* » [10], à tradition libérale, dans lesquels pouvait se reconnaître la bourgeoisie juive assimilationniste (*Presse, Neue Frei Presse, Fremdenblatt*), stagnait aux alentours de 60 000 exemplaires. La presse pangermanique (*Deutsches Volksblatt, Ostdeutsche Rundschau*) atteignit son plus fort tirage en 1900 avec plus de 50 000 exemplaires, puis retomba à 35 000 aux environs de 1910. Par ailleurs, l'organe du mouvement chrétien-social, le *Reischpost*, grimpa

8. G. Wolf, *Die Völker Österreich-Ungars*, vol. 7, *Die Juden*, Vienna, Teschen, 1883, p. 169.
9. On trouvera une description du désarroi suscité par cette situation dans J.S. Broch, *Der national Zwist und die Juden in Österreich*, Vienne, 1886.
10. « Fidèles à l'Empereur » ou loyalistes *(NdT)*.

rapidement de 6 000 à 25 000 exemplaires entre 1900 et 1905, tandis que le social-démocrate *Arbeiter-Zeitung* doublait son tirage durant la même période, passant de 24 000 à 54 000 exemplaires [11].

Sur certains plans tout à fait essentiels, ce complet remaniement du terrain politique et idéologique fut à la fois annonciateur et précurseur de l'émergence d'une configuration qui allait devenir caractéristique de l'Autriche germanophone après la dissolution de l'État multinational. On peut déjà percevoir une situation dans laquelle un bloc se définissant lui-même essentiellement en termes de spiritualité et de religion, s'oppose à un autre groupe se définissant pour sa part en termes de classe sociale. Cette polarisation plaça en outre la bourgeoisie juive — une composante très importante de l'aristocratie viennoise —, face à un cruel dilemme : l'impossibilité de poursuivre dans la voie de l'assimilation commencée au XIXᵉ siècle pour la sécularisation de son mode de vie sans renier sa foi ni rompre avec sa propre communauté. La montée du mouvement chrétien-social renforça de manière décisive l'importance du critère religieux, à la fois comme déterminant du statut et de l'identité sociale des individus, mais aussi comme moyen de discrimination pour limiter l'accès à certains postes de pouvoir au sein du gouvernement. De surcroît, et pour tenter de sauver une situation menacée, la social-démocratie exigea par ailleurs de la bourgeoisie juive qu'elle renie la catégorie sociale dont elle était issue.

A la lumière de ces événements, il n'est pas surprenant de constater que, parallèlement à ces profondes transformations de la société non-juive, mais aussi par réaction défensive, s'est imposé un phénomène de reformulation de l'identité juive — processus aussi indissolublement intellectuel que restructurant. Il en résulta, à la fin du siècle, un développement sans précédent de la vie associative juive ainsi que des tensions entre partisans de l'ancien modèle assimilationniste d'une part, « nationalistes juifs » et sionistes d'autre part [12]. La création

---

11. Voir K. Paupie, *Handbuch der österreichischen Pressegeschichte*, vol. 1, Vienna, Braumüller, 1960.

12. Concernant ces conflits, voir M. Rozenblit, *op. cit.*, p. 175. Voir également, I. Oxaal, M. Pollak, G. Botz, Eds., *op. cit.*, le chapitre 7 par W. Weitzmann.

en 1880 de l'*Österreichische-Israelitische Union*, une organisation de défense contre l'antisémitisme, marqua le changement d'attitude des anciens libéraux qui apportèrent leur soutien au projet d'une politique juive d'autogestion, conçue à l'intérieur du cadre institutionnel de l'Empire. Les sionistes et les « nationalistes » qui entendaient obtenir la reconnaissance expresse d'une nation juive, au même titre que les autres nationalités constituant la monarchie, réagirent très vivement contre ce retournement tactique — dont le but était de maintenir l'essentiel du précédent modèle assimilationniste. Dans le même temps, des groupes de Juifs orthodoxes réussirent à devenir plus influents en organisant la vie religieuse des Juifs arrivant de l'Est et dont le nombre allait croissant. C'est ainsi qu'à la fin du siècle, la religion gagnait à nouveau du terrain en tant que premier critère d'identification, aussi bien chez les catholiques que chez les Juifs.

En réponse aux attaques de l'antisémitisme et aux dangers inhérents à la dissolution de l'État multinational, les Juifs réorganisèrent leur vie et conçurent des plans visant à redéfinir leur identité collective en prenant pour modèle l'évolution politique des milieux non-juifs : l'octroi d'un regain d'intensité à la dimension religieuse d'une part, et le recul du nationalisme d'autre part. Bien qu'ils soient restés minoritaires lors des élections successives pour le contrôle de l'*Israelitische Kulturgemeinde*, à partir de 1902, les nationalistes et les sionistes parvinrent à gagner entre 25 et 45 % des votes effectifs, avec cependant une participation dépassant rarement plus de 30 % des inscrits. Sous la pression de tensions permanentes, l'Autriche multinationale passe de l'état d'harmonie à celui de profonde inquiétude — même aux yeux des Juifs qui, parmi tous les groupes composant la monarchie, est celui qui soutient le plus chaleureusement l'État multinational : le *Staatsvolk* par excellence. Ce climat politique et intellectuel trouble et tendu favorise la quête d'identité et d'authenticité, ainsi que le repli sur soi et sur ses propres origines comme ultime refuge.

Cette polarisation sur le critère religieux comme base de la vie sociale marque non seulement les limites de l'assimilation des Juifs, mais aussi celles de la sécularisation d'une société lorsque celle-ci n'est pas accompagnée de la mise en place d'une séparation sans équivoque de l'Église et de l'État et d'une laïcisation de la vie publique. De ce point de vue, on pourrait peut-être avancer certaines hypothèses concernant l'augmentation rapide des conversions durant cette période. Ces conversions, qui étaient censées améliorer les avantages spécifiques escomptés du reniement de l'identité juive dans une société antisémite, ne se firent pas au seul bénéfice de la religion d'État qu'était l'Église catholique. En fait, les choix se répartirent à peu près également entre le catholicisme, le protestantisme et la catégorie sans dénomination, dite des *konfessionslos* (ou non-confessionnels) [13]. Cette dernière catégorie procurait non seulement peu d'avantages à ceux qui s'en réclamaient mais elle risquait même de les reléguer dans l'isolement au sein d'une société où l'éducation, les services de santé et les services sociaux étaient assurés par des organisations confessionnelles. Dans certains cas, la conversion au protestantisme pouvait dénoter une volonté ostentatoire de ralliement, non pas tant à une majorité sociologique, qu'à l'idéal offert par une culture allemande pleine de promesses, par opposition à une Autriche à l'agonie. Mais la conversion au protestantisme, tout comme le ralliement à un statut de non-confessionnel, pouvait également traduire l'option pour une solution de « moindre mal » ou pour une « entrave minimale », ou encore le refus de classification, c'est-à-dire le refus d'accorder au facteur religieux un rôle souverain dans la définition de l'identité sociale de tout un chacun.

On retrouve de manière tout aussi flagrante ce refus d'accorder à la religion le pouvoir qu'elle exerce sur la société dans le parti pris par certains Juifs apostats, guidés par le seul opportunisme, et qui optèrent pour telle ou telle religion, en fonction de leur situation professionnelle. Ainsi le taux de retour à la religion juive est-il particulièrement élevé parmi les intellectuels ou les employés d'administration qui prirent conscience du blocage dont ils étaient l'objet pour cause d'antisémitisme, en dépit de leur conversion. Selon plusieurs cas cités par Rozenblit [14], étant donné qu'une évolution de carrière est limitée dans le temps, il s'écoulait rarement plus de deux à

---

13. M. Rozenblit, *op. cit.*, p. 136. Voir également I. Oxaal, M. Pollak, G. Botz, Eds., *op. cit.*, le chapitre 1.
14. M. Rozenblit, *op. cit.*, pp. 145-146.

cinq ans, à la fin du siècle, entre la conversion et le retour au judaïsme.

Si l'on peut décrire le changement politique de cette période, l'émergence de nouvelles tensions, et corrélativement l'élaboration de nouvelles définitions des identités collectives juives et non-juives comme un processus ayant pour origine l'accélération de forces centrifuges au sein de l'Empire et le pressentiment de sa décomposition, on peut également observer des cas individuels de refus d'adaptation à ces transformations. Le reconnaître nous conduit à reformuler la question du rôle décisif joué par les Juifs dans la renaissance culturelle de la Vienne « fin de siècle ». Les nouvelles organisations politiques et leurs identités collectives ont pour origine la tentative d'un réalignement dont l'objectif est l'affirmation et la protection du groupe. Parallèlement, on trouve parmi les innovateurs culturels une forte proportion de gens issus de familles ayant suivi le même cheminement spatial et social. Ces familles juives, venues des provinces, sont parfaitement représentatives du type d'ascension sociale auquel la monarchie multinationale permettait d'accéder. A l'origine, on est détenteur d'un petit commerce en province au début du XIXe siècle puis, grimpant progressivement les échelons du grand commerce ou des activités bancaires dans la capitale, les générations suivantes s'installent dans des professions libérales ou accèdent à des carrières intellectuelles dont le couronnement est l'accès à la « seconde société » (*Zweite Gesellschaft*), terme dévolu dans la société viennoise à la couche sociale intermédiaire entre la bourgeoisie et la petite aristocratie, c'est-à-dire la haute bourgeoisie. Sans vouloir adopter une approche purement réductrice de leurs entreprises intellectuelles, ne peut-on se poser la question du rôle joué par ces grands bourgeois dans le processus tendant à redéfinir leur identité sociale ? Même lorsqu'ils dénient explicitement ce processus, ils s'y réfèrent et, ce faisant, ils participent au travail collectif de transformation politique et de redéfinition de l'identité de groupe en Autriche à la fin du XIXe siècle.

Tout au long du XIXe siècle, le terme d'« asssimilation » était synonyme d'adhésion à la culture allemande. Mais à la fin du siècle, certains intellectuels juifs, souvent les plus inébranlables défenseurs de cette culture allemande, dont la position devenait dès lors problématique avec la montée de l'anti-sémitisme, durent faire face à un problème d'identité complexe. A la difficulté de gérer une double identité — autrichienne et allemande —, venait s'ajouter le problème de l'identité juive, aussi les projets intellectuels et politiques portent-ils la marque de cette difficulté. Faute d'une perspective commune, il s'offre une multitude de perspectives. L'expérience d'une identité blessée, incertaine, menacée et ambiguë ouvre la voie à de très nombreux projets, tous destinés à neutraliser la menace. Le point de départ de ces projets réside dans la multiplicité des héritages culturels contemporains et si contradictoires que sont le libéralisme, la religion, le marxisme et l'optimisme « scientiste » du XIXe siècle.

On peut distinguer deux types de solutions pour tenter de répondre à cette recherche d'identité. La première, par l'engagement politique, comme l'adhésion à l'austromarxisme ou au sionisme qui offraient une alternative à ceux ne pouvant plus se rattacher à une identité autrichienne ou au loyalisme envers la monarchie, l'une et l'autre en perte de vitesse. La seconde, par l'intermédiaire de projets à caractère esthétique et psycho-logique ayant pour but d'équilibrer le « moi » en substituant au concept d'une identité rattachée à un groupe social spécifi-que, l'exercice d'une relation fondamentale avec le moi intime et une prise de conscience critique du « moi ».

Rompant avec les nationalistes de Georg von Schönerer sur la question de l'antisémitisme, un certain nombre d'intellec-tuels d'origine juive, les plus engagés politiquement, furent iné-vitablement conduits à s'identifier à la naissante social-démocratie au sein de laquelle ils occupèrent souvent des fonc-tions de responsabilité aux côtés de son fondateur, Victor Adler. Il est fréquent de rencontrer dans l'histoire du socia-lisme autrichien un certain nombre d'anciens intellectuels, mués en leaders politiques, parmi lesquels Victor Adler fait figure de précurseur. La tradition austromarxiste est en réalité le fruit d'un lien organique entre deux mouvements : celui de la classe ouvrière, et celui composé d'intellectuels en quête d'identité, issus de la haute bourgeoisie — souvent juive. Cela explique aussi que la social-démocratie autrichienne se soit toujours considérée comme l'héritière de certaines valeurs intellectuel-les libérales. Il en résulta une tradition qui permit aux intellectuels d'origine juive de préserver intacts certains éléments de l'héritage combinant à la fois l'ancien libéralisme et l'élan assimilationniste.

Diamétralement opposé à la perspective d'une émancipation juive par la transformation révolutionnaire de la société — qui ne ferait que reporter à plus tard la solution du problème posé par l'identité juive —, le sionisme inverse la logique du stigmate antisémite. Plutôt que de réagir passivement aux attaques dont le judaïsme est l'objet, en minimisant sa spécificité ou en le niant, ou encore en le dénonçant comme un préjugé, le sionisme le charge d'une valeur positive : la fierté. Il offre ainsi la possibilité d'une identification positive avec un héritage et une appartenance socialement méprisée, en même temps que l'occasion de constituer une base de défense du groupe au moyen d'une mobilisation collective. Aussi le sionisme fut-il l'étincelle qui déclencha une véritable révolution au sein du judaïsme, remettant totalement en question les critères de l'identité juive. Comme le déclarait Herzl : « A mon sens, la question juive n'est ni une question sociale ni une question religieuse [...]. J'y vois plutôt une question nationale qui doit être examinée en termes de politique si l'on veut qu'elle aboutisse à une solution [15]. »

Une autre réponse, peut-être, consistait encore à sublimer le problème en termes scientifiques. Cela permit à quelques Juifs de surmonter l'épreuve d'une identité brisée tout en sauvegardant l'héritage libéral. C'est la voie choisie par Sigmund Freud. Son expérience personnelle en tant que fils d'une modeste famille juive de Moravie qui accéda à une chaire de professeur à l'université de Vienne, est à l'origine, me semble-t-il, des méthodes d'interprétation psychanalytiques et se retrouve dans celles-ci. Ce cheminement personnel est aussi le sujet de *L'Interprétation des rêves* [16].

Dans les cas de l'austromarxisme et du sionisme, la démarche intellectuelle allait de pair avec des actions organisées dans le but d'aider un grand nombre d'individus à préserver le sens de leur identité, soit en leur procurant l'accès à des carrières

15. Th. Herzl, *L'État juif*, Paris, Stock, 1981, p. 41.
16. C.E. Schorske, *Vienne « fin de siècle »*, Paris, Le Seuil, 1983, p. 180 *sqq.*

dans une société radicalement différente — ce qu'était devenu le parti social-démocrate —, soit comme le faisait le sionisme, en promettant « un avenir radieux d'honneur, de liberté et de bonheur retrouvés [...] pour notre intrépide jeunesse à laquelle toutes les carrières sont déjà fermées [17] ». Même dans le domaine de la psychanalyse, la démarche intellectuelle bénéficiait de l'appui de groupes de travail destinés à pourvoir la doctrine d'une existence institutionnelle et durable. Les difficultés et les résistances rencontrées à l'époque par la psychanalyse, et par Freud personnellement, étaient également dues en vérité à ses origines juives, origines partagées par la majorité de ses premiers disciples [18]. Pour contrecarrer l'hostilité rencontrée dans un contexte académique et social fortement marqué par l'antisémitisme, il était nécessaire de se serrer les coudes et de pouvoir compter sur une cohésion inébranlable du groupe. C'est pourquoi la première société psychanalytique, fondée en 1908, s'organisa et fonctionna comme une secte.

Les fondateurs du sionisme politique, de la social-démocratie autrichienne et du mouvement psychanalytique, respectivement Theodor Herzl, Victor Adler et Sigmund Freud, outre le travail d'organisation et de mise en œuvre de leurs projets intellectuels, avaient une préoccupation commune, tenant à leur parcours personnel et qui était sensible dans le style de leurs débats et dans leur rhétorique. Tous trois parvinrent à utiliser leur destin personnel dans un but politique en y puisant les justifications de leur mobilisation. Les écrits politiques et les discours de Theodor Herzl rappellent inlassablement son expérience d'écrivain et d'intellectuel mis à l'écart en raison de ses origines juives. Présentant son propre cas comme modèle d'identification et comme exemple à suivre, Herzl s'offre comme porte-parole, réussissant ainsi à résoudre son problème d'identité à travers l'action collective. La mobilisation à laquelle il avait donné l'impulsion initiale peut alors se développer au-delà de ses plus grandes espérances car, bien plus qu'un programme politique, elle offre à des millions de gens

---

17. Th. Herzl, *op. cit.*, p. 34.
18. S. Freud, « Der Widerstande gegen die Psychoanalyse », *Imago*, 2, 1925, p. 232 *sqq.*

le moyen de résoudre une crise d'identité commune par la reconquête politique de leur fierté.

Victor Adler, qui décida de se convertir au protestantisme afin que ses enfants n'aient pas à souffrir à l'école du statut de « non-confessionnel », *konfessionlos* [19], faisait souvent allusion dans ses discours aux relations entre les intellectuels et la classe ouvrière. Sans le formuler explicitement en ces termes, il offrit aux intellectuels juifs, non seulement la possibilité d'investir leurs espoirs d'assimilation dans une perspective révolutionnaire, mais, désignant l'activité culturelle comme la première tâche d'un mouvement, et s'offrant lui-même en exemple, Adler donna aussi à l'intelligentsia juive l'occasion de jouer un rôle positif tout en institutionnalisant au sein du parti une marge d'autonomie pour des activités culturelles, chose rare dans les pratiques politiques des organisations ouvrières.

L'un des livres qui joua un rôle clé dans l'élaboration de la psychanalyse, *L'Interprétation des rêves*, est d'une essence autobiographique tout à fait étrangère à la tradition académique. L'analyse qu'y propose Freud des relations avec son père, avec la politique et le monde académique germanophone, a dû évoquer des expériences semblables à bon nombre de ses disciples. En rétablissant le sentiment de sa propre identité, Freud s'offrit aussi en modèle d'identification. En limitant ou en suivant ses pas de façon inconditionnelle ses disciples furent capables de faire face à leur propre crise d'identité. La nouvelle vérité, la cause scientifique à défendre fut l'occasion, pour ce cercle d'analystes, de donner une signification à leur propre avenir et une mission à remplir, en un mot, cela leur permit de recouvrer le sens de leur identité dans une période troublée.

Sionisme, austromarxisme ou psychanalyse n'ont évidemment pas été conçus et développés à seule fin de résoudre la crise identitaire juive, et plus particulièrement celle des intel-

---

19. Sur les effets de l'antisémitisme chez Victor Adler et ses relations avec son fils Friedrich, voir l'étude de R.G. Ardelt dans une thèse d'habilitation, soutenue à l'université de Salzburg en 1982, sous le titre « Friedrich Adler ; Probleme einer Persönlichkeitsentwicklung um die Jahrhundertwende ».

lectuels, bien que c'en soit un des éléments tout à fait essentiels pour comprendre le succès de ces trois mouvements dont l'influence ne se limita pas, loin s'en faut, à une audience d'origine juive. On peut même avancer que l'austromarxisme et la psychanalyse, œuvrant tous deux en faveur de la laïcisation du monde, ont peut-être été un point de ralliement à la fois pour les Juifs et les non-Juifs qui refusaient d'accepter, selon la tendance qui prévalait, que l'appartenance religieuse soit un critère déterminant de l'identité sociale.

En ce qui concerne la littérature, autre domaine central pour le renouveau culturel, nous constatons que le travail intellectuel s'est engagé beaucoup moins loin dans le sens d'une réorganisation sociale. Plus exactement, l'effort s'est limité à une redéfinition du rôle de l'écrivain et à une dissociation progressive entre les techniques littéraires de l'écrivain traditionnel d'une part, et celles de l'auteur-journaliste d'autre part. Ce travail de redéfinition de l'identité artistique est évoqué non seulement dans les correspondances privées mais aussi dans les ouvrages publiés par des auteurs appartenant au groupe *Jung-Wien*. Ici encore, le projet intellectuel — essentiellement la quête d'une pureté esthétique —, était en quelque sorte impulsé au niveau le plus haut par le problème de l'identité nationale, par le lien entre l'ambition littéraire et les traditions culturelles [20].

Les familles des écrivains du groupe *Jung-Wien* appartenaient à la couche la plus loyaliste de la haute société. Profondément affectées par la crise financière de 1873, par les conflits de nationalité et par la naissance du mouvement ouvrier qui attirait certains de leurs fils, ces « bonnes familles » firent tout ce qui était en leur pouvoir pour perpétuer leur position sociale. Loin de se rebeller, leurs fils écrivains cherchèrent à donner une nouvelle signification à leur vie dans un moment ou toute activité politique semblait être vaine.

Cette désillusion pour la politique revêtit des formes qui étaient directement liées au plus ou moins fort degré d'attachement au judaïsme des différents membres du groupe. Faibles ou presque inexistantes dans les familles Schnitzler et Kraus, les traditions religieuses marquèrent de leur empreinte la jeunesse d'un écrivain tel que Richard Beer-Hofmann.

---

20. M. Pollak, *Vienne 1900*, Paris, Gallimard, 1984.

L'intégration des ancêtres de Hugo von Hofmannsthal, ano-blis dès la fin du XVIIIe siècle, fut consolidée par des mariages hors de la communauté juive. La mère de Leopold von Andrian, elle-même fille du compositeur Meyerbeer, était d'origine juive. Seuls quelques écrivains parmi les plus anciens du groupe *Jung-Wien* partageaient l'enthousiasme pro-allemand des années 1870. Il semble très significatif que les deux exceptions les plus notoires, Hermann Bahr, l'un des rares non-juifs du groupe, et Theodor Herzl, se soient sentis l'un et l'autre rejetés ou pour le moins éconduits par la bonne société viennoise en raison de leurs origines provinciales. A la fin des années 1870, militant en faveur de la culture et des idéaux allemands, Herzl qui s'expri-mait en allemand, affirmait la supériorité culturelle de la Hon-grie où il était né et où sa famille avait toujours refusé de céder aux pressions de la « magyarisation ». Il se permettait en outre de contester la très loyaliste haute bourgeoisie juive de Vienne dont il était exclu. Plus tard, sous la pression de l'antisémitisme montant, Herzl, personnage en marge de la haute société vien-noise, allait élaborer son programme sioniste.

De même, l'engagement politique de Hermann Bahr ne peut être dissocié de son sort personnel — celui d'un provincial exas-péré par tous les obstacles d'ordre social qu'il rencontrait à Vienne face à une aristocratie viennoise exclusive, condamnée à disparaître en même temps que l'Autriche par union avec l'État allemand. Après son renvoi de l'université de Vienne en 1883, et son long exil en province — à Graz, Cernowitz puis à Berlin —, Hermann Bahr put se réconcilier avec sa patrie et renouer des relations qui lui assurèrent une position indis-cutablement centrale sur les plans culturel et littéraire. En 1895, bien après ses équipées d'étudiant nationaliste et antisémite, il épousa une jeune actrice juive, contre le gré de sa famille, hostile à une telle « mésalliance ». Dès 1892, il fut le premier à mettre en évidence les sentiments patriotiques exprimés dans la littérature du groupe *Jung-Wien* [21].

Mais en 1890, sur quels fondements pouvait-on de manière générale, et plus particulièrement lorsqu'on était un artiste, se réclamer d'une identité autrichienne ? Il me semble que

_____
21. H. Bahr, *Studien zur Kritik der Moderne*, Frankfurt, Rutten und Loning, 1894, p. 4.

l'émergence d'une identité culturelle spécifiquement autrichienne a pour origine la nécessité de résoudre, par le truchement de la littérature et des arts, les contradictions d'une identité blessée. La convergence paradoxale entre le renouveau patriotique et l'esthétisme a précisément pour cause essentielle l'impossibilité de fonder une identité nationale autrichienne sur des arguments historiques. Faire de l'excellence esthétique la pierre de touche du patriotisme autrichien permettait aux artistes déchirés entre les critères contradictoires des courants allemands, autrichiens et juifs, de surmonter une double crise d'identité posée par la question du rôle de l'artiste dans la société, et celle, d'ordre politique, de son appartenance à une entité nationale.

Mais l'esthétisme ne pouvait que difficilement pallier l'anxiété et les difficultés d'une vie privée d'identification nationale et culturelle. Ainsi presque tous les conflits qui éclatèrent au sein du cercle des « vrais artistes » issus du groupe *Jung-Wien*, survinrent à propos des divergences d'interprétations concernant l'identité nationale. L'autorité prise par Hofmannsthal et son succès grandissant en Allemagne, lui permirent de rejeter toute étiquette nationale et d'invoquer la pureté artistique comme seul critère de l'identité légitime d'un artiste. Avant la guerre déjà, cette position avait évité à Hofmannsthal d'avoir à prendre le parti d'un patriotisme autrichien ouvertement opposé à la tradition allemande, ce qui sans aucun doute aurait diminué ses chances sur le marché littéraire allemand. Un conflit éclata entre Hofmannsthal et Leopold von Andrian, autre membre du groupe et l'un de ses amis proches, concernant la contribution de ce dernier à la revue littéraire allemande *Pan*. Ce conflit fut à l'origine du retrait volontaire d'Andrian de la carrière littéraire : il avait finalement refusé de collaborer à un numéro spécial de la revue, consacré à Vienne, qui aurait classé cette dernière parmi les « centres » littéraires allemands de moindre rang [22]. A partir de 1900, Andrian choisit de se consacrer à une activité plus utile que la littérature : il opta pour le service diplomatique.

Lorsque, en 1908, Arthur Schnitzler fit de l'antisémitisme un thème de son roman, *Der Weg ins Freie*, Hugo von Hofmannsthal

---

22. H. von Hofmannsthal, L. von Andrian, *Briefwechsel*, Frankfurt, Fischer, 1969, p. 105.

lui exprima sa consternation et fit part à Beer-Hofmann de sa déception à la lecture d'une œuvre si peu esthétique. En fait, il réagit comme si l'énoncé du thème, en soi, contrevenait au caractère sacré de la « raison d'être » d'un artiste. Parce que la position de Schnitzler mettait en cause sa propre conception politique d'une identité spécifiquement autrichienne [23], Andrian déclara lui aussi être choqué par ce livre, revendiqué par Schnitzler comme « la plus personnelle de mes créations » [24]. Cette divergence conduisit à une brouille. A partir de 1910, les deux vieux amis ne se revirent pratiquement plus et leur échange régulier de correspondance prit fin.

Les difficultés qui apparurent au cours de la même période entre Beer-Hofmann et Hofmannsthal surgirent d'un problème de même nature. Beer-Hofmann qui était resté fidèle et qui pratiquait la religion de ses pères choisit à partir de 1900 la mythologie juive comme source d'inspiration. Après la représentation de sa pièce *Jaakobs Traum*, Hofmannsthal formula sans équivoque l'un des arguments qui entraîna le relâchement de leurs liens après 1910 : « [...] Il s'agit du chauvinisme et de la fierté nationale. Comme pourrait le dire un pharisien solitaire, je n'y vois que la source de tous les maux [...] [25] » Le « mythe autrichien [26] » conçu dans cette littérature reste le facteur essentiel de la conscience culturelle autrichienne, qui se veut distincte de l'identité allemande, un mythe auquel les différentes familles politiques autrichiennes [27] se rallièrent progressivement.

---

23. *Ibid.*, p. 176.
24. H. von Hofmannsthal, A. Schnitzler, *Briefwechsel*, Frankfurt, Fischer, 1964, p. 63.
25. H. von Hofmannsthal, R. Beer-Hofmann, *Briefwechsel*, Frankfurt, Fischer, 1972, p. 145.
26. Voir C. Magris, *Il Mito absburgico nella literatura austriaca moderna*, Torino, Giulio Einaudi, 1963.
27. C'est seulement après 1963 que des sondages d'opinion ont fait apparaître en Autriche une montée croissante d'identification à une « nation autrichienne », doublée d'une désaffection tout aussi brusque vis-à-vis d'une identification avec la culture allemande. En 1965, 22 % des Autrichiens croyaient en l'existence d'une « nation autrichienne » ; en 1979, ils étaient plus de 50 %. Voir à ce propos, « SWS Meinungsprofile », *Journal für Sozialforschung*, 20 (3-4), 1980, p. 57. Concernant le débat sur la notion de nationalité autrichienne et ses ambiguïtés, voir I. Oxaal, M. Pollak, G. Botz, Eds., *op. cit.*, le chapitre 9 par Richard Thieberger.

Après ce rapide survol de l'action créatrice du groupe *Jung-Wien* dans trois domaines aussi différents que la politique, la psychanalyse et la littérature, nous pouvons revenir aux deux questions posées au début de cet article. Comme l'a montré par ailleurs Steven Beller, il n'y a rien de surprenant à ce que, numériquement parlant, les Juifs aient joué un rôle essentiel dans la vie intellectuelle viennoise à la fin du siècle. Les moyens très exceptionnels d'accès à un nouveau statut, accordé aux Juifs sous la monarchie tout au long de la seconde moitié du XIXe siècle en sont la cause. Durant une très courte période, le libéralisme politique qui prévalait à l'époque avait minimisé l'importance de la religion comme facteur de l'identité sociale en Autriche et dans la société viennoise. Cependant, malgré quelques fluctuations, le critère religieux retrouva son rôle dominant à la fin du siècle. La scène politique se transforma sous l'influence du retour de la notion d'identité collective, elle-même fondée sur les critères de nationalité, de classe sociale mais aussi de religion. La réapparition d'associations spontanées et la politisation de la pensée catholique en sont la preuve, de même que l'évolution constatée au sein de la communauté juive.

Le processus de redéfinition est particulièrement patent dans les milieux intellectuels et artistiques. L'absence de perspectives d'avenir laissa la voie ouverte à une multitude de projets : tous avaient en commun l'avantage de proposer à chacun les moyens individuels ou collectifs de retrouver le sens intime, alors fort compromis, de son identité. C'est peut-être la nature de changements structurels extrêmement denses et simultanés — coïncidence d'une crise politique majeure avec une crise identitaire du « moi » dans sa sensibilité la plus intime —, qui engendra un climat de profonde insécurité dans les cercles intellectuels de la haute société viennoise, et qui ouvrit une brèche dans les modèles de références et les croyances du passé. Paradoxalement, ce fut précisément un esprit de « modernité » qui caractérisa nombre de tentatives en vue de restaurer un climat de sécurité.

Dans le contexte viennois, des projets aussi divers que l'austromarxisme, la psychanalyse, le sionisme, ainsi qu'une forme d'esthétisme à caractère patriotique prirent naissance dans un milieu fermé d'intellectuels, dont beaucoup se connaissaient, se fréquentaient et qui entretinrent souvent de durables liens d'amitié. Mais dans ces milieux étroits, l'intériorisation des tensions conduisait parfois au refus de toute allégeance, à l'isolement social et à ce rejet psychologique de soi dont il est si souvent fait mention dans les études concernant cette période. Les innovations culturelles que nous avons brièvement abordées étaient une réponse à un besoin existentiel de redéfinir et d'établir de nouvelles relations entre des traditions divergentes. Dans l'élaboration de ces ambitions intellectuelles réside un autre trait caractéristique de la culture viennoise : la redéfinition des identités et des relations entre groupes a suivi une logique combinant des notions traditionnellement opposées qui avaient rarement eu jusque-là l'occasion de se rencontrer sur un même terrain [28]. Simultanément, quelques intellectuels juifs viennois révolutionnèrent et politisèrent la pensée juive, tandis que d'autres, intervenant dans le domaine culturel et grâce à leurs créations intellectuelles et artistiques, purent tenir le rôle d'intermédiaires entre des traditions nationales et culturelles distinctes qui avaient été longtemps celles de la haute bourgeoisie juive dans la vie économique [29]. Il n'est pas étonnant alors, que les effets de cette renaissance culturelle, dont on admet communément qu'elle est une des principales sources de la culture moderne, se soient étendus bien au-delà de la communauté juive de Vienne.

Ce texte, extrait de Ivar Oxaal, Michael Pollak and Gerahard Botz Eds., Jews, Antisemitism and Culture in Vienna, *London and New York, Routledge and Kegan Paul, 1987, pp. 59-74, a été traduit par Marianne et Denis Ranson.*

---

28. Herzl utilise le terme de « combinaison » pour parler de son œuvre : Th. Herzl, *Gesammelte zionistische Werke*, Tel Aviv, Hozaah Ivrith, 1934, vol. 1, p. 17. L. Flem, quant à lui, analyse l'œuvre de Freud sous l'angle de la médiation entre la culture juive et les traditions grecques et européennes : L. Flem, « Freud between Athens, Rome and Jerusalem. The Geography of a Glance », *Revue française de psychanalyse*, n° 2, 1983, p. 591 *sqq.* En ce qui concerne la « combinaison » de diverses traditions en littérature, voir M. Pollak, *op. cit.*

29. Voir J. Katz, *Tradition and Crisis*, London, Oxford University Press, 1961 et du même auteur, *Hors du ghetto*, Paris, Hachette, 1984, p. 24.

3

TECHNOLOGIES ET RISQUES NUCLÉAIRES

Présentation

De 1976 à 1978, Michael Pollak, dont la candidature au CNRS n'aboutissait pas, occupe un poste de chercheur à l'université Cornell au nord de l'État de New York. Prenant appui sur la compétence dans le domaine de la sociologie des sciences et des techniques qu'il avait acquise les années précédentes à la fois en préparant sa thèse et en assurant une mission de politique scientifique pour l'OCDE (cf. chapitre 6) il entreprend, en collaboration avec Dorothy Nelkin, une étude comparée des mouvements anti-nucléaires en France et en Allemagne. Cet ouvrage, publié en 1981 par Cambridge University Press, sous le titre The Atom Besieged, peut être lu de différentes façons. Il constitue d'une part une source documentaire de grande valeur pour tous ceux qui s'intéressent aux débuts de ce qui deviendra la contestation écologique. Mais il présente également un grand intérêt par rapport à la sociologie de l'administration et plus généralement de l'État. Il pose en effet une question sociologique de grande importance portant sur la relation entre la structure étatique et les mouvements issus de la société civile. Soit deux situations apparemment très comparables en France et en Allemagne : un contexte économique similaire, une même technologie, des organisations de protestation ayant une base sociale très voisine et des manifestations à peu près de même ampleur. De même, en France comme en Allemagne, la protestation anti-nucléaire exerce un effet important sur la thématique des partis officiels. Pourtant, en France, la protestation n'a que des résultats directs limités sur les politiques de l'énergie, tandis qu'en Allemagne, les mouvements parviennent à imposer un moratoire. Pour essayer de comprendre les raisons de ces différences, Dorothy Nelkin et Michael Pollak font une analyse minutieuse de la machine administrative, de l'organisation du *pouvoir politique et du rôle donné à l'ordre juridique dans les deux pays.*

La relation entre technologie, mouvements de protestation, action administrative et régulation juridique est encore au cœur de l'article de 1981 que nous avons reproduit ici. Ce texte présente une étude comparative des modes de régulation des innovations technologiques en France, en Allemagne et aux États-Unis. Il analyse finement des procédures d'inspiration démocratique, en mettant à jour leurs conséquences contradictoires, sans pour autant verser dans les critiques possibles des effets pervers ou des pouvoirs des technocrates : Michael Pollak fraie ici un langage spécifique, aussi éloigné du discours militant que du discours administratif. Il étudie les effets de l'ouverture de ce nouvel espace de débat politique, d'abord sur l'État, puis sur le monde scientifique.

L'irruption des questions écologiques est un révélateur des logiques profondes des États. En France, la compétence technique est concentrée dans l'État, qui réagit à travers un petit nombre d'institutions dotées d'une forte autorité. En Allemagne, un jeu complexe fait intervenir les lander, *les communes, les parlements, les tribunaux. Mais ces configurations de départ ne sont pas figées. Elles évoluent dans les deux pays. Peu à peu les administrations acquièrent des positions autonomes tant par rapport aux promoteurs des projets industriels que par rapport aux groupes militants. L'idée que des experts d'avis différents peuvent être consultés et confrontés devient de plus en plus légitime. Les agents de l'administration développent des positions différentes quant au rôle de l'État, soit responsable direct de normes de régulation, soit devant d'abord permettre aux mécanismes du marché de se déployer sans contraintes.*

Au sein même de l'administration, des expertises de types variés, technologiques, juridiques, économiques ou sociales, peuvent entrer en conflit. Cet espace intermédiaire entre la science et l'État avait déjà été étudié en détail par Michael Pollak à propos des sciences sociales (cf. chapitre 6).

Du côté de la science, les effets de cette situation nouvelle sont contradictoires, d'une part la multiplication des demandes d'expertise et de contre-expertise accroît les moyens et les contrats auxquels des scientifiques peuvent prétendre, et aug-

mentent les ressources de la recherche. Mais par ailleurs, le fait que des experts s'opposent et soient en désaccord est perçu par certains comme nuisible à l'image d'une science ayant la prétention de dire le vrai.

Cette réflexion sur les rapports entre la démocratie, l'État et la science, à propos de la contestation idéologique, ouvrait un débat dont les termes n'ont pas beaucoup changé depuis le moment (1980) où il a été écrit.

La régulation technologique :
Le difficile mariage entre le droit
et la technologie

Après une période marquée par des attitudes critiques à l'égard de certains effets négatifs du progrès technologique, les rapports officiels et officieux se multiplient, qui — dans la tradition de certaines théories économiques des années 1950 faisant de la recherche le facteur résiduel de la croissance économique — mettent de nouveau l'accent sur la technologie comme le moyen principal pour sortir de la crise. Le débat sur la «dérégulation» illustre ce changement du climat intellectuel dans lequel évolue la politique technologique. Contre le scepticisme, voire l'hostilité que les écologistes et d'autres groupes contestataires expriment à l'égard des technologies, les prises de position se multiplient pour s'élever contre la «peur irrationnelle répandue dans l'opinion publique». Selon ces commentateurs, cette angoisse a trouvé une réponse dans les réglementations abusives et trop strictes. Dans la mesure où les contrôles sont de plus en plus stricts, l'industrie est contrainte de ralentir ses investissements, voire de les diriger vers des pays moins sévères, les «paradis pollueurs». Bien que la base empirique de ce débat reste faible et que les conclusions déduites de ces analyses demeurent assez contradictoires, la dérégulation technologique présentée comme une condition d'une politique de «réindustrialisation» a d'autant plus de chances de s'imposer que la crise économique et le chômage résistent à toutes les mesures de relance classiques [1].

1. Cet article est basé sur plusieurs recherches empiriques, financées par le German Marshall Fund, sur le débat nucléaire et sur la politique

La polarisation actuelle du débat sur la réglementation autour de l'importance de risques, de seuils de pollution tolérables, donc autour de contenus, masque l'enjeu principal de ce débat : à savoir les formes et les procédures de la politique technologique. A l'exemple de la législation sur l'environnement, on peut montrer que l'enjeu de la dérégulation est d'abord politique et social : en effet, qui décide ? qui a le pouvoir de définir ce qui est acceptable ou pas ?

A première vue, la discussion sur la dérégulation, menée actuellement surtout aux États-Unis et en République fédérale d'Allemagne, ne s'applique pas à la réalité française. La fragmentation du pouvoir politique et administratif propre à des systèmes fédéraux ainsi que le pouvoir d'intervention très important des tribunaux administratifs n'ont pas d'équivalent en France. Néanmoins, la priorité donnée par le gouvernement français à la politique scientifique et technologique en même temps qu'à l'ouverture démocratique de l'administration et à la décentralisation pourrait se traduire par des conflits similaires à ceux qui, aux États-Unis et en République fédérale d'Allemagne, avaient eu pour conséquence d'infléchir sensiblement le développement de certains domaines technologiques. Si la mise en œuvre de la décentralisation — et dont on ne verra les effets que dans plusieurs années — devait contenir un réel partage du pouvoir entre différents niveaux administratifs et politiques, les chances seraient grandes de voir contester des choix industriels et technologiques dont les risques et profits sont inégalement distribués. Eu égard à de telles évolutions possibles, l'analyse des expériences réglementaires américaine et allemande prend tout son sens.

---

d'implantations industrielles aux États-Unis, en RFA et en France. Elles ont été parallèlement menées par D. Nelkin et M. Pollak à l'université de Cornell, par la Conservation Foundation à Washington et l'HUG Science Center Berlin. D. Nelkin, M. Pollak, *The Atom Besieged*, Cambridge, MIT Press, 1981 ; The Conservation Foundation, *A Conference on the Role of Environment and Land Use Regulations in Industrial Siting*, mimeo, Washington, 1979. Plusieurs études de cas de controverses d'implantations industrielles ont été publiées dans la série « preprints » de l'HUG.

Les effets de l'élargissement du champ réglementaire

Sous la pression d'une contestation écologique, la législation concernant l'environnement a été fortement élargie et profondément changée depuis la fin des années soixante. L'évolution technologique elle-même a favorisé l'élargissement du domaine réglementaire : des techniques de mesure de plus en plus sophistiquées rendent possible la détection et l'analyse de substances à faible dose, qui restaient incontrôlables auparavant. De plus, l'appareillage de contrôle continu de certains processus de production permet une surveillance nettement plus efficace que les contrôles traditionnels par échantillonnage. Mais la réglementation n'a pas seulement vu progressivement étendre son domaine d'intervention : en effet, pour satisfaire les revendications d'une plus grande ouverture démocratique, les éléments de participation ont été intégrés dans les procédures de contrôle et d'autorisation de produits et de nouvelles installations industrielles. Par exemple : des auditions publiques, des droits d'objection, de plus larges possibilités de recours judiciaires.

Aux États-Unis, la tradition du *due process* explique l'importance de tels éléments dans les procédures qu'emploient les différentes agences responsables du contrôle de la technologie. En République fédérale d'Allemagne, les éléments de participation, introduits dans la législation d'urbanisme et de l'environnement (principalement dans les lois de contrôle de la pollution *B. Emissionsschutzgesetz* et *B. Immissionsschutzgesetz*), reflètent la volonté qu'avait le gouvernement social-libéral de renforcer les droits individuels du citoyen face à l'administration dans le cadre d'une politique de « démocratisation » de la société allemande. Au début, ces réformes furent décriées comme de simples techniques de manipulation par les militants contestataires[2].

Néanmoins, l'exploitation tactique de ces possibilités d'inter-

---

2. Pour une analyse de telles procédures, voir : D. Nelkin, M. Pollak, « Public Participation in Technological Decisions : Reality or grand Illusion ? », *Technology Review*, août-septembre 1979, p. 55 *sq.*

vention a fortement altéré certaines politiques dans le secteur de l'énergie (notamment dans le nucléaire) et dans celui de la chimie. Les états-majors technocratiques dans l'industrie et dans l'administration ont été désappointés par l'ampleur de ces effets.

Ainsi, dans le secteur le plus touché, celui de l'industrie nucléaire, les procédures d'autorisation ont contribué aux États-Unis à allonger le temps moyen de construction d'une centrale de 5 à 10 ans, et à multiplier les coûts par sept entre 1970 et 1978. Il n'est pas étonnant qu'on assiste, depuis 1974, à une chute des commandes de nouvelles centrales, voire à l'absence de nouvelles commandes et à l'annulation de la plupart des commandes existantes après l'accident de Three Mile Island en 1979 [3].

En Allemagne, où la loi sur l'énergie atomique dans sa reformulation de 1976 donne une priorité absolue à la sécurité avant toute considération économique, les tribunaux administratifs ont pratiquement arrêté toute construction de centrales nucléaires depuis 1977. Il n'est pas sans intérêt de noter l'évolution de la juridiction dans ce domaine : saisis depuis 1974 chaque fois qu'une autorisation de construction fut accordée à une compagnie d'électricité, les juges prenaient des décisions contradictoires en fonction de la foi qu'ils accordaient à telle ou telle expertise dans le dossier technique qui leur était soumis. La première interdiction de construction en 1975, à Wyhl, fut d'autant plus étonnante que la raison invoquée dans la décision concernait un aspect relativement secondaire du projet : l'épaisseur de l'enceinte en béton. D'autres tribunaux administratifs rendaient en même temps des jugements favorables à l'industrie nucléaire sur la base de dossiers techniques similaires. La juridiction en matière d'énergie nucléaire est devenue plus cohérente depuis la focalisation de la controverse publique sur les problèmes de retraitement et de stockage des déchets nucléaires. Depuis 1977, l'absence de solution à ces problèmes a motivé l'arrêt de construction de

3. Th. H. Moss, D.L. Sills, *The Three Mile Island Nuclear Accident : Lessons and Implications*, New York, Annals of the New York Academy of Sciences, 1981.

nouvelles centrales nucléaires en République fédérale d'Allemagne [4].

Dans d'autres secteurs, les effets d'une législation mettant l'accent sur la sécurité et la protection de l'environnement ont été moins spectaculaires mais tout aussi importants. Ainsi, la priorité politique donnée dans le domaine de l'énergie, ces dernières années, en République fédérale d'Allemagne, au charbon, ne peut que très difficilement être traduite dans la réalité : la pollution atmosphérique des centrales électriques à base de charbon pose autant de problèmes d'autorisation que n'en posent les centrales nucléaires, et donne lieu à de longues batailles judiciaires. [...]

En République fédérale d'Allemagne, le projet d'une vaste zone industrielle centrée sur la production énergétique et chimique dans l'estuaire de l'Elbe a dû être corrigé en baisse car la pollution, dont les effets sur la pisciculture étaient beaucoup plus importants que prévus, ne pouvait plus augmenter sans risques excessifs après la réalisation des premiers projets d'industrie chimique. En outre, des accidents avaient révélé le manque de maîtrise du stockage de déchets chimiques et leur conséquence à long terme.

Ce caractère conflictuel de la politique technologique reflète la présence dans les procédures administratives d'acteurs auparavant exclus, en particulier des groupes d'écologistes et des individus faisant valoir leurs droits de voisinage. A cela s'ajoutent des actions spontanées de défense de citoyens.

En outre, la reconnaissance du caractère multidimensionnel de la plupart des projets technologiques a amené l'administration à inclure une multitude de services dans une procédure d'évaluation des demandes d'autorisations industrielles. La multiplication d'acteurs administratifs et extérieurs a augmenté les points de conflit potentiels, conflits portant sur la technique et sur les pouvoirs d'influence.

A l'inverse de la France où ces conflits, et en tout cas leur visibilité à l'extérieur, sont contenus par un système d'autorisation compacte, des systèmes fédéraux avec leur partage de

---

4. Voir, pour une analyse des jugements, D. Nelkin, M. Pollak, « French and German Courts on Nuclear Energy », *Bulletin of the Atomic Scientists*, mai 1980, pp. 36-42.

pouvoir entre différents niveaux politiques ont été amenés à concevoir des procédures en plusieurs tranches et caractérisées par une compartimentation des problèmes ; ainsi, l'autorisation de construction d'une installation classée en France dépend de deux permis (permis de construire et autorisation de création) donnés par l'autorité gouvernementale, le préfet, après examen des dossiers et avis des administrations concernées [5].

Aux États-Unis et en République fédérale d'Allemagne en revanche, les différents aspects d'un dossier soumis à examen — à savoir l'eau, l'air, la sécurité du travail, etc. — relèvent de la compétence relativement autonome d'administrations diverses qui peuvent être amenées à discuter publiquement leurs points de vue divergents sur un projet. Le permis est donc décomposé en permis partiels, et l'obtention d'un seul n'implique pas celle d'un autre : pour la construction d'installations industrielles classées, le nombre des permis exigés peut varier d'une dizaine, jusqu'à plus d'une centaine. Certains de ces permis peuvent être accordés en plusieurs tranches, ce qui laisse subsister une incertitude plus ou moins importante pendant toute la période de construction. Dans ce processus, les conflits potentiels peuvent être d'autant plus importants que le découpage des différents aspects d'un projet n'est jamais très net, et que les administrations peuvent prendre des positions contradictoires et s'affronter sur certains points d'un projet jusqu'à porter leur dispute devant le tribunal.

Des litiges judiciaires entre instances fédérales et régionales sont assez fréquents, aux États-Unis aussi bien qu'en République fédérale d'Allemagne, lorsque des projets de lois ou de règlements impliquent un transfert financier ou lorsqu'ils changent considérablement la souveraineté politique d'un de ces niveaux. En règle générale, la plupart des litiges sont motivés par la résistance à la tendance à la croissance du pouvoir central. En matière de politique d'environnement, on a assisté aux États-Unis à des litiges ayant pour enjeu la responsabilité principale dans la rédaction d'études d'impact. En République fédérale d'Allemagne, la ville de Schweinfurt a fait opposition à une décision de l'administration de Bavière concernant la construction d'une centrale

5. M. Pollak, « Industrial Siting and Environmental Protection », *Zeitschrift für Umweltpolitik*, 3, 1981.

nucléaire. Cette pratique administrative a fait éclater l'image de la neutralité administrative. [...]

A ces conflits entre différentes administrations s'ajoutent ceux qui proviennent de la « participation du public » promue, dès la fin des années 1960, dans la législation sur la planification de l'espace et dans toutes les lois concernant l'environnement. En effet, toutes les procédures américaines et allemandes d'autorisations d'installations industrielles prévoient des auditions publiques et forcent l'administration réglementaire à répondre à toutes les objections ; la définition du voisinage qui donne droit à la formulation d'objections contre des projets a été élargie. Ainsi, en fonction de la taille des risques, les lois allemandes ne définissent plus le voisinage en termes de distance, mais en termes d'exposition aux risques. Le simple fait d'« être concerné » par un projet a permis à des individus, habitant à plus de 100 kilomètres d'un site, d'être écoutés. Chaque acte administratif pouvant être contesté devant un tribunal, cet élargissement des droits d'intervention a ouvert les tribunaux aux opposants. Ces nouveaux dispositifs réglementaires ont eu pour effet de substituer à une situation de négociation entre le promoteur et l'administration un jeu complexe d'interactions stratégiques auquel participent le promoteur, différentes administrations et une multitude de parties intervenantes.

Tous les effets de ce changement important de la pratique administrative n'ont pu être perçus que des années après la promotion de ces lois à caractère participatif, après que les nouveaux acteurs admis dans le jeu, en particulier des groupes de pression écologistes, ont appris à expliquer tactiquement tous les accès qui leur avaient été ouverts. Et la découverte tardive de l'ampleur de ces possibilités explique la réaction extrêmement agressive ces dernières années contre la régulation technologique, de la part d'industriels qui n'avaient guère mis en cause cette législation à ses débuts. Historiquement, on peut distinguer trois phases depuis l'introduction de ces procédures participatives :

— Pendant une première période, les changements législatifs n'avaient guère d'influence sur des décisions réglementaires. Étant techniquement mal armées pour examiner de façon critique les dossiers soumis par des promoteurs industriels, les administrations se contentaient souvent de les enregistrer. La marge de manœuvre d'une administration tributaire de l'expertise mise à sa disposition par le promoteur restait nécessairement très réduite. Il en était de même des intervenants, tels des groupes de protection de l'environnement. Leur légitimité et leur autorisation en matière technologique n'étaient pas suffisamment reconnues pour être admises au même niveau que les promoteurs industriels. Mais, grâce au renforcement du personnel et de la compétence technique des administrations réglementaires ainsi qu'à la pression écologiste croissante, cette situation changea.

— Le renforcement des administrations réglementaires en personnel technique les transformait en un négociateur plus compétent et, dans certains cas, plus prêt à s'engager dans des conflits avec les promoteurs industriels. Ce changement d'attitude a contribué considérablement à augmenter les demandes d'études et d'expertises préalables provenant des promoteurs et des administrations. Mais, malgré ce renforcement du pouvoir réglementaire, les administrations gardaient une attitude coopérative et les accords avec l'industrie se faisaient à l'amiable plutôt qu'au travers de conflits.

Pendant cette deuxième période, les promoteurs et les administrations réglementaires restaient unis dans leur refus de prendre en considération les arguments de groupes contestataires jugés « incompétents » et « irrationnels ». Tout se passait comme si le manque d'une reconnaissance officielle de leur compétence technique permettait aux acteurs principaux, à savoir l'administration et les promoteurs industriels, de marginaliser les opposants dans les procédures de décision qu'on leur avait pourtant ouvertes.

— Cette situation changea brusquement entre 1975 et 1978, après les premiers succès enregistrés par les écologistes contre les administrations réglementaires devant les tribunaux. En règle générale, c'est l'administration, qui a émis un arrêté ou un décret, qui est mise en accusation devant les tribunaux et non pas le promoteur.

On comprend que des jugements contraires aux décisions administratives, voire des condamnations parfois coûteuses, ont tout d'abord rendu l'administration plus vigilante. Contrainte d'anticiper dans ses décisions tous les recours judiciaires possibles, l'administration a petit à petit pris ses distances par rapport aux promoteurs industriels et a essayé de maintenir jalousement son indépendance.

L'expertise : une ressource politique

D'où vient cette différence d'appréciation des mêmes dossiers techniques qui sépare les tribunaux des administrations ? On peut trouver un premier élément de réponse dans les principes de l'administration de la preuve juridique :

— Le juge doit prêter la même attention aux arguments avancés par toutes les parties qui s'opposent dans un procès.

— Ces parties sont appelées à introduire dans les délibérations tous les arguments et tous les éléments de preuve en leur faveur.

— Le juge est tenu de justifier sa décision en fonction de tous les arguments avancés dans les délibérations.

Bien que ces principes ne soient jamais tout à fait suivis dans la réalité, un procès est un lieu nettement plus favorable aux arguments hétérodoxes en matière de politique technologique que des procédures administratives. Dans une procédure administrative, la crédibilité accordée à un argument technique est fonction de l'autorité de la personne individuelle ou collective qui l'énonce. Cette autorité se mesure en termes de reconnaissance établie à travers la concurrence propre au champ de production scientifique et technologique. Elle hiérarchise les institutions et les énoncés, leur conférant en même temps ce caractère d'objectivité dont ils jouissent à l'extérieur. Or, dans les domaines les plus avancés technologiquement et où le degré de spécialisation est le plus élevé, la production est souvent concentrée dans peu d'unités jouissant d'un monopole de compétence technique socialement reconnu. Qu'il s'agisse de l'énergie nucléaire, de la production de stabilisateurs plastiques, de grandes centrales hydrauliques, les divergences d'interprétation proprement techniques et scientifiques n'ont de chance de se faire jour qu'au sein même de ces monopoles. Ceux-ci ont la possibilité de contrôler la visibilité des controverses.

Devant les tribunaux, cette hiérarchie a un moindre effet d'imposition, le juge étant, en principe au moins, forcé d'accorder son attention d'une façon impartiale à tous les arguments, donc à toutes les expertises avancées. Incapables de mener des recherches empiriques détaillées sur tous les phénomènes en discussion, les opposants se sont souvent contentés, à l'aide de leurs experts, de livrer des critiques méthodologiques pointilleuses sur les expertises officielles.

C'est ainsi qu'ils ont ouvert une première brèche dans le monopole de compétence des promoteurs. Par la suite, les délibérations judiciaires ont mis la lumière sur le caractère souvent incomplet et douteux des expertises techniques qui étaient à la base de décisions qui engagent le long terme. En matière de réglementation, il faut souvent disposer rapidement de données et de constats clairs sur des effets à long terme, par exemple : les effets de faibles doses d'un effluent ou de la radiation, ou encore sur les effets des modes de stockage de déchets chimiques, etc. Des expertises souvent mal faites sous la pression du temps ont permis aux opposants de développer des arguments de poids sans disposer eux-mêmes d'une infrastructure de recherche importante. Le phénomène de l'« antiexpertise » est souvent parti de la critique méthodologique interne d'expertises officielles avant de constituer progressivement un réseau d'instituts universitaires et autonomes au service de groupes de pression écologistes et d'initiatives de citoyens. [...]

Une fois que les administrations réglementaires ont commencé à intégrer dans leur démarche l'anticipation des recours possibles, elles ont accordé aux « antiexperts » une place de plus en plus importante, diminuant pour autant le poids des hiérarchies scientifiques et techniques les plus « légitimes ».

Cette démarche a procuré une base financière aux « experts critiques » ou « antiexperts ». Elle a permis la création d'instituts et d'organisations professionnelles, mais plus important encore, ce soutien administratif, quoique modeste, a renforcé la position de chercheurs hétérodoxes au sein d'institutions officielles, ce qui a considérablement diminué les risques professionnels de chercheurs qui défendent publiquement des thèses contraires aux prises de position de l'institution à laquelle ils appartiennent.

On ne peut pas imputer à la seule prudence administrative

cet élargissement des expertises, qui a rendu plus difficile la prise de décision. Le caractère hypothétique du savoir scientifique et technique fait comprendre que l'augmentation des expertises a contribué à accroître plutôt qu'à « réduire la complexité » des dossiers préalables à une décision. Ceci ne tient pas uniquement à la concurrence entre administrations diverses ; on rencontre les mêmes problèmes dans l'élaboration d'expertises au sein d'agences qui n'ont pas les mêmes contraintes de négociation. L'organisation de l'expertise relativement indépendante de décisions spécifiques aurait dû permettre aux protagonistes dans un conflit technologique de trouver des compromis acceptables. L'organisation auprès du Congrès d'un *Office of Technology Assessment*, aux États-Unis, aurait dû remplir cette fonction. Or, on constate qu'une telle agence n'a guère pu satisfaire de telles attentes [6]. Le *technology assessment* se caractérise par une tendance inhérente à élargir le temps et l'espace à prendre en considération dans l'évaluation des conséquences d'une technologie. Ceci l'amène également à inclure dans cette évaluation des facteurs d'ordre naturel, écologique, économique, social, etc.

Cette approche a eu pour effet de « dé-hiérarchiser » les problèmes : en effet, comment détecter, dans un rapport exhaustif sur les conséquences potentielles d'une technologie, l'importance respective qu'il faudrait accorder aux effets sur l'emploi, sur la nappe phréatique, sur les changements du climat, sur la destruction d'espèces vivantes, etc. ?

On imagine la multitude de lectures qui peuvent être faites d'un tel rapport. Aux États-Unis, une analyse de contenu de telles « études d'impact » a montré deux tactiques prépondérantes de manipulation linguistique dans leur interprétation : soit privilégier un seul ou certains petits aspects d'un rapport, soit, à l'opposé « noyer le poisson » c'est-à-dire réduire l'importance des aspects « sensibles » d'un rapport en mettant l'accent simultanément sur une multitude d'aspects secondaires [7]. Il n'est pas

---

6. G. Bechmann, G. Wingert, « Technology Assessment als Rationalisierung technologiepolitischer Entschiedungen », *in* J. Mathes ed., *Verhandlungen des 20. Deutschen Soziologentages*, Frankfurt, New York, Campus, 1981.

7. E. Bardach, L. Pugliaresi, « The Environmental Impact Statement », *The Public Interest*, n° 49, pp. 22-38.

étonnant que des « études d'impact » ou le travail continu d'une agence spécialisée dans le *technology assessment* ont souvent ouvert la voie à la multiplication des options possibles pour les décideurs plutôt qu'à leur réduction. Cette multiplication d'options nourrit souvent la controverse publique au lieu de l'apaiser.

Cette évolution a pu aller jusqu'au transfert de la « charge de la preuve ». Traditionnellement, les responsables administratifs faisaient confiance aux dossiers techniques soumis par les promoteurs ou livrés par leurs propres services techniques. Dans cette situation, la charge de prouver le mal fondé de ces expertises officielles était du côté des opposants. Sous l'effet de certains jugements rendus contre l'administration, celle-ci va parfois jusqu'à contraindre le promoteur à prouver le mal fondé des arguments qui s'opposent à son projet[8]. La « charge de la preuve » est devenue l'enjeu principal dans la plupart des controverses technologiques.

Ces évolutions se sont traduites dans l'attitude de l'administration réglementaire envers l'expertise ; en effet, celle-ci a dû remplacer la logique qui présidait au choix des experts en fonction de leur autorité acquise, par une logique en fonction de l'« égalité des chances » de tous les arguments. Ce changement tend à représenter sur un pied d'égalité tous les arguments « pour » et « contre » un projet soumis à examen. Ce qui compte ce n'est pas de se procurer la « meilleure expertise disponible », mais de donner la parole à toutes les expertises sur un même objet.

Il va sans dire que l'entreprise scientifique a largement profité de cette évolution en termes de ressources matérielles et humaines. Mais, en même temps, celle-ci ressent les contre-coups d'une évolution inflationniste qui a rendu inopérants les mécanismes internes de contrôle et qui, en étalant devant le grand public des conflits internes, a contribué à subvertir son image sociale d'objectivité. L'hétérodoxie devenue plus probable peut se manifester dans l'innovation aussi bien que dans des stratégies de « bluff » sur un marché d'expertises en pleine expansion et sur lequel les sanctions du débat scientifi-

8. Voir des exemples *in* J.K. Lieberman, *The Litigious Society*, New York, Basic Books, 1981, p. 95 *sq.*

que ne fonctionnent que faiblement. La transformation d'une négociation simple en jeu stratégique complexe a ouvert la voie à d'autres détournements tactiques. Ainsi, déposer des projets fantômes sur un site peut servir à distraire l'attention de l'administration et des contestataires d'un autre site ; pousser l'administration à plus de sévérité peut être un moyen pour une firme puissante d'éliminer ses concurrents financièrement incapables de suivre... En un mot, la diversité des possibilités tactiques offertes par la législation, et qui peuvent contourner les objectifs visés par celle-ci, a provoqué des demandes de réintroduire dans les procédures des « éléments de stabilité ».

Comment maîtriser juridiquement l'évolution technologique ?

L'abondance de termes juridiques flous caractérise la législation en matière technologique tout autant que le caractère participatif des procédures. La rapidité de l'évolution technologique implique la flexibilité de certaines réglementations. Ainsi, en fonction du débat scientifique et technique, les seuils de ce qui est acceptable ou non en matière de pollution et de risques industriels changent. Le législateur a souvent traduit cette nécessité par des formules qui mettent en balance deux ou plusieurs termes juridiques : l'intérêt économique et la sécurité. Mais les différentes formules utilisées peuvent donner lieu à des interprétations contradictoires, donc à controverse. En quoi diffèrent, par exemple, les formules suivantes : un projet doit correspondre « aux règles communément admises des techniques », à « l'état le plus avancé de la *technique* du point de vue de la sécurité et de l'environnement », à « l'état le plus avancé de la *science et de la technique* », en quoi consiste un « risque résiduel acceptable » ? S'il est encore assez facile de détecter dans certaines formules une volonté plus ou moins contraignante du législateur (l'état de la science étant un critère plus sévère que celui de la technique), il devient nettement plus difficile de déterminer, projet par projet, en quoi consiste concrètement la technique la plus avancée. Faute d'un marché technologique parfaitement transparent, ces formules juridiques ont, d'une certaine manière, préprogrammé des batailles judiciaires : des batailles d'autant plus longues que les juges en face de termes juridiques nouveaux étaient contraints d'établir par leur pratique un mode d'interprétation commune [9]. [...]

La prolifération de ces termes juridiques flous a conféré au pouvoir juridictionnel une marge importante de création de normes dans le domaine du contrôle technologique et l'ont amené à se substituer partiellement au pouvoir exécutif et législatif. Cette évolution a contribué à rapprocher la pratique de l'Allemagne, pays de tradition de droit romain, de la pratique de la *common law* anglo-saxonne, qui soumet, non seulement les procédures, mais également le contenu de chaque acte administratif au recours judiciaire.

Cette tendance à l'accroissement du pouvoir judiciaire a provoqué d'autant plus de critiques que les jugements rendus allaient souvent dans le sens des opposants.

Les éléments de participation introduits dans les législations d'urbanisme et de l'environnement en République fédérale d'Allemagne ont indirectement accru le pouvoir judiciaire, effet qui n'avait pas été prévu. L'administration est tenue, en effet, de répondre à chaque objection dans le cadre des procédures d'autorisation d'un schéma directeur d'urbanisme ou d'une installation industrielle. Chaque acte administratif peut faire l'objet d'une opposition devant les instances administratives supérieures et, en dernière instance, devant les tribunaux. Grâce au soutien d'un réseau de groupes écologistes qui peuvent donner l'aide juridique et l'expertise technique indispensable, même les opposants individuels ont une forte chance de se faire entendre. Ainsi, un nombre croissant de conflits ne trouve plus de

---

9. Pour une analyse du problème posé par la croissance de litiges technologiques, voir : Sh. Jasanoff, D. Nelkin, « Science, Technology and the Limits of Judicial Competence », *Science*, n° 214, 11 décembre 1981, p. 1211 *sq.* Voir aussi : H. Soell, « Aktuelle Probleme und Tendenzen im Immissionsschutzrecht », *Zeitschrift für Rechtspolitik*, n° 5, 1980, p. 105 *sq.* La prolifération de termes juridiques flous est à la source de la croissance du pouvoir judiciaire. Voir le livre plus général sur ce problème : R. Neely, *How Courts govern America*, New Haven, Yale University Press, 1981.

solution à l'amiable. Le nombre de litiges devant les tribunaux administratifs a plus que quadruplé en dix ans.

Cette augmentation des litiges a fait de la juridiction administrative un marché du travail en pleine expansion, absorbant une génération de juges qui ont souvent une éthique professionnelle radicalement différente de celle de leurs aînés, génération qui représente déjà la majorité des juges administratifs de première instance. Dans la tradition allemande, la juridiction administrative était guidée par le souci de la défense de l'«intérêt général» contre les «intérêts particuliers». Une analyse des litiges liés à l'environnement ces dix dernières années montre une évolution marquée vers la défense de l'individu contre le pouvoir administratif. Il faut prendre en considération ces changements pour comprendre les jugements aussi inattendus que l'arrêt des constructions de centrales nucléaires depuis 1977, pour comprendre l'acceptation par plusieurs juges de la pratique de l'«autoréduction» des factures d'électricité en signe de refus de financer les centrales nucléaires, etc. [10] On peut observer une évolution similaire aux États-Unis où elle constitue moins une rupture qu'un renforcement d'une tradition qui avait toujours eu sa place dans le système judiciaire américain.

La dérégulation : auto-contrôle et marché

On a vu que le manque de clarté dans les compétences administratives, ainsi que les possibilités de participation et de recours judiciaires ont permis aux écologistes et autres groupes et individus contestataires d'avoir parfois gain de cause contre l'administration et les promoteurs industriels. Il n'est donc pas étonnant que la plupart des propositions de réforme proviennent des milieux d'affaires et visent la dérégulation. Il n'est pas possible, ici, de passer en revue toutes les propositions qui concernent une restriction des recours judiciaires, une

---

10. Voir : D. Nelkin, M. Pollak, « French and German Courts on Nuclear Energy », art. cité, p. 40.

réduction des délais pour certaines décisions, l'instauration d'une instance suprême qui aurait à légiférer sur la scientificité des expertises, une sorte de « tribunal scientifique »...

Deux propositions méritent une attention toute particulière : elles ne concernent pas des points de détail des procédures actuelles, mais une refonte complète et un changement de la philosophie qui a inspiré la régulation technologique et industrielle et que l'on pourrait résumer par la phrase : « Le contrôle vaut mieux que la confiance. » La première de ces propositions de réforme veut substituer le principe de l'auto-surveillance à celui de la régulation par les pouvoirs publics ; la seconde tend à substituer les mécanismes du marché aux procédures administratives contraignantes.

La première de ces propositions, « l'auto-surveillance », veut remplacer la régulation cherchant à prévenir toutes les conséquences et risques à long terme, par la stricte responsabilité civile et financière du promoteur en cas de dommage [11]. Cette proposition part de l'hypothèse que les risques financiers suffisent à eux seuls pour inciter le promoteur, seul responsable en cas d'accident, à chercher les solutions les plus sûres du point de vue de la sécurité du travail et de l'environnement. On devrait donc pouvoir se passer de « procédures qui coûtent du temps et de l'argent sans produire de meilleurs résultats ». Néanmoins, la pratique usuelle des contrats d'assurance dans le domaine de technologies à haut risque montre que l'État se porte presque toujours garant d'un « risque résiduel ». Comment l'État pourrait-il continuer à se porter garant tout en se retirant de tout contrôle *a priori*, voire en renonçant à tout droit de regard ? Un gouvernement pourrait-il se comporter en face d'un risque technologique de la même manière qu'en face de catastrophes naturelles imprévisibles ? Mais, même si une telle solution l'emportait, les conflits résultant d'expertises contradictoires ne disparaîtraient pas pour autant ; ils ne connaîtraient qu'un déplacement d'instances juridictionnelles, passant des tribunaux administratifs à des tribunaux civils chargés de rechercher et d'établir les responsabilités pour le calcul de dommages et intérêts. Il va sans dire qu'une telle solution offre moins d'intervention aux groupes contestataires.

---

11. J.K. Lieberman, *The Litigious Society*, *op. cit.*, p. 64.

Les propositions qui visent à substituer des mécanismes de marché aux procédures contraignantes d'autorisation et de contrôle posent d'autres problèmes : ainsi, dans le domaine de l'environnement, peut-on envisager, par exemple, la mise en vente de « certificats de pollution » dans une bourse [12]. Dans une région donnée, le promoteur pourrait acquérir le droit à polluer l'air et l'eau dans des limites précisées dans un certificat. L'émission de tels certificats ne devrait pas dépasser un seuil acceptable pour l'ensemble de la pollution d'une région. Cette solution, conforme à la logique de marché, permettrait, selon ses partisans, de contenir la pollution à un niveau acceptable tout en réduisant la lourdeur bureaucratique. Néanmoins, rien ne permet d'étayer réellement cette hypothèse. Un tel « marché de la pollution » donnerait aux pouvoirs publics un monopole de l'offre, et ils devraient donc inventer des procédures de fixation de prix « équitables ». Dans ces conditions, tous les acteurs sociaux qui interviennent actuellement dans les différentes procédures d'autorisation et de contrôle déploieraient des efforts visant à faire valoir leur point de vue dans la fixation des prix. Des expertises contradictoires joueraient un rôle tout aussi important qu'actuellement. Il faut cependant admettre que les adversaires de certains projets technologiques, et ceux qui privilégient la protection de l'environnement plutôt que le redéploiement industriel, trouveraient des conditions plus défavorables à leur cause. En effet, il est plus facile de mobiliser la population autour d'un projet concret plutôt qu'autour d'un objet de négociation « abstrait » tel que le « prix » de la pollution. Or, sans la mobilisation efficace de la population concernée, les chances d'infléchir des négociations entre des acteurs aussi puissants et organisés que l'administration et l'industrie sont minimes. Et c'est là que l'on retrouve le mobile de la plupart des propositions de dérégulation : réduire l'influence qu'ont pu gagner des groupes contestataires et l'expertise critique.

Au début de ce siècle, Max Weber avait démontré que la supériorité et le pouvoir de la bureaucratie se trouvaient dans

---

12. Voir des exemples de création de tels marchés : W. Drayton, « Getting Smarter about Regulation », *Harvard Business Review*, juillet-août 1981, p. 38 *sq*.

son monopole d'« expertise organisée » (*organisiertes Fachwissen*). Selon lui, les dominés ne peuvent s'opposer à la bureaucratie que s'ils réussissent à se doter d'organisations disposant d'expertise [13]. Tout se passe comme si le cri d'alarme en faveur de la dérégulation était lancé afin de prévenir une telle évolution qui permettrait un contrôle efficace de bureaucraties publiques et privées.

Les réseaux sociaux

Le phénomène réglementaire dépasse très largement un ensemble de textes législatifs définissant de nouvelles contraintes. Il s'agit d'un changement considérable des relations entre pouvoirs publics et industrie, qui s'accompagne d'une forte diversification des acteurs concrets que l'on retrouve sous la dénomination de « pouvoirs publics ».

Les changements dans le champ de la politique réglementaire, évoqués plus haut, ont également affecté les modes de recrutement du personnel administratif. En fonction des tâches très diversifiées, on retrouve dans les administrations réglementaires, à part les juristes et ingénieurs, un pourcentage élevé de diplômés d'autres disciplines et notamment des sciences sociales.

En plus d'une compétence technique, chaque discipline et chaque filière d'enseignement universitaire dispensent une certaine approche de la réalité sociale et souvent aussi certaines orientations politiques. On remarque, parmi les scientifiques qui ont choisi une carrière dans l'administration, un fort engagement interventionniste lié à des préoccupations écologiques. Quant aux diplômés des sciences sociales (science politique, sociologie, sciences de l'administration), ils se distinguent par le souci du respect et de l'élargissement des procédures « démocratiques ». Ayant été souvent à l'origine de discussions politiques préparant les réformes administratives, au tournant des

---

13. M. Weber, *Wirtschaft und Gesellschaft*, Cologne, Berlin, Kiepenheuer und Witsch, 1964, pp. 164-165.

années 1960-1970, ces technocrates réformateurs sont souvent les plus fervents défenseurs de structures réglementaires participatives qu'ils ont activement contribué à créer [14].

On ne peut pleinement comprendre les arguments et les projets de réforme avancés par les promoteurs de la dérégulation qu'en fonction des relations sociales qui les opposent à ce groupe spécifique de nouveaux technocrates réformateurs. La quasi-totalité des projets de réforme de structures réglementaires proviennent du monde des affaires, des industriels, des chambres de commerce et du patronat, soutenus dans leurs efforts par les administrations économiques et financières. Tout comme les grandes entreprises, ces administrations traditionnelles puissantes n'ont guère changé leur mode de recrutement : en effet, on assiste, depuis la fin des années 1960, à une différenciation des liens que les administrations entretiennent avec l'extérieur en fonction d'une socialisation commune des agents dirigeants au sein et en dehors de l'administration.

Les conflits que peut provoquer cette diversification du recrutement administratif sont renforcés par les liens qu'entretiennent différents groupes de fonctionnaires avec la recherche et l'expertise. L'incorporation politico-administrative de l'entreprise scientifique se fait d'une façon conflictuelle et contradictoire. La corrélation entre controverses techniques et controverses politico-administratives est de plus en plus forte.

Ce rapprochement entre chaque administration et sa clientèle privilégiée diminue d'autant la cohésion interne de l'appareil administratif dans son ensemble. En ce sens, le débat sur la dérégulation, tel qu'il est mené aux États-Unis et en République fédérale d'Allemagne, contient indissociablement un aspect politique (interventionniste *versus* marché), un aspect générationnel (la revanche contre la « longue marche à travers les institutions » entreprise par des technocrates issus du mouvement étudiant) et un aspect de lutte entre compétences disciplinaires (les sciences sociales dans un sens plus large *versus* la théorie économique classique).

Conformément à ces oppositions, les défenseurs de la régle-

---

14. Voir : B. Badura, M. Waltz, « Information Behavior in the German Federal Bureaucracy. The Case of the Social Sciences », *Knowledge*, 1 (3), 1980, pp. 351-379.

mentation mettent au centre de leurs arguments la promotion de la sécurité et la protection de l'environnement, le caractère démocratique des procédures, l'acceptation du caractère conflictuel de la réalité sociale et technologique. En revanche, les promoteurs de la dérégulation proposent de remplacer l'action de l'État par des mécanismes de marché et l'auto-contrôle du promoteur soutenu par sa stricte responsabilité civile et financière en cas d'accident.

Ces propositions visent à substituer à un contrôle *a priori* de technologies utilisées la seule responsabilité du promoteur. Au centre de ces arguments, on retrouve la liberté d'entreprendre ainsi que le calcul coûts-avantages éliminant tous les facteurs non économiques et non quantifiables.

Au-delà de ces arguments sur les modes sociaux de maîtrise de la technologie, ce débat se réfère à des conceptions opposées de la démocratie et du rôle à jouer par les organes de l'État. Paradoxalement, les protagonistes de la dérégulation sont ceux qui, tout en agissant en faveur du retrait de l'État, demandent un État fort et une administration hiérarchiquement bien contrôlée, les instances parlementaires étant un moyen de contrôle politique suffisant. En revanche, les partisans de la réglementation défendent non seulement le maintien de l'intervention de l'État, mais en même temps la transformation continue des organes de l'État d'autorités politiques en des lieux de médiation de conflits, dont le pouvoir propre serait limité par le jeu complexe d'intérêts et de points de vue divergents qui peuvent s'y exprimer. Le facteur qui sépare le plus clairement ces deux conceptions est celui du temps. Pour les premiers, l'organisation devrait être soumise à la plus grande efficacité dans le sens économiste du terme : le plus grand rendement technologique et économique dans le moins de temps possible. Pour les seconds, la perte de temps est un prix acceptable au nom d'une plus grande équité sociale et d'un processus démocratique dont le mérite pourrait être moins sa rapidité que les éléments de contrôle, de réflexion et de mise en question de décisions qu'il contient.

Revue française de science politique, 32 (2) 1982.

4

RACISME, DÉPORTATION, GÉNOCIDE

Présentation

Si ce thème de réflexion et de travail a occupé tant de place dans la production intellectuelle de Michael Pollak durant une dizaine d'années (tout au long des années quatre-vingt), il y a à cela deux raisons principales. D'abord, le fait que c'était un champ où se croisaient ses interrogations majeures : la mémoire, l'identité, la relation entre science et politique. Mais il y a aussi à la base de ces recherches une forte motivation personnelle ; lui-même a raconté comment il avait été marqué à l'âge de treize ans par la projection d'un film, un documentaire sur Hitler, qui présentait de terribles images des camps de concentration. Or, non seulement cette vision d'horreur n'a cessé de le poursuivre, mais elle s'est greffée sur les questions obsédantes que sa génération en Autriche se posait sur le comportement des parents après l'Anschluss. Comment s'étonner dès lors de son acharnement à traquer la signification de la politique nazie d'extermination ?

Car, si à première vue la solution finale semble de l'ordre de l'aporie intellectuelle défiant toute explication rationnelle (de là le titre provocateur de l'article publié en 1982 et qui a fait grand bruit, « Des mots qui tuent »), Michael Pollak, tout en échappant au piège téléologique, refuse d'y voir un simple aboutissement du discours antisémite. Ce qui l'amène à esquisser une synthèse entre un fonctionnalisme tempéré, qui a sa sympathie, et la thèse intentionnaliste, dans la mesure où la doctrine nazie comportait depuis toujours l'idée de l'élimination physique du peuple juif.

En fait, comme l'a bien montré Michael Pollak, ce projet de société prend sa source dans un courant antérieur, développé en Allemagne depuis la fin du XIXe siècle : celui de l'hygiène raciale. La modernité du national-socialisme a *consisté dans l'instauration d'un mode de légitimation par la référence constante à des théories dites scientifiques et par le recours systématique à l'expertise savante. En effet, dans le nazisme tout se tient, le programme politique expansionniste et le programme racial, l'exclusion des Juifs de la communauté nationale, puis leur mise à mort procédant d'une politique d'amélioration biologique du peuple allemand. D'où la terrible responsabilité, si bien mise en lumière, des juristes, des médecins, des biologistes, des anthropologues, des généticiens, des hygiénistes, des psychiatres, qui ont prêté le concours d'une science dévoyée hiérarchisant les individus selon un critère racial et justifiant l'élimination des « vies sans valeur ». Impossible ici de dissocier science et politique.*

Parallèlement Michael Pollak menait une enquête empirique approfondie auprès de femmes déportées à Auschwitz, au moyen de seize longs entretiens réalisés à partir de 1983. Ce travail d'histoire orale a abouti à la belle synthèse présentée dans L'Expérience concentrationnaire, *publiée en 1990 et couronnement de dix années de travail. Récit de vie, gestion de l'identité, fonctionnement de la mémoire : telle est la démarche tripolaire où l'expérience extrême sert de révélateur.*

Ce qui a amené Michael Pollak à se distancier aussi bien de la thèse de Bruno Bettelheim, pour qui la lutte contre la désintégration résulte des ressources propres, notamment morales, de l'individu, que de celle de Des Pres accordant la préférence aux pulsions instinctives fondamentales.

Cette enquête de terrain, Michael Pollak l'a conduite avec un scrupule infini et avec le souci constant d'interpréter le corpus documentaire selon les règles strictes de la méthode historique. Mais aussi avec la volonté d'arracher à l'oubli des figures comme celles de Margareta la Viennoise, Ruth la Berlinoise, Myriam la Parisienne, en dépit de la tension (permanente chez les anciens déportés) entre la rage de témoigner et le sentiment de l'impossibilité de transmettre une expérience aux limites de l'indicible.

Des mots qui tuent[*]

La « solution finale » pose à la recherche historique un problème d'interprétation quasiment insoluble. En effet l'extermination physique du peuple juif, ce but maintes fois proclamé par les dirigeants nazis, est à proprement parler « impensable »[1]. On comprend que l'interprétation historique, soucieuse de retrouver une raison, un ordre ou une logique dans la réalité, a du mal à rendre compte de ce fait hors de l'ordinaire : la théorie du bouc émissaire qui pourrait s'appliquer à l'antisémitisme échoue devant la « solution finale » ; un des plus éminents analystes du Troisième Reich, Franz Neumann, soulignait en 1940 que les nazis n'iraient pas jusqu'à l'extermination des Juifs précisément parce qu'ils ne pourraient pas se passer de leur bouc émissaire[2]. Sur ce point précis, il a eu tort.

Dans l'historiographie du nazisme, la tentation est grande d'appliquer un schème d'interprétation téléologique selon lequel l'appareil du parti, s'étant emparé totalement du pouvoir, mettrait en application des solutions totales pour atteindre ses objectifs. Comme le rappelle Pierre Bourdieu, « l'inclination à penser la recherche historique dans la logique du procès, c'est-à-dire comme une recherche des origines et des responsabilités, voire des responsables, est au principe de

---

* En allemand « Les mots peuvent tuer » est une expression courante.

1. Le livre de Walter Laqueur, *Le Terrifiant secret. La « solution finale » et l'information étouffée*, Paris, Gallimard, 1981, illustre à quel point les dirigeants alliés eux-mêmes refusaient de prêter foi aux informations sur la « solution finale ». L'entretien avec Margareta Glas-Larsson démontre que même les victimes refusaient de croire à l'incroyable.

2. F. Neumann, *Behemoth, Struktur und Praxis des National-sozialismus 1933-1944*, Frankfurt, Eva, 1980, p. 163.

l'illusion téléologique [3] ». Comment la recherche historique sur la solution finale aurait-elle pu échapper à cette illusion ? S'étant développée largement pour répondre à une demande judiciaire visant à rechercher et à établir, lors des procès menés contre les dirigeants politiques et les membres du personnel de garde des camps de concentration, leurs responsabilités individuelles et collectives, elle ne pouvait pas ne pas être fortement marquée par cette demande [4].

Dans cette logique, les analyses qui mettent l'accent sur l'idéologie, les discours et la logique intellectuelle font souvent de la « solution finale » l'aboutissement de toutes les différentes formes d'antisémitisme, donnant ainsi dans leur attribution des responsabilités individuelles et collectives le même poids à la parole militante qu'à l'acte accompli. L'intention n'y est pas appréhendée comme un discours performatif dont la réalisation n'est jamais acquise d'avance. Selon ces analyses, tout se passe comme si la réalisation des paroles était inscrite dans une sorte de nécessité historique. La réalité sociale y est considérée comme la simple conséquence logique du discours. Malgré le défaut de ces analyses, ces interprétations ont l'avantage de prendre au sérieux les objectifs du racisme et de les traiter comme des fins en soi plutôt que de les considérer comme un moyen au service de projets proprement politiques, et donc plus « acceptables », tels que la mobilisation nationale, l'extension du territoire, etc. [5]

Un nombre croissant d'analyses, élaborées à partir d'un matériel empirique abondant, mettent l'accent sur la mise en

---

3. P. Bourdieu, « Le mort saisit le vif », *Actes de la recherche en sciences sociales*, nᵒˢ 32-33, avril-mai 1980, p. 5.

4. Les liaisons entre recherche et juridiction sont multiples dans ce domaine : les protocoles des procès de Nuremberg restent la source la plus importante et la plus citée ; sans vouloir discuter du bien-fondé d'une condamnation de la SS le 30 septembre 1946, en tant qu'organisation criminelle, ce fait juridique rend toute recherche historique et sociologique sur cette organisation extrêmement difficile. Nous devons les analyses les plus exhaustives sur le système répressif du Troisième Reich aux expertises établies par l'Institut d'histoire contemporaine de Munich pour le procès, qui s'est déroulé à Francfort en 1964, des responsables d'Auschwitz.

5. *Cf.* surtout A. Bein, « Der jüdische Parasit, Bemerkungen zur Semantik der Judenfrage », *Vierteljahrshefte für Zeitgeschichte*, 2, 1965, p. 121 *sq.*

place politique et administrative de la « solution finale » et parviennent à des interprétations de plus en plus éloignées du modèle téléologique. Ces descriptions de l'acheminement progressif de la politique antisémite vers la « solution technique la plus efficace » mettent l'accent sur l'arrêt de la politique d'émigration entraîné par la guerre, sur la concurrence entre les différentes administrations et sur le hasard [6]. Explicitement ou implicitement, ces interprétations mettent en doute la thèse selon laquelle l'extermination était réellement un objectif prémédité du nazisme. Et, à l'opposé d'une pensée téléologique qui « assigne aux agents individuels ou aux collectifs personnalisés des intentions et des préméditations » [7], cette interprétation va parfois jusqu'à s'interdire de poser la question des responsabilités que des acteurs historiques ont dû assumer.

A ce problème spécifique de la recherche sur la « solution finale », s'ajoutent les difficultés propres à l'historiographie allemande pour redéfinir sa place et sa fonction après 1945. Traditionnellement l'historiographie allemande avait privilégié l'histoire intellectuelle et diplomatique et un type d'approche globalisant visant à établir de grandes lignes d'évolution. Cela l'avait amenée, au XIXe siècle et jusqu'à la fin de la guerre, à mettre au centre de ses préoccupations la « spécificité » de la « voie allemande », à savoir une « modernisation

---

6. Martin Broszat défend l'hypothèse que l'on ne peut pas trouver au départ une « décision » ou un plan tout fait pour la « solution finale », mais que celle-ci avait été mise en route « graduellement », *cf.* M. Broszat, « Hitler und die Genesis der "Endlösung" », *Vierteljahrshefte für Zeitgeschichte*, 4, 1977, p. 747. Cette thèse qui met l'accent sur des facteurs d'ordre administratif et sur les contraintes de la guerre a suscité une controverse et notamment une interprétation opposée qui voit dans certains discours de Hitler et de Goebbels la preuve de l'existence d'une sorte de plan, *cf.* à ce sujet, surtout Ch. R. Browning, « Zur Genesis der "Endlösung". Eine Antwort an M. Broszat », *Vierteljahrshefte für Zeitgeschichte*, 1, 1981, p. 97 *sq.* Cette controverse sur la genèse de la « solution finale » avait été déclenchée par le livre provocant de David Irving, *Hitlers War*, New York, Viking, 1977. Irving souligne que Hitler non seulement n'a pas voulu mettre en œuvre la « solution finale », mais que celle-ci avait été ordonnée par Himmler sans autorisation préalable du Führer. La question du degré de la responsabilité personnelle de Hitler continue encore à influencer fortement le cadre de la discussion sur la « solution finale » et sur tous les autres aspects de la réalité du Troisième Reich.

7. P. Bourdieu, art. cité, p. 5.

sans démocratisation ». De fait, le développement de cette thématique constituait une sorte d'apologie de cette voie spécifique. La modernisation technologique et industrielle de l'Allemagne en même temps que le mythe de l'unification de la nation allemande dans un Reich étaient décrits comme deux évolutions synchroniques qui avaient culminé en 1870 dans l'acte de fondation du Reich à Versailles. Selon cette conception, l'Allemagne moderne devait rester fidèle à son mythe et sauvegarder ses structures sociales, fondées sur le principe d'autorité, qui la distinguaient des démocraties occidentales, la France et l'Angleterre, et la situaient entre l'Occident et l'Orient [8]. Cette vision avait amené un nombre important d'historiens à se retrancher dans des positions violemment antidémocratiques pendant la période de la République de Weimar. Pour ceux des historiens allemands qui, tout en adhérant à une telle conception, ne s'étaient pas compromis avec le Troisième Reich, l'heure de l'« autocritique » était venue, révision idéologique qu'on a nommée « autocritique nationale éthique » (*Gesinnungsethische nationale Selbskritik*) [9].

Les historiens d'écoles hétérodoxes, qui avaient souvent choisi l'émigration après 1933, ont dans leur grande majorité préféré ne pas rentrer en Allemagne. Conçue au moyen des mêmes instruments intellectuels, l'autocritique se situait dans le même cadre de pensée que le modèle qu'il s'agissait de cri-

---

8. Dans le cadre de cet article, il n'est pas possible de procéder à une analyse exhaustive du champ de la recherche historique allemande à la fin du XIXᵉ siècle. Notons cependant la liaison très forte entre l'université et l'État, la prédominance de la pensée antidémocratique avec laquelle même les modernistes tels que Max Weber, Friedrich Meinecke, Lujo Brentano n'ont pas réussi à rompre complètement ; *cf.* F.K. Ringer, *The Decline of German Mandarins, The German Academic Community, 1890-1933*, Cambridge, Harvard University Press, 1969, pp. 42-43, 102 *sq.*, 132, 136-137. Pour une analyse des ambiguïtés politiques des modernistes, *cf.* W.J. Mommsen, *Max Weber und die deutsche Politik, 1890-1920*, Tübingen, Mohr, 1959. Pour une analyse du thème de la voie spécifique allemande, *cf.* B. Faulenbach, *Ideologie des deutschen Weges. Die deutsche Geschichte zwischen Kaiserreich und Nationalsozialismus*, München, H.C. Beck, 1980.
9. Pour cette discussion d'après-guerre, *cf.* W.J. Mommsen, « Gegenwärtige Tendenzen in der Geschichtsschreibung der Bundesrepublik », *Geschichte und Gesellschaft*, 2, 1981, pp. 136 *sq.* Le livre de Friedrich Meinecke, *The German Catastrophe*, Cambridge, Harvard University Press, 1950, est un point de référence important dans cette réorientation.

tiquer, celui de la voie spécifiquement allemande de « modernisation sans démocratisation ». Avant la guerre, l'histoire dominante des idées avait stylisé l'avènement du Reich comme une sorte de matérialisation du mythe et de la philosophie allemands. L'histoire de la philosophie s'était transformée en philosophie de l'histoire. L'autocritique d'après-guerre renversait le thème et la voie spécifique de l'Allemagne se transformait en une sorte d'évolution irrésistible vers le national-socialisme [10]. Pour ceux qui pensaient le national-socialisme autrement qu'en termes d'exception ou d'accident imprévisible, la critique avait transformé une téléologie du meilleur en une téléologie du pire. Un double obstacle empêchait de dépasser ce faux dilemme : la position dominante de l'histoire des idées au sein des disciplines historiques et l'incapacité des historiens allemands à penser l'histoire autrement qu'en termes de responsabilité. Il a fallu pour pouvoir surmonter ces obstacles épistémologiques [11], attendre une nouvelle génération d'historiens formés aux méthodes quantitatives de l'histoire sociale et économique et ouverts à des interprétations intégrant les apports théoriques des sciences sociales.

Des recherches empiriques minutieuses ont vite détruit des descriptions historiques trop globalisantes. La continuité relative entre les différentes périodes de l'histoire récente était retrouvée tant dans l'histoire des institutions, de la structure sociale et économique que dans le mouvement des idées. L'application des méthodes empiriques dans les recherches sur le Troisième Reich démontrait l'écart existant entre la réalité et la propagande du régime qu'une histoire privilégiant l'analyse des discours et des idées avait eu tendance à prendre

---

10. Les travaux historiques qui s'inspirent de la théorie du totalitarisme de Hannah Arendt peuvent être interprétés de cette manière, *cf.* surtout K.D. Bracher, *Die Auflösung der Weimarer Republik. Eine Studie zum Problem des Machtverfalls in der Demokratie*, Villingen, Ring, 1960 ; K.D. Bracher, *Die deutsche Diktatur*, Köln, Berlin, Kiepenheuer und Witsch, 1970.

11. *Cf.* G. Iggers, *Neue Geschichtswissenschaft. Vom Historismus zur historischen Sozialwissenschaft*, München, H.C. Beck, 1978 ; G.`Iggers, *New Directions in European Historiography*, Middletown, Conn., Wesleyan University Press, 1975 ; W. Conze, « Die deutsche Geschichtswissenschaft seit 1945. Bedingungen und Ergebnisse », *Historische Zeitschrift*, 255, 1977, pp. 1-28.

pour la réalité. Ces études méticuleuses soulignaient la validité des analyses publiées par Franz Neumann dès les années 1930 : l'Allemagne nazie, loin d'être un État parfaitement autoritaire et centralisé, était un territoire « polycratique », une sorte de caricature d'un système où règne le darwinisme social, où une multitude d'organisations et d'élites locales se livrent une lutte de concurrence acharnée, limitée uniquement par les arbitrages d'instances suprêmes et en particulier du Führer. La recherche empirique montrait également le caractère progressif et cumulatif de l'ajustement de l'État au mouvement social et ses principes de fonctionnement, et les étapes qui avaient marqué l'association des différentes fractions de la classe dominante au nazisme. Le dynamisme du Troisième Reich avait été moins le résultat de l'autoritarisme que de la mise en place d'un système qui favorisait la concurrence individuelle et collective [12].

---

12. Il est intéressant de considérer les recherches sur le Troisième Reich avec le regard du sociologue de la science : tout se passe comme si la fin de la guerre et la recherche des « coupables » avaient favorisé l'oubli d'études empiriques et théoriques très fines produites par des émigrés dès avant la guerre, et surtout le livre de Franz Neumann, *Behemoth, op. cit.*, ainsi que les analyses économiques de F. Pollock, A.R.L. Gurland et les analyses juridiques de Otto Kirchheimer, rééditées actuellement : M. Horkheimer, F. Pollock, F. Neumann, O. Kirchheimer, A.R.L. Gurland, H. Marcuse, *Wirtschaft, Recht und Staat im Nationalsozialismus, 1939-1942*, Frankfurt, Eva, 1981. Après la guerre, les analyses inspirées des théories politiques et psychologisantes de l'autoritarisme aussi bien que les analyses qui relèvent d'un économisme marxiste cherchant à décrire le national-socialisme comme une sorte de stade suprême du capitalisme ont perdu de vue ce que le national-socialisme pouvait avoir de très spécifique dans son fonctionnement et qui faisait son succès. La redécouverte, à partir du milieu des années 1960, de ces spécificités grâce à une recherche historique soucieuse du détail empirique s'est faite d'abord dans la méconnaissance quasi totale des précurseurs émigrés. On ne trouve guère de citations du *Behemoth* avant le milieu des années 1970. Notons également la part importante de la recherche anglo-saxonne dans la révision des interprétations trop globalisantes. La distance géographique, mais aussi l'absence de l'implication proprement politique qui pèse inévitablement sur tous les écrits publiés en Allemagne sur le nazisme ont favorisé ce regard objectivant. Sur l'absence d'études empiriques, ses causes et ses effets dans la recherche sur le nazisme, *cf.* G. Schäfer, « Franz Neumanns ''Behemoth'' und die heutige Faschismusdiskussion », *in* F. Neumann, *op. cit.*, p. 663 *sq.* Aujourd'hui, le recours à des interprétations trop globalisantes du genre des théories sur l'autoritarisme et le marxisme économiste est à peu près

Cette histoire « moderne » et « scientifique » est facilement soupçonnée de se désintéresser de la morale, voire d'être immorale [13]. Les déterminants structurels d'évolutions historiques appréhendées sans recourir aux modèles globalisants tirés de la philosophie de l'histoire sont réinterprétés par certains comme le produit d'une intention de se disculper. Ces historiens, qui se sont rapprochés méthodologiquement des sciences sociales, sont souvent appelés historiens « démocratiques » et « critiques » par opposition aux tendances antidémocratiques des historiens traditionnels [14]. C'est une ironie de l'histoire des idées que ces « historiens démocratiques » aient été amenés à se situer de moins en moins dans l'optique d'une recherche des responsabilités, voire à rejeter la possibilité pour l'histoire scientifique d'en dire grand-chose. Ceux que, politiquement, on pourrait le moins soupçonner de complicité, sont suspects du fait même de leur souci d'objectivation.

Plutôt que de confirmer ou d'infirmer un des modes d'interprétation de la « solution finale », le mode téléologique et le mode événementiel, l'analyse des études empiriques portant sur différentes étapes de la politique antisémite du Troisième Reich suggère leur complémentarité. Il est difficile de nier que le racisme nazi ait comporté depuis toujours l'intention de génocide. En ce sens, l'extermination du peuple juif est un fait historique auquel s'applique tout particulièrement l'adage selon lequel « en politique, dire c'est faire » [15]. Les analyses qui voient dans la « solution finale » le produit de la concurrence

---

totalement abandonné dans les analyses historiques (voir à ce sujet les comptes rendus du Colloque « Herrschaftssystem und Gesellschaft im 3. Reich », organisé en 1979 par l'Institut allemand d'histoire de Londres, G. Hirschfeld, L. Kettenacker, éd., *Führerstaat : Mythos und Realität*.

13. W.J. Mommsen, *art. cité*, pp. 166-168.

14. La polémique actuelle tourne autour du problème de l'accent à mettre sur la fonction « critique » de l'historiographie ou sur sa fonction de « maintien des traditions » (*bewahrende Funktion*). Au-delà d'un conflit méthodologique, il s'agit d'un conflit politique sur la contribution de l'histoire à la formation d'une conscience collective : E. Jäckel, E. Weymar, *Die Funktion der Geschichte in unserer Zeit*, Stuttgart, DVA, 1975.

15. P. Bourdieu, « La représentation politique. Éléments pour une théorie du champ politique », *Actes de la recherche en sciences sociales*, nos 36-37, février-mars 1981, p. 13.

absurde entre différentes administrations plutôt que d'une volonté politique délibérée sous-estiment la spécificité du travail politique. Pour faire connaître et reconnaître ses objectifs et pour transformer ceux-ci en réalité, le travail politique doit souvent accomplir un travail de dissimulation et se doter d'un degré d'ambiguïté qui, tout en maintenant, voire en accroissant l'adhésion et la fidélité des sympathisants, réussit à minimiser, voire à empêcher la mobilisation des adversaires. Loin d'indiquer une hésitation sur des objectifs ou des visées idéologiques, l'ambiguïté d'une politique peut être une des conditions de son succès à long terme.

Malgré l'ambiguïté qui caractérise certaines mesures, l'évolution de la politique antisémite se distingue par son caractère cumulatif. La progression qui allait de la discrimination professionnelle à l'extermination se faisait par étapes, mais chaque étape était une sorte de pas en avant dans ce processus de marche vers la barbarie d'où était exclue toute possibilité de retour en arrière, ce qui est, en quelque sorte, significatif du caractère systématique et délibéré de cette politique. Mais constater cette forte intentionnalité ne permet pas de faire de la « solution finale » le produit d'un plan *a priori*. La « solution finale » aurait pu ne pas arriver, sa mise en œuvre avait pour condition la guerre totale. Depuis la prise du pouvoir en 1933, les Juifs étaient une sorte d'enjeu dans les concurrences internes entre différents clans et fractions du mouvement national-socialiste. La position la plus radicale ne pouvait s'imposer dans cette concurrence qu'à un moment où aucun frein ne pouvait plus arrêter la barbarie, ni le droit, ni l'opinion publique, ni la pression internationale.

La « solution finale » est indissociablement liée à la guerre totale. On pourrait avancer l'hypothèse que l'extermination physique du peuple juif a toujours été un objectif des dirigeants du nazisme, mais que sa réalisation ne pouvait commencer qu'en situation de guerre. En ce sens, les étapes de la politique antisémite du Troisième Reich étaient tributaires de la situation interne et internationale, de l'adhésion et du ralliement de différents groupes sociaux aux doctrines national-socialistes et, en particulier, à l'action menée contre les Juifs. La recherche historique sur la « solution finale » pose un défi à une philosophie finaliste de l'histoire, mais elle représente également un avertissement : il n'y a pas de paroles en l'air. Et même si l'on ne peut pas retrouver un plan *a priori* pour la « solution finale » ou une sorte de stratégie établie dès la prise du pouvoir en 1933, son avènement démontre que ce qui peut être dit peut également être fait. [...]

L'ambiguïté du juridisme

La consolidation du pouvoir national-socialiste et la « normalisation » ne réduisaient en rien la volonté de façonner la société selon l'idéologie raciste du mouvement. Cette normalisation répondait avant tout à un souci de respectabilité internationale. Outre la mainmise définitive sur l'appareil policier et son développement, l'entreprise de réorganisation de la société allemande comprenait un train de mesures racistes, dont les lois de Nuremberg. On ne peut pas dissocier dans le programme national-socialiste les aspects nationaux de la politique de ses aspects raciaux. En effet, le programme de 1920 du NSDAP, qui demande dans son paragraphe premier la réunification de tous les Allemands dans un même État, définit l'appartenance au peuple allemand par les liens du « sang ». Réunifier un peuple défini par des liens biologiques et exclure de ce peuple tous les éléments raciaux jugés « inférieurs » font partie du même projet. Ce projet fut mis en œuvre dès 1933.

L'exclusion des Juifs de la communauté nationale participe d'une « politique d'amélioration biologique du peuple allemand ». Ainsi, dès 1933, la législation devait contribuer à améliorer la sélection par le dépistage systématique des maladies « héréditaires » qui pouvaient entraîner l'interdiction du mariage et la stérilisation obligatoire [16]. A cela s'ajoutait la

---

16. Cette loi pour la prévention des maladies héréditaires (*Gesetz zur Verhütung erbkranken Nachwuchses*) est la première d'une série de mesures qui soulignent le souci de la « qualité biologique » qui accompagnait la politique nataliste du régime et qui était bien supérieur à l'aspect « protection de la cellule familiale » : en 1935 l'avortement, sévèrement réprimé, est autorisé dans les cas de risque de transmission de maladies héréditaires ; peu après, le statut social des mères célibataires est amélioré et les enfants illégitimes sont dotés des mêmes droits que les enfants légitimes.

lutte contre les maladies mentales qui alla jusqu'à l'instauration d'un programme d'euthanasie, interrompu en 1941 sous la protestation populaire. Là encore, le législateur pouvait compter sur le soutien des membres de la profession médicale fortement influencés par des doctrines eugénistes et surtout par la psychiatrie d'obédience biologique. Celle-ci s'était constituée en tant que discipline universitaire à la fin du XIXe siècle dans un même mouvement de soutien au renouveau national que les études littéraires germaniques. Au début, le gouvernement national-socialiste n'eut qu'à promulguer des lois préparées dès avant son arrivée au pouvoir. Ce faisant, il obtenait l'approbation de corps professionnels que des « législations archaïques » avaient empêchés auparavant d'œuvrer pour l'amélioration du genre humain [17]. Les lois de Nuremberg, et notamment la « Loi pour la protection du sang et de l'honneur allemands », avaient pour objectif de protéger le « sang allemand qui circule dans le peuple allemand en tant qu'organisme vivant ». Cette loi, qui interdit le mariage et les rapports sexuels entre Juifs (est incluse dans cette catégorie toute personne comptant un Juif parmi ses grands-parents) et Aryens, introduit en outre une différenciation parmi les Aryens entre « Allemands » et ceux de « race apparentée » (*artverwandt*). On peut mesurer la force des sentiments antisémites qui animaient les membres des professions juridiques au fait que dans la jurisprudence ils allaient bien au-delà des termes de la loi puisque, par exemple, il leur arrivait de saisir des « actes » commis en dehors du territoire allemand ou bien de sanctionner non seulement les rapports sexuels, mais également des gestes de tendresse ou même l'expression orale des sentiments amoureux [18].

La différenciation faite entre « Allemands » et Aryens non allemands s'exprime encore plus clairement dans la nouvelle loi qui définit la citoyenneté (*Reichsbürgergesetz*) et qui établit une différence entre « *Staatsbürger* » (citoyen de l'État) et « *Reichsbürger* » (citoyen du Reich). Le premier terme désigne tous ceux qui vivent dans le Reich (donc le terme usuel

---

17. K. Dörner, « Nationalsozialismus und Lebensvernichtung », *Vierteljahrshefte für Zeitgeschichte*, 2, 1967, pp. 133 *sq*.

18. Voir l'analyse de ces jugements *in* F. Neumann, *op. cit.*, p. 151.

de citoyen), tandis que le deuxième terme n'inclut que « les citoyens de sang allemand ou de race apparentée dont le comportement prouve qu'ils veulent et qu'ils sont capables de servir fidèlement le peuple et le Reich allemands ». Seuls les « *Reichsbürger* » jouissaient des droits politiques. Peu de mois après la promulgation de la loi, le gouvernement octroyait la « *Reichsbürgerschaft* » à toute personne âgée de plus de vingt et un ans qui satisfaisait au critère racial.

Cette nouvelle loi sur la citoyenneté fournissait à l'administration des critères parfaitement arbitraires qui lui permettaient de créer plusieurs « classes » de citoyens en fonction de leur fidélité, la « citoyenneté du Reich » étant révocable à tout moment. Ces lois faisaient de l'appartenance raciale un critère absolu d'exclusion, et donc de répression potentielle. En introduisant une double citoyenneté en fonction de la « fidélité », la loi définissait une limite « floue », « souple », facilement manipulable qui séparait les bons Allemands des citoyens douteux. Cette différenciation devait faciliter plus tard le travail de l'appareil de répression que la SS ne faisait que perfectionner. L'officialisation du critère racial permit d'achever l'entreprise d'expulsion des Juifs hors de la fonction publique. En outre, la distinction entre bons et mauvais citoyens fut au fondement de la répression menée systématiquement contre tous les éléments « asociaux », en particulier contre les « saboteurs du travail », internés dès cette époque dans les camps de concentration devenus camps de travail.

Ce travail de redéfinition de l'appartenance ou de la non-appartenance au peuple allemand en fonction de critères raciaux permit au régime de matérialiser sa vision du monde en classant toute l'humanité sur une échelle allant des Allemands en haut jusqu'aux Juifs en bas, les autres peuples se situant quelque part entre ces deux pôles formés par les « surhommes » et les « sous-hommes ».

La différenciation juridique, en fonction de leur « sang », de tous ceux qui habitaient l'Allemagne était l'aboutissement d'une étape du travail politique [19]. Le fait de donner à une

---

19. Sur l'importance du droit dans l'objectivation des frontières « sociales », *cf.* L. Boltanski, *Les Cadres. Biographie d'une personne collective*, Thèse de doctorat d'État, Paris, 1981, vol. 2, p. 173 *sq.*

« théorie » raciale prétendue scientifique une expression juridique revenait à renforcer des clivages sociaux, à les rendre immuables par leur inscription dans l'ordre des choses : le fait juridique renforçait la croyance en la scientificité de la théorie raciale et de la pratique eugénique, promues dans les universités au rang de disciplines dominantes [20]. En retour, celles-ci contribuaient à légitimer tous les actes accomplis dans le nouveau cadre juridique. [...]

Pouvoir SS et évolution des camps

Lors de l'annexion de l'Autriche et des Sudètes par l'Allemagne, la mobilisation nationale et l'enthousiasme visible de la population ne suffirent pas à rassurer pleinement le gouvernement qui déclencha une nouvelle vague d'internements politiques, dont la baisse après 1935 et la stabilisation à un niveau relativement bas, en comparaison avec d'autres dictatures, témoignaient pourtant de la force d'un régime qui avait bien réussi à s'implanter. Les dirigeants du Reich craignaient les succès éventuels d'une propagande pacifiste souterraine dans une population où les souvenirs de la Première Guerre

---

20. A. Jürgens, *Ergebnisse deutscher Wissenschaft. Eine bibliographische Auswahl aus der deutschen wissenschaftlichen Literatur der Jahre 1933-1938*, Essen, Essener Verlagsanstalt, 1939. Cette bibliographie officielle de la production scientifique allemande montre l'influence croissante de la théorie raciale de la plupart des domaines scientifiques et son rôle dominant dans ceux de l'ethnologie et de la démographie : « *Voklskunde-Rassenkunde-Völkerkunde* » (pp. 308-322). En médecine, les recherches sur l'hérédité, l'hygiène raciale, l'hygiène sociale, l'anthropologie accèdent à une position dominante et sont présentées comme le fondement de la science médicale (pp. 529-536). L'importance des théories raciales qui investissent presque tous les champs de savoir apparaît également à travers les annuaires et les programmes d'enseignement des universités allemandes : *Kalender der reichsdeutschen Universitäten und Hochschulen*, cf. également *Deutsches Hochschulverzeichnis Lehrkörper, Vorlesungen und Forschungseinrichtungen*, Leipzig, J.A. Barth, 1938.

mondiale étaient restés très vifs[21]. La stabilité relative du nombre de détenus dans les camps de concentration fut brusquement rompue au début de la guerre : à chaque nouvelle occupation de territoires soumis, on assistait à la répétition de l'ensemble des mesures d'internement qui avaient été mises en application en Allemagne en 1933[22]. 1938 est aussi l'année du premier internement massif d'une partie de la population juive qui avait pour objectif essentiel de provoquer une accélération de l'émigration[23]. Ces internés, choisis plutôt parmi la population juive fortunée, étaient souvent libérés après réquisition de leurs biens et délivrance d'un visa d'émigration. L'encombrement des camps, quand le nombre des internés eut atteint 60 000 personnes, fut tel que certains dirigeants SS eux-mêmes demandèrent une réduction des « arrestations préventives inutiles » afin d'empêcher une dégradation catastrophique des conditions d'hygiène et le risque certain d'épidémies.

---

21. La réticence à l'égard d'une guerre, voire le pacifisme latent de la population allemande semblent avoir influencé la politique économique du Troisième Reich avant et au début de la guerre. Contrairement aux hypothèses d'une transformation de l'économie allemande en une sorte d'économie de guerre dès la prise du pouvoir, la recherche historique actuelle fait apparaître que le gouvernement hésitait à imposer des sacrifices matériels à la population. La stratégie militaire de « guerre éclair » (*Blitzkrieg*) a été motivée par l'incapacité économique de l'Allemagne de mener une guerre de longue durée (T.W. Mason, « Innere Krise und Angriffskrieg », *in* F. Fortsmeier, H.E. Volkmann, *Wirtschaft und Rüstung am Vorabend des Zweiten Weltkrieges*, Düsseldorf, Droste, 1975, pp. 158-188). Malgré tous les progrès technologiques et industriels la production militaire allemande restait en 1940-1941 nettement inférieure à ce qu'elle était pendant la Première Guerre mondiale. Les dirigeants craignaient l'explosion de conflits sociaux, voire des activités pacifistes et révolutionnaires comparables à celles des années 1917-1918 en cas de problèmes de distribution et de baisse de la consommation. En 1942, année du début de la mobilisation totale, la production d'articles de grande consommation avait baissé seulement de 3 % par rapport à la production d'avant-guerre (A. Speer, *Erinnerungen*, Berlin, Propyläen, 1969, p. 212 *sq.*). Le maintien, même après 1942, de la consommation intérieure à un niveau relativement satisfaisant, et en tout cas nettement plus élevé que pendant la Première Guerre mondiale, n'a été possible que grâce au pillage systématique des pays occupés, surtout à l'Est.
22. H. Krausnick, « Judenverfolgung », art. cité, p. 331 *sq.* H. Höhne, *op. cit.*, pp. 320-321.
23. M. Broszat, « Nationalsozialistische Konzentrationslager », art. cité, p. 93.

C'est avec le début de la guerre contre la Pologne et le choix des camps comme solution à la « question juive » que commença le cycle infernal encombrement-extermination. Pendant la guerre, toutes les mesures permettant de chasser les Juifs hors d'Allemagne, politique d'émigration, création d'un État juif en Palestine, voire d'un territoire juif sous surveillance SS à Madagascar [24] devinrent irréalisables, d'autant plus qu'avec l'occupation de la Pologne, de la Tchécoslovaquie, de la Russie, etc., le nombre de Juifs qu'il aurait fallu évacuer ne faisait que croître et atteignit plusieurs millions. En 1941 finalement, l'émigration fut officiellement interdite par décret [25].

Le début de la guerre à l'Est a considérablement accéléré la transformation des rapports de force en Allemagne. Dès sa prise de pouvoir, le mouvement national-socialiste tenta par divers moyens de soumettre l'administration à sa volonté (refus de codifier les procédures politiques, création d'un secteur important d'organisations para-publiques ou émanant directement du parti qui remplissaient les mêmes fonctions que les administrations). Toutefois, la plupart des spécialistes du Troisième Reich concluent au maintien, jusqu'au début de la guerre, de la primauté des règles de la rationalité bureaucratique traditionnelle dans le fonctionnement de l'administration. Dès le début de la guerre, cette rationalité bureaucratique est progressivement remplacée par les « raisons du mouvement social » [26]. Le droit positif est remplacé par le règne du commandement. La doctrine de la domination légale selon Max Weber qui avait inspiré la Constitution de Weimar, à savoir que le pouvoir des lois doit remplacer celui des hommes sur les hommes, est démolie. Désormais, l'exercice du pouvoir, de moins en moins prévisible, est le résultat de luttes entre un nombre croissant d'organisations relativement autonomes et souvent en concurrence les unes avec les autres. L'Allemagne est transformée en un pays « polycratique » contrôlé et tenu

---

24. H. Höhne, *Der Orden unter dem Totenkopf. Die Geschichte der SS*, Güterslohe, 1967, p. 323.

25. H. Höhne, *op. cit.*, p. 321.

26. C'est la thèse avancée pour la première fois par F. Neumann dans son livre *Behemoth* et aujourd'hui acceptée par la plupart des historiens.

ensemble par la subordination au Führer de toutes ces organisations qui disposent chacune de leur propre juridiction. Le champ du pouvoir où disparaissent les partages traditionnels de l'État libéral, à savoir la division entre pouvoir exécutif, pouvoir législatif et pouvoir judiciaire, se transforme en un champ de concurrence pour l'accès auprès du Führer. Les liens traditionnels de loyauté mêlée de distance qui unissent différentes fractions de la classe dominante aux dirigeants nazis se transforment, en temps de guerre, en véritables liens de complicité.

Dans cette situation, une organisation est particulièrement bien placée pour accroître son influence : la SS. Dès avant la guerre, à partir du moment où le régime fut assuré de la soumission des services secrets et de la police à la surveillance de la SS, celle-ci avait déjà élargi ses compétences dans le domaine économique en proposant, vers 1937, les camps de concentration comme unités de production pour parer à la pénurie de matériaux de construction provoquée par les plans d'urbanisation de Berlin et les constructions de prestige du régime [27]. Cette fonction économique des camps de concentration, qui devint de jour en jour plus importante, devait fonder la légitimité de l'influence croissante de la SS qui s'étendit bien au-delà de sa fonction initiale de contrôle politique et policier.

L'évolution interne de la SS illustre le processus par lequel une organisation, en conférant du pouvoir à ceux de ses membres qui lui ont consenti les plus forts investissements, accroît encore leur reconnaissance et leur fidélité [28]. L'adhésion inconditionnelle à l'appareil et à la doctrine dans les organisations d'élite du Reich et du parti était la condition du contrôle sans faille de la société en temps de guerre. Organisations d'élite chargées de protéger les dirigeants du mouvement, les formations SS avaient quelque 200 000 membres en 1936, dont 90 % de troupes et 10 % d'unités dites des « têtes de mort », le noyau dur qui assurait le travail de contrôle et exécutait les règlements de comptes internes et qui fournissait également, au début, les unités de garde des camps de concentration. Vers 1941, le nombre des SS dépassait 800 000 et atteignit un million à la fin de

27. A. Speer, *Der Sklavenstaat*, Stuttgart, DVA, 1981, p. 42.
28. P. Bourdieu, « La représentation politique », art. cité, p. 19.

la guerre, dont 900 000 membres dans les « Waffen-SS » et 30 000 membres dans les unités des « têtes de mort » [29]. On voit bien que l'augmentation rapide des effectifs des troupes SS n'entraîna pas un accroissement similaire des effectifs des unités des « têtes de mort », élite au sein de l'élite, qui demeurèrent relativement peu nombreuses.

Le cercle restreint des dirigeants SS se recrutait parmi les anciens combattants du mouvement dont les trajectoires sociales avaient souvent des caractéristiques communes [30] : soldats pendant la Première Guerre mondiale, déracinés de leur milieu d'origine et déçus par une « capitulation déshonorante », membres de formations militaires d'extrême droite engagés au début des années 1920 à l'Est, en Rhénanie et en Bavière (*Freikorps*), emprisonnés souvent pendant de longues années pour haute trahison ou terrorisme pendant les années de la République de Weimar, ils rallièrent le NSDAP qui leur réserva une place d'honneur et les traita en héros [31]. La majorité d'entre eux, qui n'ont guère connu une vie sociale normale et qui tirent de l'expérience de la guerre et des prisons leur vision du monde social, font de la fidélité inconditionnelle et des règles de conduite acquises dans la clandestinité les principes de fonctionnement de l'appareil SS : secret et commandement vertical.

En outre, un nombre important de dirigeants SS appartenaient, au début des années 1920, aux « *Artamanen* », groupement qui luttait pour le retour à la terre et pour la colonisation des territoires de l'Est et qui était fortement marqué par un certain naturalisme biologique [32] et par un antisémitisme militant. Les expérimentations « scientifiques » entreprises par la SS et qui comprenaient la recherche bio-

---

29. H. Höhne, *op. cit.*, p. 8.

30. H. Höhne, *op. cit.*, p. 48.

31. La situation psychologique de cette « génération perdue » est bien saisie dans les livres de Ernst Jünger que rapprochent de ces aventuriers politico-militaires son propre destin, sa sympathie politique et sa fascination pour l'aventurisme : E. Jünger, *Der Kampf als inneres Erlebnis*, Berlin, E.S. Mittler und Sohn, 1922.

32. Rudolf Höss (*Kommandant in Auschwitz. Autobiographische Aufzeichnungen*, Stuttgart, DVA, 1958, p. 50 *sq.*) décrit son passage des « *Artamanen* » à la SS dans le cadre de la cooptation par Himmler, lui-même ancien *Artaman* de plusieurs « *Artamanen* » dans des positions dirigeantes de la SS.

agricole aussi bien que la recherche sur les êtres humains sont la réalisation des fantasmes cultivés par les membres de cette association, à savoir la reconstruction d'une nature et d'une société sur des bases « naturelles » et « saines ».

A ces idéologues fondateurs de la SS s'ajouta, dès la prise du pouvoir par les nazis, une armée de gestionnaires attirés par cette organisation en pleine expansion et par les magnifiques perspectives de carrière qu'elle offrait au sein du nouvel État. Les technocrates responsables de l'organisation de la politique de « dissimulation-émigration » appartenaient à ce type de dirigeants SS. Avec l'accroissement de la différenciation interne de la SS, qui visait à doubler chaque administration par un service chargé de la contrôler et de la concurrencer, les conflits au sein de la SS, devenue un État dans l'État, devinrent de plus en plus visibles. Si bien que la politique antisémite ne fut plus uniquement tributaire des conflits entre les différentes administrations, mais elle dépendit aussi des conflits internes à la SS, surtout entre le service central de sécurité intérieure (*Reichssicherheitshauptamt*, RSHA) et le service économique (*Wirtschaftsverwaltungshauptamt*, WVHA).

On ne peut comprendre l'organisation interne des camps de concentration sans prendre en considération les caractéristiques sociales spécifiques de ceux qui étaient appelés à les organiser et à les gérer : beaucoup de commentateurs ont mis l'accent sur le caractère froidement technocratique et déshumanisé de l'action des dirigeants SS, forme d'illustration limite, selon eux, d'une efficacité bureaucratique qui, toute au souci d'optimiser les moyens, ne s'inquiète plus des fins de son action [33]. Bien plus que l'illustration de la bureaucratie moderne déshumanisée, ces cas sont révélateurs de l'habileté dont faisait preuve le régime national-socialiste dans le choix de ses cadres. En effet, ceux qui avaient personnellement la charge d'organiser l'univers concentrationnaire avaient une connaissance intime du fonctionnement des institutions totalitaires acquise dans les prisons où ils étaient restés souvent très longtemps.

Ainsi le récit autobiographique de Rudolf Höss peut être

---

33. Voir surtout, sur ce point, l'introduction à l'édition allemande de l'autobiographie de R. Höss, *op. cit.*, p. 7 *sq*.

lu comme une sorte d'analyse psychosociologique visant à décrire les techniques les plus efficaces pour gérer une prison trop remplie. Auto-administration, manipulation des conflits entre prisonniers de catégories différentes, dosage entre régularité et arbitraire, toutes ces techniques s'acquièrent, comme il le montre, par un apprentissage sur le tas, une sorte de formation autodidacte.

Et tandis que le personnel dirigeant qui avait des responsabilités de conception, de mise en œuvre et de gestion était choisi en fonction des services rendus au mouvement, la loyauté du personnel subalterne SS était directement liée à la rémunération matérielle et aux gratifications symboliques que procure l'appartenance à une organisation prestigieuse. Un exemple extrême en est le recrutement du personnel de garde féminin des camps de concentration, qui s'effectuait soit par cooptation, soit par simples annonces dans les quotidiens pour un « travail bien rémunéré » qui de surcroît ne demande « pas de compétences spécifiques » [34].

En outre, pour les habitants des territoires occupés qui parlaient l'allemand, entrer dans la SS était un des meilleurs moyens d'améliorer leur statut. En effet, malgré la politique de réunification de tous les Allemands dans un seul Reich, ceux qui vivaient à l'extérieur des frontières, dans un pays occupé, ne jouissaient pas des mêmes droits que les citoyens du Reich. Aux deux types de citoyens créés par la loi de 1935 s'ajoutaient les « Allemands du peuple » (*Volksdeutsche*). L'incorporation à la SS de certains des habitants des territoires occupés était d'autant plus encouragée qu'elle allait dans le sens de la politique raciale du régime qui visait également à « germaniser » les meilleurs éléments des peuples slaves, considérés en général comme une race inférieure. Des motivations de ce type n'étaient certainement pas absentes dans le recrutement des légionnaires étrangers, hollandais, belges, français, etc. A la fin de la guerre, plus de la moitié des membres de la SS étaient soit des Allemands originaires des pays occupés (300 000), soit des étrangers (200 000) [35].

---

34. F. Pingel, *Haftlinge under SS Herrschaft. Widerstand, Selbstbehauptung und Vernichtung im Konzentrationslager*, Hamburg, Hoffmann und Campe, 1978, p. 63.
35. H. Höhne, *op. cit.*, p. 8.

On ne peut comprendre le rôle primordial joué par la SS dans la politique de la « solution finale » qu'en prenant en considération l'élimination de deux concurrents qui auraient pu jouer le rôle de frein : le ministère de la Justice et l'armée. L'autonomie relative dont jouissait l'appareil judiciaire, malgré le rétrécissement de ses compétences dû à la création d'une multitude de juridictions d'exception et de juridictions spéciales, avait toujours eu un effet modérateur sur la politique d'arrestations préventives et d'internement dans les camps de concentration sous surveillance SS. La baisse, au milieu des années 1930, du nombre d'internés en même temps que la transformation des camps de concentration en instrument du pouvoir économique SS avaient accru les conflits avec le ministère de la Justice qui veillait dans une certaine mesure sur la « légalité » des « arrestations préventives ». Afin d'éviter la baisse des effectifs et, du même coup, de la productivité des camps pendant la période de « normalisation » politique du Reich, la SS recourut à une manipulation des dossiers d'internement qui lui permit de transformer des arrestations temporaires à des fins de rééducation en arrestations permanentes : on peut relever dès 1936, dans les dossiers, que la part des détenus politiques et criminels qui sont considérés comme « récupérables par une rééducation par le travail forcé » décroît, tandis que croît la part des « irrécupérables pour des raisons héréditaires » [36]. L'influence croissante de l'idéologie « biologiste » et l'affaiblissement corrélatif du rôle attribué à la « rééducation » diminuent ainsi les chances individuelles qu'ont les détenus de se voir libérer pour bonne conduite.

Mais cette manipulation sémantique ne suffit pas à satisfaire les besoins de la SS en main-d'œuvre d'esclaves. Il était possible de recourir à un autre moyen pour s'en procurer : influencer la politique pénitentiaire et négocier le transfert des prisonniers de droit commun dans les camps. Dans le système politique du Troisième Reich, caractérisé par des organisations cloisonnées qui fonctionnaient selon le principe du commandement vertical et qui veillaient jalousement à préserver le domaine où s'exerçait leur compétence, l'influence d'une organisation sur une autre n'était possible que si la première par-

---

36. F. Pingel, *op. cit.*, p. 75.

venait à influencer le choix des dirigeants de la seconde :
jusqu'en 1941, le ministre de la Justice fut un des derniers dirigeants politiques à avoir eu un passé « national-bourgeois ».
A sa mort, la SS réussit à imposer que ce poste ne soit plus
rempli, mais qu'il soit administré temporairement par un secrétaire d'État. Le nouveau ministre, nommé seulement en 1942,
dut son poste à sa collaboration avec la SS dans le procès qui
avait pour but d'éliminer le gouvernement tchèque d'Elias (une
sorte de gouvernement de Vichy) soupçonné de collaboration
avec la résistance et le gouvernement Benes en exil. Ce procès
fondé sur des preuves extrêmement fragiles et qui aboutit à
livrer la Tchécoslovaquie au contrôle SS valut à Thierack le
soutien de la SS contre ses concurrents plus « légalistes » au
poste de ministre de la Justice [37]. Et ces liens d'obligations
réciproques se traduisirent dès 1942 par une ouverture du
système pénitentiaire à l'appareil de police contrôlé par la SS.
Les prisons allemandes devenaient ainsi une source inépuisable pour alimenter les camps de concentration : dès 1942, la
Direction de la sécurité interne SS (*Reichssicherheitshauptamt*,
RSHA) a le droit, si elle le juge nécessaire, de modifier tous
les jugements en leur affectant la mention « traitement spécial » (*Sonderbehandlung*). De plus, le ministre de la Justice
accepte, en septembre 1942, l'« extradition » à la SS, à des fins
d'« annihilation par le travail » (*Vernichtung durch Arbeit*),
de tous les prisonniers d'origine russe, ukrainienne et polonaise dont les peines dépassent trois ans de prison et les prisonniers d'origine tchèque et allemande dont les peines
dépassent huit ans [38].

Initialement mise en œuvre pour parer à une baisse des
effectifs de la main-d'œuvre dans les camps de concentration,
la stratégie SS visant à influencer l'appareil judiciaire et pénitentiaire réussit au moment même d'une forte croissance des
effectifs des camps de concentration due aux « arrestations
préventives » déclenchées dès le début de la guerre. Si bien
qu'au lieu de remédier aux problèmes d'effectifs, les transferts en provenance des prisons aggravèrent la situation en
provoquant un encombrement qui fut à l'origine de la trans-

---

37. H. Höhne, *op. cit.*, p. 369.
38. F. Pingel, *op. cit.*, pp. 79-81, 129.

formation de certains camps en camps d'extermination par le travail.

L'encombrement des camps, dès 1938, par suite de l'intensification de la lutte contre les adversaires du régime au sein du Reich et en Autriche, mène à une première élaboration explicite des projets visant à transformer les camps en camps d'extermination. En effet, une masse de détenus « biologiquement irrécupérables » et qui posent des problèmes de ravitaillement supérieurs à leur rendement économique ne peut être réduite à un « nombre économiquement raisonnable » que grâce à l'extermination par le travail. Dès cette époque, les détenus les plus dangereux et les détenus classés comme « inférieurs » du point de vue racial sont placés à des postes de travail particulièrement exposés et durs : des postes de « travail d'annihilation » (*Vernichtung*). A partir de 1939, les causes de la mort des détenus ne sont plus enregistrées automatiquement dans les dossiers et, dès 1940, donc bien avant le début des programmes d'extermination des Juifs, on assiste à une forte hausse du taux de mortalité et à une hiérarchisation des camps en fonction de ces taux. Mauthausen occupe le sommet de l'échelle avec un taux de 76 % de morts, Dachau la position intermédiaire avec 36 % et Buchenwald est en bas avec 19 % [39].

On voit bien qu'avant l'internement systématique de la population juive, l'encombrement des camps, cause d'une baisse du rendement économique, fut à l'origine de l'évolution des camps de concentration vers une différenciation des tâches et vers l'extermination par le travail. Ainsi, aux camps conçus pour des détenus politiques et criminels récupérables (Dachau, Sachsenhausen) s'ajoutèrent des camps destinés aux cas difficilement récupérables (Buchenwald, Flossenbürg, Neuengamme) et irrécupérables (Mauthausen). Bien avant l'arrivée des convois de Juifs, l'extermination devint une des fonctions des camps. L'internement massif dès 1941 des Juifs, catégorie par définition « irrécupérable », ne pouvait qu'aggraver la contradiction entre l'encombrement et le rendement. La réaction à cette situation fut la recherche de solutions « techniques » au problème, la recherche d'une « solution

---

39. F. Pingel, *op. cit.*, pp. 79-81.

finale ». Les déportations massives de Juifs n'interviendront qu'une fois éliminé l'autre concurrent qui s'était longtemps opposé à la croissance du pouvoir SS, à savoir l'armée. [...]

Liens de loyauté et autonomie du pouvoir

Rendre compte de la « solution finale » revient à décrire un long processus jalonné de luttes d'influence qui ont contribué à créer les conditions de possibilité d'un crime d'une telle ampleur. C'est également montrer à quel point il serait injustifié de voir dans l'extermination du peuple juif l'aboutissement du seul antisémitisme : en effet, sans en nier les spécificités, il faut restituer l'antisémitisme dans une politique raciale qui est la mise en pratique d'une vision du monde social hiérarchisant les individus selon la valeur qu'elle confère à leur vie et portant en germe l'idée de l'extermination des vies sans valeur. Chaque acte de répression antisémite trouve sa place dans la série des étapes qui mènent à la réalisation d'un monde social conforme à l'idéologie raciste. Les lois de Nuremberg, promulguées en même temps que les lois qui définissent la citoyenneté allemande, visaient à établir des clivages sociaux en fonction de l'idéologie raciale. Le discours légal, aboutissement du discours militant, crée des réalités beaucoup plus qu'il n'en est le reflet : il a ainsi contribué à faire apparaître un groupe qui existait à l'état dispersé, il en a défini les limites, le rendant repérable et donc exposé à une répression éventuelle. L'appauvrissement des Juifs et leur « ghettoïsation » ont contribué à renforcer le racisme diffus et ont abouti ainsi à rendre quasiment improbable toute réaction éventuelle de protestation contre les déportations ultérieures. Mais ce n'est finalement qu'après le début de la guerre à l'Est que furent réunies toutes les conditions d'un génocide que le régime n'aurait pas pu entreprendre en temps de paix, sans l'approbation et le soutien préalables des différentes fractions de la classe dominante.

C'est pendant une période relativement courte de leur règne, entre 1942 et 1945, que les dirigeants nazis purent se consacrer à la poursuite des objectifs idéologiques du mouvement sans se soucier de leur impact social ni des réactions que pouvait susciter cette politique dans les différentes couches de la population allemande, deux contraintes qui, avant la guerre, avaient empêché le pouvoir d'aller jusqu'au bout. Les conditions de guerre avaient développé l'autonomie du pouvoir face à la société. Dans un système politique où le principe de l'autorité exclusive du Führer s'était substitué aux procédures, aux règles et aux normes, seul comptait l'accès auprès du Führer. Et, dans cette concurrence, les combattants des premiers jours, les idéologues du mouvement étaient les mieux placés ; ce sont ces liens de loyauté au Führer, devenus, au cours des années, des liens de complicité, qui ont rendu possible l'acharnement avec lequel les nazis s'efforcèrent jusqu'au bout d'imposer leur conception du monde à un monde qui s'écroulait littéralement. Contrairement à l'image officielle de la propagande allemande, les rapports établis par les services secrets « Nouvelles du Reich » pour sonder les attitudes du peuple allemand, et communiqués à un cercle restreint de dirigeants, font état de la lassitude, du manque de foi dans les déclarations officielles, du pessimisme quant aux chances de gagner la guerre. Et ceci dès le début de la guerre contre l'Union soviétique en 1941 [40]. La terreur et la guerre avaient transformé, en Allemagne aussi, la vie en survie. On peut ainsi comprendre, sans pour autant justifier, le silence de tout un peuple : il était moins le produit d'un consentement que de l'indifférence à tout ce qui ne relevait pas du savoir indispensable à la survie (la sienne et celle des siens) ou de la volonté de censurer tout ce qui pouvait la mettre en danger.

La symbolique du régime va dans le sens de l'autonomie du pouvoir par rapport à la société. En effet, l'attentat du 20 juin 1944, fomenté par des forces conservatrices qui n'avaient pas été étrangères à l'accession du NSDAP au pouvoir, marqua la fin de leur soutien à un mouvement qui, en s'emparant de l'État, avait vite perdu de vue les intérêts de l'État. Dans le décret signé peu après l'attentat manqué, Hitler remplaça son titre de « *Führer und Reichskanzler* » par celui de « *Führer* », éliminant ainsi les dernières traces de l'ordre ancien : dorénavant, l'intérêt de l'État ne devait plus entraver l'intérêt du mou-

---

40. H. Höhne, *op. cit.*, p. 390 *sq.*

vement. Une année plus tard, dans son testament politique, Hitler désigne son successeur du titre de « *Reichspräsident* » qui n'avait plus été utilisé depuis 1934, année de la mort de von Hindenburg. Rétablir symboliquement la continuité légale avec la République de Weimar était, aux yeux des dirigeants nazis, peut-être moins l'aveu de l'échec que l'expression de leur conviction d'avoir rempli leur mission et achevé leur œuvre idéologique. Dans ce même document, Hitler ordonne aux Allemands de se conformer strictement aux lois de Nuremberg pour préserver la pureté de la race.

L'acharnement de dernière heure des dirigeants nazis à poursuivre la guerre correspond peut-être moins à l'isolement social dans le « *Führerbunker* », si souvent invoqué, voire à une pathologie spécifique des dirigeants, qu'à la ténacité idéologique et à la conviction d'avoir à remplir au moins un des objectifs de leur œuvre politique, l'élimination des Juifs en Europe centrale. Du point de vue de la survie de l'Allemagne et des impératifs économiques de la guerre, la « solution finale », mise en œuvre jusqu'aux tout derniers jours de la guerre, était une folie ; du point de vue de l'idéologie raciale nazie elle était une nécessité. Dans une certaine mesure, la « solution finale » constituait une entrave à la guerre, mais en même temps, elle en faisait partie puisqu'elle était un des ressorts mêmes de la guerre. Poursuivant méthodiquement et inexorablement leurs visées idéologiques, les dirigeants nazis avaient fait du meurtre un moyen banal pour parvenir, en supprimant tout ce qui y faisait obstacle, à imprimer au monde des fantasmes démesurés d'un imaginaire qui trouvait dans la pureté raciale, dans l'ordre et dans le pouvoir, les principes mêmes de ses goûts esthétiques.

Actes de la recherche en sciences sociales, n° 41, février 1982.

Une politique scientifique :
le concours de l'anthropologie,
de la biologie et du droit

La théorie raciale est au cœur du projet de transformation sociale qu'avait proposé le mouvement national-socialiste. L'utopie sociale à l'horizon de ce projet était la purification et l'amélioration du patrimoine héréditaire de la population. La supériorité raciale aurait dû assurer à l'Allemagne la pérennité de son règne sur la scène internationale. L'exclusion des « races inférieures » et des êtres « impurs » du point de vue racial ayant abouti aux génocides juif et tsigane est donc à replacer dans le champ plus vaste d'une politique de population dont on peut retracer le cadre légal et scientifique. Dès la prise de pouvoir en 1933, la mise en œuvre progressive de cette politique a été préparée à grand renfort d'expertises commandées à des universitaires et à des centres de recherche, certains établis de longue date, et d'autres spécialement créés dans ce but par le régime. Science et politique sont indissociables dans cette affaire. Les traits caractéristiques de l'anthropologie physique allemande, sa proximité avec la médecine, l'anatomie et la génétique humaine ainsi que l'importance accordée à l'époque aux facteurs héréditaires en psychiatrie devaient faciliter cette alliance.

Les préalables scientifiques

Invoquant dans sa généalogie intellectuelle, à côté de Darwin et de Galton, les noms prestigieux de Blumenbach, de Kant

et de Goethe [1], l'anthropologie allemande s'est institutionnalisée dès les années 1860 autour de problèmes techniques de
mesure et de typologie des groupes humains : « la mesure stan-
dardisée du corps entier... les variations au sein du genre
humain... la comparaison des peuples et des races [2] ». Organisée en sociétés savantes régionales, l'Association allemande
d'anthropologie a concentré en 1872 ses efforts de recherche
dans trois commissions : cartographie de fouilles préhistori-
ques, craniologie, inventaire de différentes collections disper-
sées. La commission de craniologie, largement composée
d'anthropologues — médecins et anatomistes — et dirigée par
Rudolf Virchow à l'université de Berlin, a pu fonctionner
comme la pépinière des premières générations universitaires
d'anthropologues. Dans la plupart des cas, l'anthropologie allemande enseignée par des anatomistes a continué à se présenter comme une science de la nature après s'être détachée de
la médecine et constituée en discipline autonome. Les années
1920 sont marquées par une forte expansion des activités de
recherche, du nombre des étudiants et des thèses d'État [3]. Au
début des années 1930, il y a des instituts d'anthropologie dans
les universités de Munich, Leipzig, Berlin, Wroclaw (Breslau),
Heidelberg, Kiel et Francfort.

Les recherches restent très empiriques et descriptives, tendant à accroître le nombre des caractéristiques morphologiques (forme des crânes et autres mensurations anatomiques,
mais aussi pigmentation, couleur des yeux, nature des cheveux,
etc.) pour mieux distinguer les indicateurs les plus fiables des
caractéristiques héréditaires de différents groupes.

1. Il ne faut pas oublier que cette mise en valeur d'une telle filiation
philosophique et littéraire dans les manuels d'anthropologie tend à maxi-
miser le rayonnement intellectuel de la discipline au-delà du seul cercle des
pairs. Ce faisant, les anthropologues essayaient sans aucun doute de provoquer un climat d'opinion favorable, indispensable aux visées pratiques
inhérentes au savoir eugénique.
2. K.E. Bauer, R. Wagner, *Bericht über die Zusammenkunft einiger
Anthropologen*, Leipzig, 1861, pp. 2 et 27.
3. Pour ces indicateurs du développement de la discipline, voir I. Schwidetzky, « Die institutionnelle Entwickung der Anthropologie », *in* I. Spiegel-
Rösing, I. Schwidetzky, *Maus und Schlange. Untersuchungen zur Lage
der deutschen Anthropologie*, Munich, Oldenbourg, 1982, p. 86 *sq.*

Ces caractéristiques sont alors prises pour critères d'une distinction entre des « races », dont la nomenclature varie d'ailleurs fortement d'un traité d'anthropologie à l'autre [4]. Ces recherches empiriques aux objectifs typologiques ont ouvert la voie à deux grandes tendances :

— l'analyse des mélanges raciaux dans la population de différentes régions en Allemagne et dans le monde ;

— l'analyse des lois héréditaires qui se dégagent d'une maîtrise de plus en plus fine de la mesure des différentes caractéristiques.

La première de ces orientations, représentée dans l'entre-deux-guerres par Egon von Eickstedt, éloignait l'anthropologie de la médecine et la rapprochait de la psychologie, de l'ethnologie et des sciences de la culture. Partant d'une analyse de la composition raciale de la population d'une région donnée, cette caractérisation était intégrée par la suite à une large description des mœurs et de la culture qui rappelle la tradition des récits de voyages. La corrélation entre d'une part les traits raciaux de la population et d'autre part les traits caractéristiques de la région, devait étayer la thèse selon laquelle la race détermine largement les manifestations sociales et culturelles. Pour pouvoir mener à bien de larges enquêtes, cette approche « holistique » des liens entre race et culture avait pour préalable méthodologique la possibilité d'un classement rapide d'une population à partir de l'impression que donnent les individus qui la composent. Retenant comme caractéristiques les plus saillantes la forme faciale, celle du crâne, celle du nez, la taille, la couleur des cheveux et des yeux, von Eickstedt développa une « formule raciale » peu contestée à l'époque, qui permettait de classer chaque personne avec seulement six mesures et un système de pondération [5].

La deuxième orientation essayait de déterminer l'importance exacte de l'hérédité en comparant certaines caractéristiques

---

4. Voir par exemple le chapitre « Essence et différenciation du concept de race », *in* E. von Eickstedt, *Die Forschung am Menschen*, Stuttgart, Enke, 1940 (republié en 1963), pp. 13-67.

5. E. von Eickstedt, « Anlage und Durchführung von rassenkundlichen Gesamtuntersuchungen », *Zeitschrift für Rassenkunde und ihre Nachbargebiete*, 2, 1935.

d'une génération à l'autre. C'était la tendance des recherches menées d'une part à la suite d'Eugen Fischer, et de l'autre par Siemens et O. von Verschuer. Fischer voulait montrer la validité, dans le cas de l'homme, des lois de l'hérédité établies par Mendel dans ses recherches botaniques. Son programme empirique consistait à analyser des populations de « bâtards » et de métissés [6]. Dans la tradition des recherches de Galton sur les jumeaux, Siemens et von Verschuer voulaient établir les mesures exactes des poids respectifs de l'hérédité et du milieu [7].

Cette orientation « scientifique » de l'anthropologie allemande, liée au champ prestigieux du savoir dans le domaine de la médecine, lui ouvrait des voies d'application sous forme d'expertises judiciaires dès 1926, alors qu'une expertise anthropologique était admise pour la première fois dans un procès de paternité à Vienne. A partir de 1931, le recours systématique, en Allemagne et en Autriche, à des expertises anthropologiques eut pour conséquence un raffinement méthodologique très rapide et la multiplication des caractéristiques prises en compte dans ces « analyses polysymptomatiques des ressemblances [8] ». Ces applications après tout modestes renforçaient la légitimité et le prestige social d'une science soutenue par un réseau d'innombrables associations qui garantissaient la vulgarisation de tel ou tel élément de connaissance, souvent dans un effort « progressiste » de pédagogie sexuelle populaire et de « conseils prénuptiaux ».

Ce mouvement eugénique en Allemagne se distingue également par l'importance accordée aux doctrines raciales. La génétique humaine promettait une multitude d'applications, et se profilait à l'horizon l'espoir de pouvoir systématiquement cultiver une race supérieure en excluant de la reproduction des éléments atteints de maladies héréditaires, ou en évitant des

6. E. Fischer, *Die Rehobother Bastarde und das Bastardisierunsproblem beim Menschen*, Iéna, 1913.
7. O. von Verschuer, « Die Umweltwirkung auf die anthropoligischen Merkmale nach Untersuchungen an einigen Zwilligen », *Zeitschrift für induktive Abstammungs und Vererbungslehre*, 37, 1925, pp. 119-122.
8. L. Loeffler, « Anwendungen der menschlichen Erbbiologie », *Handbuch der Erbbiologie des Menschen*, II, Berlin, 1940, pp. 310-359 ; voir également une soixantaine de méthodes typologiques de l'anthropométrie *in* E. von Eickstedt, *op. cit.*, p. 579.

Racisme, déportation, génocide

mélanges indésirables. Dans une telle stratégie, la rencontre entre l'anthropologie et une autre branche de la médecine, la *psychiatrie*, devait se révéler décisive.

Celle-ci avait connu pendant la Première Guerre mondiale une évolution rapide en rapport direct avec ses applications militaires. La fréquence des « névroses de guerre », des « tremblements d'angoisse » parmi les soldats poussait à concentrer les efforts de recherche en psychiatrie sur des thérapeutiques pouvant guérir rapidement des symptômes jugés passagers. L'hypnose, les chocs électriques, les traitements médicamenteux à base de calmants devaient adapter les patients aux horreurs du front. Quand ces thérapies ne réussissaient pas à rétablir un état permettant le service au front, le renvoi des patients dans la production industrielle plutôt que dans des hôpitaux psychiatriques forçait les psychiatres à ne plus penser en termes de catégories bien distinctes, mais en termes de *continuum* allant de l'état de maladie manifeste à l'état de bonne santé en passant par différents degrés d'adaptation à la « normalité », définie en termes très généraux comme l'aptitude à un « mode de vie socialement intégré et utile [9] ». Cette vision des choses allait ouvrir la voie à un changement radical de l'organisation du travail psychiatrique après la Première Guerre mondiale, où l'on allait tendre peu à peu à remplacer l'enfermement par des thérapies de réinsertion dans le processus de production.

Les progrès des thérapeutiques et de l'insertion sociale de certaines catégories de malades mentaux eurent donc une conséquence paradoxale. En effet, les thérapeutiques de réinsertion semblaient donner raison aux théories mettant l'accent sur des facteurs du milieu social et culturel dans la genèse des maladies mentales, et qui les avaient d'ailleurs souvent inspirées. En revanche, le constat de l'échec de toute tentative de réinsertion sociale dans d'autres cas renforçait la position des théories de l'hérédité et des maladies congénitales.

Au fur et à mesure que s'ouvrent les cliniques et qu'elles intègrent le travail dans les techniques thérapeutiques, les échecs de réinsertion sociale apparaissent comme autant de preuves

9. H.L. Siemen, *Das Grauen ist vorprogrammiert*, Giessen, Focus, 1982, p. 32 *sq.*

125

du caractère héréditaire de certaines pathologies. Loin de s'opposer, certaines tendances modernisatrices pouvaient donc rejoindre des conceptions héréditaires, voire les consolider.

De même, une définition des maladies mentales selon le degré d'«adaptation au travail et d'utilité de l'individu pour la communauté sociale» rapprochait inévitablement les maladies mentales de toutes sortes d'«inadaptations» jugées «asociales», tels une délinquance répétée, l'alcoolisme, la prostitution et le vagabondage, suspects d'être héréditaires ou constitutionnels en cas d'échec de tentatives de réinsertion sociale. Il n'est pas étonnant alors que la psychiatrie en tant que discipline se soit présentée dès le début des années 1920 comme l'instrument de lutte par excellence contre «l'incroyable dégénérescence morale et sociale» après la guerre, et que certains de ses représentants d'avant-garde aient tiré explicitement les conséquences de la différenciation entre les cas récupérables d'un côté, les malades «héréditaires» irrécupérables de l'autre [10].

Déjà exigées dès avant la Première Guerre mondiale par des darwinistes sociaux dans des revues scientifiques et des publications de vulgarisation [11], la stérilisation obligatoire de certains malades mentaux et l'euthanasie n'ont jamais cessé d'être l'objet de débats entre 1920 et 1933. On trouve, parmi les défenseurs les plus fervents de ces mesures eugéniques, des psychiatres convaincus de la validité des lois génétiques de Mendel dans le cas de la transmission de maladies mentales [12]. Dès le milieu des années 1920, on voit se dessiner en psychiatrie une orientation de recherche similaire à la génétique humaine en anthropologie. En plus de leur commune appartenance aux facultés de médecine, la référence à Mendel rapproche ces deux domaines de savoirs traitant d'objets par ailleurs fort éloignés.

---

10. *Ibid.*

11. Un des premiers à demander le «droit à la mort» et l'«extermination de la vie sans valeur» fut A. Jost, *Das Recht auf den Tod*, Sociale Studie, Göttingen, 1895 ; cette même demande et le concept de la «vie sans valeur» ont occupé beaucoup d'articles publiés autour de 1910 et 1913 dans la revue *Archiv für Rassen und Gesellschaftsbiologie*.

12. E. Rüdin, «Über die Vorhersage von Geistesstörungen in der Nachkommenschaft», *Archiv für Rassen-und Gesellschaftsbiologie*, 20, 1927, pp. 394-407.

Leur lieu de rencontre est la Société allemande pour l'hygiène raciale. Lieu de rencontre entre scientifiques de disciplines diverses, mais aussi de hauts fonctionnaires, son rayonnement social a pu renforcer la position de ses membres au sein de leurs disciplines respectives. Il n'est pas étonnant alors qu'en 1928, Rüdin ait accédé à la direction de l'Institut de psychiatrie de la Kaiser-Wilhelm-Gesellschaft à Munich, et qu'en 1927, Fischer ait été nommé le premier directeur de l'Institut d'anthropologie de la Kaiser-Wilhelm-Gesellschaft à Berlin [13]. Ces nominations à la tête des seules institutions disposant de larges possibilités de recherche (contrairement aux instituts universitaires dont la taille dépasse rarement un ou deux assistants et une secrétaire à côté du détenteur de la chaire) marquent la consécration scientifique de conceptions eugéniques au sein de la psychiatrie et de l'anthropologie et la vocation appliquée de ces domaines conformément aux statuts des instituts de la Kaiser-Wilhelm-Gesellschaft (devenue après 1945 la Max-Planck-Gesellschaft).

Dans la tradition de Galton, l'eugénique avait toujours fait appel à l'État, « responsable de la quantité et de la qualité de la population ». Pour que l'État puisse remplir ses tâches de politique de la population, l'eugénique proposait des instruments d'intervention « positifs », tels les certificats de santé prénuptiaux, et des instruments « négatifs », tels les stérilisations et les avortements eugéniques. Les premiers devaient assurer la qualité optimale de reproduction, les autres éliminer tout risque de reproduction de tares irréparables. Bien que le mouvement eugénique disposât, pendant la République de Weimar, de solides bases universitaires et qu'il ait bénéficié du concours associé de la vulgarisation scientifique et de la pression politique, la législation en la matière était restée embryonnaire et bien en deçà des législations de stérilisation eugénique en vigueur à l'époque aux États-Unis ou dans les pays scandinaves [14]. Mais au sein de la communauté scientifique, les voix

13. B. Müller-Hill, *Tödliche Wissenschaft*, Reinbek ; trad. fr., *Science nazie, science de mort : l'extermination des Juifs, des Tsiganes et des malades mentaux de 1933 à 1945*, Paris, 1989.
14. Pour une histoire comparative et internationale des législations autorisant la stérilisation et l'avortement eugénique, voir : J. Sutter, « L'eugé-

s'opposant à une telle législation ne cessèrent de diminuer au fur et à mesure qu'on approchait de 1930, de sorte qu'en matière de politique de population (eugénique) les nazis pouvaient compter en 1933 sur un large soutien des experts. [...]

Le nazisme : une chance pour la « biologie appliquée »

Avec le nazisme l'utopie scientifique de l'amélioration biologique de l'espèce humaine, inhérente à l'« hygiène raciale », semble pouvoir se rapprocher d'une réalisation définitive. Après avoir fourni les arguments à la justification d'une législation complexe, ces sciences ont considérablement augmenté leur champ d'action. Le nazisme a-t-il été le moteur idéologique de ces sciences ou ces sciences ont-elles réalisé leurs propres visions sous le nazisme ? Il n'y a pas de réponse directe à cette question. Ilse Schwidetzky a raison d'insister sur le fait que l'expansion très rapide, entre 1933 et 1943, de l'anthropologie sous la dénomination de « biologie et hygiène raciales » s'est faite majoritairement en faveur de non-spécialistes et d'idéologues du Parti propulsés dans des carrières universitaires [15]. Mais avec neuf nominations de spécialistes à des chaires universitaires contre dix nominations de non-spécialistes, l'expansion de la discipline « sérieuse » reste impressionnante. Elle fait plus que doubler ses effectifs. A cela s'ajoute qu'entre scientifiques « sérieux » et idéologues étrangers à la discipline — tels que les distingue Ilse Schwidetzky —, il s'établit une véritable division fonctionnelle du travail et non pas une compétition rivale visant au contrôle hégémonique du champ par l'une des deux parties.

Tandis que des « idéologues », tel que Hans F.K. Günther,

---

nisme. Problèmes, Méthodes, Résultats », INED, *Travaux et Documents*, n° 11, Paris, PUF, 1950, p. 123 *sq.* Pour quelques filiations théoriques de la pensée eugénique, voir : A. Béjin, « De Malthus à la sociologie. Les formes de prise en considération des liens de sang », *Revue européenne des sciences sociales*, XXIII, 69, 1985, p. 121 *sq.*

15. I. Schwidetzky, art. cité, p. 112.

accomplissaient un travail de vulgarisation et de propagande, les scientifiques se transformaient en ingénieurs et techniciens s'appliquant à traduire les nouvelles lois en réalités.

Entre les idéologues d'un côté, et les ingénieurs et scientifiques durs de l'autre, il n'y avait que peu de place pour une troisième voie. Ainsi la recherche raciale dans la tradition des grandes enquêtes de von Eickstedt ne trouvait que peu de compréhension auprès des gestionnaires des fonds de recherche. Le projet soumis par von Eickstedt d'une enquête raciale et culturelle exhaustive des régions allemandes n'a pas pu voir le jour au-delà de l'enquête menée en Silésie. Une telle opération, fort coûteuse au demeurant, n'avait guère de retombées pratiques pour le dépistage racial individuel, indispensable pour mettre en œuvre la législation de 1935. Il en était de même concernant certains projets de «psychologie raciale», apparentés aux doctrines d'Ernst Kretschmer postulant une corrélation entre la structure morphologique du corps et celle du caractère.

Il n'est pas étonnant alors que certaines alliances en vue de l'obtention de subventions se soient établies entre les représentants qui se situent aux pôles apparemment les plus opposés du champ disciplinaire. On peut citer l'exemple de la coopération entre Fischer, anthropologue de renommée scientifique certaine à l'époque, et Günther, le littéraire imposé dès 1930 à une chaire anthropologique par l'administration nazie de Thuringe [16].

Cette alliance entre les représentants les plus proches du pôle philosophico-littéraire d'un côté et du pôle technique de l'autre est paradoxale à première vue seulement. Car cette configuration des rapports sociaux au sein d'une discipline traduit assez fidèlement une étape de son développement caractérisée par une relative faiblesse de sa position universitaire, en même temps que par de grandes ambitions d'application. Dès le début du siècle, la stratégie de reconnaissance et de professionnalisation s'était traduite, en eugénique, par une production parallèle de promesses d'avenir très générales et de propositions techniques, tels les certificats prénuptiaux, les stérilisations et les avortements eugéniques. Après une première reconnaissance de la pertinence sociale du domaine, cette division du travail

---

16. E. Fischer, H.F.K. Günther, *Deutsche Köpfe nordischer Rasse*, Munich, Lehmann, 1930.

si efficace dans la promotion de la discipline, plutôt que de s'atténuer, tend à se renforcer encore. Compte tenu de la faiblesse numérique de ces spécialités scientifiques en quête de prestige social et de leurs débouchés potentiels, on comprend mieux cette division du travail de promotion et l'absence de conflits entre tenants d'approches diverses. En 1933, l'anthropologie humaine comptait moins d'une dizaine de chaires universitaires. Le domaine « biologie et hygiène raciales » ne regroupait que quelques dizaines de professeurs d'université auxquels s'ajoutaient des psychiatres sympathisants et travaillant dans l'univers hospitalier. Cette configuration des rapports de forces entre scientifiques et leurs liens de plus en plus institutionnalisés avec le pouvoir produisent leurs propres contraintes et effets. La justification permanente de la discipline en termes d'utilité entraîne la production de promesses toujours plus grandes et a pour effet la concentration des recherches sur le perfectionnement des instruments techniques, en vue du dépistage de diverses minorités raciales par exemple.

Le dépistage de malades mentaux et d'asociaux et les procédures préalables à leur stérilisation avaient ouvert de vastes marchés de travail aux psychiatres, y compris de nouvelles pistes de recherche, telles les nomenclatures de la symptomatologie et les techniques de stérilisation. Les anthropologues étaient dans une position comparable face aux législations interdisant les mariages entre « Aryens » et « Juifs » et excluant ces derniers de nombreuses professions. Ces lois exigeaient le développement d'expertises anthropologiques qui sont devenues le point de cristallisation des stratégies de recherche et de professionnalisation des spécialistes de « biologie et d'hygiène raciales ».

Du pouvoir d'expertise au pouvoir institué

Une fois établi un lien fort entre le pouvoir et la science, unis dans le projet commun d'une politique raciale, il s'agissait de définir et de stabiliser l'influence acquise : « Ainsi, nous nous trouvons au début d'une nouvelle époque. La science raciale et avec elle la conscience raciale ont réussi à faire advenir une nouvelle vision du monde. (...) L'homme lui-même reconnaît les lois du vivant, qui le façonnent individuellement et collectivement ; et l'État national-socialiste s'est donné le droit, tant que ceci est en son pouvoir, d'influencer le devenir humain comme l'exige le bien-être du peuple et de l'État (...) » « La nouvelle attitude idéologique de notre peuple fait qu'on utilise des résultats de recherches que les gouvernements antérieurs regardaient avec indifférence ou gêne [17]. »

C'est sous la responsabilité des grands instituts de recherche de la Kaiser-Wilhelm-Gesellschaft que sont organisés les cours d'initiation et de formation aux théories et pratiques eugéniques pour des médecins, des fonctionnaires et des gestionnaires d'institutions spécialisées. C'est sous la pression et, en tout cas, avec la participation active de psychiatres, de médecins et d'anthropologues que l'application de la loi contre les criminels irrécupérables est progressivement élargie et que l'on assimile de nouvelles catégories aux « asociaux », les condamnant ainsi à l'internement en camp de concentration. Dès 1936, année de déclaration du Plan de quatre ans qui devait préparer l'économie de guerre, on trouve la définition suivante des « asociaux » : tout individu qui « montre par son comportement qu'il ne veut pas s'intégrer dans la communauté ». La guerre est ainsi déclarée, avec la bienveillance et le soutien des « hygiénistes raciaux » venant d'horizons intellectuels divers, aux Tsiganes, aux homosexuels et aux sectes religieuses, en plus des catégories déjà combattues dès 1934.

Juste après les jeux Olympiques de Berlin qui devaient faire croire à une certaine ouverture du régime, la répression contre tous ceux qui sont considérés comme « inférieurs » est renforcée. L'internement des homosexuels en camp de concentration, sans procès préalable, devient possible sur simple dénonciation [18]. Dès la fin de 1936, et grâce à un financement de la DFG (*Deutsche Forschungsgemeinschaft*), le psychiatre Ritter lance, dans

---

17. H. Weinert, *Biologische Grundlagen für Rassenkunde und Rassenhygiene*, Stuttgart, 1934 ; et Th. Mollison, « Rassenkunde und Rassenhygiene », *in* E. Rüdin, *Erblehre und Rassenhygiene im völkischen Staat*, Munich, Lehmann, 1934.

18. H. Buchheim, « Bearbeitung des Sachgebietes Homosexualität durch die Gestapo », in *Gutachten des Instituts für Zeitgeschichte*, Munich, 1958, pp. 308-310 ; R. Lautmann, *Seminar : Gesellschaft und Homosexualität*, Francfort, Suhrkamp, 1977, pp. 49-67.

le cadre de l'administration centrale de la santé, un projet de recherche sur les Tsiganes ; l'intitulé de cette recherche sur les « asociaux et la biologie des bâtards (Tsiganes, Juifs) » en indique l'orientation pratique, à savoir le dépistage et l'enregistrement de ces groupes.

Des psychiatres et des anthropologues se retrouvent à chaque phase de l'accroissement de la répression. Ils font même tout pour que personne ne puisse leur faire concurrence dans le domaine de la politique raciale : dès 1937, von Verschuer propose aux instances dirigeantes des mesures pratiques de dépistage des Juifs et des métissés.

En 1938, des experts discutent d'une reformulation des lois concernant les « asociaux », sans aucun doute pour mieux faire coïncider les termes avec une réalité qui les a déjà dépassés. L'euthanasie de « malades mentaux irrécupérables », proposée par des psychiatres dès les années 1920, mais que les instances politiques avaient toujours refusé de légaliser, est pratiquée, selon des rapports confidentiels, d'une façon sauvage dans des cliniques. Pour être dégagés de ce problème de conscience, des psychiatres insistent sur la nécessité d'une législation portant sur l'« anéantissement de la vie indigne d'être vécue [19] ».

Dans les procédures préalables à la stérilisation et plus tard à l'euthanasie, les médecins psychiatres ont le dernier mot. Dans le domaine des « expertises raciales et de biologie héréditaire », en revanche, si important en cas de mariage, et dans la vie sociale et professionnelle, les juges « non spécialistes » avaient pu prendre des décisions sans recours systématique aux expertises anthropologiques des ressemblances de traits morphologiques. Dans le cadre de l'administration de la preuve, les tribunaux avaient souvent traité sur un pied d'égalité témoins divers et experts. De plus, aucune formation spécifique ne définissait précisément qui pouvait agir en tant qu'expert agréé auprès des tribunaux dans des affaires de parenté ou de descendance [20]. D'où

---

19. B. Müller-Hill, *op. cit.*, p. 43 *sq.*

20. Pour la pratique judiciaire, voir : L. Gruchmann, « Blutschutzgesetz und Justiz. Zu Entstehung und Auswirkung des Nürnberger Gesetees vom 15 September 1935 », *Vierteljahrshefte zur Zeitgeschichte*, 31, 1983, pp. 235-279 ; E. Noam, W.A. Kropat, *Juden vor Gericht 1933-1945*, Wiesbaden, 1975 ; V. Reifner, B.R. Sonnen, eds., *Strafjustiz und Polizei im Dritten Reich*, Francfurt, Campus, 1984.

la demande insistante des anthropologues en vue d'interdire les « expertises privées », en dehors des procédures et des institutions officiellement agréées. Par cette proposition, justifiée par le nombre important de faux serments dans les procès de descendance, les « experts » voulaient procurer à la biologie héréditaire et raciale une place privilégiée, voire exclusive, parmi tous les instruments de preuve [21].

En 1939, les anthropologues réunis en congrès à Munich insistent donc sur une plus forte professionnalisation afin d'éviter « les dommages que pourraient créer des expertises frauduleuses ». Tous les grands universitaires et leurs assistants y participent, en présence des responsables de la politique raciale du Parti et de l'État. Les décisions de ce congrès mettent l'accent sur la nécessité d'un meilleur contrôle de la formation, du recrutement et des fonctions assignées aux experts agréés (auprès de l'administration et des tribunaux) — une formation médicale et anthropométrique ne saurait suffire. Une formation spécialisée de trois ans — comme cela se fait dans les autres branches de la médecine — est donc proposée. De même, seuls des experts disposant d'une telle formation devraient être admis par les tribunaux.

Par cette stratégie de professionnalisation qui vise le contrôle absolu de la formation, du recrutement et de l'exercice professionnel des experts, ceux-ci prétendent à une position stratégique dans l'État national-socialiste. Celui-ci légitime son projet politique par la théorie raciale. Les spécialistes revendiquent donc une place et une fonction centrales dans la réalisation de ce projet. Cette fonction n'est pas limitée à l'exclusion des êtres inférieurs, les experts interviennent aussi positivement dans le recrutement des élites de l'État, du Parti et de l'élite des élites, les SS. Plus on monte dans la hiérarchie, plus les exigences de pureté raciale deviennent sévères. Les expertises de biologie raciale sont donc également une des conditions de carrière et de distribution de prestige, d'influence et de pouvoir dans cette organisation sociale.

Ce pouvoir très réel leur a conféré un rôle crucial dans la gestion non seulement des problèmes que posent toutes les caté-

---

21. H. Seidler, A. Rett, *Das Reichssippenamt entscheidet. Rassenbiologie im Nationalsozialismus*, Vienne, Jugend und Volk, 1982, pp. 175-177.

gories d'êtres « inférieurs », mais aussi dans la sélection des élites et dans la conception du cadre d'organisation de la société tout entière. Il a pris forme dans des techniques d'enregistrement et de gestion de toute la population, promues par des spécialistes toujours soucieux d'étendre encore davantage leur « compétence », comprise comme un domaine professionnel dont la maîtrise leur est légalement assurée.

L'intervention professionnelle en temps de guerre

La guerre à l'Est éclaire crûment les rapports de forces entre science et politique qui s'étaient noués en temps de paix. D'un côté, les années de guerre apparaissent comme l'âge d'or de la biologie raciale appliquée, mais de l'autre côté les contraintes de productivité inhérentes à la guerre placent cette discipline dans une situation qu'elle peut difficilement contrôler elle-même. Jusqu'en 1939, la biologie raciale a pu se trouver en position de force à cause de son rôle eugénique et d'épuration raciale, mais aussi dans la distribution du prestige et dans le contrôle de l'accès aux positions de pouvoir dans le système social nazi. Les spécialistes avaient pu acquérir ce pouvoir parce qu'ils offraient à la fois une théorie prometteuse en accord avec l'idéologie du régime et les instruments de sa réalisation. Dès avant la guerre, la pratique eugénique avait outrepassé ses connaissances confirmées. Ainsi, la catégorisation de certaines maladies et inadaptations sociales comme « héréditaires » avait pour fondement des hypothèses assez vagues, plutôt que des recherches rigoureuses. Mais, dans ce cas, le consensus était suffisant, et les références à des législations eugéniques similaires à l'étranger étaient assez convaincantes pour que de telles définitions et pratiques puissent apparaître comme une « opinion communément admise parmi les spécialistes ». Progressivement, l'institutionnalisation de la biologie raciale avait produit ses propres contraintes. Afin de maintenir et d'améliorer sa position sociale, en particulier son rôle dans l'univers scientifique, celle-ci a dû accroître ses promesses d'application et ses activités techniques.

De même, les lieux de recherche se rapprochaient des centres de pouvoir, notamment dans des instituts de recherche dépendant des SS, ce qui se traduisait par des carrières médicales et de recherche dans les rangs de cette organisation d'élite du Reich. Sans que les glissements conceptuels deviennent clairement perceptibles, on assiste à une adéquation entre les interventions techniques justifiées par un état supposé de la science et les visées les plus radicales du racisme nazi. Le succès social de la discipline produit les contraintes qui la rendent définitivement et irrémédiablement prisonnière de la politique. Que des universitaires opposés à la définition nazie des « Juifs » se soient rangés en 1935 du côté du régime préfigure ce qui se passera pendant la guerre : une participation active à tous les crimes commis au nom de la politique raciale.

En 1939 encore, les anthropologues pouvaient, au nom de l'objectivité scientifique, exiger une formation accrue et un contrôle plus exigeant des examens d'appartenance raciale. Avec le début de la guerre à l'Est, l'État exige des procédures rapides de classement de populations entières, et les scientifiques concèdent, sans le contester, le relâchement des critères de professionnalisation définis peu avant. La guerre offre un terrain illimité d'observation, de dépistage et de gestion concernant l'étude des « êtres inférieurs » tels que Juifs, Tsiganes, Slaves, etc. Au sein du Reich, elle accroît les problèmes de gestion que posent les « asociaux ». Les conditions de guerre permettent aux plus audacieux représentants de la spécialité « biologie et hygiène raciale » des pratiques que la morale courante n'avait pas permises en temps de paix. Chaque fois, le contrôle professionnel est assuré, qu'il s'agisse de l'euthanasie de malades mentaux dans les cliniques ou en camp de concentration entre 1939 et 1941, de la « solution finale », de l'extermination massive des Juifs et des Tsiganes à partir de 1941 [22], ou encore de la classification des populations slaves en quatre catégories en fonction de la possibilité raciale et anthropologique de leur germanisation. Les différents rapports d'experts soumis aux ministères responsables des territoires occupés et aux instances SS ne laissent planer aucun doute sur le fait que, mis à part les catégories aptes

---

22. E. Kogon, H. Langbein, A. Rückerl, *Les Chambres à gaz. Secret d'État*, Paris, Minuit, 1984.

à être « germanisées », la stérilisation et une vie d'esclave attendaient tous les autres Slaves. Pour cette catégorisation de millions de personnes, des techniques aussi coûteuses en temps que des expertises individuelles « polysymptomatiques de ressemblances » ne pouvaient pas être envisagées d'une façon réaliste. Pour ce travail sur le terrain, les anthropologues étaient prêts à relâcher les critères d'une formation de trois ans. En trois semaines, des « examinateurs » furent familiarisés par des universitaires avec les notions élémentaires de génétique et d'anthropologie avant d'être envoyés dans des régions polonaises pour faire leur travail de classification [23].

Cette sélection grossière de la population globale a dû être déléguée à des non-spécialistes, à des « examinateurs » formés sur le tas. En revanche, les « sélections » fines de l'aptitude au travail en camp de concentration étaient réservées, à partir du 3 mars 1943, aux médecins porteurs du titre de docteur, qui défendaient jalousement cette fonction professionnelle et ce droit contre d'autres SS qui ne disposaient pas de ces mêmes qualifications [24].

Sur le « front intérieur », dans l'Allemagne qui était en train de se « purifier » des Juifs et des Tsiganes, donc de ses bâtards, les discussions s'orientaient vers une nouvelle définition des « asociaux » qu'il s'agissait de contrôler, d'exclure, d'interner et d'exterminer. Dans une proposition de « loi contre les étrangers à la communauté », soutenue par les psychiatres les plus liés au régime, la stérilisation, le travail forcé et le camp de concentration sont prévus pour ceux qui sont « inaptes » ou « étrangers à la communauté [25] ».

On arrive, en 1943, à l'extension maximale des concepts psychopathologiques qui sous-tendent les classifications d'infériorité dans le dispositif législatif nazi : la pathologie, supposée héréditaire, n'est ici définie qu'en fonction de la capacité d'adaptation à la communauté. Dans une certaine mesure, cette évolution des définitions trahit les intentions cachées de la théorie héréditaire et raciale et, en tout cas, de son application sous le nazisme, à savoir : justifier l'arbitraire social le plus absolu.

23. B. Müller-Hill, *op. cit.*, p. 57 *sq.*
24. R. Höss, *Kommandant in Auschwitz*, Stuttgart, DVA, 1958, p. 158 *sq.*
25. H.L. Siemen, *op. cit.*, p. 128.

En même temps, la recherche fondamentale fait des efforts pour s'approcher de la preuve définitive des théories qui avaient servi de référence à tout ce dispositif répressif et à la mise en place des techniques nécessaires à sa mise en œuvre. Ces recherches essaient de découvrir les lois de l'hérédité à partir des deux branches « exactes » de l'anthropologie d'avant 1930 : les recherches dans le cadre du paradigme de Mendel dans l'entourage de Fischer, et celles sur les jumeaux autour de von Verschuer. Ces recherches en génétique humaine sont menées avec le soutien de la DFG au Kaiser-Wilhelm-Institut de Berlin, dirigé, après la retraite de Fischer, par von Verschuer. Le programme empirique de cette recherche est dirigé par son assistant, le Dr Mengele, à Auschwitz où il a à sa disposition un matériel abondant de jumeaux [26]. Peu avant la libération du camp par les troupes soviétiques, Mengele a dit à Ella Lingens-Reiner, Autrichienne internée, médecin elle aussi : « Quel dommage que tout ceci (le matériel scientifique) tombe dans les mains de bolcheviks [27] ! » D'une certaine manière, la boucle est bouclée : la rage classificatoire et la soif de pureté héréditaire inhérentes à la théorie raciale avaient trouvé leur complet aboutissement dans les camps de concentration où les élites scientifiques tentent désespérément, à la veille de la débâcle militaire, de faire la preuve des théories qui avaient inspiré le projet de transformation raciale du monde social. [...]

Une telle appréhension du rôle de l'expertise et des corps professionnels en termes de condition de possibilité de la politique raciale nazie éclaire la controverse actuelle entre les tenants de l'hypothèse « fonctionnaliste » d'un côté et ceux de l'hypothèse « intentionnaliste » de l'autre [28].

Les « fonctionnalistes » mettent l'accent sur la mise en place progressive de procédures peu coordonnées allant de l'arrêt de la politique d'émigration (stoppée au début de la guerre) à la « solution finale ». Ils expliquent cette évolution davan-

26. B. Müller-Hill, *op. cit.*, pp. 72-73.

27. E. Lingens, *Prisoners of Fear*, Londres, Victor Gollancz, 1948, p. 153.

28. Pour une discussion de ces thèses, voir : S. Friedländer, « De l'antisémitisme à l'extermination : esquisse historiographique et essai d'interprétation », *in EHESS, L'Allemagne nazie et le génocide juif*, Paris, Gallimard/Seuil, 1985, pp. 13-38.

tage par la concurrence entre administrations et instances du Parti que par des intentions politiques établies et planifiées d'avance. Les « intentionnalistes », quant à eux, soulignent le caractère planifié d'un génocide prévu depuis toujours. D'une certaine manière, celui-ci apparaît alors comme l'aboutissement d'une idéologie fondée sur des traditions millénaires.

Selon notre analyse, ces deux hypothèses contradictoires pourraient bien mettre en jeu deux thèses complémentaires [29]. Le projet de société du nazisme, à savoir la transformation systématique de la société selon les canons de la « théorie raciale » inspirée des recherches anthropologiques, psychiatriques et eugéniques, prend sa source dans un courant idéologique qui avait cours en Allemagne depuis la fin du XIXe siècle sous le nom d'« hygiène raciale ». Se référant aux classiques de l'eugénisme et plus particulièrement à Galton, les tenants de l'« hygiène raciale » proposaient une « politique planifiée de population ». A leurs yeux, l'État devait avoir la responsabilité et le pouvoir de contrôler tant la naissance que la mort des êtres, au nom de la pureté raciale et de l'élimination des tares héréditaires. C'est à partir d'un tel projet de société qu'ont été promulguées les lois successives visant des domaines aussi divers que la stérilisation, le contrôle de criminels jugés irrécupérables selon des critères « médicaux » (1934), la législation concernant les examens prénuptiaux et, enfin, les lois raciales de Nuremberg (1935).

Ce qui fait la « modernité » de la politique raciale nazie, c'est son mode de légitimation : c'est-à-dire sa référence permanente à des doctrines scientifiques et son recours à l'expertise. Reconnaître aujourd'hui le caractère irrationnel et aberrant des théories raciales de l'époque ne peut et ne doit pas masquer le fait que celles-ci étaient approuvées, en partie ou en totalité, par un nombre non négligeable d'universitaires qui n'étaient pas systématiquement des idéologues officiels du nazisme ou des membres du Parti. La forme particulièrement violente et meurtrière de l'antisémitisme nazi serait donc à mettre en rapport avec une politique de planification eugénique ayant pour objec-

---

29. J'ai proposé cette complémentarité dans l'introduction de la bibliographie « Aux origines de la politique raciale nazie : le rôle de la science et du droit », *Bulletin de l'IHTP*, nᵒ 27, 1987, pp. 31-46.

tif l'amélioration raciale de la population et l'élimination de tous les êtres biologiquement « inférieurs ».

Donner une expression juridique à une « théorie » raciale à prétention scientifique, c'était aussi renforcer les clivages sociaux et les rendre immuables en les inscrivant dans l'ordre des choses. Des analyses ont montré que sous le Troisième Reich, la persécution exacerbée de catégories de victimes aussi diverses que les Juifs, les Tsiganes, les « criminels irrécupérables », les « asociaux » et les homosexuels prenait toujours pour justification leur « infériorité biologique » supposée. On pourrait alors avancer l'hypothèse selon laquelle les génocides des Tsiganes et des Juifs, s'appuyant certes sur des préjugés ancestraux, n'avaient pu se commettre sur une si grande échelle qu'en se forgeant une *légitimation* par le biais d'une *utopie scientiste*, biologique et eugénique, et en se donnant les instruments techniques indispensables à la mise en œuvre de la stérilisation et de l'élimination d'êtres « inférieurs » d'une part, de la procréation planifiée d'êtres biologiquement « supérieurs » d'autre part. L'histoire des sciences et du droit, et de leur expertise, est alors tout aussi importante que celle de la politique, des idéologies ou des mentalités pour comprendre ce qui s'est passé entre 1933 et 1945 au cœur de l'Europe.

La Politique nazie d'extermination,
sous la direction de François Bédarida,
Albin Michel.

La gestion de l'indicible[*]

> « *Non, je ne pourrais pas haïr. Je pense seule-*
> *ment : pauvre humanité. Et encore : je préfère*
> *mille fois être parmi les persécutés que parmi les*
> *persécuteurs. Mais malgré tout, je ne peux con-*
> *damner personne, car je me pose toujours la ques-*
> *tion : comment me serais-je comportée à la place*
> *des autres ? Je ne le sais pas. On ne peut jamais*
> *le savoir.* »

Ruth A.

Parmi les entretiens réalisés dans le cadre d'une recherche portant sur les femmes ayant survécu dans le camp de concentration Auschwitz-Birkenau, celui que j'ai eu avec Ruth A. présente un intérêt particulier, tant il montre à quel point le silence peut être facilement, mais faussement, assimilé à l'oubli.

Nulle part la montée du nazisme à la direction du pays n'a pu être observée aussi directement qu'à Berlin. Mais en même temps la vie anonyme dans la grande ville semblait offrir de plus amples possibilités d'échapper aux tracasseries quotidiennes. Aussi nulle part ailleurs, les victimes désignées du régime, les Juifs, ne se sont autant saisies de chaque « indice » d'amélioration pour maintenir des illusions sur la vraie nature du régime et sur son avenir. Il est connu que l'administration nazie avait réussi à imposer à la communauté juive une part importante de la gestion administrative de sa politique anti-

---

[*] Recherche réalisée pour la Mission interministérielle de recherche et d'expérimentation (MIRE), Ministère des Affaires sociales et de la Solidarité nationale.

sémite, comme la préparation des listes des futurs déportés jusqu'à la gestion de certains lieux de transit et à l'organisation du ravitaillement pendant les convois. Les représentants de la communauté juive se sont laissés amener à négocier avec les autorités nazies, espérant d'abord pouvoir infléchir la politique officielle, plus tard « limiter les dégâts », pour finalement aboutir à une situation dans laquelle s'était effrité jusqu'à l'espoir de pouvoir négocier un meilleur traitement pour les seuls Juifs berlinois. Ainsi la situation berlinoise illustre particulièrement bien le retrécissement progressif de ce qui est négociable, l'écart infime aussi qui sépare parfois la défense du groupe et sa résistance à la collaboration et à la compromission. Est-il étonnant alors qu'un historien du nazisme aussi éminent que Walter Laqueur ait choisi le genre du roman pour rendre compte de cette situation inextricable [1] ?

Face à ce souvenir, le silence semble s'imposer à tous ceux qui veulent éviter de blâmer les victimes. Et certaines victimes, qui partagent ce même souvenir « compromettant » sont, elles aussi, vouées au silence. Aussi le déroulement même de cet entretien reflétait moins la difficulté de parler d'une expérience traumatisante en soi, que celle d'évoquer un passé qui reste difficile à communiquer, de faire comprendre, de transmettre à tout étranger au groupe concerné. Plutôt que de risquer un malentendu dans une question aussi grave, ne vaut-il pas mieux s'abstenir de parler ? Peu de périodes historiques ont été autant étudiées que le nazisme, y compris sa politique antisémite et l'extermination des Juifs. Néanmoins et malgré l'abondante littérature et la place accordée à cette période dans les médias, celle-ci reste souvent taboue dans les histoires individuelles en Allemagne et en Autriche, dans les conversations familiales et plus encore dans les biographies des personnages publics. Autant les raisons d'un tel silence sont compréhensibles dans le cas d'anciens nazis ou des millions de compagnons de route du régime, autant elles sont difficiles à démêler dans le cas des victimes.

Après une prise de contact par l'intermédiaire de son médecin traitant, Ruth A. m'avait accordé sans hésiter un entretien.

---

1. W. Laqueur, *Jahre auf Abruf*, Stuttgart, DVA, 1983.

Le premier rendez-vous eut lieu au mois de novembre 1983, dans son appartement, tout comme les suivants. Comme elle l'avait précisé au téléphone, cette première rencontre devait seulement permettre de « faire connaissance ». Un entretien destiné à recueillir l'histoire d'une vie nécessite une relation de confiance. Et tout comme dans d'autres cas, ce premier rendez-vous confirmait que pour réussir une telle entreprise, l'interviewé choisit son enquêteur tout autant que l'inverse, « Pouvez-vous me dire ce que cela veut dire : être juif ? », fut une des premières questions que Ruth me posa avec insistance dès cette première rencontre. Et cette question resta présente pendant tout l'entretien. Après que je lui eus expliqué mon projet, nous décidâmes de nous rencontrer plusieurs semaines de suite pendant environ quatre heures. Mais avant la deuxième rencontre Ruth m'avait déjà téléphoné pour demander un délai de réflexion. Certes, elle avait été témoin lors de deux procès, mais elle craignait, en parlant de sa vie, de rouvrir les plaies d'une période qu'elle avait « surmontée ». Et plus largement, elle mettait en question le sens même d'un retour sur ces thèmes, quarante ans plus tard. C'est en insistant sur les autres contacts pris, pour mener ma recherche à Berlin, auprès de la communauté juive et à l'Université, que j'ai pu amener Ruth à revenir sur son hésitation.

Trois mois plus tard et d'une façon parfaitement inattendue, un autre obstacle surgit. Une jeune amie de Ruth, que par ailleurs j'avais rencontrée dans un contexte tout autre, avait supplié Ruth « de ne pas se livrer au récit de sa vie dans le cadre d'une recherche ; car un tel exercice risquait de détruire toute sa vie privée ». Au cours d'une discussion animée, cette amie de Ruth m'avait exposé ses réserves vis-à-vis de ces recherches historiques, et en particulier à l'encontre de ces chercheurs et journalistes qui « viennent se balader avec un micro et exproprient les victimes de leur souffrance pour s'enrichir avec la publication de celle-ci ». De plus, et surtout lorsqu'il s'agit de minorités, certaines réalités ne pouvaient être comprises, ajoutait-elle, que par ceux et celles qui les avaient vécues. Elle avait invoqué d'autres raisons d'ordre plus général pour dissuader Ruth de continuer l'entretien : à savoir les effets négatifs de la recherche en sciences humaines sur la vie privée, l'analyse risquant toujours de conduire à une manipulation de l'individu [2]. Cet argument avait d'autant plus facilement porté que, dans ce projet, le récit de vie devait permettre de saisir toute la complexité des facteurs en jeu dans la survie comme dans la réadaptation à l'environnement social après le retour des camps. Pourtant, c'était justement le parti méthodologique adopté, à savoir de partir de l'extrême diversité des expériences singulières avant toute interprétation plus générale, qui avait, à l'origine, convaincu Ruth de l'utilité de la recherche et l'avait amenée à y participer.

Ces obstacles à l'entretien m'ont également obligé à expliciter mes propres intentions de recherche. Les discussions qui en résultaient devaient révéler le sens que revêtait, dans le contexte précis de l'opposition à cette recherche, le terme « domaine privé ». Dans les discussions menées séparément avec Ruth et avec son amie, j'ai découvert que, dans une certaine mesure, Ruth avait organisé toute sa vie sociale autour de la possibilité non pas de pouvoir parler de son expérience concentrationnaire, mais d'éprouver un sentiment de sécurité, en étant comprise sans avoir à en parler. De fait, elle avait discuté avec des amis et des connaissances de sa participation à cette recherche, acceptée avec enthousiasme après les hésitations du début. Dès lors, le déroulement de l'entretien était aussi fonction des jugements portés sur cette recherche et sur son utilité par chacun d'eux. Celle qui avait alors voulu dissuader Ruth de continuer dans cette entreprise savait, par son expérience propre, à quel point il est difficile de se faire comprendre. Née d'un « mariage mixte » entre un père juif et une mère non-juive qui avait demandé le divorce pendant les années 1930 pour des raisons de carrière, très attachée à son père qu'elle ne retrouva

---

2. Au centre de la critique du fichage systématique des citoyens, de l'informatisation croissante et du couplage de plus en plus fréquent, quoique illégal, de banques de données, ce thème avait été l'argument mobilisateur de la campagne contre le dernier recensement général de la population en Allemagne fédérale. Celle-ci s'est soldée par l'interdiction du recensement dans les formes prévues par la Cour constitutionnelle qui avait, de plus, énoncé des règles minimales à respecter autant par l'administration que par les centres de recherche. Au centre de la critique on trouvait toutes les questions touchant à la vie privée, notamment la cohabitation, indicateur du mode de vie. Cette information, et c'était là l'argument, permettrait à l'administration de contrôler la vie privée, voire de la manipuler.

qu'en 1945 après avoir vécu les bombardements avec sa mère à Berlin, elle opta après la guerre pour la judaïté, choix qui doit être compris moins comme un engagement religieux que comme la volonté délibérée de se situer du côté des minorités faibles et opprimées. On comprend mieux alors sa méfiance face à toute parole rapide ou simpliste sur ce passé.

Envisagée d'un point de vue sociologique, une biographie ne parle pas d'elle-même. Par-delà les variations quasi infinies des histoires sociales individuelles, la recherche essaie d'ébaucher les constantes, sociologiquement produites, qui définissent un groupe donné. « La sociologie d'un ensemble construit d'"histoires de vie" est ainsi inséparablement l'analyse du retour de l'histoire et du retour sur l'histoire [3]. » Or ce qui unit avant toute autre chose les survivants d'un camp de concentration, c'est l'expérience d'une persécution extrême à une période donnée de leur vie. C'est ce même souvenir qui est un des ciments les plus forts de la communauté juive berlinoise et allemande actuelle. Il en résulte la reconnaissance d'une nécessité de la cohésion du groupe contre toute agression potentielle. Mais celle-ci ne saurait voiler la grande diversité des représentations qu'ont les individus de leur lien au groupe. Ces conceptions, elles aussi, sont façonnées par l'histoire, et mettent en jeu des jugements contradictoires sur le comportement des instances dirigeantes de la communauté pendant le nazisme. C'est dire que tout entretien «individuel» met en jeu, indirectement, une multitude de définitions du groupe et de liens au passé.

En ce sens, il serait erroné d'assimiler les obstacles rencontrés lors de cet entretien aux effets d'une sorte de contrôle organisé de ce qui peut et ne peut pas être dit sur le passé. Tout au contraire, ces obstacles et les discussions qu'ils ont provoquées ont mis au grand jour l'inscription de toute histoire et de toute mémoire individuelles dans une histoire et une mémoire collectives. De même, ils ont fait apparaître qu'histoires et mémoires sont à rapporter aux lieux de leur production tout autant qu'aux publics auxquels elles sont destinées. [...]

------

3. F. Muel-Dreyfus, *Le Métier d'éducateur*, Paris, Minuit, 1983, p. 12.

Récit de vie et gestion de l'identité

Le récit de vie, ce condensé d'une histoire sociale individuelle, est susceptible de multiples modes de présentation en fonction du contexte dans lequel il est fait [4]. Mais l'étendue de ces variations n'est pas illimitée. En un mot, la conception qu'on a de soi-même, le sens de l'identité qui s'exprime dans le récit d'une vie, se distinguent par une variabilité, mais une variabilité restreinte. Chacun peut faire l'expérience de la variation que l'on peut faire subir au récit d'une tranche de sa vie, en grossissant ou en écartant tel ou tel aspect, ou encore en changeant de tonalité [5]. Ce récit n'est jamais le même selon les moments et les endroits. Néanmoins, de tous ces récits superposés, on peut dégager un noyau dur que l'on retrouve chaque fois, et ceci souvent d'une façon identique mot pour mot. Dans tous les entretiens d'une longue durée [6] dans lesquels la même personne revient à plusieurs reprises sur un nombre restreint d'événements clés (soit de sa propre initiative, soit à l'incitation de l'enquêteur), ce phénomène peut être constaté jusque dans l'intonation. Malgré d'importantes variations, on retrouve un noyau dur, un fil conducteur, une sorte de leitmotiv dans chaque récit de vie [7].

Ces deux caractéristiques de tous les récits de vie suggèrent que ceux-ci doivent être considérés comme des instruments de reconstruction de l'identité et pas seulement comme des récits factuels. Par définition reconstruction *a posteriori*, le récit de vie ordonne les événements qui ont jalonné une vie ; de plus, en racontant notre vie, nous essayons généralement d'établir

---

4. E. Goffmann, *La Mise en scène de la vie quotidienne*, t. 1, Paris, Minuit, 1973.

5. Parmi tous les récits de vie, un curriculum vitae est sans aucun doute le plus succinct, le plus formalisé aussi. Mais même dans ce cas, on trouve des parties jugées incompressibles à côté de passages variables en fonction des employeurs qu'on approche. Ceci indique la validité des deux caractéristiques de tout récit de vie mentionnées ici.

6. Dans le cadre de cette recherche, il s'agit de récits d'une durée de plus de 30 heures chacun.

7. H. Lehmann, *Erzählstruktur und Lebenslauf*, Francfurt, Campus, 1983.

une certaine cohérence au moyen de liens logiques entre des événements clés (qui apparaissent alors sous une forme de plus en plus solidifiée ou stéréotypée) et une continuité par la mise en ordre chronologique. Tout se passe comme si cohérence et continuité étaient communément admises comme les signes distinctifs d'une identité assurée.

On imagine la difficulté que pose aux survivants d'un camp de concentration un tel travail de construction d'une cohérence et d'une continuité de leur propre histoire et, plus particulièrement, à ceux qui ont choisi de rester en Allemagne. On comprend alors qu'en l'absence de tout sentiment de pouvoir arriver à se faire comprendre, le silence sur soi — différent de l'oubli — peut être une condition nécessaire (présumée ou réelle) pour le maintien de la communication avec l'environnement. Les raisons de ce silence traversent d'ailleurs tout l'entretien avec Ruth et en constituent d'une certaine manière le fil conducteur.

Ainsi les difficultés et blocages qui sont apparus tout au long de l'entretien n'étaient jamais le fait de trous de mémoire ou d'oublis, mais d'une réflexion sur l'utilité même de parler et de transmettre son histoire. On trouve au principe de ces difficultés la tension liée à un statut social que l'évolution politique a rendu ambigu, voire intenable. En utilisant les termes « allemand » ou « juif » Ruth tantôt s'intègre, tantôt s'exclut du groupe et des caractéristiques ainsi désignées. Être « allemande » et « juive », cette question insistante avec laquelle Ruth m'avait accueilli à notre première rencontre, est au principe aussi d'une attitude envers la vie qui interdit de porter un jugement sur un individu en fonction d'un quelconque critère d'appartenance. Cette attitude a façonné sa vision de la réalité concentrationnaire, en même temps que celle-ci a renforcé, en retour, cette vision du monde.

A un certain degré, cette tension constitutive de son être et de sa façon d'être l'amène aussi à un « dédoublement » permanent de sa personne, à penser en même temps ce qu'elle a fait et toutes les alternatives de ce qu'elle aurait pu faire ou penser. C'est par un tel travail de comparaison et de prise en considération d'une multitude d'alternatives que s'élabore généralement tout sens de ce qui est « normal », tout sens commun, qui permet à l'individu de se sentir et d'être en paix avec le monde (ou plus précisément avec tel ou tel groupe d'appartenance). C'est ainsi que l'individu par un travail d'identification fait coïncider son propre sens de soi, son identité, avec ce qui est socialement considéré comme normal. Dans le cas de Ruth le degré d'indécision face à l'évaluation d'une multitude de comportements, du sien autant que des autres, semble indiquer une sorte d'envahissement de toutes les dimensions de sa vie et de sa mémoire par cette tension fondamentale irréductible.

Marqué par les contradictions qu'elle n'a pas résolues, l'entretien avec Ruth sans être représentatif des réalités sociales qu'elle a traversées en restitue plus qu'une « vision » particulière. Le fait de s'abstenir de tout jugement et la distance qu'elle prend par rapport à elle-même suggèrent que, tout comme l'ordre social, son sens individuel d'identité résulte de la gestion d'un équilibre précaire, d'une multitude de contradictions et de tensions.

Indirectement, cet entretien questionne les grandes théories d'inspiration psychologique sur la survie en situation extrême et sur le syndrome des survivants [8], tout autant qu'il suggère des liens entre ces théories. Tout comme le récit de vie de Margareta Glas-Larsson, cet entretien confirme l'importance pour la survie de savoirs pratiques, de compétences linguistiques et de la capacité de décoder rapidement des situations et des relations qui jouent autant que les ressources d'ordre intellectuel et moral qu'invoque Bruno Bettelheim [9]. Le syndrome du survivant, décrit par Robert J. Lifton, qui relève d'un sentiment de culpabilité, semble faire écho à la théorie de Bettelheim. Il est, très probablement, d'autant plus marqué que les caractéristiques et le comportement du survivant ne correspondent pas au modèle idéal de Bettelheim, c'est-à-dire que la survie est due à la mobilisation d'autres ressources que celles qu'invoque Bettelheim, et aussi à la chance, au sens de pur hasard statistique. Le syndrome du survivant pourrait résulter d'abord de la valorisation sociale négative qui frappe différemment

---

8. Voir B. Bettelheim, *Survivre*, Paris, R. Laffont, 1979 et R.J. Lifton, *Death in Life*, New York, Simon and Schuster, 1967.

9. G. Botz, M. Pollak, « Survivre dans un camp de concentration », *Actes de la recherche en sciences sociales*, n° 41, février 1982, p. 23.

certaines ressources auxquelles tel ou tel survivant avait effectivement eu recours. Mais cette valorisation varie selon les classes, le sexe, l'environnement culturel. Seule l'histoire sociale individuelle prise dans son ensemble, et non seulement la situation de l'internement, permet de retracer toutes ces articulations, qu'il s'agisse de l'apprentissage et de la maîtrise de différentes ressources qu'il faut mobiliser pour survivre, de la capacité effective de leur valorisation sociale et des effets que celle-ci a sur la vie psychique du survivant. Le silence choisi comme mode de gestion de l'identité, au-delà de l'accommodement avec l'entourage social, pourrait également constituer le refus de laisser juger l'expérience concentrationnaire, situation extrême selon les canons de la morale courante, qui sont au principe des théories de Bettelheim et de Lifton. Les valeurs qui sous-tendent ces théories sont celles d'un individualisme héroïque. Et quand, lors de l'entretien, Ruth se réfère elle-même à un sentiment de culpabilité, c'est au nom du deuil de sa famille. Par contre, aucun penchant à la méfiance, autre composant du « syndrome du survivant », ne peut être détecté dans son récit, ni dans son comportement. Au contraire, c'est un parti pris pour la vie, et surtout pour la confiance et l'amour, qu'elle invoque comme les qualités les plus importantes qu'elle garde en souvenir de ses expériences à Birkenau. Plus que toute autre chose, avoir su maintenir un îlot de relations fondées sur la confiance et l'amour reste pour elle le facteur décisif de sa survie. Ce sont ces mêmes qualités qu'elle valorise quand elle résume sa pensée : « Je t'aime. En quoi ça te regarde ? »

Actes de la recherche en sciences sociales,
nos 62-63, juin 1986.

L'expérience concentrationnaire

> « *Le camp de concentration était le laboratoire où la Gestapo apprenait à désintégrer la structure autonome des individus; (...) le phénomène concentrationnaire devrait être étudié par toutes les personnes qui veulent comprendre ce qui se passe dans une population soumise à des méthodes analogues à celles qui étaient utilisées par le système nazi.* »
>
> Bruno Bettelheim, *Survivre*, Paris, Robert Laffont, 1979, p. 109.

Peu de périodes historiques ont suscité un effort d'analyse aussi intense que le nazisme [1]. Les réactions de dégoût et de fascination qu'il continue de provoquer donnent la mesure de l'événement lui-même. Il est difficile, par exemple, d'imaginer qu'un jour les historiens de la longue durée puissent le traiter « comme une simple ride, voire l'écume des choses » [2]. La guerre la plus meurtrière et le génocide résistent à pareil traitement normalisateur. Il est significatif, à cet égard, que les historiographies juive et allemande aient souvent utilisé un même mot, mettant en évidence le caractère soudain et funeste

---

1. F. Bédarida, « Bilan et signification de quarante années de travail historique », *in* F. Bédarida, dir., *La Politique nazie d'extermination*, Paris, Albin Michel, 1989, p. 15.
2. Reprenant à son compte un argument d'Arno J. Mayer, Pierre Vidal-Naquet voit dans la prédominance de l'école des Annales, préoccupée par la longue période, une des raisons de la faiblesse de l'historiographie française dans ce domaine : « L'épreuve de l'historien : réflexions d'un généraliste », *in* F. Bédarida, dir., *op. cit.*, p. 44.

de l'événement : catastrophe [3]. Cette catastrophe est d'abord celle des Juifs d'Europe décimés, et de toutes les autres catégories de victimes, des Tsiganes aux homosexuels en passant par les malades mentaux. Elle est également celle de l'Allemagne qui, à la fin de la guerre, est littéralement réduite en ruine et celle de l'Europe entière qui sort meurtrie de l'épreuve.

La profondeur de la catastrophe a engendré une crise de conscience qui rebondit périodiquement en mettant en jeu la lâcheté, l'opportunisme, la complicité qui ont pu se nouer à l'époque, et qui étaient des conduites plus répandues que la résistance et l'opposition déclarée [4]. Pareille crise est inséparable de la dialectique entre maître et esclave, entre persécuteurs et victimes que les nazis avaient réussi à déployer à tous les niveaux, en s'assurant la collaboration de larges couches de la population et des gouvernements des pays occupés, en enrôlant en Allemagne les élites et les corps professionnels décisifs pour leur entreprise, en associant les responsables des communautés juives eux-mêmes à la préparation de la déportation [5].

Les séquelles les plus durables d'un tel système de répression proviennent de son pouvoir de faire face à toute une armée d'auxiliaires et, parfois, aux victimes elles-mêmes ce qu'ils auraient récusé dans des « circonstances normales ». Dans cette logique, les rapports noués dans un camp de concentration entre déportés et SS éclairent de façon caricaturale tout un système : un pays et un continent transformés en « institution totale », avec ses phénomènes de contrôle, de violence, de dépersonnalisation, de pression psychologique, de chantages réciproques, de corruption [6]. Le système des camps de concen-

---

3. Comme le souligne F. Bédarida, art. cité, p. 26, le Yad Vashem a officiellement adopté ce terme pour ses travaux historiques. Friedrich Meinecke, le plus célèbre des historiens allemands d'avant-guerre, l'utilise dans le titre de son livre publié directement après la défaite de l'Allemagne : *Die Deutsche Katastrophe*, Wiesbaden, Brockhaus, 1946.

4. Henry Rousso analyse ce phénomène en France et l'intitule judicieusement : *Le Syndrome de Vichy*, Paris, Le Seuil, 1987.

5. Pour ces processus d'enrôlement, voir M. Pollak, « Des mots qui tuent », *Actes de la recherche en sciences sociales*, n° 41, février 1982, pp. 29-59.

6. Nous suivons ici la conception de l'institution totale développée par E. Goffman, *Asiles. Études sur la condition sociale des malades mentaux*, Paris, Minuit, 1968.

tration, et tout particulièrement des camps d'extermination, a déchargé les SS de leurs besognes les plus viles et accéléré la décomposition de la solidarité entre internés en fabriquant des privilégiés et des soumis, des trafiquants et des « aristocrates », des flics, des indicateurs (les kapos). Par à-coups, le système a également engendré des héros intransigeants, des résistants qui ont su préserver les valeurs de la dignité humaine. Ainsi se cristallisent, y compris dans la production historiographique elle-même, les germes des crises d'identité qui sont au principe de zones d'ombre, de refoulements et des mécanismes de défense [7].

Précisons tout de suite, en suivant Robert Jay Lifton dans son analyse de la « psychologie du génocide », que : « Quels que soient les comportements individuels, les déportés étaient potentiellement menacés, tandis que les nazis étaient potentiellement menaçants. Toute évaluation des comportements à Auschwitz doit reposer sur cette distinction [8]. »

C'est le mérite des déportés d'avoir, à leur retour, révélé les rouages du système concentrationnaire, et empêché le refoulement collectif et l'oubli. Nous leur devons les bases de l'historiographie des camps. Des auteurs et instituts français y ont joué un rôle pionnier pendant les premières années d'après-guerre [9]. La lutte contre l'oubli, engagée dès le retour par des rescapés, est indispensable. Comme le disent Olga Wormser et Henri Michel : « Les camps de concentration ne doivent pas s'effacer de la conscience des hommes ; l'oubli serait un crime et aussi une erreur ; c'est toute une éthique, toute une civilisation — les nôtres — qui sont en jeu. » D'où leur projet d'un « Réseau du souvenir » [10]. Mais, comme ces auteurs le remar-

---

7. A. Grosser, *Le Crime et la Mémoire*, Paris, Flammarion, 1989.

8. R.J. Lifton, *Les Médecins nazis*, Paris, Robert Laffont, 1989, p. 15.

9. On pense, bien évidemment, à D. Rousset, *L'Univers concentrationnaire*, Paris, Éditions du Pavois, 1946 ; O. Wormser-Migot, *Quand les Alliés ouvrirent les portes*, Paris, Robert Laffont, 1965 ; *Le Système concentrationnaire nazi*, Paris PUF, 1968 ; E. Kogon, *L'État SS*, Paris, Le Seuil, 1974 ; H. Langbein, *Menschen in Auschwitz*, Vienne, Europa, 1972, et tant d'autres qui nous ont laissé leur témoignage.

10. O. Wormser, H. Michel, *Tragédie de la déportation 1940-1945. Témoignages de survivants des camps de concentration allemands*, Paris, Hachette, 1954, p. 10.

quent, le phénomène des camps d'extermination n'intéresse pas le seul historien. Le sociologue, le psychologue, le philosophe, le politologue sont tous appelés à nous aider à mieux appréhender ce phénomène.

Suivant dans cet ouvrage l'invitation, citée plus haut, de Bruno Bettelheim, nous partirons des expériences des déportés. Leur identité et leur mémoire sont au cœur de notre réflexion.

Une expérience extrême

Toute expérience extrême est révélatrice des constituants et des conditions de l'expérience « normale », dont le caractère familier fait souvent écran à l'analyse. Dans cette recherche, l'expérience concentrationnaire, en tant qu'expérience extrême, est prise comme révélateur de l'identité comme image de soi, pour soi et pour autrui. Le caractère exceptionnel de cette expérience rend problématiques deux phénomènes situés au cœur de notre recherche : l'identité et la mémoire. Or les rendre problématiques revient à les rendre visibles, et donc analysables.

D'ordinaire, le sens commun enlève à chacun de nous le souci existentiel de son identité. Ayant appris à anticiper les situations et les réactions de ceux que nous rencontrons dans notre vie quotidienne, nous développons un comportement conforme aux attentes des autres dans des situations extrêmement variables. Malgré d'évidents changements dans la façon dont nous nous présentons dans la vie quotidienne, nous ne nous posons que très rarement la question de savoir si c'est bien la même personne qui a à jouer tous ces rôles différents, qui change de « masques » et de vêtements, modifie sa façon de parler et montre ou retient ses émotions [11]. La maîtrise du jeu social et la compréhension réciproque évacuent tout questionnement sur sa propre identité, questionnement que provoque, par contre, le fait de se trouver dans une situation imprévisible,

11. A.L. Strauss, *Miroirs et Masques. Une Introduction à l'interactionnisme*, Paris, Métailié, 1992.

étrange, à laquelle on n'a pas été préparé. L'identité ne devient une préoccupation et, indirectement, un objet d'analyse que là où elle ne va plus de soi, lorsque le sens commun n'est plus donné d'avance et que des acteurs en place n'arrivent plus à s'accorder sur la signification de la situation et des rôles qu'ils sont censés y tenir. Le sentiment d'étrangeté qui s'ensuit, dans le double sens d'une situation étrange et de la rencontre entre des êtres étrangers les uns aux autres, résulte de la divergence trop grande de leurs histoires individuelles et du manque d'une mémoire partagée qui leur permettrait de décoder la situation et de se comprendre réciproquement de façon quasi automatique. Il n'est pas étonnant alors que les objets empiriques de presque toutes les études sur l'identité soient pris dans des situations de transition ou de traumatisme qui placent les individus en rupture avec leur monde habituel. Cette problématique sous-tend les constructions typologiques de Georg Simmel autour de l'étranger [12] et celles de l'école de Chicago autour de l'immigré nouvellement arrivé dans une métropole [13], décrits comme les produits d'un double processus de déracinement et de création de nouveaux liens sociaux. Ces « types » constituent autant de manières d'exister dans des situations nouvelles. Dans ces recherches, l'approche biographique devient un instrument d'investigation privilégié. En effet, la méthode biographique en sciences sociales a donné lieu aux résultats les plus probants lorsqu'elle a été appliquée aux phénomènes de l'acculturation, de l'immigration et des rapports interethniques, et aux moments forts du changement social et économique — chaque fois donc qu'un groupe social doit s'adapter à un contexte nouveau et redéfinir son identité et ses rapports avec d'autres groupes [14]. C'est donc dans ces

---

12. G. Simmel, « Métropoles et mentalités », *in* Y. Grafmeyer, I. Joseph, *L'École de Chicago*, Paris, Aubier, 1978, p. 61 *sq*.

13. *Ibid.*

14. Martin Kohli a analysé les temps forts des méthodes biographiques en sciences sociales : « Wie es zur ''biographischen Methode'' kam und was daraus geworden ist. Ein Kapital in der Geschichte der Sozialforschung », *Zeitschrift für Soziologie*, 10, juillet 1981, pp. 273-293 ; l'histoire orale a repris la méthode biographique ces dernières années. Elle reprend également certains problèmes posés en sociologie dans les années 1920-1930. Voir le numéro « Questions à l'histoire orale », *Cahiers de l'IHTP*, n° 4, 1987 ; ainsi que D. Bertaux, « L'approche biographique : sa validité méthodologique, ses potentialités », *Cahiers internationaux de sociologie*, 69, 1980.

mêmes domaines que le concept de l'identité a trouvé une application sociologique.

Les survivants des camps d'extermination ont eu à affronter doublement un problème d'identité. L'arrestation et la déportation les ont d'abord coupés de leur milieu familial et social habituels, pour les placer ensuite dans un univers carcéral extrême et totalitaire, dont la population était composée d'une multitude de groupes linguistiques, d'origines sociales et nationales extrêmement différentes. En outre, si la résistance à l'expérience concentrationnaire implique le maintien de la permanence de soi dans des conditions où elle est extrêmement difficile à assurer du fait de la tension, pouvant aller jusqu'à l'antinomie, entre la défense de l'intégrité physique et la préservation de l'intégrité morale, cet effort ne se limitera pas à la seule période d'internement. En effet, il est rare que les rescapés aient retrouvé intact leur environnement familial et amical à leur retour des camps, ce qui imposait à nouveau d'importants efforts de réadaptation à la vie ordinaire, venant s'ajouter au poids de souvenirs envahissants. C'est dire la difficulté pour les déportés de préserver leur sentiment d'identité et aussi combien, dans ces conditions, tout témoignage sur cette expérience met en jeu non seulement la mémoire, mais aussi une réflexion sur soi. Voilà pourquoi les témoignages doivent être considérés comme de véritables instruments de reconstruction de l'identité, et pas seulement comme des récits factuels, limités à une fonction informative.

Mais la gravité des problèmes d'identité qu'a pu provoquer la déportation est justement ce qui, souvent, empêche les victimes d'en rendre compte. Le silence délibéré, qui fait obstacle à toute recherche visant à reconstruire la logique des adaptations successives à des ruptures radicales dans le déroulement d'une vie, est sans doute l'indicateur le plus saillant du caractère doublement limite de l'expérience concentrationnaire : limite du possible et, de ce fait, limite du dicible. Ne peuvent ainsi en parler de façon crédible que ceux qui l'ont subie, alors que l'effort pour l'oublier ou ne pas l'évoquer publiquement peut être une condition pour surmonter ce passé.

Cette contradiction s'exprime dans l'entretien d'une rescapée du camp d'Auschwitz-Birkenau, qui dit à quelques minutes d'intervalle : « Dans le camp, nous nous sommes souvent dit : il faut tout enregistrer et tout dire à notre retour », puis, évoquant son retour : « La seule chose à laquelle j'ai pensé, c'était tout oublier et refaire ma vie. » La diversité des expériences vécues renforce ctte tension constitutive de beaucoup de récits de déportés : « Je crois vraiment qu'il est très difficile de raconter la déportation parce que chaque personne a vécu une chose différente, tellement particulière que ce n'est pas possible de la transmettre [15]. »

C'est pourquoi la volonté de témoigner ressentie pendant la détention n'a produit finalement qu'un nombre relativement restreint de témoignages : de sorte qu'avant même de s'interroger sur les conditions qui rendaient possible la survie, on est en droit de se demander ce qui rend possible le témoignage. Ces difficultés et l'enregistrement vidéo les rendent plus directement que l'écrit ; d'où la force de l'œuvre de Claude Lanzmann *Shoah*.

Appartenance et permanence de soi

Ces premières réflexions renvoient à deux façons distinctes d'approcher le problème de l'identité sociale d'une personne. Parler en termes de déracinement et de coupure du milieu familial et social habituel comme étant à l'origine d'une crise d'identité, revient à définir celle-ci essentiellement par des critères d'appartenance. Il en est de même quand on parle de « reconstruction d'une identité sociale », en désignant par là les différentes manières, pour une personne confrontée à un environnement inconnu, de chercher à définir sa place en nouant des liens avec d'autres. Cette définition de l'identité, essentiellement sociologique, par l'appartenance à un groupe ou à un collectif, nous la rencontrons tout d'abord sous forme de capacité d'imaginer et d'affronter l'épreuve de la déportation, variable selon la nationalité, la religion, les convictions politiques, ou l'âge. Plus tard, le fait de s'insérer dans l'univers

---

15. V. Pozner, *Descente aux enfers. Récits de déportés et de SS d'Auschwitz*, Paris, Julliard, 1980.

concentrationnaire crée de nouvelles appartenances. Le fait d'avoir échappé à une mort probable fonde finalement l'appartenance au groupe des survivants, un groupe de destin qui se fonde sur la commune conscience d'une différence existentielle, indépendamment du fait de fréquenter ou pas une association de déportés. Ce groupe dispersé dans l'espace, qu'une expérience commune, très courte au vu de celle de toute une vie, a marqué et soudé pour toujours, porte comme seul signe de reconnaissance extérieur le tatouage du numéro d'enregistrement au camp de la mort. Forgé par le souvenir de la discrimination la plus extrême, un sentiment d'appartenance réunit les rescapés, même en l'absence de toute proximité géographique et de tout lien physique. Par ailleurs, ce sentiment dresse souvent un mur invisible entre les survivants et ceux qui leur sont physiquement les plus proches mais qui n'ont pas partagé cette expérience extrême. Rarement le concept de « groupe moral », proposé par les théoriciens de l'école de Chicago, aura correspondu aussi clairement à une réalité.

Le passage d'une même personne par plusieurs appartenances, mais aussi l'appartenance d'une même personne à de multiples collectifs, renvoie à une autre approche, en termes de continuité et de permanence des traits caractéristiques de la même personne indépendamment de ses attaches et des situations qu'elle a à traverser.

Les différentes théories de la socialisation [16] établissent un lien entre ces deux approches en s'interrogeant sur l'intériorisation des schèmes de pensée et de perception de la réalité commune à des collectifs donnés. Le concept d'habitus, lui aussi, s'inscrit dans cet interstice. La conformité et la constance des pratiques à travers le temps que produit l'habitus [17] indiquent sa proximité phénoménologique avec la notion d'identité, dont les signes distinctifs sont la cohérence et la continuité physique et psychique de l'individu. L'habitus d'une personne

---

16. Il existe une littérature abondante sur ce sujet. Nous nous contentons ici de renvoyer à l'œuvre de E.H. Erikson, *Life History and the Historical Moment*, New York, Norton and Company, 1975, ainsi qu'à son recueil d'articles « Identity and the Life Cycle », publié en allemand sous forme de livre : *Identität und Lebenszyklus*, Francfurt/Main, Suhrkamp, 1973.

17. P. Bourdieu, *Le Sens pratique*, Paris, Minuit, 1980, p. 91.

génère les manifestations qui permettent de l'identifier, de la reconnaître parmi toutes les autres. En même temps, et dans la mesure où les habitus sont l'incorporation de la même histoire partagée par un groupe, « les pratiques qu'ils engendrent sont mutuellement compréhensibles (...) et dotées d'un sens objectif à la fois unitaire et systématique, transcendant aux intentions subjectives et aux produits conscients et collectifs [18]. »

On verra que les théories de la survie en situation extrême expliquent celle-ci essentiellement par des savoirs et des éléments caractériels procurant à l'individu une force de résistance aux tendances destructrices de la personnalité inhérentes à l'organisation d'un camp de la mort. Or cette force de caractère résulte d'une socialisation ayant amené l'individu à la pleine maturité de cet idéal pédagogique rarement réalisé qu'est la « personnalité autonome ».

Ce qui sous-tend donc la théorie psychanalytique de Bruno Bettelheim, et d'autres après lui, c'est le présupposé d'un individu autonome, conçu à la fois comme catégorie descriptive pour la psychologie du développement et comme idéal de vie. Selon cette théorie, indissociablement descriptive et prescriptive, le sujet accéderait au statut de personne à part entière après une période de formation et de maturation des potentialités, essentiellement spirituelles, susceptibles de procurer une « estime de soi » à travers la définition, autonome et indépendante, de la place qu'il occupe dans le monde social. Cette estime de soi serait la base d'une identité assurée, autrement dit de la capacité d'un individu à rester le « même » en dépit des changements dans son environnement social. C'est d'elle aussi que dépendrait la résistance aux conditions concentrationnaires [19] : pour Bettelheim, seuls ceux qui parvenaient à préserver cet amour-propre étaient capables de supporter longtemps le traitement infligé au camp. Et c'est parmi les prisonniers politiques, les mieux préparés à la réalité qui les attendait, que Bettelheim détecte le plus de ressources de résistance et donc de chances de survie.

Imputer, comme le fait Bruno Bettelheim, la survie, avant

---

18. *Ibid.*, p. 97.
19. B. Bettelheim, *Survivre*, Paris, Robert Laffont, 1979, p. 56 *sq.*

tout psychique, à la rigueur morale d'une personnalité autonome conduit logiquement, on le verra, à interpréter les troubles postconcentrationnaires en termes moraux : d'où la thèse
du sentiment de culpabilité des survivants, avancée d'abord
par Bruno Bettelheim lui-même et élaborée par Robert J. Lifton dans la description du syndrome des survivants [20].

Dans une telle perspective, la tension entre l'approche de la
personne en termes d'appartenance et en termes de permanence
des traits de caractère indépendamment des attaches sociales est
résolue par l'hypothèse d'un processus d'intériorisation. Celui-ci
transformerait, pendant l'enfance et l'adolescence, les acquis
de l'appartenance (socialisation politique, éducation morale)
en traits distinctifs de la personne. Des événements particulièrement marquants, une fois intériorisés, peuvent eux aussi devenir un trait permanent de la personne, un « signe patent de
porte-identité », selon la terminologie de Goffmann [21].

En tant que discours autobiographique, tout témoignage
peut donc être saisi comme l'incarnation d'un destin collectif
(la figure du survivant), et donner lieu à une interprétation
psychosociale qui ramène la permanence et les affinités de styles
de conduite à une matrice incorporée. C'est ainsi que s'établit
la cohérence psychologique entre survie, d'un côté, et syndrome
du survivant, de l'autre. Mais face à l'extrême diversité des
discours biographiques, ces théories peuvent-elles prétendre à
une validité générale ? C'est à cette question que cet ouvrage
voudrait apporter des éléments de réponse.

La démarche

Toute recherche est une aventure. J'avais treize ans lorsque,
en 1961, j'ai vu pour la première fois des images des camps

---

20. Voir surtout : R.J. Lifton, *Death in Life. Survivors of Hiroshima*,
New York, Simon and Schuster, 1967 ; W.G. Niederland, *Folgen der Verfolgung : Das überlebenden syndrom*, Francfurt/Main, Suhrkamp, 1980 ;
W. Ritter von Baeyer *et al.*, *Psychiatrie der Verfolgten. Psychopatholo-
gische und gutachtliche Erfahrungen an Opfern der nationalsozialistischen
Verfolgung und vergleichbaren Extrembelastungen*, Berlin, Springer, 1964.
21. E. Goffman, *Stigmate*, Paris, Minuit, 1975, p. 14.

d'extermination. Il s'agissait du documentaire *Mein Kampf* d'Erwin Leiser, un film que je n'ai jamais revu depuis. Mais ces images d'horreur ne m'ont plus jamais quitté. Elles ont rendu encore plus obsédantes les questions que la génération née les premières années d'après-guerre ne cessait de poser à celle de ses parents. Questions restées, par la force des choses, sans réponses satisfaisantes ; héritage lourd à porter. Vingt ans plus tard, rien ne m'avait prédestiné à m'occuper, dans mon travail, des survivants de camps de concentration. Mais si je n'avais pas, à proprement parler, choisi cet « objet d'analyse », les sujets rencontrés m'ont retenu à chaque fois que, découragé, j'étais tenté d'abandonner ce travail. Contrairement aux remarques de collègues et d'amis, préoccupés par les effets d'une telle enquête sur les survivants (« le récit de leur souffrance ne risque-t-il pas de remettre en cause un équilibre chèrement acquis et toujours fragile ? »), ainsi que sur moi-même, le travail de terrain ne fut jamais à l'origine de mes frustrations de chercheur. Par contre, le travail d'« objectivation » et de rédaction s'est révélé particulièrement difficile. Comment réussir dans ce domaine le passage du matériel brut de recherche — documents d'archives, entretiens et observations — à l'objet construit de la science, à la présentation des relations jugées significatives et pertinentes entre les caractéristiques des déportés et le fonctionnement d'un camp de concentration, les modes d'insertion dans cet univers et de réadaptation à la vie ordinaire après la libération[22] ?

Les détours et déplacements faits tout au long de cette recherche ne concernent pas seulement mes rencontres dans plusieurs pays avec des femmes qui ont survécu à Auschwitz-Birkenau. Au fur et à mesure que s'ouvrent de nouvelles hypothèses, la curiosité investit de nouveaux continents et le projet de départ

---

22. Ce problème commun à toute recherche sociologique se pose de façon particulièrement aiguë dans le cas de situations extrêmes ou, aussi, d'appartenance directe du chercheur au monde qu'il décrit. Voir surtout P. Bourdieu, *Homo academicus*, Paris, Minuit, 1984 (surtout le premier chapitre, intitulé : « Un livre à brûler »). Voir également L. Pinto, « Expérience vécue et exigence scientifique d'objectivité », *in* P. Champagne, R. Lenoir, D. Merllié, L. Pinto, *Initiation à la pratique sociologique*, Paris, Dunod, 1985, p. 7 *sq.*

se voit modifié [23]. Retraçons la genèse de ce projet et de cet ouvrage.

Au début, le médecin traitant de Margareta Glas-Larsson, dont nous présentons plus loin l'entretien, l'avait mise en contact avec Gerhard Botz, collègue et ami de longue date. C'et lui qui, dans un premier temps, m'a enrôlé dans un projet qui devait bientôt constituer l'axe essentiel de mon travail. Après la perte, à la fin des années 1970, de son frère, qui était le dernier membre vivant de sa famille, Margareta souffrait de dépression et d'insomnie. Or, plutôt que de prescrire une psychothérapie, le médecin pensa que rendre publique son histoire devrait avoir un effet bénéfique sur elle.

L'analyse du contenu de ce premier entretien et le contrôle de sa conformité aux règles de la critique historique [24] m'ont amené à contacter d'autres rescapées qui, en principe, auraient dû connaître Margareta. Or certaines se rappelaient d'elle, d'autres non. Ces premiers éléments m'ont appris la solitude des déportés, mais aussi leur façon de construire, dans un univers extrêmement hostile, des îlots de confiance et de soutien avec très peu de personnes. Même en situation de contrainte extrême, et dans des limites très étroites, l'homme tente donc de créer un monde à son image en suivant ses affinités.

Si la création de tels micromondes est une des conditions de la gestion de l'incertitude permanente qui règne dans les camps de la mort, cela suggère qu'il n'y a pas de vision commune par les déportés eux-mêmes de cet univers, mais des perceptions différenciées pendant et après l'expérience concentrationnaire [25]. Dès l'enfance, le problème clé pour la maîtrise de la réalité n'est pas d'intégrer et de stocker toutes les informations et observations qui nous sollicitent de façon excessive. Se concentrer sur l'essentiel, filtrer, « créer des classes, des groupes, des modèles, des symboles qui simplifient et épurent un monde trop plein d'excitation [26] », tous ces mécanis-

---

23. Voir à cet égard l'histoire extraordinaire de l'enquête sur les Juifs de Plock, N. Lapierre, *Le Silence de la mémoire*, Paris, Plon, 1989.

24. M. Glas-Larsson, *Ich will reden. Tragik und Banalität des Überlebens in Theresienstadt und Auschwitz*, Vienne, Molden, 1981.

25. P. Levi, *Les Naufragés et les Rescapés : quarante ans après Auschwitz*, Paris, Gallimard, 1989.

26. S.D. Kipman, *La Rigueur de l'intuition*, Paris, Métailié, 1989, p. 105.

mes de réduction de la complexité [27] en fonction des données du moment sont ce qui guide l'expérience et la mémoire. D'où l'intérêt d'une approche mettant en lumière les différents modes de construction de ces micromondes et des remémorations auxquelles ils donnent naissance, et qui font l'objet de modifications fréquentes en fonction des préoccupations du moment. C'est donc tout naturellement qu'une approche microsociologique s'est imposée, avec la délimitation d'un terrain d'investigation précis : le camp de femmes d'Auschwitz-Birkenau.

Le point de départ de ce travail, en la personne de Margareta Glas-Larsson, a largement prédéterminé ce choix. Le constat que les femmes ont laissé nettement moins de témoignages que les hommes nous a confirmé dans cette décision [28]. A cela s'ajoutent des raisons plus pragmatiques limitant notre champ d'observation à l'Europe et aux rescapées de langue française, allemande et anglaise. L'expérience de plusieurs entretiens, du travail de vérification en archives et de recoupement avec d'autres récits nous a forcés à réfléchir davantage sur les conditions permettant des témoignages sur une expérience extrême, et sur les différentes contraintes d'énonciation selon l'époque, le pays et le milieu social : d'où la décision de comparer systématiquement les entretiens avec des témoignages écrits. En étroite collaboration avec Nathalie Heinich, nous avons soumis à une analyse de contenu comparative non seulement nos entretiens mais aussi les écrits autobiographiques publiés ou non, les dépositions judiciaires ainsi que celles recueillies par une commission historique, conservées dans les archives du Centre de documentation juive contemporaine (CDJC), de l'Institut d'histoire du temps présent (IHTP) et du musée d'Auschwitz.

La démarche en « boule de neige » qui consiste à demander à la première personne interviewée d'en indiquer d'autres, et

---

27. N. Luhmann, « Moderne Systemtheorien als Form Gesamtgesellschaftlicher Analyse », *in* S. Habermas, N. Luhmann, *Theorie der Gesellschaft oder Sozialtechnologie*, Francfurt/Main, Suhrkamp, 1971, p. 25.

28. Sur les 200 personnes représentées dans le livre de témoignages publié par O. Wormser et H. Michel, *op. cit.*, un quart seulement sont des femmes — proportion que l'on retrouve également dans les récits autobiographiques publiés à titre individuel.

ainsi de suite, a eu un mérite supplémentaire. D'ordinaire, les personnes ainsi interviewées proposent à l'enquêteur de rencontrer des amis ou des proches. Tout naturellement, le chercheur découvre ainsi des réseaux d'amitiés et des personnes relais qui ont pu jouer le rôle d'intermédiaires. Ces réseaux se sont constitués sur la base d'une commune appartenance linguistique ou nationale, et d'affinités culturelles, politiques ou religieuses. Cette démarche reproduit immédiatement deux types de réseaux d'amitiés : ceux noués pendant la déportation et ceux, plus formalisés, qu'on trouve dans les associations d'anciens déportés. Elle fait également apparaître la perception variée des mêmes événements et personnes, et ouvre la voie à l'analyse de la logique qui sous-tend ces différences dans l'appréhension de la réalité. Progressivemnt émergent ainsi les clés d'interprétation de l'univers observé.

Finalement, cette démarche met en évidence la gêne qui a pu s'installer entre les rescapées. Ruth, par exemple, m'avait demandé de lui servir d'intermédiaire pour retrouver une de ses anciennes camarades polonaises, avec qui elle avait perdu tout contact depuis la libération des camps. Après des recherches sans succès, elle m'indiquait une « piste éventuelle », à savoir une rescapée française dont je trouverais peut-être plus facilement des traces. Effectivement, je réussis à contacter cette femme. Elle pouvait me renseigner sur la Polonaise que je recherchais. De retour à Berlin, la joie fut grande quand j'annonçai cette bonne nouvelle. A l'âge de quatre-vingts ans, Ruth put enfin lui écrire une lettre et lui envoyer un paquet, réalisant ainsi un projet qui datait de l'après-guerre. Mais tout d'un coup, une question — « Ne vous a-t-elle rien dit pour moi, un petit bonjour, un message ? » — rompit son réel plaisir et la satisfaction rare du chercheur d'avoir, pour une fois, pu « donner ». Effectivement, je n'étais porteur d'aucun message de la part de la femme rencontrée en France, même pas d'un bonjour. « Bien sûr, elle se rappelle de vous et m'a demandé de vous dire... » Impossible de tricher et d'échapper au regard qui, à ce moment-là, scrutait mes gestes et mes mots. Bien plus tard, je compris. Dans le camp, les deux femmes, française et polonaise, avaient noué une relation amoureuse. Or Ruth était une des rares personnes à « être au courant » : d'où la gêne de ces retrouvailles par « chercheur interposé ». Entre la première demande qui m'avait été adressée et l'éclaircissement de l'histoire, plusieurs mois se sont écoulés. Mais il ne s'agissait pas là d'un «temps perdu», ni pour l'interviewée ni pour moi-même. Me laisser guider par l'intuition et par les circonstances imprévisibles — démarche peu légitime, selon les canons des manuels de recherche — m'avait fait comprendre, d'un coup, plusieurs points essentiels.

Si les relations (homo)sexuelles dans les camps sont bien documentées, elles sont d'ordinaire approchées exclusivement comme le produit des contraintes propres à une institution totale (armée, prison, internat) où ne se côtoient que des personnes du même sexe. Or cet épisode met l'accent sur leur signification plus large. Même si elles sont nées de la contrainte, elles expriment également l'affectivité et la confiance. En même temps, et malgré leur possible justification par la contrainte, ces relations restent taboues et sont source de gêne pour ceux qui les ont vécues. Finalement, cet épisode rappelle que la libération, souvent synonyme de rupture avec les amis intimes du camp, dispersés partout dans le monde, peut s'accompagner du traumatisme de la séparation, qui s'ajoute aux difficultés de la réinsertion dans la vie ordinaire.

Si le travail de terrain, proche de celui de l'ethnologue en terre inconnue, laisse une large place à l'intuition, les matériaux recueillis nous confrontent à des paramètres trop nombreux pour pouvoir être facilement analysés avec rigueur. Mais le découragement invoqué au début de cette présentation ne reflète pas seulement les difficultés théoriques et de mise en forme. Connaissant les effets désacralisants des sciences humaines, on peut imaginer que le fait de montrer le mode de construction et de fonctionnement d'une cause sacrée provoquera inévitablement l'opposition et la résistance de ceux qui la défendent, qui y croient et se sentent investis d'une mission. Mais, ici, le problème se pose différemment : il s'agit de se demander si le passage à l'écriture ne mènera pas à la relativisation et à la banalisation de l'extermination de millions de personnes — à l'encontre des intentions souvent affichées de lutter contre l'oubli et pour la mémoire. D'où la réticence à écrire que nous avons pu ressentir, indépendamment de l'inquiétude plus courante d'avoir à affronter les réactions des lecteurs les plus concernés. [...]

Si l'expérience de la survie en situation extrême limite la propension à en parler, les situations dans lesquelle les rescapés sont amenés à rompre le silence méritent une attention toute particulière. Ces situations ne sont pas légion, et ce n'est pas à chaque instant que le survivant se pose la question de son identité et de sa permanence, ni qu'il se trouve placé dans une situation de «confession obligatoire sous pression extérieure [29]», pour reprendre les termes d'Aloïs Hahn.

Pour interpréter le corpus des témoignages, écrits et recueillis par voie d'entretiens, il faut s'interroger sur leurs différentes formes : de la déposition judiciaire au récit de vie sollicité, en passant par l'ouvrage ou l'article à caractère autobiographique. Chacun de ces documents résulte de la rencontre entre la disposition du survivant à parler et les possibilités d'être écouté. Entre celui qui est disposé à reconstruire son expérience biographique et ceux qui le sollicitent de le faire, ou sont disposés à s'intéresser à son histoire, s'établit une relation qui définit les limites de ce qui est effectivement dicible. La rareté des témoignages spontanés en dehors de sollicitations officielles (d'ordre judiciaire, scientifique ou historique) est un premier indicateur des contraintes d'énonciation. Car, si l'expérience concentrationnaire est à la fois ce qui fait parler les survivants et ce qui, en principe, donne à leur histoire particulière un intérêt plus général, il n'en reste pas moins que leur prise de parole, loin de les « grandir », comme c'est le cas pour d'autres « grands témoins » historiques, risque de réactiver les expériences traumatisantes et incompatibles avec l'image qu'ils ont d'eux-mêmes ou leur sentiment d'identité. La réalité des camps était avilissante : comment décrire avec pudeur et dignité les actes qui ont avili et humilié la personne ? La prise de parole correspond souvent, alors, au désir de surmonter une crise d'identité en nommant ou en décrivant les actes mêmes qui en furent la cause. Mais à ces rares cas de tentative de libération par la parole, qui dépendent en outre des possibilités objectives de la rendre publique, s'oppose le silence du plus grand nombre.

---

29. A. Hahn, «Contribution à la sociologie de la confession et autres formes institutionnalisées d'aveu : autothématisation et processus de civilisation», *Actes de la recherche en sciences sociales*, n⁰ˢ 62/63, 1986, p. 54 *sq.*

La réflexion sur les témoignages de survivants des camps de concentration renvoie ainsi au problème du silence. Car, loin de dépendre de la seule volonté ou de la capacité des témoins potentiels à reconstituer leur expérience, tout témoignage tient aussi et surtout aux conditions qui le rendent communicable, conditions qui évoluent dans le temps, et qui varient d'un pays à l'autre. Ressenties simultanément, la nécessité et la difficulté de témoigner de ce qu'on a vécu composent un sentiment ambivalent, indiquant que le témoignage comporte presque toujours un jugement sur des actions passées par le survivant lui-même ou par celui qui l'écoute.

La contrainte de justification inhérente à presque toutes les situations de témoignage fait peser le doute sur tout récit portant sur une expérience limite, facilement soupçonnée de motivations autojustificatrices. Cette contrainte borne en même temps qu'elle stipule ce qui est dit. Dans l'autobiographie écrite en fin de vie, ou lorsqu'il doit, devant un tribunal, rendre compte d'événements intervenus longtemps auparavant, le narrateur rescapé adoptera une perspective résolument rétrospective. Mais souvent le retour réflexif sur soi-même remplit des fonctions plutôt prospectives : cas de figure fréquent aux moments de crise. C'est le cas lorsque le survivant, au nom de la maîtrise du présent, sent le besoin de réfléchir sur un passé traumatisant.

Face à un tel matériel, l'historien va être amené à poser d'abord le problème de la véracité de ces sources. De tout ce matériel, il ne retiendra alors que ce qui peut être confirmé par recoupement avec d'autres sources. Ainsi, constatant que, « du côté des victimes, la documentation est des plus réduites », Miriam Novitch, dans son étude sur l'histoire de la déportation et de la résistance des Juifs grecs écrit : « Sachant que tout témoignage est sujet à caution, nous nous sommes efforcés d'interroger plusieurs personnes sur le même sujet et de vérifier les faits racontés au moyen d'autres sources [30]. » En

---

30. M. Novitch, *Le Passage des Barbares*, Nice, Presses du Temps présent, s.d., p. 5. Tout aussi restrictif est Benzion Dinur, un des éditeurs de la série de l'Institut Yad Vashem, qui dit que l'objectivité de chaque témoignage qui construit le passé à partir du présent doit être examinée avec soin. B. Dinur, cité *in* L. L. Langer, *Versions of Survival*, Albany, State University of New York Press, 1982, p. 3.

procédant ainsi, on élimine ce qui ne peut pas être confirmé par une pluralité de sources, dans le but de restituer le noyau dur de ce qui s'est réellement passé. Mais on risque par là même d'occulter la tension, constitutive des témoignages sur la déportation, entre dicible et indicible. Au contraire, notre problématique suppose que tout document a un sens, à condition de reconstruire le système de repérage de ce sens.

Plutôt que de concentrer l'attention directement sur le contenu de ce qui est dit, nous allons soumettre à une analyse préalable un corpus constitué de formes très diverses de témoignages.

Ce travail préalable paraît d'autant plus nécessaire que l'expérience concentrationnaire résiste à toute tentative visant à obtenir une représentativité statistique, ce qui laisse planer le doute sur une interprétation générale. Qu'il s'agisse du choix des témoins à comparaître dans les procès ou devant des commissions historiques, du corpus constitué par des écrits autobiographiques ou des récits de vie recueillis quarante ans plus tard par entretiens, le « biais » principal de tout échantillon, à savoir la survie physique du témoin, radicalise à l'extrême ce problème propre à toute enquête qu'est la déperdition d'information et, surtout, de représentativité de l'échantillon par une « sélection » spontanée de la population étudiée, due aux caractéristiques de l'objet (ici, des individus placés en situation d'extermination) et non aux outils méthodologiques de l'enquête. On sursautera, bien entendu, devant le « cynisme » de ces propos, dont le caractère psychologiquement ou moralement inacceptable culmine avec l'emploi du terme « sélection », utilisé ici dans le registre de la technique d'échantillonnage alors qu'on est également autorisé à le lire dans celui d'une entreprise de génocide et d'assassinat à grande échelle.

Or l'apparent cynisme de la formulation ne fait ici que systématiser, en le rendant plus évident, le processus qui consiste à étudier « scientifiquement », c'est-à-dire froidement et à distance, des choses qui suscitent les réactions affectives les plus extrêmes, et qui sont d'ordinaire abordées dans le registre « chaud » de la révolte, de la dénonciation ou de l'indignation. Par son caractère extrême, un tel objet met en évidence le propre de toute démarche scientifique, qui est, pour employer une image, de produire du froid là où souffle le chaud (particularité beaucoup plus visible dans les sciences sociales, qui travaillent par définition « à chaud », que dans les sciences de la nature) — ou encore, pour reprendre le terme de Norbert Elias, d'imposer du « détachement » là même où l'objet étudié appelle spontanément une extrême « implication » [31].

Cependant, la survie physique du témoin n'est pas le seul « biais » qui affecte les divers échantillons spontanés. Il en va de même de la survie psychique et morale, et de la définition de l'identité qui en résulte. Le travail pour surmonter les traumatismes peut impliquer le refoulement de souvenirs singuliers ou leur intégration dans un discours très général sur les différentes souffrances infligées, assorti de l'oubli des repères — noms propres, situations ou événements particuliers — qui le singulariseraient.

Mais plus fréquent sans doute, et par définition moins visible, est le silence qui, différent de l'oubli, peut être choisi comme un mode de gestion de l'identité selon les possibilités de communication de cette expérience extrême. Margareta, Ruth et Myriam, chacune à sa manière, illustrent ce phénomène. De même, le fait d'avoir trouvé, dans le corpus des écrits biographiques de rescapées du camp d'Auschwitz-Birkenau, deux Allemandes, une Tchèque, trois Autrichiennes, quatre Polonaises, cinq Hongroises, mais, par contre, neuf Françaises, indique (à côté d'autres facteurs proprement culturels, tels que la propension à l'écriture) une possibilité de réinsertion et de réajustement à la vie sociale au retour des camps plus favorable en France que dans les autres pays, où le retour s'est plus souvent traduit par l'émigration (et de façon massive, vers les États-Unis et Israël), avec tous les problèmes matériels et symboliques (reconquête d'une identité, y compris parfois au sens le plus administratif du terme) que cela comporte.

---

31. N. Elias, « Problems of Involvement and Detachment », *British Journal of Sociology*, VII, 3, 1956, pp. 226-252. Dans notre cas, même une historiographie engagée, qui « estime que rien, ni le temps, ni les réparations, ni les cérémonies expiatoires, ne sauraient effacer les crimes indicibles perpétrés par les Allemands », n'échappe pas entièrement à cet effet de mise à distance qu'opère la construction scientifique, dans la mesure même où elle se voit contrainte de soumettre les faits relatés et la parole des survivants au même doute méthodique que toute autre source (voir la préface de Georges Wellers à l'ouvrage de Miriam Novitch, *op. cit.*).

Mais si le silence peut indirectement témoigner des divers modes de gestion de l'identité qui résultent du travail de réajustement au monde ordinaire (et, dans ce cas, le silence a toutes chances d'être absolu, portant sur le fait même de communiquer), il peut également traduire la difficulté à faire coïncider le récit avec les normes de la morale courante (et le silence portera alors plutôt, à l'intérieur d'une prise de parole, sur le contenu de ce qui sera communiqué). Ces normes prédéterminent les actes de parole par un ensemble de règles et d'impératifs générateurs de sanctions et de censures spécifiques, qui seront d'autant plus importantes que les faits sanctionnés relèveront davantage du droit, et plus seulement de la morale. Il ne s'agit plus dans ce cas de savoir si un déporté a la possibilité physique de témoigner, mais s'il en a la capacité éthique. Autrement dit, tout témoignage se situe dans un espace du dicible, que limitent le silence absolu par la destruction physique (et ce sont les millions de déportés qui ne témoignent que par leur mort) et les silences partiels dus à la destruction des dispositions « morales » (*i.e.* psychiques, sociales, éthiques, etc.) autorisant le témoignage. C'est à la lumière, si l'on peut dire, de ces zones d'ombre qu'il convient de considérer la déformation, voire l'obscurité qui caractérisent ces témoignages.

Il suffit de rappeler, pour illustrer ce phénomène, la disproportion entre plus de 1 300 000 personnes directement sélectionnées, à leur arrivée, pour les chambres à gaz sans être enregistrées, les 405 000 déportés enregistrés au camp d'Auschwitz, les 66 020 déportés comptés en janvier 1945 au dernier appel avant l'évacuation du camp, les 5 000 trouvés par les troupes soviétiques à la libération du camp et ceux qui ont laissé un témoignage, sous une forme ou sous une autre, et qu'on évalue à moins de 2 % de tous les survivants [32].

En outre, le degré de recevabilité par la morale courante introduit un « biais » supplémentaire dans la prise de parole. On comprendra immédiatement ce que signifie un tel « biais » en constatant que très rares sont les témoignages, judiciaires

---

32. Cf. H. Langbein, *Menschen in Auschwitz*, Vienne, Europa, 1972, p. 70 *sq.* ; E. Kogon, H. Langbein, A. Rückert, *Les Chambres à gaz. Secret d'État*, Paris, Minuit, 1983, p. 176 *sq* ; G. Wellers, *Les Chambres à gaz ont existé*, Paris, Gallimard, 1981.

ou autres, qui émanent de personnes ayant occupé un poste de kapo, alors que, on le sait, l'exercice de positions « privilégiées » augmentait les chances de survie. Échapper au silence qu'impose l'écart entre une expérience extrême et la morale courante, et pouvoir ainsi se ranger parmi les témoins en différentes occasions, est une éventualité moins improbable lorsque le « privilège » en question comporte une certaine contrepartie en services rendus aux autres, lorsqu'il peut se justifier par des arguments humanitaires, c'est-à-dire d'intérêt collectif et pas seulement individuel. Par conséquent, ceux qui ont occupé des positions médicales (médecins, infirmières) ont laissé un nombre plus élevé de témoignages que toutes les autres catégories de déportés.

Certains obstacles rencontrés dans une démarche d'histoire orale tiennent, eux aussi, à la recevabilité supposée du récit auprès de divers publics. L'intimité et la confiance qui s'établissent entre enquêteur et enquêtés peuvent amener ces derniers à confier au chercheur plus que ce qu'ils aimeraient voir étalé devant un public plus large.

Ruth nous avait, par exemple, raconté comment les déportés médecins et infirmières devaient tuer les nouveau-nés juifs afin de sauver la mère qui, autrement, risquait d'être envoyée au gaz avec son bébé. Elle avait alors parlé, non seulement en témoin oculaire de cet événement traumatisant, mais en tant qu'acteur placé sous une contrainte extrême à laquelle elle ne sut pas échapper. A la lecture de son entretien, préparé pour être publié, elle changea ce passage en s'attribuant non plus le rôle d'acteur ni de témoin oculaire, mais de quelqu'un qui en avait entendu parler. Dans notre discussion suivant ce changement de texte, elle insistera sur la véracité de cette deuxième version, en invoquant que « tant de choses se mélangent dans mes souvenirs d'il y a plus de quarante ans que, parfois, je ne sais plus très bien distinguer entre ce que j'ai vécu, ce que j'ai lu, ou ce dont j'ai entendu parler ». Impossible d'établir objectivement lequel des deux récits correspond effectivement à son expérience. Mais on peut constater à quel point la publicité donnée au récit influence les limites du dicible en fonction de situations et de publics potentiels ; ce qui n'a rien à voir avec cette autre difficulté courante en histoire orale, à savoir le choc déclenché auprès des interviewés par la lecture de leur langage parlé et la réticence qu'ils ont souvent à le voir publié.

Ce dernier point renvoie non seulement à des caractéristiques propres à l'univers concentrationnaire, mais aussi à celles des personnes, tel le niveau d'études dans le cas des médecins. Cela nous introduit à une troisième dimension des conditions de la survie et de la faculté de témoigner. Après les conditions physiques, psychiques et morales du maintien de l'identité et de la possibilité de témoigner, il nous faut aborder la question des conditions sociales qui font que certains des témoins potentiels prennent effectivement la parole ou sont appelés à le faire. Autrement dit, la question n'est pas seulement de savoir ce qui, dans ces conditions « extrêmes », rend un individu capable de témoigner, mais aussi ce qui fait qu'il y est sollicité, ou ce qui lui permet de se sentir socialement autorisé à le faire à un moment donné. C'est bien évidemment selon ce dernier critère que divergent le plus les échantillons spontanés fournis par différents types de témoignages. [...]

Expérience, commémoration, politique d'identité

Dans cet ouvrage, nous sommes partis des individus placés à un moment de leur vie dans la situation extrême d'un camp d'extermination. Ainsi, on a pu montrer comment les déportés, s'appuyant sur leurs propres ressources physiques, relationnelles et intellectuelles, ont su maintenir la permanence de soi en sauvegardant l'intégrité physique et, autant que possible, l'intégrité morale. Cette démarche propose une meilleure compréhension du fonctionnement de l'individu et de l'« institution totale » (si un tel mot convient aux camps d'extermination), en corrélation l'un avec l'autre. Les formes de l'ajustement à cet univers et les ressources mobilisées au nom de la survie renvoient également à l'origine sociale et nationale, aux engagements politiques et religieux, aux rapports avec sa judéité et avec son genre (en l'occurrence, la féminité). L'expérience concentrationnaire force ceux qui la subissent à aller au plus profond d'eux-mêmes, à prendre conscience de leur capacité de résistance, de leur penchant à la compromission aussi. En un mot, les rescapés ont dû se rendre compte de ce dont ils étaient capables. De plus, l'expérience concentrationnaire signifie la confrontation avec l'humanité toute entière, dans la mesure où les déportés trouvent dans le camp le condensé du genre humain : condensé de nationalités, de cultures et de langues ; condensé de toute la diversité de métiers et de professions, de la haute bourgeoisie aux voyous et aux prostituées ; condensé des qualités humaines les plus admirables (amour, amitié, solidarité, courage) et les plus détestables (trahison, dénonciation, agressivité, brutalité physique et morale).

L'ambivalence des situations et des réactions dont ils ont pu prendre la mesure en s'observant eux-mêmes et en observant les autres marque profondément les rescapés. De par son caractère collectif, l'expérience concentrationnaire, même si elle est vécue de façon très individuelle, s'accompagne donc de la prise de conscience du « genre humain », de la commune humanité dans toute sa diversité. Encore faut-il se demander, comme nous l'avons fait, si et dans quelles circonstances la déportation a pu être vécue comme une expérience collective ou, plus prosaïquement, comme une expérience subie en commun ? Ce qui expliquerait la modestie des récits et la faible place accordée au grandissement de soi dans la littérature autobiographique et dans les entretiens.

L'expérience concentrationnaire se prête difficilement, on l'a vu, à l'instrumentalisation militante et partisane. Les rescapés partagent les souvenirs d'une période de la vie relativement courte, mais particulièrement intense. Dans leurs pensées et sentiments, ils sont pour toujours liés les uns aux autres. Mais le degré de formation d'un groupe selon les canons sociologiques habituels est resté faible [33]. La dispersion géographique en est la raison principale, mais la plus superficielle. Dans leur mode d'organisation, les associations reproduisent souvent les critères d'appartenance nationale et les clivages politiques de l'après-guerre, parfois même les catégories de la victimisation forgées par les nazis en séparant victimes « politiques », « raciales » et de « droit commun ». Prises dans les

---

33. L. Boltanski, *Les Cadres*, Paris, Minuit, 1982.

tâches d'entraide et de représentation des demandes les plus existentielles des adhérents, les associations n'ont pas vraiment pu s'ériger en courroies de transmission d'un message universel. Tout se passe comme si le poids du passé et du présent faisait obstacle au choix délibéré de l'expérience concentrationnaire comme critère essentiel de mémoire et d'identité : trop douloureuse et trop complexe, trop pesante à cause des séquelles physiques et psychologiques à long terme. Si cette expérience difficilement dicible pose des problèmes de communication et de transmission au sein des familles, ces difficultés se trouvent exacerbées à un niveau plus général. Et si la gravité de l'injustice et de l'arbitraire propres à l'expérience concentrationnaire a donné lieu à l'innovation juridique en matière des droits de l'homme (codification du crime contre l'humanité et des règles de consentement éclairé en cas d'expérimentation médicale), son influence sur les connaissances historiques, les mentalités et les sensibilités est difficile à évaluer.

Tout au moins peut-on avancer l'hypothèse suivante, paradoxale à première vue : l'intégration de la déportation, de l'extermination et des génocides dans une logique commémorative s'accélère au moment où les derniers survivants s'apprêtent à quitter la scène. Par ailleurs, cette accélération ne se fait pas tellement à leur propre initiative, mais à celle des générations suivantes.

Dans le cas de la mémoire juive, ce travail n'est plus vraiment à faire. Le génocide occupe une place tellement centrale dans l'histoire des migrations, de la création d'Israël et de la reconstruction des communautés en Europe qu'il est impossible de penser la condition juive actuelle sans référence à la Shoah. Mais si cette référence est, depuis longtemps, fortement instituée, elle a subi des transformations en fonction d'enjeux contemporains. Au fur et à mesure que montent les divisions internes dans les communautés de la diaspora concernant la politique israélienne et l'attitude adoptée envers les Palestiniens, et que diminue la cohésion entre tendances religieuses et culturelles diverses, cette référence devient un des critères essentiels de la définition de l'identité du groupe : de ce qui le rassemble et de ce qui le différencie des autres. Cette tendance est particulièrement marquée aux États-Unis. Depuis les années 1970, on y assiste à la formation d'un véritable mouvement du souvenir, avec le lancement de projets d'histoire orale, la création de musées, d'archives et de mémoriaux, dont le centre d'archives vidéo de l'université de Yale. Initialement, le slogan « rompre le silence » visait le déblocage de la communication entre les générations sur l'expérience concentrationnaire [34]. Très vite, les objectifs du mouvement se sont élargis, visant l'introduction de cours spécialisés dans tous les programmes scolaires et d'une journée commémorative nationale. Ce faisant, le mouvement a emprunté les voies de la politique de l'identité telle que la définit Erving Goffman et qui consiste à promouvoir simultanément la cohésion du groupe et la place qu'il occupe dans la société en s'appuyant sur son signe distinctif le plus saillant et le plus mobilisable [35]. C'est ainsi que des minorités peuvent améliorer la place qui leur est reconnue dans la société en versant leurs propres souvenirs au fonds commun des références par lesquelles se définit une société.

Dans le cas des Tsiganes on observe, en Allemagne, une tendance similaire quoique plus tardive et d'une ampleur moindre. A la revendication d'une politique de compensations équitables s'ajoute, depuis la fin des années 1970, la demande, de la part du conseil fédéral des Sinti et Roma, de compensations collectives qui devraient servir à la création d'institutions culturelles communautaires. Là encore, cette demande fut appuyée par l'organisation d'un projet d'histoire orale. L'émergence de ces revendications est inséparable de celle d'une génération plus instruite qui a donné naissance à des porte-parole du groupe aptes à servir d'interlocuteurs aux instances politiques compétentes [36]. Finalement, le militantisme homosexuel,

---

34. « Rompre le silence », le titre d'abord de groupes de paroles, plus tard d'un film sur les enfants de survivants, est devenu le slogan de ce mouvement aux États-Unis. La revue *Dimensions, A Journal of Holocaust Studies*, créée en 1979 par le Centre international d'études sur l'holocauste et la Anti-Defamation League de B'nai B'rith, en est assez représentative.

35. E. Goffman, *Stigmate*, Paris, Minuit, 1975, propose ce terme de politique de l'identité.

36. R. Kenrick, G. Puxon, *The Destiny of Europe's Gypsies*, Londres, Heinemann, 1972 ; *cf.* également C. Calvelli-Adorno, « Die rassische Verfolgung der Zigeuner vor dem 1. März 1943 », *Rechtsprechung zum Wiedergutmachungsrecht*, 12, 1961, pp. 529-537.

lui aussi, a fait de la répression subie sous le nazisme un thème essentiel de sa politique d'identité [37].

Ainsi émergent de nouveaux enjeux. Progressivement, les batailles de la mémoire sont menées en l'absence de ceux qui seuls disposent de l'expérience vécue. Les héritiers construisent en partie leur propre héritage, en définissant sa fonction pour le groupe d'appartenance et sa portée plus générale ou universelle. En témoignent certains conflits sémantiques et ceux qui portent sur la « singularité, l'exceptionnalité, l'unicité ou non, à l'échelle historique s'entend, des génocides nazis » [38].

Si, au départ, les termes les plus couramment utilisés étaient « catastrophe » et « génocide » (dans l'acception de ce terme forgé par le juriste polonais Raphaël Lemkin, à savoir la pratique de l'extermination de nations et de groupes ethniques), le terme « holocauste » commence son ascension dès la fin des années 1950. Ce terme, emprunté à la Bible et désignant les offrandes sacrificielles brûlées et exclusivement dédiées à Dieu, satisfait tous ceux qui insistent sur « le caractère sacré et unique d'un événement terrible, incarnation du mal absolu et expression de la destinée propre du peuple juif. Chargé de passion (au double sens du terme : passion et souffrance des victimes, émotion et communion des survivants et des vivants), le mot holocauste donne au génocide juif une dimension spécifique et enveloppée de mystère, à la différence d'autres génocides : d'où une signification méta-historique autant qu'historique [39] ». Son caractère sacré fait de ce terme le mot par excellence utilisé pour fonder des revendications identi-

---

37. En témoignent la pose, par les groupements homosexuels, depuis le début des années 1980, de plaques commémoratives à Amsterdam et à Bologne ainsi qu'au camp de Mauthausen. Au niveau international existent des projets de création d'un mémorial de la déportation homosexuelle.

38. Le signe le plus visible en est, bien évidemment, l'ainsi nommé « Historikerstreit » : *Devant l'histoire. Les documents de la controverse sur la singularité de l'extermination des Juifs par le régime nazi*, Paris, Cerf, 1988. *Cf.* également P. Halter, Y. Thanassekos, Introduction, *in* Y. Thanassekos, H. Wismann, *Révision de l'histoire. Totalitarismes, crimes et génocides nazis*, Paris, Cerf, 1990.

39. F. Bédarida, « Bilan et signification de quarante années de travail historique », *in* F. Bédarida, dir., *La Politique nazie d'extermination*, Paris, Albin Michel, 1989, p. 22.

taires. La reprise de ce terme par des non-Juifs, parlant, par exemple, de « homo-holocauste », vise bien évidemment une même sacralisation en ce qui concerne leur propre groupe, les homosexuels, qu'ils considèrent tout autant frappé que les Juifs d'ostracisme et de persécutions millénaires.

Comme le souligne François Bédarida, le terme « Shoah » n'a pas les mêmes connotations sacrales que « holocauste ». Il signifie « catastrophe ». Mais, lui aussi, il prend valeur de revendication de l'identité juive, dans la mesure ou, au lieu de se servir d'un terme traduit dans une langue occidentale, comme c'était le cas de « catastrophe », on en revient au vocable originel hébreu [40].

L'instrumentalisation du souvenir et son adaptation, par les héritiers, aux enjeux actuels s'accompagnent de conflits sur la comparabilité des phénomènes à cause de leurs tailles différentes (le nombre très inégal des morts), à cause de la technique d'extermination (le gazage dans le cas des Juifs et des Tsiganes, les conditions de travail et d'alimentation dans celui des autres catégories de déportés). Ainsi émerge un champ de discours concurrentiels sur la déportation, l'extermination et les génocides. La mise en question allant jusqu'à la négation des génocides intervient, elle aussi, dans la structuration de ce champ [41]. L'analyse de ce phénomène n'est plus l'objet de ce livre. Mais la question est ouverte de la signification que les générations futures réserveront à l'expérience concentrationnaire : échappera-t-elle à la banalisation, à la médiatisation et à l'esthétisation ? Sera-t-elle réduite en instrument de politiques d'identité communautaire ? Ou alors : continuera-t-elle à être perçue comme un des fondements d'une commune humanité unie par le refus d'exclusions meurtrières ?

L'Expérience concentrationnaire,
Métailié, 1990.

---

40. *Ibid.*
41. P. Vidal-Naquet, *Les Assassins de la mémoire. « Un Eichmann de papier » et autres essais sur le révisionnisme*, Paris, La Découverte, 1987.

5

HOMOSEXUALITÉ ET SIDA

Présentation

Au début des années 1980, Michael Pollak rédige plusieurs articles analysant les styles de vie, les trajectoires et l'identité homosexuelle, à partir d'une critique de travaux allemands et anglo-saxons effectués à l'époque de la « libéralisation sexuelle ». L'homosexualité est sortie de l'ombre. L'exigence réflexive de Michael Pollak s'allie à la reconstruction précise des cadres normatifs et des contraintes matérielles qui régissent les comportements humains. Nous avons choisi l'un de ces articles, « L'Homosexualité masculine ou le bonheur dans le ghetto », pour figurer dans cet ouvrage.

Dans ce texte, il s'interroge sur la matière dont l'homosexualité est érigée en mode de vie culturel : est-ce vraiment l'invention d'un nouveau mode de vie, d'une tolérance jusqu'ici inconnue ou tout simplement un malentendu ? Il y critique les travaux antérieurs qui défendent des définitions médicales et juridiques. Ces recherches, hantées par le problème des causes de l'homosexualité et le souci de classification, aboutissent à des propositions thérapeutiques. Dans un autre texte, « Les Vertus de la banalité », Michael Pollak fonde les bases méthodologiques d'une approche sociologique de l'homosexualité qui sera son cadre de recherche des dix années suivantes :

« Le principal mérite des enquêtes sociologiques réside, tout d'abord, dans leur nouveauté méthodologique, rompant avec l'habituelle littérature psychanalytique, psychiatrique ou philosophique sur le sujet de l'homosexualité. Elles ont le courage de s'en tenir à la banalité des faits, sans recourir à des théories qui relèvent davantage d'une généralisation abusive à partir d'un petit nombre de cas, ou de préjugés divers. Ainsi, considérant la rupture que constitue l'information fondée sur le grand nombre, on peut penser que la recherche gagnerait

179

en s'orientant plus résolument encore vers la sociologie. A cet égard, deux nouvelles pistes se dessinent au fil de l'investigation, correspondant aux deux phénomènes qu'on a essayé de dégager :

1) Les références aux styles de vie homosexuels, dans un débat sur la libéralisation des mœurs et les transformations des modes de vie en général, devraient appeler une recherche plus rigoureuse sur l'intégration d'une sexualité libérée des contraintes traditionnelles dans la vie sociale.

2) L'évolution de l'image de l'homosexuel, due à l'atténuation de la répression sociale, devrait mener à une analyse plus fine de l'émancipation en tant que processus social [1]. »

Le sida survient. Michael Pollak est un des premiers à en prendre conscience. Des enjeux plus importants que la libération sexuelle sont apparus. La vie même est menacée. Mais, en fait, dans ses nouveaux travaux sur le sida, il poursuit intégralement le programme esquissé. Les questions posées à propos de l'homosexualité ont gardé toute leur pertinence dans ce contexte devenu dramatique.

Michael Pollak consacre au sida une activité de recherche dont la somme impressionne : plus de cent publications. Il est le premier, en France, à comprendre la dimension sociale de l'épidémie. Dès 1985, il sait persuader la MIRE de financer une enquête auprès des homosexuels en collaboration avec le journal Gai-Pied Hebdo *portant sur « les attitudes et comportements des homosexuels, sur leur sens d'identité » [2]. Michael Pollak cherche ainsi à évaluer l'impact des messages du corps médical et des médias sur le comportement des homosexuels. Dès la rédaction du projet, se trouvent explicitées les hypothèses qui structurent l'article « Identité sociale et gestion d'un risque de santé… » et le livre publié en 1988,* Les Homosexuels et le sida : sociologie d'une épidémie. *D'abord « au niveau individuel, la réaction face au sida dépend fortement du degré d'intégration et d'identification avec la communauté homosexuelle, moyens de communication, lieux de rencontre*

---

1. « La vertu de la banalité », *Le Débat*, n° 10, 1981, pp. 132-133, p. 142.
2. Projet de recherche « les homosexuels face au sida », mai 1985, multigraphié, 10 pages.

et styles de vie qu'elle engendre ». Ensuite, « le sida, au-delà du risque médical peut constituer une profonde remise en cause du sens de l'identité individuelle et collective des homosexuels ». Dès son apparition, le sida menace les tentatives de transformation du stigmate « homosexuel » en critère d'appartenance à un mouvement social qui rend possible une identification positive. La catégorie épidémiologique de « groupe à risque » renvoie aux homosexuels une représentation durcie d'eux-mêmes qui s'oppose aux sentiments flous et contradictoires, socialement réprouvés, à partir desquels les personnes concernées se définissent ou non. C'est cette rencontre entre homosexualité et sida que Michael Pollak entreprend d'étudier à partir de 1985. Au-delà de l'analyse sociologique fondée sur des caractéristiques sociales, outils usuels de la sociologie, ses travaux montrent qu'une homosexualité plus ou moins assumée et acceptée structure les capacités individuelles et collectives de gestion de l'incertitude que représente ce nouveau risque de santé.

Cette enquête, menée en collaboration avec Marie-Ange Schiltz, est répétée chaque année ; elle permet de suivre la diffusion sociale de l'épidémie et les réactions qu'elle suscite. Le protocole de cette enquête sera la base d'une étude comparative européenne coordonnée par Michael Pollak. Il travaille également sur la perception de la maladie et la gestion des risques dans la population générale et ses conséquences pour la prévention, illustré ici par l'article « Système de réaction au sida et action préventive ». Écrit en collaboration avec W. Dab et J.P. Moatti, ce texte rend compte des premières enquêtes sur les connaissances, attitudes, croyances et pratiques face au risque du VIH et pointe la difficulté principale de la prévention située dans une double contrainte : alarmer sur le risque et éviter la stigmatisation. Parallèlement, il prend part à la création et au fonctionnement des associations de lutte contre le sida. Il élabore également un bilan comparatif des politiques de prévention européennes et de la recherche en sciences sociales. De même, participe-t-il à la mise en œuvre de l'enquête de très large envergure sur les comportements sexuels en France financée par l'ANRS.

Son implication dans cette recherche déroge aux règles d'objectivation et de distance que le chercheur doit instaurer avec son sujet d'étude. Michael Pollak enquête, analyse, écrit mais il lui faut aussi mobiliser les énergies, conseiller, expertiser et militer. Président du « Comité santé publique, sciences de l'homme et de la société » de l'Agence nationale de recherches sur le sida (ANRS), il joue un rôle clé dans le développement de la recherche ainsi que dans la réflexion sur le rôle des sciences sociales. Son travail de chercheur n'est pas séparable de son implication personnelle et de son engagement très précoce dans les associations de lutte contre le sida, l'aide auprès de personnes atteintes et sa participation active à la définition de la politique de prévention de l'Agence française de lutte contre le sida.

On prend conscience de ce double souci d'analyse et de réponse aux exigences de l'action, on apprécie cette capacité d'être présent sur tous les fronts lorsque l'on mesure la diversité des supports dans lesquels il publie au cours de cette période : revues sociologiques, presse homosexuelle, journaux consacrés au sida ou revues professionnelles. Il s'efforce d'adapter chaque texte en fonction du public auquel il s'adresse : l'article concernant les relations médecin-malade, sous le beau titre « Du traumatisme au travail d'espoir », publié dans une revue pour professionnels est un exemple parmi bien d'autres. Pour rendre compte de cette diversité de registres, nous avons tenu à présenter un article publié dans la revue Gai-Pied Hebdo qui critique vigoureusement les premières campagnes de prévention.

Le dernier article reproduit ici, « Histoire d'une cause », paru en 1992, est un bilan de l'engagement militant, de l'évolution des associations, de leurs choix politiques concernant la gestion de la maladie, de leurs relations avec l'État. Son souci de lier ses analyses sociologiques à l'action politique se révèle une fois de plus dans sa conclusion, il pointe les nouveaux clivages entre les acteurs engagés dans la lutte contre le sida. Quelques semaines après la mort de Michael Pollak, paraît un autre bilan, publié dans un numéro spécial de Current Sociology. On y retrouve, à la fin de sa vie, les préoccupations qui ont été les siennes au début de sa carrière : l'histoire des sciences sociales, les modalités de leur émergence et les fonctions sociales de leur discours. Mais cette constatation doit être généralisée : Michael Pollak était loin, au début de sa carrière, des problè-

mes de la maladie. *Bien avant que le sida nous envahisse et ne l'atteigne personnellement, à travers tous ses thèmes de recherche, il s'interroge constamment sur les conditions d'élaboration de la parole et du témoignage dans les situations indicibles et sur la question de l'identité qui « ne devient une préoccupation, et indirectement un objet d'analyse, que là où elle ne va plus de soi »* [3].

3. *Vienne 1900*, Paris, Gallimard, p. 10.

L'homosexualité masculine,
ou : le bonheur dans le ghetto ?

« *Not all boys dream of being a marine !* »
Affiche portée par un travesti à la manifestation
« Gay Pride Parade » à New York, le 24 juin 1979.

On ne naît pas homosexuel, on apprend à l'être. La carrière homosexuelle commence par la reconnaissance de désirs sexuels spécifiques et par l'apprentissage des lieux et des façons de rencontrer des partenaires. Ce *coming out* se situe le plus souvent entre seize et trente ans. La plupart des homosexuels sont convaincus de leur préférence sexuelle bien avant de passer à l'acte. Le processus qui va du premier sentiment homosexuel au premier contact et au moment où l'homosexuel assume pleinement son orientation s'étale presque toujours sur plusieurs années et dure dans de nombreux cas jusqu'à l'âge de trente ans [1].

Une fois qu'il a accepté sa différence sexuelle, l'homosexuel entre sur le marché des échanges sexuels. Parmi toutes les sexualités, l'homosexualité masculine est sans doute celle dont le fonctionnement rappelle le plus l'image d'un marché où — à la limite — il n'y a que des « trocs orgasme contre orgasme ». Les institutions clés de la vie homosexuelle sont tout d'abord les lieux de drague : bars, saunas, cinémas et restaurants spécialisés, parcs. Avec, en moyenne, plusieurs dizaines de partenaires par année et quelques centaines de partenaires au cours d'une vie, la vie sexuelle de l'« homosexuel moyen » est très

---

1. M. Dannecker, R. Reiche, *Der gewohnliche Homosexuelle*, Frankfurt, Fischer, 1974.

intense entre vingt et trente-huit à quarante ans et marquée par une fréquence des rapports sexuels très élevée, une forte promiscuité et une diversification en même temps qu'une spécialisation des pratiques. La diversification des pratiques va de pair avec la spécialisation : l'organisation des lieux de drague et la subtilité de l'affichage des goûts du moment permettent d'anticiper le déroulement de l'acte sexuel ; mais l'individu peut changer d'endroits et de présentation de soi.

La drague homosexuelle traduit une recherche d'efficacité et d'économie comportant, à la fois, la maximisation du « rendement » quantitativement exprimée (en nombre de partenaires et d'orgasmes) et la minimisation du « coût » (la perte de temps et le risque de refus opposés aux avances). Certains endroits sont connus pour la clientèle particulière et la consommation immédiate : tels les bars « cuirs » qui disposent souvent d'une pièce réservée à la consommation sexuelle sur place (*back-room*), des saunas et des parcs. Ces endroits permettent souvent la satisfaction simultanée de désirs différents : de l'exhibitionnisme et du voyeurisme en même temps que de toute activité à deux ou en groupe. Mais même en des endroits moins spécialisés qui ne permettent pas la consommation sur place, on peut observer la recherche de l'efficacité. Plus un individu est affirmé sexuellement, moins il accepte de se tromper. Moins il accepte donc d'approcher une personne globale. On comprend alors l'importance des signaux de reconnaissance et des mises en scène. La subtilité de la communication pendant la drague indique moins la recherche de la quantité que la sélectivité et l'angoisse du refus [2]. La non-réponse à un regard furtif ou un sourire caché entraîne souvent la fin d'une tentative d'approche. Des signes extérieurs indiquent les goûts sexuels du moment. Par exemple, le jeu de clés ; les clés portées au-dessus de la poche arrière de gauche d'un jean indiquent une préférence pour un rôle actif, à droite pour un rôle passif. Il en est de même d'un mouchoir qui sort d'une des poches arrière du pantalon. Outre le rôle actif ou passif indiqué par le côté, la couleur du mouchoir symbolise l'activité

---

2. W. Sage, « Inside the colossal closet », *in* M.P. Levine, *Gay Men, The Sociology of male Homosexuality*, New York, Harper and Row, 1979, p. 159.

recherchée : le bleu clair les pratiques orales, le bleu foncé la sodomisation, le rouge vif la pénétration par le poing, etc. [3]. Dans la mesure où l'homosexualité sort de l'ombre et où des techniques d'affichage sont diffusées comme des modes en dehors du milieu, elles sont soumises à une forte inflation et perdent souvent leur signification initiale. Un exemple en est la petite boucle d'oreille dorée portée à gauche devenue un bijou courant.

A la limite, les secteurs les plus affranchis de toute contrainte externe au marché sexuel répondent à deux règles de fonctionnement. D'abord le signalement exact du désir sexuel en termes d'objets partiels (anus, bouche, etc.) et en termes d'activité recherchée (active, passive, SM, c'est-à-dire sado-masochiste, etc.). Il faut signaler son choix sexuel, sans tromperie, sans jeu ni hésitation, ni séduction. Aucune ambiguïté. Le jeu, c'est l'acte sexuel. Deuxièmement : l'anonymat. Le silence est une règle d'honneur dans des espaces eux-mêmes anonymes (parcs, saunas, toilettes) et découpés, spécialisés en fonction de leurs possibilités d'isolement (à deux ou à plusieurs) et de moindres risques (risques d'être surpris par des agents de police ou des voyous). Souvent, le prénom chuchoté après l'acte est la seule communication verbale avant que les partenaires ne se quittent.

La signalisation du désir n'indique pas que l'homosexuel se spécialise dans sa sexualité. Tout au contraire, on constate une relative indifférenciation des rôles actif et passif joués par l'individu. La logique homosexuelle répond, en effet, à un double mouvement. La spécialisation : on sait de mieux en mieux ce qu'on veut à tel moment ; et la différenciation : on recherche des pratiques de plus en plus différenciées. On constate parmi les homosexuels que ceux qui ont les plus nombreux rapports sexuels sont aussi ceux qui multiplient leurs pratiques et leurs espaces. Bien évidemment, même le marché homosexuel reste « impur », c'est-à-dire influencé par des contraintes exogènes. Contraintes esthétiques par exemple : le mythe de la jeunesse entraîne une chute brutale de l'activité sexuelle après trente-huit/quarante-deux ans. Des critères ethniques structurent également le marché sexuel. Ainsi, aux États-Unis, on

3. De multiples exemples de telles mises en scène sont donnés dans : M. Emory, *The Gay Picturebook*, Chicago, Contemporary Books, 1979.

trouve à côté d'endroits mixtes d'autres lieux qui sont presque exclusivement fréquentés par des Blancs ou des Noirs.
L'argot homosexuel américain nomme *snow queens* ceux qui
ne font l'amour qu'avec des Blancs et *chocolate queens* ceux
qui ne font l'amour qu'avec des Noirs [4]. Des intérêts financiers (dans la prostitution), des intérêts de sécurité affective
(la recherche du couple) s'ajoutent à ces influences exogènes
qui structurent le marché homosexuel.

Le degré de participation au marché sexuel et les réactions
émotionnelles à ses règles, après tout assez contraignantes, divisent le milieu en sous-groupes qui vivent leur destin homosexuel
d'une façon très différente. Rares sont ceux qui réussissent à
s'affranchir de la socialisation subie au cours de l'enfance,
socialisation exclusivement orientée vers une vie hétérosexuelle : de là des complexes de culpabilité et de haine de soi.
Et même une fois libérés des modèles de vie hétérosexuelle intériorisés pendant l'enfance, peu d'homosexuels acceptent facilement les contraintes de productivisme sexuel qui règnent dans
le milieu. En un mot, les conditions du *coming out* ne sont
que rarement remplies : à savoir, l'intégration dans le milieu
homosexuel et l'affirmation sans angoisse de l'homosexualité
vers l'extérieur. La plupart des homosexuels restent soumis à
une gestion schizophrène de leur vie. L'habitus homosexuel
qui guide la façon de vivre résulte de la socialisation antérieure
au *coming out* et du degré d'intériorisation des règles du milieu.
Bell et Weinberg ont construit quatre types d'homosexuels qui
diffèrent selon ces deux dimensions (voir schéma 1). Cette classification permet de cerner le milieu homosexuel comme un
univers très diversifié en fonction du rapport que l'individu
entretient avec toutes les règles qui façonnent les rapports socio-
sexuels. Mais elle a tous les inconvénients d'une démarche
caractéristique de la sexologie behavioriste à la fois empiriste
et très normative. Ce genre d'analyse, dont on ne sait jamais
si elle décrit ou prescrit, méconnaît toute la force des contraintes qu'imposent les règles du milieu homosexuel. L'équilibre
psychique et sexuel n'est imaginé qu'en fonction d'une « adaptation » à des normes sociales, en l'occurrence à celles du milieu
(ce qui ressort des termes de l'analyse tels que « *functionals* »

---

4. J.V. Soares, « Black and Gay », *in* M.P. Levine, *op. cit.*, p. 263 *sq.*

SCHÉMA 1

CATÉGORIES D'HOMOSEXUELS
SELON BELL-WEINBERG

	closed coupled (quasi-mariage)	*open coupled* (mariage libre)	*functionals* (adaptés aux règles du marché sexuel)	*dysfonctionals* (suivent les règles mais les désapprouvent)	*asexuals*
nombre de partenaires	bas	élevé	élevé	élevé	bas
A *fréquence de l'activité sexuelle*	forte	forte	forte	forte	basse
drague	peu	beaucoup	beaucoup	beaucoup	peu
problèmes sexuels	non	oui (avec partenaire)	non	beaucoup	beaucoup
B *regrets d'être homosexuel*	non	non	non	oui	oui

A - Indicateurs de l'acceptation et de l'intériorisation des règles du milieu homosexuel.
B - Indicateurs de l'importance de la socialisation antérieure au *coming out*.

et « *dysfunctionals* », normes dont la genèse et les principes de légitimité ne sont jamais mis en question ; ainsi la profonde complicité qui lie ce nouvel ordre sexuel à l'ancienne répression se trouve-t-elle sous-estimée. Né de la simple négation et de l'affirmation du contraire, ce nouvel ordre reste imprégné de l'ancien. En enfermant la minorité qu'il prétend libérer dans un nouveau cercle vicieux de « l'adaptation », cette fois-ci aux normes du milieu, l'empirisme sexologique renforce les tendances à l'autoségrégation sociale d'une minorité à peine sortie de l'ombre et n'ouvre finalement que des portes déjà ouvertes.

Homosexualité et condition de classe

Bien que le caractère collectif du destin homosexuel atténue la ségrégation sociale, l'origine et l'appartenance de classe influencent l'aisance avec laquelle un individu réussit à s'intégrer dans le milieu et à mener une double vie. L'enquête allemande a démontré que l'origine de classe affecte différemment le comportement sexuel d'une part, les sentiments de culpabilité liés à l'homosexualité d'autre part. La fréquence des contacts sexuels diminue si l'on monte dans la hiérarchie sociale ; elle diminue encore plus fortement avec l'âge dans les classes supérieures que parmi les ouvriers et les petits employés [5]. Par contre, il semble que la différenciation des pratiques sexuelles ne suive pas la même logique, mais la taille de l'échantillon de la recherche allemande ne permet pas de tirer des conclusions significatives. Les sentiments de culpabilité, cependant, sont nettement plus élevés parmi les ouvriers, les petits employés et les fonctionnaires que parmi les cadres supérieurs et les membres des professions libérales [6]. Reiche et Dannecker expliquent ce paradoxe par les variations qu'on observe d'une classe à l'autre en ce qui concerne les techniques de socialisation et les attitudes envers l'homosexualité. La socialisation dans les classes populaires est très rigide et définie en termes d'interdits et d'exigences relativement clairs. En même temps, les techniques d'inculcation sont moins subtiles dans les classes populaires que dans les classes supérieures et les enfants moins surveillés en permanence. Il s'ensuit que les normes assez strictes propres à la socialisation des classes populaires sont souvent suivies sans être intériorisées, d'où la moindre inhibition parmi les jeunes issus de ces classes, qui leur permet de commencer une vie sexuelle intense assez tôt. Cette moindre intériorisation s'applique également aux règles du milieu : ainsi, le mythe de la jeunesse qui provoque une chute des activités sexuelles vers l'âge de quarante ans est nettement moins prégnant parmi les homosexuels des classes populaires dont la vie sexuelle assez intense se prolonge nettement au-delà de cet âge.

Selon Reiche et Dannecker, la persistance plus forte de sentiments de culpabilité — malgré une vie sexuelle satisfaisante — parmi les membres des classes populaires s'explique par l'hostilité plus marquée envers l'homosexualité dans ces classes, qui oblige les homosexuels à séparer de façon plus stricte les différentes sphères de leur vie et à feindre une vie hétérosexuelle sur leur lieu de travail.

L'étude américaine de Bell et Weinberg n'établit pas de rela-

_____

5. M. Dannecker, R. Reiche, *op. cit.* p. 198 *sq.*
6. *Ibid.*, p. 42 *sq.*

tions significatives entre comportement sexuel et classes sociales. En revanche, ces deux auteurs séparent dans l'analyse les populations noire et blanche. Et les différences qu'ils constatent entre ces deux groupes correspondent aux différences de classes mises en évidence en Allemagne. Compte tenu de la corrélation entre origine raciale et condition de classe dans la société américaine, on peut mettre en parallèle les résultats de ces deux études. Selon l'enquête américaine, les Noirs commencent leur vie sexuelle plus tôt que les Blancs, ont une vie sexuelle plus intense et la prolongent plus longtemps [7]. L'explication donnée pour le cas allemand (variations dans la socialisation) vaut, en partie, pour le cas américain. Mais il ne faut pas oublier les différences culturelles très importantes. Ainsi, l'homosexualité est traditionnellement bien acceptée dans les milieux noirs pauvres qui sont le moins influencés par les valeurs de ce *middle America*. C'est dans ce milieu qu'une relation homosexuelle s'intègre assez facilement dans la famille étendue et que les homosexuels ont tendance à ne pas accepter la séparation entre sexualité et affectivité et l'anonymat qui règnent sur le marché homosexuel [8]. Leur souffrance provient du cloisonnement du milieu homosexuel qui leur interdit de tirer tous les avantages que leur offre la tolérance de leur milieu d'origine.

Les variations de la tolérance à l'égard de l'homosexualité selon les milieux professionnels sont à l'origine de stratégies spécifiques. Les homosexuels d'origine populaire tentent souvent d'échapper à un milieu qui leur est hostile par un investissement éducatif au-dessus de la moyenne. Ainsi on observe une disparité marquée quand on compare l'origine sociale (catégorie socioprofessionnelle du père) et la position sociale : tandis que l'origine sociale des homosexuels correspond à peu près à la distribution générale de la population globale en classes sociales, on observe une surreprésentation des homosexuels dans la nouvelle petite bourgeoisie, dans les métiers de service (coiffure, gastronomie), et surtout dans des métiers qui demandent des déplacements fréquents (services de voyages, compa-

---

7. A.P. Bell, M.S. Weinberg, *Homosexualities, a Study of Diversity among Men and Women*, New York, Simon and Schuster, 1978, p. 124.
8. *Ibid.*, p. 77 ; et J.V. Soares, art. cit., p. 264.

gnies aériennes, représentants de commerce). Une concentration d'homosexuels s'observe également dans les professions qui valorisent la maîtrise du jeu social et des capacités diplomatiques que les homosexuels peuvent acquérir dès la jeunesse, pour autant qu'il leur faut mener une double vie et changer de rôle selon les publics du moment : les relations publiques, la vente, la gestion du personnel constituent quelques-unes de ces professions. En revanche, les homosexuels sont sous-représentés parmi les ouvriers manuels et les agriculteurs.

En haut de la hiérarchie sociale, on assiste au phénomène inverse. L'homosexualité semble plutôt freiner le carriérisme. Forcés de réconcilier leur préférence homosexuelle avec une vie sociale d'une grande visibilité difficilement conciliable avec la marginalité sexuelle, et compte tenu du risque de chantages ou de la nécessité d'accepter un mariage de convenance, les fils de grands bourgeois préfèrent souvent s'orienter vers des carrières intellectuelles et artistiques plutôt que vers les affaires et la politique. Ils se contentent souvent d'un peu moins que ce qu'ils auraient pu espérer atteindre vu leur origine sociale.

En somme, la concentration d'homosexuels dans certaines catégories socioprofessionnelles n'a rien à voir avec la mythologie de la sensibilité naturelle, des dons artistiques innés, d'une espèce d'intelligence ou de brillant particuliers. C'est la logique sociale et la logique du milieu qui fabriquent cet empiètement des stratégies sexuelles sur la carrière professionnelle. Et la sensibilité spécifiquement homosexuelle reflète tout d'abord une lucidité provenant de ce jeu permanent de rôles, de cette distanciation par rapport à soi en réponse à une exclusion toujours ressentie, mais jamais prononcée. Le critère de l'exclusion ressentie n'est, le plus souvent, connu que par l'exclu qui, faute de vouloir ou de pouvoir se révolter contre une discrimination implicite, apprend à s'accommoder de la situation et de son jeu.

La nostalgie du couple

La source de la plupart des souffrances et des problèmes liés à la condition homosexuelle est la coupure relativement forte entre affectivité et sexualité, coupure qui résulte du manque de ce ciment social et matériel qui tend à faire durer les relations hétérosexuelles. Fondée souvent presque exclusivement sur l'échange sexuel, une relation de couple résiste mal au temps. Rarement prolongée au-delà de deux ans, elle est souvent compliquée dès le début par des drames, des angoisses, des infidélités. Surimposé par la norme hétérosexuelle, et faute de modèle de vie sociale propre, le couple reste l'idéal sentimental malgré des échecs successifs et presque inévitables. Comment réconcilier les pulsions sexuelles stimulées par un marché facilement accessible et quasiment inépuisable avec l'idéal sentimental d'une relation stable ? C'est le plus commun des problèmes que les homosexuels qui contactent des conseillers sexuels ou psychologiques espèrent résoudre [9].

De la contradiction entre l'idée fixe du couple sentimental et l'intensité du marché sexuel émerge parfois une façon de se vivre très dramatisée, presque hystérisée. Les ruptures, même après des relations d'une durée assez courte (quelques mois) sont souvent marquées par des explosions passionnées, des mises en scène foudroyantes et élaborées. Ces scénarios dissimulent mal les drames sous la théâtralité.

Surtout pendant la période du *coming out* apparaissent de nombreux problèmes psychologiques. Nombre d'homosexuels souffrent de dépressions, déclarent souhaiter un traitement ou sont tentés par le suicide. Dans l'enquête allemande, 13 % déclaraient vouloir se laisser traiter certainement, et 22 % éventuellement, si une méthode confirmée de réorientation sexuelle existait, 13 % déclaraient avoir fait une ou plusieurs tentatives de suicide. Ce taux de tentatives de suicide est deux fois plus élevé que dans l'ensemble de la population. La quasi-totalité des tentatives de suicide d'homosexuels se situent entre seize et dix-huit ans ; après vingt et un ans, on n'en voit pratiquement plus. Paradoxalement, les tentatives de suicide dans l'ensemble de la population se répartissent d'une façon plus égale entre dix-neuf et quarante ans. Cela indiquerait une stabilité psychologique plus forte, une plus grande capacité d'assumer leurs propres contradictions chez les homosexuels, une fois

9. R. Reece, « Coping with Couplehood », *in* M.P. Levine, *op. cit.* p. 211 *sq.*

Éditions MÉTAILIÉ
5, rue de Savoie
75006 Paris

CARTE POSTALE

Si vous désirez recevoir notre catalogue et être tenu au courant de nos nouvelles publications, veuillez compléter cette carte, et nous la retourner.

Nom ....

Prénom ....

Adresse ....

....

Titre de l'ouvrage dans lequel était insérée cette carte

....

Nom et adresse de votre libraire ....

....

Noms et adresses des personnes auxquelles vous nous suggérez d'envoyer notre catalogue ....

....

....

....

passé le cap du *coming out*. Pour les États-Unis, la recherche de Bell et Weinberg indique les mêmes tendances : malgré un taux de tentatives de suicide plus élevé parmi la population homosexuelle comparée à la population en général, ce taux devient nettement inférieur parmi les homosexuels qui assument pleinement leur orientation sexuelle [10].

La théâtralisation des souffrances dues à un idéal sentimental difficilement réalisable est à l'origine d'un humour spécifique qui caricature de façon ironique le milieu propre. Tout comme l'humour de tout autre groupe minoritaire, tels l'humour juif ou celui des Noirs américains, il n'est totalement compréhensible qu'aux membres du groupe. Cet humour emprunte nombre d'images aux comédies sentimentales hollywoodiennes. D'ailleurs, les héroïnes du milieu sont souvent les stars qui symbolisent la femme objet : cet être apprécié et sollicité pour ses qualités sexuelles tout en revendiquant d'être compris comme un être humain et fragile. On comprend que Marilyn Monroe reste une des vedettes les plus chéries des homosexuels. De là aussi l'admiration pour toutes les représentations théâtrales qui poussent l'intrigue sexuelle et le faux sentimental « kitsch » à l'extrême [11]. Quel homosexuel ne rêve pas de faire rire son auditoire par des caprices et une présentation de soi exagérément prétentieuse ?

D'ailleurs, dans le milieu, ce jeu et cet humour semblent bien compris par tout le monde. Les ruptures entraînent rarement hostilité ou séparation complètes. A la limite, on pourrait interpréter la théâtralité d'une rupture entre homosexuels comme un rite de passage de l'amour vers l'amitié qui — au fond — indique la stabilisation d'une relation. Une telle stabilisation entraîne souvent une exclusion du sexuel qui se déplace dans la confiance et la confidence. Ainsi se tisse un réseau de relations amicales qui procure la sécurité affective, quasiment impossible à réaliser dans le couple. Les petits groupes d'amis, souvent formés par d'anciens amants qui dans le passé avaient tous eu des relations sexuelles les uns avec les autres, forment une sorte de « famille homosexuelle élargie ». D'ailleurs une

---

10. M. Dannecker, R. Reiche, *op. cit.*, pp. 359-360, A.P. Bell, M.S. Weinberg, *op. cit.*, p. 123 *sq* et 195 *sq*.

11. V. Russo, « Camp », *in* M.P. Levine, *op. cit.*, p. 208 *sq*.

sorte de tabou de l'inceste interdit fréquemment le contact sexuel occasionnel dans ces groupes liés par des sentiments fraternels : « frère » ou « petit frère » est souvent la dénomination réservée à ceux des anciens amants avec qui, en plus d'un destin commun, on partage la complicité, les hauts et les bas de la vie intime.

De la culture au ghetto

La clandestinité a produit les traits les plus saillants de la culture homosexuelle : le langage et l'humour. Les deux sont fortement liés. Le dictionnaire de l'argot homosexuel établi aux États-Unis [12] donne des centaines d'exemples d'un vocabulaire plein de nuances sur l'amour, la drague, mais aussi la timidité, l'angoisse et son revers, le cynisme agressif. L'usage des prénoms féminins et d'adjectifs et de diminutifs « prétentieux » exprime souvent à la fois le jeu de cache-cache social et l'ironie que beaucoup d'homosexuels cultivent dans leur présentation de soi. L'image de la « folle perdue » — qui est à la fois le stéréotype de la représentation que les hétérosexuels se font de l'homosexualité et la réalité du style de certains homosexuels — réunit tous les éléments des préjugés anti-homosexuels et de l'humour du milieu. La « folle perdue », cette image diffusée dans nombre de blagues et de pièces de boulevard, est le cas limite de l'homosexuel qui a accepté de tout faire pour correspondre à la caricature que ceux qui l'oppriment se font de lui. Par ce comportement, il espère adoucir l'agression qu'il attend de son entourage hétérosexuel en faisant rire et en satisfaisant toutes les attentes exprimées dans la vision hétérosexuelle de l'homosexualité. Par ailleurs, une certaine correspondance entre l'image que la majorité hétérosexuelle se fait de l'homosexualité et le comportement réel des homosexuels exprime aussi la nécessité pour les homosexuels de maintenir une identité de groupe dans une situa-

---

12. B. Rodgers, *Gay Talk. The Queens Vernacular, A (sometimes outrageous) dictionary of gay slang*, New York, Paragon Books, 1979.

tion d'oppression sociale. En période de répression anti-homosexuelle ouverte et en l'absence d'une possibilité de concevoir l'élaboration d'une vision homosexuelle de l'homosexualité, la soumission à la caricature que la majorité impose à la minorité semble être un des seuls moyens propres à maintenir une identité de groupe. Mais dans cette identité de groupe qui reflète tout d'abord l'humiliation s'est formée la solidarité comme condition de l'émancipation future.

On comprend que, au moment du relâchement de l'oppression, les militants homosexuels ont tout d'abord tenté de redéfinir l'identité homosexuelle en la libérant de l'image qui fait de l'homosexuel au mieux un homme efféminé, au pire une femme ratée. En réaction contre cette caricature, l'homme « super-viril », le « macho » est devenu le type idéal dans le milieu homosexuel : cheveux courts, moustache ou barbe, corps musclé. Et tandis que le thème de l'émancipation des hétérosexuels est souvent lié à l'indifférenciation des rôles masculins et féminins, l'émancipation homosexuelle passe actuellement par une phase de définition très stricte de l'identité sexuelle. Les images mythiques présentées le plus fréquemment dans la presse homosexuelle et dans les revues pornographiques spécialisées sont le cow-boy, le conducteur de camion, le sportif. Le style « macho » domine [13]. Il en résulte également un certain malaise en face de la pédérastie et de la bisexualité, souvent ressentie comme une tentative de cacher l'homosexualité. Cette évolution du milieu homosexuel vers un style qui met l'accent sur la virilité est souvent accusée d'être sexiste, et conduit à marginaliser ceux des homosexuels qui ne se soumettent pas à cette nouvelle définition de l'identité homosexuelle. Tout en reconnaissant ces phénomènes d'exclusion, il faut souligner que la recherche d'une telle identité sexuelle très stricte intervient à un moment où, pour la première fois, l'occasion est offerte aux homosexuels de construire leur propre image sociale et de souligner leur masculinité plutôt que des traits féminins. Si dans un avenir proche la société deve-

13. L. Humphreys, « Exodus and identity : the emerging gay culture », *in* M.P. Levine, *op. cit.*, p. 141 *sq.* Voir également : M. Walter, *The Nude Male. A new Perspective*, Hammondsworth, Penguin Books, 1979, pp. 296-270.

nait plus tolérante à l'égard de l'homosexualité, on pourrait s'attendre à un adoucissement de ce besoin de construire une image «macho».

Pendant les années soixante, la libéralisation a tout d'abord provoqué une explosion de la commercialisation du sexe. A côté de la multiplication des bars, cinémas et saunas, on observe le développement de la presse homosexuelle, de la pornographie et d'une industrie de gadgets et d'adjuvants sexuels allant des jouets en cuir, des anneaux de sexe et des crèmes jusqu'aux *poppers* (vaso-dilatateurs utilisés comme aphrodisiaques). Comme le constatent les militants de la première heure du *Gay Lib* : «Est-ce que nous avons fait la révolution pour avoir le droit d'ouvrir sept cents bars de cuir en plus [14]?»

L'industrie du tourisme s'est également vite emparée du milieu homosexuel. La propension à la promiscuité fait que le marché sexuel local dans les villes petites et moyennes est souvent vite épuisé ; se développe alors toute une logique du voyage et des week-ends. La géographie homosexuelle se ramifie dans les grands centres urbains. Et certaines villes ont la réputation bien établie d'être particulièrement *gay*. En Europe : Amsterdam, Berlin, Paris, Hambourg, Munich. Aux États-Unis : New York, San Francisco. Pour les vacances, certaines plages sont connues pour leur fréquentation spécialisée : l'île de Sylt dans la mer du Nord, Mykonos en Grèce, Le Touquet et l'Espiguette en France, Key-West et Cap Code aux États-Unis, etc. A ces buts de vacances s'ajoutent des «événements uniques» comme, par exemple, le Carnaval de Rio. Cette commercialisation, qui va de pair avec la libéralisation, tend à renforcer les divisions sociales qui traversent le milieu et qui — auparavant — restaient relativement invisibles du fait du sentiment très fort de supporter un même destin. Aujourd'hui encore, la plupart des homosexuels vivent cette commercialisation plutôt comme libératrice dans la mesure où elle semble promouvoir une plus grande tolérance à leur égard.

L'émergence au sein du milieu homosexuel d'une image virile en opposition à l'image efféminée imposée par la vision hétérosexuelle est à la base de la formation d'une communauté

---

14. R. Von Praunheim, *Armee der Liebenden oder Aufstand der Perversen*, München, Trikont, 1979, p. 27.

homosexuelle qui réclame des droits et s'organise pour les atteindre. Dans cette stratégie, le *coming out* du plus grand nombre, la proclamation publique de l'homosexualité, est perçu comme indispensable. Le développement de lieux de rencontre, l'organisation d'activités collectives et de soutiens matériels et psychologiques (services téléphoniques SOS, stations de radio et de télévision, services médicaux pour le traitement discret des maladies vénériennes, réseaux de thérapeutes sympathisants, services juridiques pour la défense en cas de licenciements ou de rupture de bail de location, etc.) ont pour fonction première de soutenir tous les homosexuels dans leur vie quotidienne et de les encourager à faire ce pas du *coming out*.

L'affirmation publique de l'identité homosexuelle et de l'existence d'une communauté homosexuelle à peine sortie de l'ombre va jusqu'à l'organisation économique, politique et spatiale. Ceci a mené, dans les grands centres urbains américains, à la formation de « ghettos » c'est-à-dire, selon la définition classique de ce terme, de quartiers urbains habités par des groupes ségrégués du reste de la société, menant une vie économique relativement autonome et développant une culture propre [15]. Cette « ghettoïsation » est particulièrement marquée dans le West Village à Manhattan, le Castro District à San Francisco, le South End à Boston, autour de Dupont Cercle à Washington, et dans certains quartiers de Chicago et de Los Angeles. Dans ces quartiers, les homosexuels représentent une majorité de la population, contrôlent une bonne partie des commerces, en particulier les bars, le marché immobilier et une partie du marché du travail. En plus, ils ont parfois réussi à s'organiser en force électorale importante. Cette tendance à la ghettoïsation peut être observée en Europe, mais d'une façon nettement moins marquée.

Cette organisation du milieu homosexuel en groupe combatif ne va pas sans poser des problèmes de relations avec la société environnante. La constitution plus ou moins officielle de systèmes d'entraide sur le marché du travail et de l'immobilier posera des problèmes de concurrence que doit affronter tout groupe social qui se constitue en minorité combative pour sa promotion sociale.

15. M.P. Levine, « Gay Ghetto », *in* M.P. Levine, *op. cit.*, p. 182 *sq.*

De tels problèmes sont déjà visibles dans le cas des ghettos américains où les homosexuels qui veulent s'implanter dans des quartiers spécifiques entrent souvent en conflit avec des minorités ethniques économiquement plus faibles [16]. L'idéologie du front commun de tous les opprimés, qui essaie de démontrer l'intérêt qu'ont tous les minoritaires dans une société à s'unir, risque de s'effriter sous l'effet de la réalité concurrentielle.

A cela s'ajoute que la solidarité née dans la clandestinité sera plus difficile à maintenir dans un groupe socialement plus accepté. Dans un premier temps, la commercialisation autour de l'homosexualité a contribué à augmenter sa visibilité sociale et indirectement la cohésion de groupe. Mais, à la longue, elle va contribuer à faire apparaître les divisions sociales qui traversent le milieu, par exemple en différenciant les circuits de drague et de loisirs selon le statut social et le niveau économique. Le sentiment d'un destin commun qui réunit les homosexuels au-delà des barrières qui séparent les classes sociales tendra à disparaître.

Identité sexuelle et classification sociale

Un grand nombre d'ouvrages récents sur l'homosexualité, et surtout ceux d'inspiration sociographique, décrivent le *coming out*, le double processus d'intégration dans la communauté homosexuelle et d'affirmation de l'homosexualité vers l'extérieur, non seulement comme l'apprentissage et l'acceptation de l'homosexualité, mais comme la recherche d'un style de vie. En présentant ce processus comme une solution à la souffrance des homosexuels dans un contexte social qui leur reste hostile, cette littérature contribue à la réalisation de ce qu'elle décrit : la constitution d'une communauté et d'une culture homosexuelles qui s'inscrivent dans une libéralisation plus générale des mœurs. Le conseil implicite que

---

16. Voir l'article de M. Singer, « Gay-Black Ties Fray in post-Milk Era », *In these Times*, 13-19 juin, 1979, p. 7.

cette littérature donne et qui ne concerne pas seulement les homosexuels est le suivant : créez des espaces et des styles de vie en fonction de vos désirs sexuels !

La littérature sur l'homosexualité à la fois suit et contribue à formuler les définitions sociales et l'identité homosexuelle. A la fin du XIXᵉ siècle et au début du XXᵉ siècle, il s'agissait de justifier ou de combattre scientifiquement les stigmates assignés à un groupe social désigné comme « homosexuel » en élaborant une géographie sexuelle dont les territoires se définissaient en fonction de leur rapport avec la nature. Les écrits actuels s'inscrivent dans les tentatives de transformation du stigmate en critère d'appartenance à un groupe social en voie d'émancipation. Encourager le *coming out*, conçu comme l'acceptation individuelle de l'identité homosexuelle, mais aussi de l'appartenance à un mouvement social qui rend possible à un grand nombre cette identification d'une façon positive, contribue à faire intervenir le critère de l'orientation sexuelle dans la perception et la définition de tout rapport social [17].

On voit que les discours de la science sexologique ne sont pas étrangers aux objectifs que se fixent les discours militants, qui tendent à réduire toute l'interprétation de la réalité sociale au critère d'identité sexuelle comme l'atteste la découverte d'une sensibilité littéraire, d'un art, voire d'une histoire spécifiquement homosexuels. Dans une certaine mesure, le discours « scientifique » sur l'homosexualité reste surbordonné à des fonctions pratiques et orienté vers la production d'effets sociaux. Mais on ne peut pas restreindre le rôle performatif du discours scientifique sur l'homosexualité à celui d'un compagnon de route du mouvement d'émancipation homosexuel. Appartenant à l'univers des discours légitimes sur la sexualité, il n'intervient pas seulement dans la définition sociale de l'homosexualité, mais il accroît encore l'importance du facteur « sexualité » pour la classification multidimensionnelle de toute personne.

Dans les descriptions sociosexologiques, le milieu homosexuel semble préfigurer une vie sociale dans laquelle la sexualité est progressivement autonomisée par rapport à toutes les

---

17. P. Bourdieu, « L'identité et la représentation », *Actes de la recherche en sciences sociales*, n° 35, 1980, p. 69.

contraintes traditionnelles et insérée dans le graphe complexe de toutes les interactions sociales. Selon cette interprétation, le milieu homosexuel serait un modèle qui montre qu'on peut à la fois suivre des désirs sexuels très diversifiés et surmonter la solitude, qu'on peut satisfaire séparément ses besoins sexuels et affectifs. L'accroissement de la population adulte qui choisit de vivre seule indique qu'une partie importante de la population veut expérimenter des styles de vie combinant des relations sexuelles transitoires et une vie sociale et affective fondée sur une multitude de relations pas forcément destinées à durer.

Le dernier livre de Masters et Johnson qui compare les comportements homo et hérérosexuel va renforcer cette vision [18]. Une grande part de ce qu'ils disent s'adresse plutôt aux hétérosexuels. Ils leur reprochent de ne pas consacrer suffisamment de temps aux jeux préparatoires, de méconnaître les sources de plaisir du partenaire, de rester incapables de communiquer sur leurs besoins sexuels spécifiques. Selon ce livre, tous ces problèmes sont moindres dans une relation homosexuelle. L'homosexualité érigée en modèle ? Les homosexuels vivront-ils bientôt dans une société qui non seulement les tolère, mais qui leur reconnaîtrait des qualités dignes d'être imitées ?

On rencontre les mêmes phénomènes dans d'autres domaines où l'image de l'homosexualité joue un rôle moteur dans un processus de changement de styles de vie. Le phénomène « disco » symbolise l'effet de mode que le milieu homosexuel exerce actuellement sur certains secteurs de la société. Toute discothèque qui se respecte essaie d'attirer également une clientèle homosexuelle et de créer un climat ambigu dans lequel tous les goûts se mélangent. Un grand nombre, sinon la majorité des tubes « disco » qui viennent des États-Unis font des allusions à l'homosexualité. Un des groupes qui connaît le plus grand succès, les Village People, s'adresse par ses chansons exclusivement aux homosexuels : « Macho Man », « In the Navy », « YMCA » sont nourries de fantasmes homoérotiques et d'images qui décrivent les lieux d'initiation à l'homosexualité.

---

18. W.H. Masters, V.E. Johnson, *Homosexuality in Perspective*, Boston, Little, Brown and Co., 1979.

Cette apparente promotion de l'homosexualité ne vise ni exclusivement ni principalement à l'amélioration de la condition homosexuelle. En traitant au même niveau toutes les manifestations sexuelles et en ne se souciant que de leur efficacité proprement sexuelle, le discours sexologique à la Masters et Johnson tend à réunifier les territoires d'une géographie sexuelle que le discours sur les perversions avait séparés les uns des autres. Ce faisant, ce discours tend à effacer des stigmates que les classifications antérieures imposaient à certaines pratiques sexuelles. Dans une première étape, qui est celle que nous vivons actuellement, ce changement dans la représentation scientifique de la sexualité, plutôt qu'il n'a aboli les limites entre différentes expressions de la sexualité, a favorisé la différenciation des représentations en termes d'identités sexuelles. Ces représentations sont à l'origine d'autant de « groupes » et de « mouvements » qui revendiquent un espace social qui leur soit propre et qui permette, au prix de la ségrégation, l'épanouissement de leur sexualité. Cette logique de différenciation et de ségrégation tend à affaiblir l'opposition « forte » entre hétérosexuels et homosexuels. Elle pourrait produire un jeu d'alliances multiples et changeantes dans la lutte qui porte sur la classification des pratiques sexuelles acceptables et inacceptables.

Communication, n° 35, 1982.

Le couple homosexuel[*]

Il serait trop facile d'attribuer ces quêtes de stabilité et de continuité affectives à la peur du sida, qui guette effectivement la plupart des homosexuels masculins. Le sida tombe plutôt à pic pour nommer faussement des problèmes concernant leur vie sociale que beaucoup d'homosexuels se sont effectivement posés, et ceci indépendamment du sida. La drague et la promiscuité répondent, partiellement au moins, au besoin de gérer un risque de solitude. Ce mode de gestion de la solitude comporte — les homosexuels le savent très bien — des risques de maladie vénérienne. Le caractère absolu du risque sida, maladie incurable et fatale, rend urgente une réflexion sur les différentes formes de vie socio-sexuelle, sur leurs aspects peu satisfaisants, et ceci non seulement d'un point de vue de santé physique. D'une certaine manière, la revendication de reconnaissance officielle de relations de couple sous forme de concubinage, comporte une demande d'intégration sociale pour laquelle la libération exclusivement sexuelle ne constituait, somme toute, qu'un début très timide.

En ce sens, il ne faut pas voir dans la recherche de la reconnaissance sociale de relations de couple une tentative d'imitation singeant des modèles de plus en plus abandonnés dans la vie hétérosexuelle. On peut y détecter à la fois une volonté de consolider les noyaux affectifs autour desquels se nouent les liens de « familles gay », ces réseaux d'amitié formés d'ancien amants souvent dispersés dans l'espace, une envie de créer un foyer favorable à l'épanouissement d'un enfant, ou tout simplement un sentiment d'égalité et de justice. Plutôt que d'imposer un « modèle de vie » à tous les homosexuels, cette demande cohérente avec l'idéal de couple si largement répandu vise plutôt à élargir le choix de modes de vie théoriquement possibles et effectivement réalisables.

---

[*] *Santé mentale*, 1987.

Belle campagne peu efficace

Selon un sondage Sofres évaluant l'impact de la campagne *Barzach* sur la population générale, 80 % des Français toutes orientations sexuelles confondues s'en souviennent : un score plus faible que parmi les seuls homosexuels. Le spot et les brochures ont « plu » surtout aux jeunes et aux classes moyennes supérieures. La campagne était donc un incontestable succès esthétique. Mais qu'est-ce qu'il voulait bien dire, ce spot impeccable en noir, blanc et rouge ? La France profonde n'a pas réussi à y découvrir un message bien clair. 31 % pensent qu'on voulait faire de la prévention et seulement 24 % y ont vu une promotion du préservatif. Il ne faut pas s'étonner alors que cette campagne grand public a peu marqué : 6 % seulement voulaient changer de comportement sexuel après l'avoir vue, 3 % en utilisant des préservatifs. En un mot les homosexuels, se sentant peu concernés par cette campagne, espéraient qu'elle serait au moins utile pour les autres !

Et pourtant, on aurait dû saisir l'occasion pour faire un véritable travail pédagogique. Bien que 65 % des Français se sentent suffisamment informés sur le sida et surtout que les plus âgés commencent à avoir ras-le-bol de ce thème permanent (parce qu'ils ne se sentent pas du tout concernés par une maladie sexuellement transmissible ?), les connaissances sur le sida restent bien imprécises. Deux enquêtes le montrent : l'une menée fin 1987 par l'Office régional de la santé d'Ile-de-France, et l'autre en été 1988 par le Comité français d'éducation pour la santé et l'Inserm auprès des seuls Français ayant eu des « relations sexuelles à risques » (non protégées en dehors d'une relation exclusive de couple). Certes, les voies de la contamination par le sang et par le sperme sont bien connues, mais, selon ces deux enquêtes, presque un Français sur cinq croit encore qu'on peut attraper le sida en buvant dans le verre d'un séropositif, presque un sur trois en embrassant sur la bouche. Les piqûres de moustiques, elles aussi, sont tenues pour responsables de la transmission du virus par un Français sur trois et un sur deux craint une infection lors d'un don de sang.

Ces fausses croyances sur les risques nourrissent bien évidemment des peurs et des demandes de mesures coercitives : contrairement aux homosexuels qui rejettent massivement toute sorte de dépistage obligatoire et à plus forte raison des mesures d'isolement des malades et des séropositifs, toutes les enquêtes menées dans la population générale attestent une forte minorité de 38 % à 48 % favorable à un dépistage obligatoire de toute la population et des majorités massives en faveur de dépistages obligatoires des prostitué(e)s (90 %), des toxicomanes (89 %), des prisonniers (77 %) et des étrangers aux frontières (57 %). Quelque 15 % persistent à vouloir isoler les malades et les séropositifs. Le lien est évident entre, d'un côté, ce désir de protection par l'État (jugée illusoire par tous les experts) et le très faible degré d'autoprotection par les préservatifs : même parmi les Français qui ont des « pratiques à risques » et des partenaires multiples, 10 % seulement utilisent régulièrement le préservatif et 37 % de temps à autre.

Au moment de la mise en place des stratégies de communication du plan Evin, ces différentes enquêtes menées auprès du public général des homosexuels donnent à réfléchir... Rétrospectivement, il faut constater que le travail préventif peu explicite du gouvernement est arrivé trop tard. Auprès du public en général, le travail de prévention entrepris par les pouvoirs publics n'a même pas réussi à diminuer de façon significative des fausses croyances et à atténuer des demandes de mesures coercitives. L'absence de tout travail ciblé auprès des groupes les plus exposés a eu son prix. Non seulement en nombre absolu, mais aussi en taux d'incidence, la France a dépassé la Suisse et le Danemark. Elle est le pays le plus touché d'Europe.

Mais que faire maintenant ? L'idée de la relative inefficacité de campagnes générales et de la nécessité d'« actions de proximité » semble avoir fait son chemin : mais selon quel critère définira-t-on la proximité ? S'agira-t-il de campagnes locales, régionales et municipales, de campagnes s'adressant plus particulièrement aux jeunes ? Les groupes les plus exposés jusqu'alors, homosexuels et toxicomanes, se verront-ils accorder une attention particulière et comment ? Et quels seront, en plus de la banalisation du préservatif, les messages adressés à ces différents groupes ?

Les enquêtes suggèrent que le message adressé à la population générale, y compris aux jeunes, ne peut pas se restreindre à la seule promotion du préservatif. Il s'agit également de lutter contre une surestimation des risques porteuse d'attitudes répressives. En ce qui concerne les homosexuels, leur haut niveau de connaissances et de précautions généralement constaté dans nos enquêtes pourrait faire penser que, effectivement, ils se sont pris en charge et qu'aucun effort particulier n'est plus requis. Pour deux raisons, une telle conclusion serait erronée : premièrement, il s'agit de stabiliser ce haut niveau et de le maintenir à long terme ; deuxièmement, les homosexuels des classes populaires, les plus difficiles à joindre, continuent à s'exposer. Et probablement, le risque statistique de contamination que court un homosexuel dans un rapport non protégé reste, aujourd'hui encore, plus élevé que dans la population générale à cause de la beaucoup plus forte séroprévalence dans ce groupe.

Mais la politique de prévention doit-elle être conçue exclusivement en termes de « communication » et d'« information » ? Le message qu'attendent aujourd'hui les personnes les plus touchées et les mieux informées sont des signes d'une solidarité active. De plus, la confiance en soi et en autrui, l'acceptation sociale d'une personne constituent l'un des éléments les plus puissants qui ont facilité, selon nos enquêtes dès 1985, une rapide adaptation au risque.

Maintenir un climat politique serein, éviter toute sorte de dépistage à l'insu des intéressés et des discussions dont la terminologie ne peut que créer la confusion (telles les propositions Schwartzenberg), voilà des éléments indispensables à un climat propice à la prévention. Il va sans dire qu'une amélioration des structures d'accueil des toxicomanes devrait, elle aussi, s'inscrire dans un tel effort et créer la confiance nécessaire à un travail de prévention efficace parmi eux. En ce qui concerne les mesures « symboliques » aptes à augmenter la confiance des homosexuels dans la société dans laquelle ils vivent, le rapport de la commission sida du Parti socialiste, rédigé par Françoise Gaspard, avait parlé de la nécessité de revoir, à la lumière de l'épidémie, les droits civils des gais, en vue d'une pleine reconnaissance du lien homosexuel. Ce rapport a le statut d'un document officiel du PS ; « Face au sida : vérité, responsabilité, solidarité ». Il paraît que ce parti est actuellement au gouvernement.

Gai Pied Hebdo, n° 345, pp. 60-61.

Les homosexuels face au sida[*]

Les médias parlent beaucoup du sida. Parfois, cette maladie est présentée comme « le cancer gai ». Qu'en pensez-vous ? Vous tenez-vous au courant du développement de cette maladie ? Êtes-vous inquiets ? Pour mieux connaître vos réactions *Gai Pied hebdo* et un groupe de sociologues associé au Centre national de la recherche scientifique ont décidé de coopérer dans une enquête. A vous la parole. En répondant à ces questions, vous contribuerez à mieux faire connaître vos propres préoccupations et à faire valoir vos réactions dans le débat public qui se développe autour du sida.

L'Europe gaie

Depuis 1985, on ne peut plus s'en passer ! Chaque été voit revenir le questionnaire. Ce rituel permet de mesurer les changements intervenus dans vos vies, celles de vos proches ou dans le monde qui nous entoure. Cette année, ce questionnaire prend une nouvelle ampleur : il devient européen. Toujours coordonnée par Michael Pollak, chercheur au CNRS, une partie de cette enquête est commune avec d'autres pays européens : Allemagne, Autriche, Danemark, Italie, Pays-Bas et Royaume-Uni. La Belgique et l'Irlande y participeront peut-être également avec d'autres modalités. Chaque pays a déterminé le moyen choisi pour une meilleure efficacité : ici par l'intermédiaire d'un média, ailleurs par d'autres canaux. Pour la première fois, on aura ainsi des données comparatives sur notre continent : où la prévention a-t-elle fait le plus de progrès ? Les Danois vivent-ils plus en couple que les Italiens ? Les Allemands, jadis de l'Est, vivent-ils autrement que ceux de l'Ouest ? Et nous, où nous situons-nous dans la comparaison entre gais européens ? A toutes ces questions, vous aurez des réponses grâce à votre participation à l'enquête !

---

[*] Cette page est constituée par la présentation des deux enquêtes menées dans *Gai Pied Hebdo* en 1985 et 1991.

Les homosexuels face au sida[*]

En tant que pathologie neuve et en voie de définition, le sida est un objet d'observation privilégié des liens changeants entre ordre biologique, ordre social et ordre moral. Son caractère contagieux, sa rapide diffusion, l'absence de thérapies efficaces et la concentration de ses premières victimes dans des groupes marginalisés — homosexuels masculins et toxicomanes par voie intraveineuse —, distinguent le sida de la plupart des maladies qui ont servi ces dernières années de terrain empirique aux recherches sociologiques sur la maladie.

En effet le sida et plus particulièrement son principal « groupe à risque » évoquent d'une façon presque caricaturale les traits caractéristiques des moments forts des grandes épidémies décrits par William Mc Neill dans *Le Temps de la peste*. Selon lui, les épidémies suivent chronologiquement les transformations profondes et rapides des liaisons sociales et des modes de vie[1]. Chaque fois que des populations éloignées entrent en contact les unes avec les autres, chaque fois que se transforment les échanges entre les hommes, les agents infectieux trouveraient, selon cette thèse, l'occasion de virulences

---

* Cet article s'appuie sur plusieurs enquêtes : une recherche menée entre juillet 1985 et décembre 1986 et réalisée pour la Mission Recherche-Expérimentation (MIRE) du ministère des Affaires sociales et de la Solidarité nationale (exploitation informatique dans les services du CIRCE, Centre inter-régional de calculs électroniques) une enquête menée en été 1986 par l'association ADRESSE, financée par la Direction générale de la santé et la revue *Gai Pied Hebdo*, qui en a assuré l'exploitation informatique (Bruno Lejeune) et une enquête menée à l'hôpital Pitié-Salpêtrière.

1. W. Mc Neill, *Le Temps de la peste*, Paris, Hachette, 1978 ; voir également, F.-P. Wilson, *La Peste à Londres du temps de Shakespeare*, Paris, Payot, 1987.

nouvelles. Ils s'attaquent alors de préférence aux individus et aux groupes que ces transformations ont, en quelque sorte, « fragilisés », à ceux qui ont le plus promu et/ou subi ces transformations. Ce lien chronologique entre transformations sociales et occurrence d'épidémies fait bien évidemment penser, dans le cas du sida, à la transformation sociale opérée par la libération sexuelle, et dont les homosexuels étaient les bénéficiaires en même temps que les plus importants promoteurs. Même dans les commentaires qui tentent de s'abstenir de tout moralisme, le sida apparaît comme la fin de cette époque de liberté, la fin aussi d'une certaine façon de vivre l'homosexualité.

Le terme de « groupe à risque » a été construit dans le cadre d'observations épidémiologiques [2]. En tant que catégorie de construction de la réalité sociale, la définition du sida et du risque de l'attraper est un enjeu de concurrence scientifique et de luttes sociales, menées de préférence par médias interposés [3]. Pendant une première période qui dure jusqu'à la découverte du virus et la preuve de son rôle spécifique dans le déclenchement de la maladie, en 1983-1984, une construction statistique très durcie de « groupes à risque » se fait en l'absence d'un modèle étiologique communément admis dans les milieux scientifiques. Cette absence permet la formulation de multiples hypothèses, ce qui, dans le débat public, se traduit par un « trop plein » d'interprétations parfois contradictoires [4]. La désignation très affirmée des victimes potentielles

2. Comme la définition courante des « groupes à risque » du sida, reprise par l'OMS et les autorités françaises, est celle développée par le *Center for Disease Control* (CDC) américain, il convient de suivre la démarche de construction de ce groupe. Au printemps 1981, des cas de sarcome de Karposi et de pneumocystis carinii furent déclarés au CDC. Une surveillance plus serrée de cas similaires aux États-Unis faisait apparaître d'autres infections occasionnelles associées, ainsi que leur apparition dans deux groupes spécifiques, des homosexuels masculins encore jeunes et des toxicomanes par voie intraveineuse. Tous ces cas avaient en commun un déficit immunitaire, d'où le nom de « syndrome d'immunodéficience acquise » introduit dès l'été 1981.

3. R. Lenoir, « La notion d'accident du travail », *Actes de la recherche en sciences sociales*, nᵒˢ 32-33, avril-juin 1980, pp. 77-88.

4. On peut distinguer au moins trois modèles étiologiques en fonction de l'importance respective accordée au virus, à l'environnement ou à divers cofacteurs : le style de vie y apparaît soit comme un facteur qui augmente

de cette maladie mystérieuse contraste avec une très grande incertitude sur les raisons médicales de leur transformation en cibles privilégiées, que seul un modèle étiologique peut fournir. Face à tant d'incertitudes scientifiques, les personnes désignées comme victimes probables d'un risque ne sont pas en mesure de forger des instruments efficaces de gestion de ce risque. Cette situation insoluble a pu créer parmi beaucoup d'homosexuels le sentiment d'être dénoncés pour ce qu'ils sont encore plus que pour ce qu'ils font. Les réactions les plus fréquemment engendrées par ce sentiment sont la contre-dénonciation (dénonciation des dénonciateurs), la dénégation ou la paralysie.

Les découvertes successives, tout au long des années 1983 à 1985, d'abord de l'origine virale de la maladie et plus tard des différentes voies de la transmission, tendent à réduire l'incertitude scientifique et à augmenter la croyance dans le discours médical. Cette situation ouvre donc, en principe au moins, les voies à une adaptation individuelle et collective au risque, clairement désigné comme un risque de contagion. Le premier Congrès international sur le sida, tenu à Atlanta en 1985, consacre définitivement la définition du sida comme une maladie virale et contagieuse, transmise par le sang et le sperme. Ce congrès fait également de la prévention un de ses thèmes majeurs. Surtout depuis le deuxième Congrès international sur le sida, tenu une année après à Paris, la prévention, et donc la gestion du risque, deviennent la préoccupation principale des médias.

La mise en place, à partir de 1985, des tests de dépistage des anticorps au virus VIH change profondément les données du problème. A la volonté de savoir si l'on a été en contact avec le virus s'ajoutent la possibilité de le savoir et, indirectement, une nouvelle source d'inquiétude et d'incertitude, à savoir l'impossible prévision du déclenchement et du déroule-

---

uniquement le degré d'exposition de l'individu au virus, soit comme un terrain favorable au développement de la maladie consécutive à la contamination, soit comme la cause de la destruction de défenses immunitaires préalables au contact avec le virus. J.-L. Martin, C.-S. Vance, « Behavioral and Psychosocial Factors in AIDS. Methodological and Substantive Issues », *American Psychologist*, 39, 1, 1984, p. 1303.

ment de la maladie en cas de séropositivité. Ce n'est plus seulement le risque en lui-même, mais sa gestion plus ou moins volontaire ou contraignante, qui deviennent l'enjeu majeur de controverses entre les scientifiques et les publics concernés.

C'est dans ce contexte que les enquêtes sociologiques sur les homosexuels face au sida prennent tout leur sens [5]. Les différents éléments qui interviennent dans la gestion du risque et de l'incertitude, tels qu'ils sont mis en évidence dans le cas des homosexuels, les premiers à avoir été fortement touchés par cette pathologie, préfigurent, en quelque sorte, ce qui peut se passer dans la population générale, au cas où l'épidémie, qui n'est déjà plus limitée aux seuls « groupes à risque », tendrait effectivement à se généraliser. Mais en révélant certains traits caractéristiques des échanges sexuels, voire même en dévoilant parfois une homosexualité vécue auparavant de façon cachée, la diffusion du virus VIH renvoie également à la condition sociale des homosexuels qui, avec plus de 70 % des cas enregistrés, apparaissent toujours comme le groupe le plus touché. Renvoyant aux homosexuels une représentation durcie d'eux-mêmes, le terme de « groupe à risque » devient plus généralement le miroir des conditions sociales réservées à une catégorie particulière de personnes qui font qu'un risque médical est perçu en même temps comme un risque social, ce qui n'est pas sans affecter les capacités individuelles et collectives de le gérer.

S'agissant d'une maladie sexuellement transmissible, — c'est l'hypothèse de ce travail —, les dispositions qui découlent d'une homosexualité plus ou moins assumée et ou acceptée structurent fortement les différentes formes de la gestion du risque, celles-ci affectant en retour les formes variables du sentiment d'identité homosexuelle.

---

5. Enquêtes menées à travers une revue homosexuelle, *Gai Pied Hebdo*, en été 1985 (999 réponses) et en été 1986 (2 650 réponses). Pour une description des échantillons et une présentation détaillée des résultats, voir : M. Pollak, M.-A. Schiltz, *Les homosexuels face au sida*, t. 2, *Annexes techniques et statistiques*, Paris, EHESS, 1987, miméo.

La gestion d'une identité indicible

L'épidémiologie parle des homosexuels en terme de groupe. L'existence d'un tel groupe reste problématique aux yeux des personnes concernées autant qu'aux yeux des sociologues. Cette opposition entre une classification « scientifique » — froide et fortement solidifiée — et une auto-classification aussi diffuse et floue que le sont des sentiments socialement réprouvés, peut provoquer des réactions très diverses.

Par ailleurs, il semble problématique de désigner l'homosexualité par des concepts sociologiques très généraux, tels que « déviance » ou « stigmate ». Les différentes définitions sociologiques de la déviance, qu'elles découlent d'une conception statistique, fonctionnaliste ou interactionniste, se réfèrent toutes à l'existence de normes, ce qui est une condition préalable à tout constat d'une transgression. Or, actuellement, les valeurs de référence des mœurs sexuelles changent, et rien ne permet d'affirmer un consensus suffisamment fort qui pourrait fonder la conscience autant que la perception d'une transgression dans le cas de pratiques homosexuelles. C'est à cause du caractère transitoire des mœurs sexuelles que l'homosexualité comme fait social est difficilement classable parmi les phénomènes de « déviance » ou de « stigmate »[6]. Dans une période de transition, par définition marquée par le flou des références et des modèles, l'homosexualité, qui n'est plus forcément condamnée, sans encore être admise, peut ne plus constituer automatiquement une violation de normes communément admises et n'a plus pour conséquence nécessaire une sanction. Il convient donc de parler non pas en termes de « déviance » ou de « stigmate », mais en terme de degré variable d'une disposition homosexuelle affirmée, assumée et/ou acceptée.

Il n'est pas étonnant qu'un « marché sexuel » affranchi des contraintes « non sexuelles » se soit développé, dans le cadre de la libéralisation des mœurs, d'abord dans les sexualités marginalisées, et tout d'abord dans l'homosexualité mascu-

---

6. H.-S. Becker, *Outsiders, sociologie de la déviance*, Paris, Métailié, 1985, pp. 27 *sq.* et 44.

line [7]. L'interdit de l'homosexualité a renforcé et accéléré la séparation de la sexualité et des tendances affectives, et indirectement la recherche de relations anonymes et multiples, dans la mesure où toute activité clandestine contraint à une organisation qui minimise les risques tout en optimisant l'efficacité. Or, dans la mesure où elle est soumise au silence dans la vie sociale ordinaire, la participation à ce marché facilement accessible voue l'homosexuel à une gestion complexe de sa vie, le contraignant souvent à une double vie, voire à des vies multiples. [...]

D'ordinaire, nous ne pensons aux obligations d'ordre public « que quand nous y manquons, ou sommes tentés d'y manquer » [8]. C'est parce qu'elle ne correspond pas à l'ordre des choses, tel qu'il est implicitement défini, que son orientation sexuelle fait souvent douter l'homosexuel autant de lui-même que de cet ordre, et qu'il intériorise la nécessité de justifier sa « différence ». Le refus explicite et parfois exprimé avec une certaine agressivité entre homosexuels — « on n'a pas besoin de dire qu'on est homosexuel, les hétéros eux non plus ne s'affichent pas » — ne fait que confirmer la force de cette obligation d'aveu. Le simple fait de qualifier certaines de leurs relations familiales et sociales d'abord en fonction du « non-dit » sur leur sexualité, prouve à quel point beaucoup d'homosexuels se sentent obligés de justifier publiquement ce qu'ils ont de plus privé. La contradiction entre une obligation ressentie d'avouer l'homosexualité d'un côté, et de l'autre l'incapacité de le faire, débouche sur des formes souvent compliquées de gestion d'une identité indicible. Ce sentiment de manquer à une obligation d'ordre public sur lequel l'individu a peu de prises et la faible acceptation sociale que constatent, eux-mêmes, les homosexuels sont les premiers indicateurs des contradictions qu'ils ont à gérer, et que la libéralisation des mœurs de ces 20 dernières années a eu tendance à déplacer plutôt qu'à atténuer définitivement. Promue également par le mouvement d'émancipation homosexuelle [9], cette libéralisa-

7. M. Pollak, « L'homosexualité masculine, ou le bonheur dans le ghetto ? », *Communications*, 35, 1982, pp. 56 *sq.*

8. M. Halbwachs, *La Mémoire collective*, Paris, PUF, 1968, p. 152.

9. *Cf.* J. Gérard, *Le Mouvement homosexuel français, 1945-1980*, Paris, Syros, 1981, et le numéro spécial, « Les années 80. Mythe ou libération », *Masques, Revue des homosexualités*, n⁰ˢ 25-26, 1985.

tion a permis à un nombre croissant de personnes d'assumer plus facilement des pratiques homosexuelles et de s'affirmer comme tels, voire même de revendiquer publiquement cette identité. Mais ces changements, prenant forme dans des trajectoires individuelles et collectives, se sont faits de façon différentielle, ce qui s'exprime dans l'organisation de nos données autour de certains pôles qui reflètent des expériences et des trajectoires communes, liées à un certain nombre de conditions et/ou de contraintes constitutives des moyens dont dispose un homosexuel pour s'assumer et se faire accepter, en un mot pour s'insérer dans des « niches sociales »[10] favorables à la réalisation de ses désirs.

Tous ces phénomènes structurent les données de l'enquête qui fait apparaître clairement des sous-groupes marqués par des expériences communes qui reflètent des origines et des appartenances de classe proches ainsi que des lieux de résidence de dimension comparable. Les jeunes de moins de 25 ans constituent un groupe à part. Encore à la recherche d'une meilleure connaissance d'eux-mêmes et de leurs désirs, ils se définissent nettement plus souvent que leurs aînés comme « bisexuels » avant l'âge de 20 ans, aussi longtemps que leurs rapports sexuels sont peu fréquents et peu diversifiés. Entre 20 et 25 ans s'établit une préférence sexuelle plus définie en même temps qu'ils augmentent le nombre de leurs partenaires et la fréquence de leurs rapports sexuels. Mais n'ayant guère encore explicité leurs préférences sexuelles dans leurs différentes relations sociales, ils vivent leur homosexualité de façon cachée, au moins en dehors du cercle d'amis de leur âge. Ceci s'applique plus particulièrement aux étudiants qui vivent majoritairement chez leurs parents et dont l'homosexualité est encore moins connue de leur entourage que dans le cas de ceux qui, appartenant à la même génération, sont économiquement indépendants.

Les homosexuels vivant à la campagne et dans les petites villes de moins de 20 000 habitants se distinguent par la distance (géographique et sociale) qui les sépare d'éventuels partenaires homosexuels. D'où la faible fréquence et le peu de

---

10. M. Dannecker, R. Reiche, *op. cit.*, p. 305.

diversité de leurs pratiques sexuelles, et leur impossibilité de briser leur isolement social en tant qu'homosexuel. Plus que tous les autres homosexuels et indépendamment de leur métier et de leur âge, ils restent contraints de se «cacher», de se conformer au respect des règles dominantes, et ceci d'autant plus qu'ils habitent souvent avec leur famille, qui ignore ou feint d'ignorer leurs désirs homosexuels.

Avec les façons de vivre qu'elle rend possibles, les loisirs, les contacts faciles, avec la possibilité qu'elle donne aussi de mener une vie relativement anonyme et de pouvoir séparer sans difficultés les différentes sphères de la vie sociale, la grande ville offre les meilleures conditions pour l'épanouissement d'une disposition homosexuelle. On en trouve, en quelque sorte, une confirmation quand on compare, dans nos enquêtes, les populations rurales avec les classes populaires urbaines, ouvriers et certains agents de service, employés des PTT ou de la SNCF. Grâce à leur participation à la vie urbaine, ces derniers peuvent pleinement assumer et vivre leur homosexualité, sans pour autant que celle-ci soit connue et, encore moins, acceptée de leur entourage.

Les homosexuels jeunes et appartenant aux classes populaires, dont l'homosexualité est inconnue de leur entourage, se distinguent des homosexuels des classes moyennes urbaines, âgés de 25 à 50 ans, économiquement indépendants et vivant ouvertement leur homosexualité. Néanmoins tous ces homosexuels, qui ont en commun l'expérience d'une vie sexuelle diversifiée, forment un groupe nettement moins homogène que les autres.

Au centre de ce groupe on trouve les homosexuels du «ghetto» qui affirment et revendiquent leur homosexualité. Si certains d'entre eux, ayant rompu avec leur milieu social d'origine, vivent en situation de rejet social, d'autres en revanche ont réussi à s'y faire accepter. Caractérisés par un nombre élevé de partenaires et des pratiques sexuelles diversifiées et fréquentes, ces homosexuels ont construit leur vie essentiellement autour de l'idéal d'une réalisation de soi, identifiée à l'épanouissement sexuel. Ils sont le produit, en même temps qu'ils en fournissent le moteur, du mouvement d'émancipation homosexuelle constitutif d'une communauté qui réclame des droits et s'organise pour les atteindre, d'où aussi le terme indigène de « ghetto » qui se réfère à la fois à un style de présentation de soi et à l'organisation de circuits de rencontre et d'entraide, avec pour objectif la redéfinition de l'image sociale des homosexuels et la création des conditions permettant à un plus grand nombre de vivre ouvertement et avec fierté leur homosexualité.

Les fractions intellectuelles des classes dominantes se distinguent de ce groupe central assimilable au ghetto, qu'ils fréquentent tout en gardant une distance qui convient sans doute d'autant mieux que l'on a par ailleurs des investissements dans une carrière professionnelle qui obligent à se soucier de sa position et de sa respectabilité sociales.

L'enquête de 1985 fait apparaître trois groupes qui se distinguent par leur attitude et leurs réactions face au risque : *attente* (jeunes), *insouciance* (ouvriers), *adaptation* des pratiques sexuelles au risque (cadres supérieurs). L'enquête de 1986 confirme ces différenciations, tout en montrant que l'adaptation au risque s'élargit à toutes les fractions des « classes moyennes » (cadres, professions intermédiaires, employés), et que les jeunes se différencient de plus en plus avec d'un côté les étudiants (suivant l'exemple et le modèle des cadres supérieurs), de l'autre, les non-étudiants (gardant la même attitude que les ouvriers). Notons toutefois que les données épidémiologiques suggèrent que, pour des raisons de probabilité, tenant à l'organisation de la vie socio-sexuelle en réseaux et relais, les ouvriers restent également le groupe d'homosexuels objectivement le moins touché par le sida, ce que tendent également à confirmer les taux différentiels de séropositivité constatés dans notre enquête de 1986.

Différenciation sociale et construction de soi

La conquête des libertés sexuelles s'est faite grâce au renforcement d'une sociabilité spécifique et, indirectement, d'une ségrégation qu'indique le terme de « ghetto » qui en désigne les manifestations les plus visibles. En effet, la libération sexuelle, synonyme, dans le cas de l'homosexualité, d'émancipation d'une différence, se traduit par le marquage d'un espace privé de l'homosexuel qui, en quelque sorte, le met à l'abri du regard hétérosexuel. Par conséquent, la vie homosexuelle se distingue par des frontières spécifiques tracées entre « vie privée » et « vie publique » qui inscrivent dans tous les rapports sociaux cette différence dans les préférences sexuelles.

Ainsi, beaucoup d'homosexuels ont tendance à placer les rapports familiaux soit du côté de la vie publique, représentée par le travail avec ses contraintes, soit dans une zone intermédiaire, mais en tout cas en dehors de ce qu'ils définissent, le plus souvent, comme leur « vraie vie » ou leur « vie privée ». Au départ, la distance prise par un homosexuel avec la vie sociale ordinaire correspond à une nécessité, avant de devenir un choix délibéré. Parce qu'il se sent mis à l'écart, il fait le choix de se mettre à l'écart. Se sentant étranger dans un monde familier (voir familial), il peut faire de ce sentiment d'étrangeté le point de départ d'une construction consciente de lui-même autour de ses désirs, à l'origine de sa différence.

C'est ainsi que se creuse un fossé implicite entre monde hétérosexuel et monde homosexuel. Loin de rendre égaux les goûts et les habitudes de ces deux mondes, l'acceptation sociale officialise l'existence d'un monde homosexuel que, faute de mieux, on pourrait appeler un groupe de destin. Forgé par des affinités communes et une commune mémoire de la discrimination, ce monde homosexuel s'installe dans une sorte de ségrégation librement choisie et ressemble à ces innombrables groupes moraux qui, selon les théoriciens de l'école de Chicago, émergent dans les grandes villes, en se substituant aux liens sociaux traditionnels [11].

Or, les chances de succès d'une telle construction de soi, inégalement distribuées, ont aussi connu de rapides transformations dans le temps qui ont changé les références collectives qu'un individu peut utiliser pour penser son propre destin ; d'où des phénomènes de valorisation et de dévalorisation d'expériences individuelles et collectives, qui trouvent une sorte d'expression condensée dans les mots choisis pour parler de soi-même.

---

11. Y. Grafmeyer, I. Joseph, *L'École de Chicago*, Paris, Aubier, 1979, pp. 35 *sq.*

D'ordinaire, le concept de génération désigne une même cohorte d'âge qui, étant passée et formée par les mêmes événements, développe un lot commun de dispositions et de conceptions du monde. C'est à partir d'elles que ceux qui appartiennent à la même génération affrontent tous les problèmes et les crises qui surviennent, et se démarquent de leurs aînés autant que de ceux qui arrivent après eux [12]. En témoigne la variation des façons de parler de l'homosexualité quand on passe d'une génération à l'autre, plus précisément d'une homosexualité cachée, que même entre amis on ne nommait qu'indirectement — du genre « il en est », « il est comme ça » —, à une homosexualité banalisée qui n'a plus besoin de s'affirmer dans une attitude militante.

Les termes choisis pour s'autodésigner varient également avec l'appartenance aux générations successives : le terme d'« homophile », cette euphémisation esthétisante d'une préférence sexuelle, a presque disparu et n'est plus utilisé que par un petit nombre d'homosexuels au-dessus de la cinquantaine. Dans la quarantaine, la préférence va au terme « pédé », dans la trentaine et la vingtaine à celui de « *gay* ». Ces autodésignations renvoient, en plus de la génération, au caractère différentiel de l'émancipation homosexuelle, décalée dans le temps quand on passe d'une classe sociale à l'autre. [...]

Tout en marquant la distance par rapport aux formes caricaturales de l'homosexuel-femme (« tante », « folle »), la revendication du terme « pédé » reprend à son compte certaines au moins des caractéristiques qui le rendent infamant dans son usage populaire. Comme le remarque Pierre Bourdieu, l'exclamation « tous des pédés » peut, dans la bouche d'un ouvrier, mettre dans la même classe toutes les professions non manuelles, évoquant ainsi « moins la dimension proprement sexuelle de la pratique que les vertus et les capacités statutairement associées aux deux sexes, c'est-à-dire la force ou la faiblesse, le courage ou la lâcheté » [13]. Et tout se passe comme si les jeunes

---

12. Pour l'usage du concept de conflit de génération, courant en sociologie et en histoire culturelle et intellectuelle, voir, C.-E. Schorske, « Conflit de générations et changement culturel », *Actes de la recherche en sciences sociales*, n⁰ˢ 26-27, mars-avril 1979, pp. 109-116.

13. P. Bourdieu, « Remarques provisoires sur la perception sociale du corps », *Actes de la recherche en sciences sociales*, n⁰ 14, avril 1977, p. 53.

homosexuels issus des classes populaires prenaient au pied de
la lettre cette signification quand ils orientent leurs stratégies
professionnelles vers les métiers ainsi désignés qui leur sont
accessibles, coiffeur, garçon de café ou de restaurant, cuisi-
nier ou petit employé, réussissant ainsi une ascension sociale
et un affranchissement des métiers manuels (les plus masculins), ce qui constitue en même temps une sorte d'accès à
l'homosexualité, à leur destin de « pédé ». [...]
Contrairement à la logique d'inversion d'un stigmate qui
commande l'usage du terme « pédé », la dernière venue des
autodésignations homosexuelles, « *gay* », a une origine différente. Repris de l'américain, ce terme devait dépasser la logique d'une simple prise de distance par rapport à la terminologie
médicale et aux stéréotypes du langage courant. Par opposition au terme « *straight* » (sans détour, direct, correspondant
à la moralité linéaire), le terme « *gay* », sans indiquer une orientation sexuelle, devait désigner un état d'esprit hédoniste,
ouvert au plaisir et à une multitude de liens affectifs et sexuels.
De façon utopique, ce terme désignait de façon anticipée un
monde où le classement selon l'orientation sexuelle perdrait
son importance. De fait, il a été appliqué au monde homosexuel des classes moyennes urbaines.

De même que le terme américain « *gay* » désigne aujourd'hui
le monde homosexuel, indépendamment d'une mentalité spécifique, celui de « *straight* » est devenu en américain synonyme
d'hétérosexuel en général [14]. Néanmoins, l'autodéfinition
« gai » se réfère à un phénomène très spécifique. Elle devient
d'autant plus fréquente que l'on va vers les jeunes (moins de
35 ans), les étudiants et les catégories professionnelles dont le
recrutement suppose la possession de diplômes (enseignants,
chercheurs, professionnels des médias, professions intermédiaires de la santé, techniciens). A ces professions s'ajoutent les
métiers spécifiquement liés aux commerces *gay* (barmen, saunas, restaurants, etc.). Ce terme renvoie donc d'abord à une
classe d'âge marquée par une éducation sexuelle plus égalitaire

---

14. Voir L. Humphreys, « Exodus and Identity : the Emerging Gay
Culture », et M.-P. Levine, « Gay Ghetto », *in* M.-P. Levine, *op. cit.*,
pp. 141 *sq.* et 182 *sq.*

et plus tolérante que les précédentes, ainsi qu'aux catégories professionnelles « moyennes » et « intermédiaires », éloignées autant du pôle dominant que du pôle dominé de la structure sociale. Le mot choisi par ces homosexuels pour parler d'eux-mêmes, « gai », témoigne du lien indissociable entre une transformation de la structure sociale (l'augmentation des classes moyennes et l'accroissement corrélatif des diplômes) avec pour conséquence une plus grande égalité entre les sexes dans la division du travail, la libéralisation des mœurs en général et la libération homosexuelle en particulier. [...]

Au passage récent de l'euphémisation à la revendication correspond, au moment du relâchement de l'oppression, la redéfinition, par les homosexuels de ces classes moyennes, de leur propre image pour eux-mêmes et pour les autres, en réaction à la caricature qui fait de l'homosexuel, au mieux un homme efféminé, au pire une femme ratée, d'où l'idéal forgé, tout au long des années 1970, de l'homme « super-viril », le « macho » aux cheveux courts, à moustache et au corps musclé. Il en résulte un type de personnage et un style, appelés dans le jargon homosexuel les « clones », repris du langage biologique où ce terme désigne la programmation d'espèces identiques (masculins, homosexuels, et fiers de l'être). Ce terme, quoique ironique, renvoie à un processus de conquête d'une identité, indissociablement individuelle et collective, chargée de joie de vivre.

Cette revendication ouverte de l'homosexualité par un nombre croissant de personnes dévalorise, du même coup, les autres techniques de gestion d'une identité potentiellement « discréditable ». Car la comparaison inévitable avec cette nouvelle référence met en relief les « manques », les « malaises », les « compromis » devenus des « compromissions », non plus par rapport à la vie hétérosexuelle dominante, mais par rapport à une vie et une communauté « gaies ». [...]

A première vue les homosexuels des classes moyennes urbaines, promus au statut de référence pour les autres, se distinguent par une commune vision optimiste de la condition homosexuelle qu'ils perçoivent moins comme source de discriminations et de marginalité que comme atout favorisant une vie plus libre. Néanmoins, pour les uns, cadres et professions intellectuelles supérieures, issus de milieux parisiens aisés et tolérants, cet optimisme est lié à une acceptation sociale obtenue en quelque sorte dès la naissance. A leurs yeux, l'homosexualité ne constitue pas un enjeu politique et social. Tout en intégrant dans leur vie quotidienne les acquis de la libéralisation (le sexe tranquille et facile), ils ne s'identifient guère à un « groupe » ou à une « communauté particulière ». Le sentiment d'appartenance est plus répandu parmi ceux qui, issus de milieux plus modestes et originaires de la province, ont souvent payé leur émancipation par la rupture avec leur milieu d'origine qui les rejette en retour. Leur optimisme est, en quelque sorte, acquis malgré l'expérience de l'exclusion et du déracinement. Ayant chèrement payé leur affranchissement social, ils ont tendance à construire toute leur vie sociale avec d'autres homosexuels.

Ce monde homosexuel, recherché et récusé, symbole de l'affirmation de soi et de la mise à l'écart dans un ghetto, est un laboratoire où s'expérimentent de nouvelles formes de vie sexuelle et affective. D'une certaine manière, les modes de gestion d'une identité homosexuelle, qui résultent d'un double processus de déracinement et de création de nouveaux liens sociaux, rappellent les traits essentiels des constructions typologiques de Georg Simmel et de l'école de Chicago concernant les figures de l'étranger et de l'immigré nouvellement arrivés dans une métropole, ces produits du déracinement projetés dans les grands centres urbains de la fin du dernier siècle et du début de ce siècle : sans racines, et marqués d'une lucidité sociale formée au cours de déplacements successifs, ces « types » sont décrits comme ouverts aux contacts multiples mais superficiels ; développant une attitude distanciée, et capables de passer facilement d'un milieu à un autre, ils vivent simultanément dans plusieurs mondes différents et accordent une importance particulière à la singularisation, donc à l'individualité [15]. S'agissant de constructions de soi autour de la liberté sexuelle, ces traits caractéristiques doivent être recherchés chez les homosexuels dans l'expression de la sexualité, ainsi que dans le style de présentation de soi, variable selon la volonté plus ou moins grande de marquer la différence. [...]

---

15. G. Simmel, « Métropoles et mentalité », *in* Y. Grafmeyer, I. Joseph, *op. cit.*, pp. 61 *sq.*

Le « ghetto » ne représente qu'une minorité de tous les homosexuels et la transformation de la condition homosexuelle, qui a trouvé son origine dans les classes moyennes urbaines, ne touche pas tout le monde. De plus, le renforcement de certaines tendances à l'autoségrégation sociale chez une minorité à peine sortie de l'ombre, mais qui aspire majoritairement à la banalisation de sa condition et non pas au marquage durable de sa différence, ne va pas sans créer de nouvelles tensions et de nouvelles contradictions. Ainsi une génération ayant grandi dans un climat social plus tolérant et ayant pu vivre sa différence sans ressentir le besoin de la marquer, récuse les manifestations les plus provoquantes du « ghetto ». Néanmoins le type du « clone » et le terme « gai », intimement liés au mythe du « ghetto », symbolisent une étape nécessaire dans un processus plus général, contradictoire et multiforme, par lequel les groupes marginalisés tendent à se doter d'une identité collective, au moyen de la stylisation de leur différence, indispensable à la constitution de la force nécessaire à la promotion d'une intégration sociale dans le respect des différences [16]. [...]

Tous ces phénomènes de constitution d'une identité renvoient à la transformation d'un attribut réprouvé en identité assumée et revendiquée, problème auquel chaque homosexuel pris individuellement est confronté et auquel il doit trouver des réponses. La signification de toutes ces tensions et des contradictions qui traversent les homosexuels et qui, dans une enquête, prennent forme dans les corrélations et dans les pôles dégagés par l'analyse factorielle, ne peut apparaître que si on étudie par ailleurs leur genèse en la reconstituant par d'autres méthodes d'investigation plus qualitatives [17].

---

16. Ce repli sur soi préalable à une intégration sociale des minorités est bien mis en évidence par le sociologue noir américain : W.-E.-B. Du Bois, *On Sociology and the Black Community*, Chicago, Chicago University Press, 1978.

17. A. Desrosières, M. Pialoux, « Rapports au travail et gestion de la main-d'œuvre : problèmes et méthodes », *Critiques de l'économie politique*, nos 23-24, 1983, p. 75.

Affranchissement social et transgression sexuelle

Dans la mesure où l'homosexualité implique la transgression d'un des tabous les plus ancrés culturellement, on peut dire à son propos ce que dit Pierre Bourdieu de l'entrée dans un univers de croyance : « On comprend que l'on n'entre pas dans ce cercle magique par une décision instantanée de la volonté, mais seulement par la naissance ou par un lent processus de cooptation et d'initiation qui équivaut à une seconde naissance [18]. »

Malgré la diversité des positions auxquelles elles aboutissent, les régularités que l'on relève dans les trajectoires d'homosexuels recueillies par entretien se réfèrent à un double processus : d'un côté, la séparation de la famille engagée dès l'adolescence, accélérée et souvent vécue de façon douloureuse à cause du « non-dit » sur l'homosexualité, et, de l'autre, l'adoption progressive d'habitudes sociales et sexuelles déterminées par la difficulté, voire même l'impossibilité, de faire reconnaître plus généralement des sentiments et des relations affectives qui restent indicibles en dehors du cercle restreint de ceux qui les partagent. Ce double processus d'éloignement par rapport à une vie familiale et sociale courante (hétérosexuelle) et le rapprochement corrélatif d'une sociabilité homosexuelle, est vécu simultanément comme l'affranchissement de contraintes insupportables, comme la constitution d'une « étrangeté » difficile à gérer et comme l'acquisition d'une capacité de jouissance et de plaisirs. C'est dire que les trajectoires d'homosexuels s'accompagnent souvent de sentiments contradictoires, mettant en balance une libération, réussie et désirée, avec un coût psychologique en termes de déracinement et d'aliénation qui pèse sur certains de leurs rapports sociaux. L'expérience de la difficulté de se faire comprendre et reconnaître, ainsi que, aujourd'hui, le fait de subir un risque de santé à cause d'habitudes sexuelles qu'ils attribuent, en partie au moins, à ce manque de reconnaissance, porte les homo-

---

18. P. Bourdieu, *Le Sens pratique*, Paris, Minuit, 1980, p. 114.

sexuels, dans la situation d'entretien, à analyser leurs histoires plus qu'à les raconter [19].

Tout d'abord le terme d'«affranchissement» renvoie à la transgression d'un tabou. Si la redéfinition de l'image sociale des homosexuels concerne essentiellement sa «démédicalisation» et sa «masculinisation» en réaction à la caricature qui met en avant des traits féminins, la libération des pratiques sexuelles suit plutôt le discours normatif sexologique qui tend à déhiérarchiser les différentes pratiques, de la masturbation à la pénétration en passant par la fellation, en accordant à chacune d'entre elles une valeur équivalente du point de vue d'une comptabilité du plaisir qui a adopté l'orgasme comme mesure [20]. De même, le terme de «gai» vise, on l'a vu, à dépasser les connotations «passives» ou «actives» inhérentes aux différentes dénominations traditionnelles des homosexuels.

Au-delà du rôle joué dans l'acte sexuel, cette opposition renvoie à toutes les oppositions qui fondent la division sexuelle du travail et qui fournissent les oppositions fondamentales de l'ordre social : masculin/féminin, haut/bas, dessus/dessous, devant/derrière, dominant/dominé [21]. Et même dans la transgression que constitue l'acte homosexuel, ces oppositions gardent toute leur force, ce à quoi s'attaquent précisément le terme et le mouvement «gai» en luttant pour l'indifférenciation à la fois sociale et sexuelle. La recherche de la diversité des pratiques et des «rôles» sexuels subvertit la hiérarchie traditionnellement établie pour les homosexuels eux-mêmes entre le «baisé» et le «baiseur», le premier souffrant de la plus grande réprobation sociale en ce qu'il transgresse le plus clairement l'ordre «naturel» des choses organisé selon la dualité féminin (dominé) et masculin (dominant), de sorte que n'est considéré dans certaines cultures comme un «vrai pédé» que celui qui se laisse pénétrer, et non pas celui qui pénètre. [...]

19. Pour la valeur, du point de vue de la réflexion, d'entretiens biographiques menés en situation de crise, voir F. Muel-Dreyfus, *Le Métier d'éducateur*, Paris, Minuit, 1983, p. 262.

20. Cf. A. Béjin, M. Pollak, «La rationalisation de la sexualité», *Cahiers internationaux de sociologie*, n° 67, 1977, pp. 105 *sq*.

21. Cf. Bourdieu, *op. cit.*, p. 121 ; pour la constance de ce tabou dans le temps, *cf.* J.-L. Flandrin, *Le Sexe et l'Occident*, Paris, Seuil, 1981, p. 115.

Le profit principal que trouvent les « gais » appartenant aux classes moyennes à se donner en exemple réside bien évidemment dans le fait de se sentir exemplaires et porteurs d'avenir. Mais même cette fierté ne fait que rarement disparaître tous les traits caractéristiques d'une assurance de soi gagnée à travers la transgression. Le sentiment de la transgression, associé à celui de la fierté d'avoir su assumer un trait essentiel de soi-même, est peut-être une force qui, en plus de la disponibilité et de l'accès facile à d'éventuels partenaires, pousse à la promiscuité. D'une certaine manière, les rituels de la drague homosexuelle, le mimétisme, l'organisation des circuits dans les lieux publics, mais aussi dans les bars et les saunas, répètent perpétuellement le premier passage à l'acte, symbolisant à la fois la transgression, l'acceptation de soi, la conquête de la liberté et d'un sentiment de fierté. La drague, loin de ne se référer qu'au désir de consommation sexuelle et à la recherche de partenaires, doit également être interprétée comme la participation à un rituel d'appartenance d'un genre particulier. La drague, en tant que forme de sociabilité la plus instituée (sinon institutionnalisée) de la vie homosexuelle, semble remplir des fonctions multiples, allant des contacts sexuels au sentiment de sécurité affective en passant par le plaisir de la transgression. A quoi s'ajoute le caractère égalitaire et grégaire de certaines formes de drague qui la met à l'écart du monde ordinaire des hiérarchies et des conventions sociales avec leurs contraintes de respectabilité ressenties comme « stressantes » par beaucoup d'homosexuels. La « sortie », souvent décrite comme une « descente » dans la vie nocturne, constitue donc un moment précieux qui permet d'être soi-même et d'agir d'égal à égal, et d'échapper aux contraintes inhérentes au maintien d'une façade destinée à un environnement hétérosexuel. [...]

Le degré de participation au marché sexuel et les réactions émotionnelles à ses règles de fonctionnement, après tout assez contraignantes, divisent, en plus du degré d'acceptation sociale, les homosexuels en sous-groupes qui vivent leur destin de façon très différente [22]. La source de la plupart des problèmes liés à la condition homosexuelle est la coupure relativement forte

---

22. A.-P. Bell, M.-S. Weinberg, *op. cit.*, renvoie à ce double processus.

entre affectivité et sexualité, coupure qui résulte de l'absence de ciment social et matériel (obligations familiales et transmission d'un patrimoine) qui procure aux relations hétérosexuelles leur plus grande stabilité. Rarement prolongée au-delà de quelques années, une relation de couple est souvent compliquée dès le début par des drames, des angoisses et des infidélités. Surimposé par la norme hétérosexuelle, et faute de modèle de vie sociale propre, le couple reste l'idéal sentimental rarement réalisé. Et la promiscuité et la recherche de partenaires anonymes, répondant au départ à un désir, peut se transformer en démarche défensive par laquelle on cherche à éviter toute déception affective, qui n'est possible que si l'on accepte qu'une rencontre (sexuelle) se prolonge dans le temps. [...]

Ceci montre à quel point la solitude et le sentiment de marginalité restent le lot, au moins temporaire, de la plupart des homosexuels, qui par ailleurs associent souvent dans les récits de leur vie les termes de « liberté » à ceux de « risque » et de « solitude ». La drague et la promiscuité répondent, partiellement au moins, au besoin de gérer ce risque de solitude.

Exposition au risque et rapport à la médecine

Les maladies sexuellement transmissibles (MST) sont l'autre risque, physique et non plus psychologique, qu'encourent beaucoup d'homosexuels. L'exposition au risque de transmission d'un virus par voie sexuelle peut être mesurée par la proportion des rapports sexuels non protégés, donc effectués en situation comportant une possibilité de transmission [23]. En principe devraient être plus exposés que les autres les homosexuels qui changent souvent de partenaires sans connaître le statut séro-

23. Dans la littérature abondante sur l'évaluation, la perception et la gestion des risques, voir plus particulièrement les livres suivants mettant en avant des facteurs culturels. M. Douglas, A. Wildawsky, *Risk and Culture*, Berkeley, University of California Press, 1982, et M. Thompson, A. Wildawsky, « A. Proposal to Create a Cultural Theory Risk », *in* H. Kuhnreuther, E. Ley (eds.), *The Risk Analys Controversy*, Berlin, Springer, 1982.

logique de ceux-ci (le cas bien évidemment le plus courant), et qui s'engagent dans des pratiques impliquant — pour rester dans le registre de termes techniques — l'échange de « fluides du corps contaminants » (le sang, le sperme). La mesure exacte de ce degré d'exposition, variable selon les pratiques, par exemple, orales et/ou anales, fait l'objet de nombreuses enquêtes épidémiologiques [24]. [...]

Tout comme pour les autres MST, la transmission du virus VIH n'obéit qu'à une seule loi, celle de la probabilité. Le virus se propage donc selon la logique des réseaux et des relais. Pour sortir d'un réseau de personnes partageant les mêmes circuits de drague et d'échanges sexuels, le virus doit passer par une personne-relais qui l'exporte vers d'autres réseaux. Dans le cas de la transmission homosexuelle, on peut donc supposer, à condition que des changements de conduites n'infléchissent pas ce mouvement, que le virus VIH se diffuse à partir du cercle restreint de ceux qui fréquentent avec assiduité les différents lieux à échanges rapides et multiples (surtout saunas et backrooms) et touche progressivement ceux qui ne participent que de façon passagère à ces circuits.

A cet égard les statistiques de surveillance et de mortalité sont très éclairantes. La diffusion concentrée du virus dans le groupe homosexuel se fait d'abord dans les classes d'âge sexuellement les plus actives entre 24 et 45 ans, et semble avoir pris son premier essor dans des groupes socioprofessionnels assez spécifiques. Une analyse des certificats de décès français a pu montrer que les groupes les plus touchés sont les « professions de l'information, des arts et du spectacle », suivis des « personnels de services directs aux particuliers » (personnels de la restauration, bars, cafés, coiffeurs, etc.), des professions libérales et des cadres supérieurs. A cela s'ajoute une forte concentration dans les centres urbains et, plus particulièrement, dans la région parisienne avec 65 % des cas [25]. On trouve une

---

24. Au deuxième Congrès international sur le sida, tenu au mois de juin 1986 à Paris, plus d'une centaine de ces enquêtes ont fait l'objet de communications.

25. *Cf.* F. Hatton, P. Maguin, V. Nicaud, G. Renaud, « Mortalité par sida en France », et J.-B. Brunet, R. Ancelle, G. Foulon, « La surveillance du sida en Europe », *Revue d'épidémiologie et de santé publique*, n° 34, 1986, pp. 134 *sq.* et 126 *sq.*

répartition assez proche des personnes séropositives parmi les répondants de l'enquête, dont un tiers ont déjà subi de leur propre initiative le test de dépistage en 1986. Si un homosexuel sur quatre testés s'est révélé être séropositif, cette proportion monte, à Paris et parmi les cadres et employés, à presque 40 %, tandis que les ouvriers, les jeunes de moins de 20 ans et les homosexuels vivant à la campagne ne sont guère touchés. En revanche, les villes de province de plus de 100 000 habitants, et, à un moindre degré, celles entre 20 000 et 100 000 habitants, sont presque aussi touchées que la banlieue parisienne avec un tiers de personnes séropositives parmi ceux qui ont subi le test.

On retrouve dans ces statistiques les catégories mises en évidence dans les sous-groupes relativement homogènes d'homosexuels : les membres des classes moyennes urbaines, formant autour du petit noyau du « ghetto » (avec une forte représentation des services aux particuliers) un espace d'échanges, sont les plus touchés ; un peu à distance et presque aussi touchés par le virus, on trouve les cadres supérieurs et les membres des fractions intellectuelles des classes dominantes qui sont les plus enclins à gérer une double vie à « distance », lors de déplacements professionnels notamment, d'où l'importance statistique accordée, pendant une première période de la diffusion de la maladie, au « facteur à risque » voyages (aux États-Unis, aux Caraïbes et en Afrique). En revanche, malgré une promiscuité tout aussi importante, les ouvriers n'apparaissent pratiquement pas encore dans les statistiques épidémiologiques.

Cette diffusion différentielle du virus renvoie donc non seulement aux pratiques, mais aussi aux logiques sociales des échanges sexuels, qui, dans l'univers homosexuel, tendent à unifier les classes moyennes urbaines, et ceci au-delà même de leur lieu de résidence, les lieux de vacances et Paris jouant le rôle de plaque tournante. Tout aussi « exclusivement homosexuels » et tout aussi dragueurs que les homosexuels des classes moyennes, les ouvriers ne se mélangent guère avec eux, et fréquentent d'autres lieux, plutôt les endroits publics, gares et jardins.

A cause de leur fréquence, les maladies vénériennes sont au centre des préoccupations de santé des homosexuels. Elles leur rappellent la transgression de normes sociales. Mais, dans la plupart des souvenirs recueillis par entretiens, la première atteinte d'une MST et le contact avec un médecin apparaissent comme nettement moins pénibles que prévu [26]. En effet, la mise en place de services efficaces de soins ouvre la voie à la dédramatisation des MST et à la déculpabilisation des personnes atteintes. Des services médicaux facilement accessibles ont contribué à la généralisation du suivi médical : même parmi les homosexuels qui n'ont jamais eu de problèmes vénériens, la proportion de ceux qui suivent leur état de santé par des examens de sang réguliers, s'élève au tiers, tandis que 40 % le font régulièrement au moins une fois par année et 23 % de temps à autre. Ce comportement « moderne » de consommateur indique à quel point les MST occupent, dans la conscience collective des homosexuels, la place d'une maladie et d'un risque auxquels ils sont tout particulièrement exposés.

Malgré l'importance de leurs préoccupations de santé et en dépit de la conscience qu'ils ont des risques de MST, il y a encore, parmi les homosexuels qui ont déjà souffert de MST, 9 % qui ne se sont pas pour autant astreints à un suivi médical plus régulier. Il s'agit d'ouvriers et de ceux dont l'homosexualité est mal acceptée, à la campagne et dans les petites villes où s'ajoute, à des angoisses relationnelles, l'absence de services médicaux anonymes. Outre l'expérience antérieure de MST ainsi que la confiance générale qu'acquiert un homosexuel du fait qu'il se sent accepté, la régularité du suivi médical reflète également le phénomène plus large de l'accès différentiel au système de soins médicaux en fonction de la profession, du niveau d'études et du lieu de résidence.

On doit la généralisation de ces démarches prophylactiques à deux manières particulières d'organiser l'interaction entre le médecin et le patient qui, toutes les deux, quoique de manière diamétralement opposée, réduisent la gêne que ressent le patient homosexuel à se soumettre à une situation d'interaction qui risque de l'exposer au regard malveillant du médecin et à son jugement moralisateur. Ainsi le médecin traitant pour plus de la moitié des homosexuels n'est pas « au courant ».

La « neutralité thérapeutique » est alors poussée à l'extrême dans des centres prophylactiques spécialement créés dans les

---

26. C. Herzlich, J. Pierret, *Malades d'hier, Malades d'aujourd'hui*, Paris, Payot, 1984, p. 209.

grandes villes pour détecter et traiter les MST. Ce dispositif réduit au strict minimum le face-à-face entre médecin et patient [27]. Une autre « mise en scène » de l'interaction médecin-patient, permettant de réduire la gêne que ce dernier pourrait éprouver de voir son homosexualité dévoilée à « quelqu'un de l'extérieur » par la découverte d'une MST, est le choix d'un médecin homosexuel, contacté par l'intermédiaire soit d'amis soit d'associations officielles comme « les Médecins Gais ». La complicité qui peut alors s'établir entre médecin et patient garantit également à ce dernier l'absence de toute moralisation. D'une certaine façon, ces deux manières contrastées d'organiser l'interaction, l'anonymat absolu d'un côté, une certaine complicité de l'autre, correspondent toutes les deux au même souci, celui d'éviter un face-à-face mal supporté parce que chargé d'incompréhension. Le recours à un de ces deux arrangements augmente d'ailleurs avec le nombre de MST qu'une personne a eues. Le souci de rapidité et de simplicité du traitement s'ajoute alors à des raisons plutôt psychologiques.

Dans le cas d'une infection VIH, contrairement aux autres MST, plusieurs facteurs empêchent l'adoption d'une démarche aussi dédramatisée. Le traumatisme que constitue la découverte d'une séropositivité, la gravité de la maladie, l'absence de traitements éprouvés, en un mot l'écart qui existe dans cette pathologie entre une thérapeutique sans véritable crédibilité et des techniques de diagnostic permettant de repérer de manière fiable les infections avant l'apparition même de signes cliniques, toutes ces caractéristiques sont à l'origine d'attitudes et de réactions différenciées. Celles-ci dépendent du degré auquel on a le sentiment d'être exposé au risque, perception subjective qui intègre les dimensions sociales du risque en plus de ses dimensions médicales.

Même en l'absence d'un contact personnel avec la maladie ou avec des sujets atteints, le grand souci d'information, évident à partir de 1984-1985, traduit une inquiétude où se mêlent des préoccupations de santé et le pressentiment d'une éven-

---

27. Pour le problème de la neutralité thérapeutique voir : T. Parsons, *Éléments pour une sociologie de l'action*, Paris, Plon, 1955, pp. 197-238 et E. Freidson, *La Profession médicale*, Paris, Payot, 1985.

tuelle oppression sociale. Cette double inquiétude a tendance à homogénéiser les opinions dans un groupe diversifié tant du point de vue de ses caractéristiques sociales que des expériences singulières, affectives et sexuelles, de l'homosexualité. [...]

On mesure les susceptibilités qu'ont pu provoquer les reportages sur le sida quand on constate que 15 % des homosexuels ne font confiance, sur cette question, qu'aux medias gais et, éventuellement, à la presse médicale et scientifique et, par conséquent, évitent toute autre source d'information, voire refusent tout simplement de se tenir informés. Une minorité de 5 % des homosexuels de notre échantillon ne fait confiance à aucune information sur le sida, quelle que soit son origine. On assiste ainsi, au sein d'une minorité qui est en même temps désignée comme « groupe à risque », à un phénomène mis en évidence par Paul Lazarsfeld dans le domaine politique, le « *two step flow of communication* » [28], à savoir qu'une information, pour être retenue, doit être confirmée par les proches qui partagent les mêmes préoccupations et les mêmes problèmes.

Mais l'angoisse sociale et le rejet du stéréotype, inhérents au terme de « groupe à risque », ne s'inscrivent pas uniquement, ni prioritairement, dans une lutte symbolique dont le seul objet réside dans l'image sociale des homosexuels. Le réflexe de défense exprime une angoisse très réelle chez ceux qui, malgré toutes leurs déclarations contraires, commencent à se sentir particulièrement exposés à un risque fatal, et qui veulent à la fois tout savoir et ne rien entendre. Ces deux phrases, extraites d'un entretien avec un employé de 30 ans, prononcées à quelques instants d'intervalle, expriment parfaitement bien ce sentiment : « Je suis dégoûté par le ton des informations, la moralisation, et le sensationnalisme avec lequel on annonce des découvertes qui n'en sont pas. On fait de nous vraiment des pestiférés. Je ne veux plus rien entendre... Quand il y a quelque part un titre sur le sida, je ne peux pas m'empêcher de l'acheter. Je lis tout ce que je peux. Je me documente. »

---

28. P.-F. Lazarsfeld, H. Menzel, « Mass Media and Personal Influence », *in* W. Schramm (ed.), *The Science of Mass Communication*, New York, Basic Books, 1963, pp. 1-10.

Le sida provoque des tensions liées à la peur de la contagion et réactive d'autres inquiétudes inhérentes aux ambiguïtés d'une identité à la fois originelle et tardivement éprouvée, dépréciée et revendiquée, arbitraire et authentique, vraie et fausse — et qui représente en même temps une cause d'éventuelles discriminations, un instrument de différenciation mondaine et de faire-valoir dans certains milieux, et, par sida interposé, le risque ressenti de destruction physique.

Ces forces contradictoires, centripètes et centrifuges, créent une situation proprement révoltante. Mais parce que toute révolte paraît inutile face à une maladie, tous les espoirs s'investissent dans les progrès rapides de la médecine curative. Une fois intériorisées, ces forces contradictoires mettent à dure épreuve l'équilibre psychique et les sentiments d'identité individuelle et collective. Comme pour tout groupe marginalisé, le sentiment d'identité collective gagne en contours dans la différenciation et sous la menace [29]. Mais le caractère absolu et irrévocable de la menace du sida (la mort) limite singulièrement un tel processus.

Peur et adaptation au risque de contagion

On trouve parmi les homosexuels les plus inquiets deux groupes bien distincts. L'angoisse des premiers vient effectivement de la connaissance personnelle, parmi des amis proches, d'un sujet atteint ou mort du sida. Celle des seconds est plutôt imputable aux contraintes sociales dont ils souffrent en tant qu'homosexuels. Il s'agit alors de la projection sur le sida d'une inquiétude dont les causes sont à rechercher dans la solitude et dans un mal de vivre plus particulièrement liés à la fragilité du statut d'homosexuel et à la difficulté permanente qui en résulte dans la gestion des rapports sociaux [30].

L'effet cumulatif de tous ces facteurs se retrouve, pour ainsi

---

29. P. Bourdieu, *La Distinction*, *op. cit.*, p. 57.
30. W. Ackermann, R. Dulong, H.-P. Jeudy, *Imaginaires de l'insécurité*, Paris, Méridiens, 1983.

dire, dans la corrélation établie entre l'angoisse du sida d'un côté, une homosexualité difficilement gérée, dans la solitude et/ou en secret, de l'autre. De sorte que toutes les situations dans lesquelles il est plus difficile d'assumer ouvertement son homosexualité tendent à avoir un effet anxiogène que l'apparition du sida semble renforcer et rendre insupportable. D'où ce constat paradoxal que les homosexuels objectivement peu exposés, comme les agriculteurs ou ceux qui habitent dans les villes de moins de 20 000 habitants et qui ont une vie sexuelle très réduite, ont, plus que les autres, tendance à être « terriblement » inquiets. Il en est de même des hommes bisexuels, et plus particulièrement des hommes mariés, qui ont des activités homosexuelles peu fréquentes et limitées à la masturbation réciproque et à la fellation. Une situation économique précaire, comme le chômage, tend également à accroître une disposition à l'inquiétude face au sida.

L'inquiétude qui se répand peut donc être attribuée soit à une prise de conscience d'une exposition probable à la maladie, conséquence de la proximité sociale avec une personne atteinte, soit, au contraire, à un sentiment d'insécurité plus diffus qui augmente avec la distance qu'une personne entretient avec la vie homosexuelle la plus affirmée.

La peur du sida chez de nombreux homosexuels renvoie donc à un sentiment de frustration et à un mal-vivre plus général [31]. On trouve dans le destin homosexuel, plutôt problématique ou plutôt paisible, la médiation d'une inquiétude existentielle qui se fixe sur le sida. Cette donnée psychologique cherche, pour ainsi dire, dans le sida un objet adéquat pour s'exprimer. L'inquiétude du sida ne traduit donc pas nécessairement une peur de la maladie, mais celle de voir, par le biais de la maladie, l'homosexualité attaquée plus généralement ou dévoilée individuellement ; d'où cette réponse extrême, griffonnée en marge d'un questionnaire en réponse à la question de savoir quelle serait la réaction devant une éventuelle découverte de la contamination : « Cela ferait découvrir mon homosexualité. Je me suiciderais. »

---

31. H. Lagrange, « Réponses à l'insécurité. Analyse secondaire d'une enquête réalisée à la demande du Comité d'étude sur la violence », Rapport de recherche intermédiaire, Grenoble, IEP, 1985, miméo, p. 29.

Les homosexuels qui craignent le plus le sida, sans y être particulièrement exposés, ont la vision la plus négative et la plus pessimiste de la condition homosexuelle. Ils craignent plus que les autres le jugement social, le fameux « qu'en dira-t-on », et sont les plus enclins à reprendre à leur compte, quand ils parlent du sida, des jugements moraux du genre : « Le sida prouve qu'on est allé trop loin dans la libération des mœurs », « le mode de vie des homosexuels est la cause du sida ». Ayant tendance, sous la pression de la peur, à s'isoler encore plus qu'ils ne le sont déjà, se sentant de surcroît incapables d'adapter et de régler individuellement leurs pratiques sexuelles en fonction du risque, ils sont les seuls à réclamer des mesures administratives de lutte contre le sida, y compris des mesures de quarantaine à l'égard des séropositifs et des malades.

A ceux-là s'opposent les jeunes, peu inquiets, se sentant à l'abri du risque et optimistes sur l'avenir des homosexuels. Les ouvriers, eux aussi, montrent peu de crainte face à un risque qui ne semble pas encore les toucher. Il en va tout autrement des classes moyennes urbaines, fortement exposées qui, dès 1985, prennent pleinement conscience du danger. Néanmoins une expérience différente sépare les membres des personnels de service et les petits employés des cadres supérieurs et des membres des professions scientifiques. Ayant souvent rompu avec leur milieu d'origine, le sentiment d'exclusion des premiers façonne une vision du sida qui privilégie les dimensions sociales du risque, alors que les seconds le perçoivent presque exclusivement sous un angle médical. Tandis que les premiers persistent, en 1985 encore, dans une attente timorée, allant même parfois jusqu'à refuser les précautions sous prétexte de ne pas vouloir céder à la panique, les seconds sont les seuls, dès 1985, à prendre des précautions efficaces, comme le préservatif.

On voit donc s'esquisser, dès 1985, les différents pôles des réactions possibles au risque : une sorte de désidentification [32] avec l'homosexualité et de désolidarisation avec le groupe mènent à l'auto-isolement de ceux qui assument le plus diffici-

---

32. Erving Goffman désigne par « désidentification » le fait de se faire passer pour ce qu'on n'est pas, E. Goffman, *Stigmate*, Paris, Minuit, 1975, pp. 60-61.

lement leur homosexualité et les incitent à réclamer des mesures étatiques contraignantes ; les ouvriers et les jeunes, se sentant peu exposés, gardent une certaine insouciance ; ceux qui, tout en assumant bien leur homosexualité, vivent en situation de rejet social, persistent dans une sorte d'attentisme teinté de méfiance et de scepticisme avant de prendre conscience du risque proprement médical et de s'y adapter ; les fractions intellectuelles des classes supérieures, les plus informées sur tout ce qui concerne la santé, sont les seules à prendre rapidement conscience du risque de santé et s'y adaptent. C'est, en leur sein qu'on observe également l'amorce de nouvelles formes de militantisme autour du sida qui intègrent des causes particulières (la défense des homosexuels) dans une cause plus générale [33]. L'accent mis sur l'argumentation scientifique, le professionnalisme et le souci médiatique distinguent d'ailleurs les premières associations qui se consacrent exclusivement à la lutte contre le sida (AIDES et Vaincre le sida).

L'enquête de 1986 confirme ces tendances tout en enregistrant, parmi les jeunes, la séparation entre les étudiants qui se rapprochent dans leurs réactions des cadres supérieurs, et les non-étudiants dont les réactions sont plus proches de celles qu'on observe dans le monde ouvrier.

Ces attitudes, en termes d'inquiétude associée ou non à un changement de pratiques, constituent les pôles du champ des réactions possibles au sida, entre lesquelles toutes sortes de positions intermédiaires — et, souvent contradictoires — peuvent apparaître. La peur peut donc avoir deux significations diamétralement opposées : crainte d'exclusion et de marginalisation pour l'homosexualité et crainte de contracter une maladie mortelle. La première de ces significations a un effet plutôt paralysant face au risque, la seconde peut, sous certaines conditions, induire des changements de comportement. La capacité de changer est fonction de configurations concrètes qui dépendent largement des différentes contraintes qui pèsent sur l'individu et des différentes ressources auxquelles il peut

---

33. Pour le travail de transformation de causes particulières en causes générales, voir : L. Boltanski, avec Y. Darré et M.-A. Schiltz, « La Dénonciation », *Actes de la recherche en sciences sociales*, nº 51, mars 1984, pp. 3-40.

avoir recours, ainsi que de la possibilité qu'il a de mobiliser certains liens sociaux.

Les fins et les moyens

Les dispositifs pratiques que mettent en place des homosexuels pour se protéger contre la contamination sont les manifestations de compromis entre des objectifs, des savoir-faire et des risques concurrents : entre la santé et les pulsions sexuelles, entre la capacité de manipuler l'acte sexuel et l'image de soi construite autour de la sexualité, entre le risque de contagion et le risque de solitude. Mais presque tous ces « compromis acceptables », qui interviennent dans la gestion individuelle du risque de contamination, ont en commun leur caractère très pragmatique. Les changements de conduite, qu'il s'agisse de la réduction du nombre de partenaires ou de l'utilisation du préservatif, sont rarement justifiés en termes moraux. De plus, le risque biologique lié aux pratiques sexuelles ne se traduit que rarement par une sublimation de la sexualité dans d'autres activités, mais il mène plutôt à la recherche de voies adaptées à sa satisfaction au moindre risque.

Si l'on se place du seul point de vue de la prévention médicale, les mesures efficaces pour réduire le risque de contamination par voie sexuelle sont celles qui interrompent tout échange de sperme et de sang, d'où les canons du « *safer sex* » et plus particulièrement le conseil d'utiliser des capotes. Néanmoins, le refus assez général du préservatif au début de notre recherche, en 1985, et sa diffusion lente et différentielle suggèrent que peu nombreux sont ceux qui peuvent approcher le problème de la prévention sexuelle de façon rationnelle et dans une finalité qui oriente, pour emprunter le langage de Max Weber [34], leur activité sexuelle selon la seule fin de l'« exclusion du risque ». Ce qui est en jeu dans le risque de contagion du virus VIH, la vie et la mort, devrait, selon le modèle du choix rationnel, induire de façon assez automatique des démar-

---

34. M. Weber, *Économie et Société*, Paris, Plon, 1971, pp. 22-23.

ches adaptées, de surcroît techniquement faciles à mettre en œuvre. Mais ne peuvent calculer rationnellement le risque et s'y adapter que ceux qui bénéficient, premièrement, des conditions pour le calculer (surtout des informations nécessaires) et, deuxièmement, ceux qui se trouvent dans des conditions favorables à la traduction d'un tel calcul en pratiques.

La diffusion des précautions sexuelles apparaît ainsi comme un cas limite invalidant des théories qui fondent la description du monde social sur le modèle du choix rationnel qui se réfère à une configuration de fins et de moyens dans une situation donnée en faisant abstraction de l'histoire individuelle des acteurs. Dans la mesure où tout l'habitus d'une personne est engagé dans le rapport entretenu à la possibilité de rationalisation des comportements, la diffusion des précautions sexuelles est d'autant plus rapide que le capital culturel est élevé, de sorte qu'elle coïncide, comme on a vu plus haut, avec les chances d'accès à une homosexualité libre, également tributaires du capital culturel. Ce lien devient encore plus clair quand on distingue entre les précautions qui visent uniquement la diminution des situations d'exposition (par exemple la réduction du nombre des partenaires ou le fait d'éviter les saunas) et celles, jugées plus efficaces, qui interrompent la transmission du virus (préservatif, abandon de la pénétration). Le caractère différentiel de la diffusion de ces dernières est encore plus marqué : impliquant une interaction et pas seulement une décision solitaire, elles sont plus difficiles à mener à bien. Elles ont pour condition non seulement d'être soi-même convaincu de leur nécessité, mais d'en convaincre d'autres, c'est-à-dire d'engager toute son image et de s'exposer à la possibilité d'un rejet (affectif et sexuel) ou au soupçon (d'en avoir besoin, c'est-à-dire d'être infecté).

Outre l'information et la confiance dans l'information, le rapport à l'homosexualité apparaît ainsi comme un élément déterminant. Et même dans les conditions économiques et culturelles les plus favorables, ne sont capables de démarches rationnelles face au risque que ceux qui, dans leurs rapports homosexuels, maîtrisent l'« acte ». La maîtrise de l'acte sexuel, comprise comme capacité d'orienter et de contrôler le déroulement du jeu sexuel jusqu'à son achèvement dans l'orgasme, a pour condition de ne pas se laisser « emporter » par ses envies ainsi que par toutes les associations et tous les symboles qui se mêlent au savoir-faire sexuel. Ces associations sont extrêmement fortes et mettent en jeu la conception d'une sexualité « naturelle » et « saine », qui implique que toute « manipulation » de l'acte sexuel et, plus particulièrement, la pose du préservatif, cet instrument mécanique, détruiraient l'aspect « naturel » des ébats amoureux. Le terme « naturel » utilisé ici se réfère aux habitudes d'une personne qui la conditionnent au point que la rupture avec ces habitudes est ressentie comme équivalent à la rupture avec soi-même, donc avec tout ce qui, une fois intériorisé, forme la « nature » d'une personne, qui est, par extension, identifiée à la nature en général. [...]

Une personne est d'autant plus apte à prendre des précautions qu'elle prend d'ordinaire elle-même l'initiative de l'acte sexuel et qu'elle garde l'initiative durant son accomplissement, qu'elle se sent en parfaite confiance affective et sexuelle avec son partenaire, ou alors qu'elle a tendance à clairement séparer la dimension sexuelle de toute attente affective lors de rapports passagers. Le manque d'information et la méconnaissance des techniques de gestion du risque apparaissent d'une importance bien moindre que l'habitus de la personne, ce principe générateur de ses dispositions, donc de son aptitude à « choisir » dans une situation donnée.

L'attitude de l'homosexuel assuré et rassurant qui, dans la drague, fait toujours le premier pas et qui affirme « ne plus sortir sans au moins deux capotes dans la poche » s'oppose à l'attitude de celui qui préfère se laisser draguer et qui a souvent de la peine à « négocier » la capote, avant même de s'engager dans un rapport sexuel, préférant laisser dans le vague la réalisation de ses bonnes intentions de « sexe sans risque ». Dans certains cas, une attitude timorée face aux précautions sexuelles et une disposition à se laisser choisir plutôt qu'à choisir soi-même renvoient à une relation compliquée entretenue avec ses propres désirs, ce qui s'exprime, entre autres, par une difficulté de parler de sa sexualité. En témoignent parfois les réponses aux questions concernant les précautions sexuelles qui utilisent les termes les plus médicaux et apparemment les plus précis, sans que ceux qui s'expriment ainsi soient toujours capables de les expliciter ou de les exemplifier, comme le montre ce propos : « J'évite l'échange de fluides corporels... bon, il faut pas avaler le sperme et se retirer à temps » (technicien en informatique, 23 ans). L'hésitation dans la situation d'entretien, elle aussi, renvoie parfois très probablement à une incapacité pratique de prendre des précautions.

La capacité d'initiative dépend également de la confiance entre partenaires. La connaissance du partenaire facilite la communication à propos de la sexualité et indirectement la mise en pratique de précautions, ces formes de « manipulation » de l'acte, d'autant plus redoutée que l'évocation de certaines précautions, et en particulier du préservatif, peut aller jusqu'à réveiller une angoisse d'impuissance. A ces problèmes s'ajoute la gêne, plutôt banale et courante, qu'entraîne l'obligation d'acheter des capotes dans une pharmacie (au moins jusqu'à la fin de 1986 où la vente s'y faisait exclusivement). Pour beaucoup, entrer dans une pharmacie et demander des capotes revient, à l'heure actuelle encore, à dire : « Je suis pédé. »

On ne rencontre guère de telles réticences dans des rapports qui engagent peu les sentiments et l'affectivité d'une personne. Ainsi on assiste à l'émergence de démarches « hyperrationnelles » qui consistent à prendre la mesure techniquement considérée comme la plus efficace, le préservatif, sans pour autant réduire le nombre de partenaires et sans renoncer aux lieux de plaisir que sont, par exemple, les saunas ; ces démarches se rencontrent parmi ceux qui, pour des raisons diverses, s'interdisent de chercher ou ne cherchent pas de l'affectif dans le sexuel. Il s'agit d'hommes mariés à la recherche de l'aventure, mais désireux d'éviter la sociabilité homosexuelle, et d'étudiants qui, vivant encore chez leurs parents et du fait de leur manque d'indépendance, refusent, temporairement au moins, d'entrer dans une relation affective qui risquerait de se prolonger. La volonté délibérée de ne pas s'engager affectivement semble, dans ces cas, favoriser la capacité d'exiger, pour tout rapport sexuel, certaines façons de faire. Quand il s'agit avant tout de « tirer un bon coup », l'angoisse d'un éventuel rejet semble avoir moins d'importance que lors de rencontres, même passagères, qui suscitent souvent des espoirs et des attentes amoureuses, même si elles sont souvent inexprimées. Cette approche « hyperrationnelle » reste en fait minoritaire, même dans les groupes où elle peut être clairement détectée.

A l'opposé de ces démarches «hyperrationnelles», on observe une intégration des précautions sexuelles dans les habitudes quotidiennes d'homosexuels qui, vivant en couple, ont également un nombre important d'autres partenaires sexuels. Si le refus de certaines précautions peut être attribué soit à un manque d'assurance, soit aussi au désir de continuité ressenti par des homosexuels qui sentent menacé leur équilibre social et psychique, on comprend que le noyau, à l'origine de la diffusion plus large des précautions, soit formé par des homosexuels qui peuvent en faire une décision commune et les intégrer dans leurs pratiques quotidiennes sans que cela mette en question leur image ou leur amour-propre. Motivés par la conscience de ne pas seulement agir pour eux-mêmes, mais également pour leur partenaire, ils arrivent à faire valoir leur intérêt commun de santé dans tous leurs rapports «extra-conjugaux».

Au sein même du sous-groupe d'homosexuels le plus prédisposé au calcul rationnel, qui bénéficie en quelque sorte du plus grand degré de liberté dans ses choix, on aperçoit des obstacles qui s'opposent à l'adoption de décisions et de pratiques rationnelles face au risque. A la lumière de ces observations, il suffit de lire l'analyse weberienne de la rationalité pour se rendre compte que la distribution très inégale des différentes précautions au sein de ce sous-groupe et leur plus ou moins grande efficacité tiennent au fait que cette démarche met en concurrence plusieurs fins : «Agit de façon rationnelle en finalité, celui qui oriente son activité d'après les fins, moyens et conséquences subsidiaires et qui confronte en même temps rationnellement les moyens et la fin, la fin et les conséquences subsidiaires et, enfin, les diverses fins possibles entre elles [35].»

Dans son analyse de l'action sociale, Max Weber oppose donc à la rationalité en finalité l'action issue des traditions et celle qui obéit à une rationalité en valeurs, la première se référant à l'habitude et à la continuité des liens sociaux, la seconde à la croyance en la validité de certaines valeurs profondément ancrées, qui sont le plus souvent d'ordre religieux. Une partie du refus et de la difficulté qu'ont les homosexuels à changer leurs conduites sexuelles peut être attribuée à l'une ou l'autre

35. *Ibid.*

de ces deux logiques. De même, l'incohérence dans les précautions résulte de la nécessité qui consiste à concilier trois registres différents d'action ou à aboutir à un compromis entre eux.

Dans le domaine de la sexualité, la rationalité en finalité doit être partagée entre deux ou plusieurs partenaires. Il n'est pas étonnant, alors, que les précautions pendant l'acte sexuel, et surtout l'usage régulier du préservatif, ne puissent devenir pratique courante qu'à partir du moment où elles seront tout à fait entrées dans les mœurs, c'est-à-dire dans la normalité homosexuelle ; il n'est pas étonnant non plus qu'à l'origine de leur diffusion se trouvent les homosexuels les plus affirmés, entretenant une relation affective stable. [...]

La diffusion des précautions rencontre donc deux limites, qui tiennent chacune à des raisons différentes. Dans les deux cas, le rapport à l'avenir intervient comme un élément important. Le fait de prendre des précautions et de se comporter de façon prévoyante est intimement lié à l'habitude et/ou à la volonté de prévoir et d'envisager un avenir. Cette habitude a peu de chances de se développer dans certaines conditions matérielles et culturelles qui favorisent la vie au jour le jour. Et la volonté de prévoir est contraire à certains conditionnements psychologiques extrêmes qu'engendre un sentiment d'exclusion sociale.

Dans un premier temps, la diffusion des précautions suit, dans sa logique sociale, celle du virus. Mais cette coïncidence tient moins à une relation causale entre degré d'exposition, prise de conscience et changement de pratiques qu'à un ensemble de facteurs qui font que les premiers homosexuels atteints et les premiers à être personnellement confrontés à des malades disposent, au sein de la population homosexuelle, des meilleures conditions pour se montrer capables de faire face au risque, tant par leur niveau d'éducation, que par leur proximité avec la médecine et aussi en tant qu'ils correspondent aux catégories d'homosexuels les mieux acceptés socialement. Cette coïncidence a sans aucun doute atténué les phénomènes de rejet et de ségrégation, sans toutefois les empêcher. La logique de circulation du virus en réseaux et en relais fait du sida, dans un premier temps, une maladie des classes moyennes urbaines à capital culturel et informationnel élevé. La logique de la diffusion des précautions fait que ces mêmes catégories sont les plus promptes à se protéger. La réaction au risque, différée dans les classes populaires, laisse prévoir que les groupes, au sein de la population homosexuelle, touchés par la maladie vont, à terme, se déplacer des classes supérieures et moyennes vers les classes populaires, phénomène déjà observable aux États-Unis, où les minorités ethniques (noires et hispaniques) tendent à progresser plus rapidement dans les statistiques épidémiologiques que les Blancs, ce qui correspond dans la société américaine à une modification de l'équilibre entre catégories dominantes et dominées [36].

Mais les transformations induites par le risque et par la peur de la contamination et de la maladie s'étendent bien au-delà du comportement sexuel et se réfèrent à une hygiène de vie plus générale, visant à limiter toutes les formes d'affaiblissement physique et de diminution des défenses immunitaires. Ces mesures d'hygiène de vie ont pour dénominateur commun la recherche de la régularité et de la continuité dans le mode de vie, sommeil, nourriture, pratique d'exercices sportifs, etc. Elles tendent à s'étendre également à l'organisation de la vie affective et sociale.

Tout en sauvegardant les acquis de la libéralisation, en particulier, la « sortie du placard » et la possibilité de se montrer au grand jour tel qu'on est, les « gais » sont amenés à retirer au sexe le caractère sacré qu'ils avaient eu tendance à lui accorder au moment où ils pouvaient enfin sortir des contraintes imposées par la clandestinité sociale. Cette désacralisation, loin de n'être que le signe d'un retour au moralisme, semble aussi les amener à prendre plus au sérieux leurs besoins affectifs et leurs désirs de relations plus stables. Il en résulte une certaine redéfinition des changements sociaux souhaités par nombre d'homosexuels. Une fois satisfaite la revendication du droit de choisir librement son partenaire sexuel, on observe la montée de revendications portant sur la reconnaissance sociale, condition de la durée et de la continuité des relations affectives qui permettent la vie en concubinage ou l'adoption d'enfants. Plus qu'à une simple adaptation des pratiques sexuelles au risque de contagion, on assiste donc à une véritable

---

36. « New York : les cibles du sida », *Le Monde*, 18 mars 1987, p. 20.

reconstruction des rapports sociaux, à une modification des identités sociales et, indirectement, de la vie, des images et des références homosexuelles.

Mais ces transformations, loin de se produire de manière uniforme dans toutes les catégories d'homosexuels, reflètent la diversité des expériences individuelles à partir desquelles elles se font. La crise d'identité déclenchée par le sida trouve ainsi des solutions d'abord individuelles, qui vont de la prise de distance aux nouvelles formes d'engagement et de militantisme, en passant par des phénomènes de désolidarisation d'avec le groupe et d'auto-isolement. Progressivement elles donnent lieu à de nouvelles formes de sociabilité et à un travail de redéfinition collective des modèles et des références homosexuelles.

Le choc de la séropositivité

Beaucoup de médecins expriment une certaine réticence quant à l'opportunité d'un dépistage en l'absence de tout signe clinique, en invoquant les conséquences psychologiquement négatives pour le patient en cas de découverte d'une séropositivité. Ils reconnaissent ainsi implicitement les problèmes que pose à la pratique médicale le décalage entre de fortes capacités diagnostiques et l'absence de thérapies éprouvées. Néanmoins il semble que le sentiment individuel d'incertitude, qui naît de l'information (et de la rumeur) concernant la forte séroprévalence dans la population homosexuelle des grandes villes, pousse à recourir au test, seul moyen de réduire l'incertitude. On assiste ainsi à l'émergence d'une masse de patients qui se font presque tous suivre par un spécialiste ou par un centre hospitalier : ni « sains » ni « malades », ils se trouvent dans un état intermédiaire dont on ne peut pas prévoir l'évolution.

A cette volonté de savoir et, indirectement, à la capacité d'assumer la découverte de la maladie, qu'on observe surtout dans les catégories d'homosexuels les plus affirmés (et probablement les plus atteints), s'oppose la peur chez d'autres homosexuels de voir leur homosexualité portée au grand jour. Cette peur peut inciter certains d'entre eux à ne se soumettre à aucun contrôle médical, même lorsqu'ils présentent des symptômes inquiétants qu'ils ont eux-mêmes bien identifiés. Dans certains cas extrêmes, les troubles de l'identité homosexuelle peuvent mener à l'abandon de soi-même : la désidentification entraîne alors le désespoir et le suicide ou une de ses formes plus larvées, le laisser-aller, synonyme de « se laisser mourir ».

Le résultat positif d'un test donne au médecin et au personnel traitant la lourde tâche d'en informer le patient et de le conseiller tant sur l'hygiène sexuelle alors nécessaire que sur les possibilités d'un suivi médical. Dans tous les cas, l'issue fatale qui est associée à cette maladie laisse anticiper un choc, des angoisses et des dépressions qui peuvent durer des mois et qui nécessitent parfois l'intervention de psychiatres ou de psychothérapeutes. Même en l'absence de ces réactions, le choc se traduit, dans pratiquement tous les cas, par une profonde césure de la vie sexuelle, entraînant souvent une abstinence totale pendant une période pouvant s'étendre de trois à neuf mois, avant la reprise d'une vie sexuelle très réduite, assortie de précautions indispensables pour protéger les autres, mais aussi soi-même, étant donné les risques d'effets immunodépressifs associés à toute contamination supplémentaire. [...]

On voit à quel point ces consultations ressemblent aux « situations sociales mixtes qui tendent à produire des interactions flottantes et angoissées », et dans lesquelles « le problème n'est plus tant de savoir manier la tension qu'engendrent les rapports sociaux (médecin-patient) que de savoir manipuler l'information concernant la déficience » [37]. Ce problème ne se pose pas seulement au moment du premier diagnostic. A chaque étape du déroulement de la maladie, de la simple séropositivité à un sida confirmé, le médecin se trouve devant une telle situation, et ceci d'autant plus qu'il ne sait jamais avec certitude dans quelle mesure une « étape » engendrera ou non la « suivante ». C'est ce dont témoigne plus particulièrement la nomenclature existante des diagnostics, séropositivité, lymphadénopathie, ARC et sida. Toutes ces catégories se réfèrent à la fois à des étapes chronologiques d'une même maladie déclenchée par l'infection VIH et à un ensemble de

---

37. E. Goffman, *op. cit.*, p. 15.

symptômes qui classent un individu dans une catégorie relativement étanche, ne laissant pas prévoir son évolution favorable ou défavorable. Faut-il alors exposer ou ne pas exposer le patient à toutes les éventualités, faut-il dire ou ne pas dire une aggravation lisible dans des examens biologiques, mais qui n'est encore associée à aucun signe clinique tangible ?

Un contrat de confiance

La communication du diagnostic par le médecin et son acceptation par le patient, tout en constituant une condition indispensable au démarrage d'un suivi médical, ne sont pas suffisantes à son maintien. Face à une maladie extrêmement grave et contagieuse, le médecin et le patient entrent dans une relation de confiance qui dépasse largement une relation thérapeutique ordinaire. L'acceptation par le médecin de l'homosexualité du patient apparaît comme le préalable au suivi médical, la notoriété du médecin comme un élément indispensable. C'est dire que dans ce cas, comme dans celui d'autres maladies fatales, la relation thérapeutique est chargée de multiples dimensions non médicales [38].

En outre, dans le cas d'une maladie grave et souvent mortelle, le diagnostic prend souvent l'apparence d'un verdict et la consultation celle d'un tribunal. Dans la lutte pour la survie, menée en commun par le patient et le médecin, ce dernier doit jouer simultanément deux rôles, à première vue contradictoires, celui de juge « objectif », et celui de complice du patient qui fortifie son courage, parfois à l'encontre même des résultats d'analyses. A l'omniprésence de la mort, le médecin oppose, comme l'exprime ce chef de service d'un hôpital parisien, l'espoir : « Je refuse de *gérer la mort*... Notre plus grand succès dans ce service, c'est d'avoir créé une *ambiance d'espoir* qui encourage les patients à *se battre.* »

Ces deux phrases illustrent crûment les ambiguïtés dans les-

---

38. C. Herzlich, J. Pierret, *op. cit.*, reviennent à plusieurs reprises à cet aspect en fonction des caractéristiques de la pathologie.

quelles se trouve le médecin travaillant avec des patients atteints de l'infection VIH, en tant qu'elles se réfèrent indissociablement au service qu'il rend à ses patients en créant une ambiance d'espoir, mais aussi à lui-même. Le « refus de gérer la mort » qu'oppose le médecin à l'expérience quotidienne d'une mortalité élevée se réfère aussi au travail qu'il mène pour supprimer ou au moins pour atténuer l'angoisse de la mort chez ses patients atteints par le virus, indépendamment de la gravité de leur diagnostic. Il doit les encourager en permanence, mais il a également besoin de s'encourager lui-même face à un sentiment de relative impuissance. C'est aussi pour cette raison qu'il ne mesure pas les « succès » de son service en les comparant avec les taux de rémissions et de mortalité enregistrés dans d'autres services, mais en terme d'*ambiance* et de *climat* qu'il a su créer pour ses patients, ses collaborateurs, et pour lui-même. Dans une maladie aussi grave que le sida, l'état psychologique des patients est crucial pour leur bien-être, y compris en ce qui concerne leur réaction physiologique à d'éventuels traitements expérimentaux. Mais leur état psychologique est tout aussi important pour le bon fonctionnement d'un service, pour qu'il reste gérable, et pour le(s) médecin(s) traitant(s) qui ont besoin de ces « succès » pour pouvoir maintenir leur propre espoir dans une lutte qui, dans la vie quotidienne de l'hôpital, a, parfois, des aspects bien désespérants. En ce sens, l'« ambiance d'espoir » d'un service doit être comprise dans son importance pour tous les partenaires d'une interaction thérapeutique complexe.

Les caractéristiques des premiers malades — hommes jeunes, d'un niveau social et scolaire élevé — ont pu faciliter ce travail d'espoir mené en commun. Ainsi, les décisions de mener des traitements expérimentaux sont en général très bien acceptées des malades. Il en est de même de la régularité et de la ponctualité avec lesquelles les patients non hospitalisés se présentent aux consultations et se soumettent aux traitements. En un mot, ces homosexuels qui forment la majorité des patients sont des « malades exemplaires ».

Mais ces malades exemplaires sont également très attentifs et très sensibles aux égards avec lesquels on les traite. Si leur situation même les incite à rechercher l'expérimentation et à accepter volontiers de « servir de cobaye », encore faut-il qu'ils rencontrent chez les médecins des motivations et de l'intérêt pour leur personne tout autant que pour leur maladie. C'est pourquoi vives étaient les réactions que nous avons pu enregistrer dans nos entretiens au moment de l'annonce des « effets miracles de la cyclosporine », expérimentée par une équipe de l'hôpital Laennec. Des patients suivis dans d'autres services accusaient alors cette équipe de « sensationnalisme » et de « carriérisme ». Mais ce qui, à ce moment-là, avait provoqué le plus grand choc et la rumeur la plus forte parmi les homosexuels, suivis ou non pour une infection VIH, était moins le médicament en lui-même et ses effets controversés, que la démarche que les médecins avaient suivie pour recruter des patients.

Certains séropositifs suivis dans ce service que nous avons interviewés se sentaient abusés et trahis, interprétant sous un jour nouveau et avec suspicion ce qu'ils avaient perçu, quelques semaines auparavant, comme un accueil particulièrement chaleureux et comme le privilège de pouvoir bénéficier d'un traitement prometteur. Et des médecins généralistes gais se souvenaient de visites d'un « professeur de faculté » pour « recruter nos patients », « pour débaucher de la clientèle », voire pour « se servir des pédés ».

Ces réactions font apparaître une double blessure. Un traitement expérimental est habituellement accepté comme un risque et un espoir que partagent patient et médecin. L'annonce par les médias de l'expérimentation du traitement, puis de son échec, constitue une double rupture de ce contrat implicite. Elle donne l'impression au patient que le médecin, en quête de renommée scientifique et médiatique, manque de respect pour lui, qu'il se grandit à ses dépens, et il se sent blessé. Et dans le cas concret s'ajoute encore la blessure provoquée par la découverte rétrospective que l'« accueil particulièrement chaleureux » peut n'être qu'une forme de cynisme de carrière, et non la manifestation d'une compréhension pour l'homosexuel qu'est le patient.

Ce dernier point est d'autant plus important qu'on a assisté, au début de la propagation du sida, à un phénomène de choix réciproque, de médecins par les malades et de malades par les médecins, fondé sur le critère de l'acceptation de l'homosexualité. Il n'est pas étonnant que, par souci de leurs patients et par convictions personnelles, plusieurs des médecins traitants se soient pleinement engagés dans la stratégie, décrite plus haut, de « dédramatisation » de la maladie et de « déculpabilisation » des malades, et donc, indirectement, de l'homosexualité.

Gestion du silence et mobilisation des soutiens

De façon particulièrement tragique, l'infection VIH prolonge, en l'approfondissant, une expérience sociale soumise aux aléas de relations fondées sur le non-dit, rappelant dans l'expérience de la maladie un trait caractéristique de la vie de nombreux homosexuels. Le silence sur l'homosexualité et, surtout, sa dissimulation répondent le plus souvent à l'anticipation d'un rejet ou d'un jugement malveillant et moralisateur. Lorsqu'une telle anticipation se concrétise, l'homosexuel a toujours la possibilité soit de riposter, soit de se soustraire au jugement par un déplacement géographique. Dans le cas d'une maladie grave et contagieuse de surcroît, la riposte est particulièrement difficile. Par conséquent, la gestion de la maladie se fait, dans la plupart des cas, dans un silence absolu. Car la personne séropositive et malade ne craint pas seulement l'exclusion sociale partielle de tel ou tel cercle, les regards craintifs ou leur inversion sous forme de pitié, mais une exclusion bien plus draconienne sous forme d'enregistrement administratif, de quarantaine ou de destruction des bases matérielles de son existence par l'incapacité de travailler ou le licenciement. Ces craintes sont d'autant plus ancrées que, se référant à l'histoire des expériences homosexuelles dans des conjonctures sociales plus ou moins tolérantes, beaucoup de personnes atteintes ne font entièrement confiance ni au secret médical, ni aux déclarations politiques rassurantes. [...]

La grande majorité des patients préfèrent ne pas « tester » les autres, choisissant de mener en solitaires leur combat contre la maladie. Même le recours aux réseaux de soutien plus anonymes, du genre AIDES ou Vaincre le sida, est très rare. Dans le cas de l'homosexualité, une complicité bienveillante s'installe parfois entre l'homosexuel et ses proches et lui procure le réconfort de la compassion et de la sécurité affective sans le contraindre à une sorte de confession et d'auto-justification. Ce maintien du non-dit qu'une mère peut, par exemple, vouloir maintenir à l'égard de son fils au nom d'une meilleure résistance contre un monde hostile peu également s'appliquer à la séropositivité, état de santé qui, contrairement à un sida avéré, est invisible et peut donc facilement être tenu secret en dehors du cercle familial. Mais cette forme de gestion d'un trait potentiellement « discréditable » est peu probable dans le cas d'un sida avéré qui, l'hospitalisation et l'affaiblissement visible aidant, provoque souvent des moments de « vérité » et de clarification des rapports familiaux, amicaux et professionnels.

Les expériences, dans le cas d'un sida avéré, tiennent autant aux attitudes des différentes personnes envers l'homosexualité qu'à la peur de la contagion. En tout cas, l'acceptation antérieure d'un homosexuel, cas de figure peu fréquent, lui facilite largement la constitution autour de lui des soutiens affectifs dont il a besoin. Une, au moins, des difficultés qu'il a à se faire comprendre est alors « réglée ». Dans le meilleur des cas, la maladie peut favoriser plus rapidement l'acceptation explicite de l'homosexualité du frère et du fils, mais aussi rendre patents un rejet et une rupture latents. Soulignons que c'est le premier cas de figure, l'acceptation, qui semble prédominer dans ce moment tragique marqué par l'éventualité de la mort. A ces moments de recomposition des liens familiaux, l'intervention d'une tierce personne est souvent particulièrement efficace et peut jouer un rôle modérateur, empêchant l'irruption de ressentiments et de différends issus du passé qui risqueraient de l'emporter sur la volonté de réconciliation. C'est à ces moments-là qu'interviennent souvent les volontaires, membres d'associations.

Le désir profond de se faire accepter des siens tel qu'on est, et d'en avoir une confirmation explicite, se manifeste dans les voies, souvent détournées, qu'empruntent les malades pour se faire entendre et comprendre tout en évitant de heurter et de brusquer les sensibilités et les convictions hostiles à leurs choix sexuels. Un des interviewés, en traitement à l'hôpital Claude-Bernard, avait désespérément cherché à renouer contact avec sa famille, à l'informer de sa maladie en même temps que de son homosexualité. Mais, incapable de le faire directement, il avait choisi de témoigner à visage couvert lors d'une émission de télévision, en espérant qu'un membre de sa famille y reconnaîtrait sa voix. Par chance, ses parents virent l'émission et le contactèrent immédiatement, et le lien familial s'établit de nouveau, procurant au fils malade un soutien et, surtout, un soulagement moral. Très souvent le malade tente d'établir des liens privilégiés avec un nombre très restreint de personnes qui, dans un rapport de complicité avec lui, contribuent à gérer en même temps que lui sa maladie comme un secret partagé et protégé de l'extérieur par un mur de silence, comme c'est souvent le cas pour la gestion du secret concernant l'homosexualité. [...]

Aux difficultés de réunir, en période de crise, une famille, s'ajoute le manque de reconnaissance de ceux qui, aux yeux des homosexuels, forment leur « vraie famille », les amants et les amis. N'ayant aucun lien de parenté juridique avec le patient, ils ne sont pas toujours bien acceptés dans les hôpitaux, et ils sont encore plus rarement acceptés par les médecins, comme interlocuteurs valables au même titre que les membres de la famille juridique. Il est vrai que le personnel hospitalier a souvent du mal à décoder la nature de l'importance de ces liens pour le patient.

La solitude d'un homosexuel face à la maladie est d'autant plus grande qu'il avait mal assumé son homosexualité et que, par conséquent, il n'avait pas réussi à construire des liens amicaux stables et durables autour de lui. On observe, de même, que ce sont les homosexuels s'assumant le plus mal qui ont le plus tendance à se détourner d'amis atteints, par peur de la contagion, mais aussi par peur de voir leur propre homosexualité révélée par la fréquentation de malades du sida. Ce phénomène est très rare, en revanche, dans les réseaux d'amitié homosexuelle dont les membres s'acceptent et sont acceptés par leur entourage. [...]

La maladie opère donc une sorte de tri entre les relations « qui résistent à l'épreuve » et celles qui s'effritent, mettant indirectement en question les rapports fondés sur le seul plaisir du moment et valorisant les amitiés fidèles et les liens de parenté retrouvés.

Mais la solitude engendrée par la maladie tient également à la difficulté pour le malade de faire comprendre ce qu'il est en train de vivre, de dire son expérience et de trouver une écoute attentive ; d'où la tendance aussi, chez beaucoup de malades, à réduire le nombre de leurs relations et à se concentrer sur les personnes les plus proches qui « peuvent les comprendre », voire même à choisir une forme d'auto-isolement. Le silence et la solitude des malades résultent de l'impossibilité de communiquer ce qu'ils vivent et, donc, de se faire reconnaître en même temps que de faire reconnaître leur vécu comme une expérience digne d'être connue, ou, au moins, méritant la compassion. Dans ce contexte il convient de souligner que beaucoup de malades ont l'impression que, dans le débat public, le sida, et donc eux-mêmes, sont abordés presque exclusivement sous l'angle du risque de contamination qu'ils représentent mais, très rarement, sous l'aspect de la perte et du deuil. Ce phénomène que les personnes atteintes perçoivent très clairement et très lucidement est à l'origine de leur silence sur leur maladie. Ce silence tient probablement au fait que notre société dénie tout sens à la maladie et, plus particulièrement, à la maladie contagieuse qu'elle perçoit uniquement sous l'angle du risque qui en résulte pour les bien-portants. Généralement, l'expérience morbide est considérée, de façon entièrement négative, comme un non-sens radical. Dans le cas du sida, le malade qui tente de mettre en avant le sens de sa maladie, considérée soit comme le moment d'une prise de conscience, soit comme un instrument de connaissance de soi-même et des autres, selon un modèle couramment véhiculé dans la littérature, a toutes chances de se heurter à une fin de non-recevoir. Au sida s'applique pleinement le constat suivant : « La négation de l'expérience pathologique s'accompagne d'une positivation sémantique et d'une absolutisation de la médecine, l'expropriation du sens existentiel de la maladie n'étant en fait que le revers de l'appropriation de cette dernière par le savoir médical positif [39]. »

Par conséquent, nous avons très rarement trouvé, dans nos entretiens, une revalorisation de l'expérience du sida dans les termes du « modèle de la maladie bénéfique », dans lequel la « maladie est une réaction qui a, sinon une valeur, du moins du sens, puisqu'elle est tenue pour une tentative de restauration de l'équilibre perturbé, voire dans certains cas, pour un

---

39. F. Laplantine, *Anthropologie de la maladie*, Paris, Payot, 1986, p. 119.

épisode qui exalte et enrichit [40] ». On a trouvé ce cas de figure uniquement dans deux entretiens avec des malades qui, exerçant par vocation un métier artistique, présentaient la maladie comme une sorte de « libération » pour des activités professionnelles négligées. La maladie apparaît alors comme bénéfique parce qu'elle impose le retour à une gestion raisonnable du temps et des passions. Un seul autre sujet avait saisi la maladie comme une occasion pour se prendre en main et pour sortir d'un « penchant suicidaire », la présentant comme un « coup de pied au cul » qui permet le « réveil » après une vie « gachée ».

Parce que le sida incite à un réexamen du passé, parce qu'il tend à mettre en question des choix et des partis pris (sexuels), il contraint celui qui en souffre à chercher un sens non pas à la maladie (ce qui pourrait la rendre plus facilement communicable), mais à sa vie passée (ce qui tend à favoriser l'introspection et un repli sur soi). Dans certains cas, le sida peut conduire des patients homosexuels ayant eu une vie sexuelle « excessive » à une remise en question de leur vie sexuelle antérieure et, indirectement, à une réflexion autour des valeurs religieuses dont quelques malades nous ont parlé. Mettant en jeu moins l'homosexualité en tant que telle que la promiscuité, ces réflexions tournent non pas tant autour d'un sentiment de culpabilité que des tentatives visant à faire coïncider sa foi avec son être et d'arriver à une sorte de compromis et de contrat direct avec Dieu, ignorant les prises de positions de l'Église. [...]

Un révélateur

Plus fréquemment, on retrouve dans nos entretiens des recherches spirituelles qui ont pour but explicite l'acquisition de techniques de méditation, aptes à gérer l'angoisse et la dépression. Un meilleur contrôle des pensées et de l'âme est recherché au nom d'un meilleur contrôle du corps et des souffrances. Dans un cas, c'est la lecture des philosophes classiques,

---

40. *Ibid.*

dans d'autres c'est la méditation orientale et la philosophie bouddhiste qu'évoquent des malades. Lors des entretiens, ces malades nous ont souvent demandé de les aider à entrer en contact avec des groupes de méditation inspirés par des philosophies orientales. Mais il convient de souligner la faible fréquence, en France, de telles recherches, en comparaison, par exemple, avec ce que Lindinalva Laurindo a pu montrer dans le cas du Brésil où les malades, pour satisfaire leurs demandes d'espoir, peuvent se tourner vers un marché qui leur offre une riche palette de systèmes religieux et spirituels [41]. Tandis qu'au Brésil les malades ont tendance à dire que « la médecine scientifique n'est jamais plus que la moitié » (de la guérison et de l'espoir), tous les espoirs semblent ici se concentrer sur la science, érigée en recours ultime et exclusif. D'autres recherches de salut sont peu évoquées explicitement, soit parce qu'elles sont relativement rares, soit parce que leur caractère « illégitime » les rend indicibles. En tout état de cause, la recherche d'un sens, réservé généralement au domaine privé dans une société sécularisée, renvoie le malade à lui-même.

La souffrance et l'approche de la mort, sources de soucis et d'angoisses existentielles, atténuent pour le malade et pour les siens les problèmes que son homosexualité avait, tout au long de sa vie, causés dans leurs relations restées non explicitées. Et il n'est pas rare de voir réunis autour d'un lit d'hôpital la famille juridique et la « famille gaie » d'ordinaire tenues séparées. Mais dès la levée du corps, ce lien est souvent rompu unilatéralement par la famille juridique qui, en voulant retirer au fils et au frère le stigmate d'une « mort honteuse » parce qu'associée à l'homosexualité, cache la cause du décès et écarte des cérémonies funéraires les témoins de la vie homosexuelle. Mais ce faisant, la famille tend à protéger sa propre image plutôt que celle du mourant.

Dans la mesure où celui-ci avait parfois mené une lutte difficile, d'abord pour pouvoir assumer son homosexualité avant de tenter de la faire accepter, dans la mesure où il l'avait même

---

41. M.-A. Loyola, « Cure des corps et cure des âmes. Les rapports entre les médecines et les religions dans la banlieue de Rio », *Actes de la recherche en sciences sociales*, n° 43, juin 1982, pp. 3-46, ainsi que le mémoire de DEA de L. Laurindo da Silva, « Sida et homosexualité à São Paulo », Paris, EHESS, 1987, miméo.

revendiquée, le dernier « hommage » qui lui est ainsi rendu lui retire du coup l'identité et la dignité qu'il s'était construites. On en trouve, en quelque sorte, une confirmation *a contrario* dans de rares notices nécrologiques parues dans des quotidiens ou des revues homosexuelles, dans lesquelles la famille et l'amant annoncent en commun une mort « suite au sida », laissant ainsi une dernière trace visible de ce qui avait pu constituer un attribut essentiel de celui dont ils portent le deuil.

« Devant la mort ils cèdent, ils n'acceptent pas. » C'est ainsi qu'un médecin hospitalier a résumé dans un entretien la réaction de la plupart des parents à la découverte de l'homosexualité d'un fils mourant. Cette attitude, partagée parfois par le mourant lui-même, constitue le dernier rappel de la difficulté qu'a pu représenter pour un homosexuel la gestion de son identité tout au long de sa vie. C'est ainsi que le moment de la mort illustre crûment certains traits caractéristiques de la relation qui avait lié un homosexuel à ses proches : solitude, malentendus, affection retenue, réprimée ou refoulée, et en tout cas rarement exprimée.

En tant que maladie sexuellement transmissible, le sida révèle, de façon presque caricaturale, la logique des échanges sexuels. Mais il révèle aussi leur face cachée sous forme de phénomènes de désidentification, d'angoisses sociales et de rejet. En tant que maladie contagieuse, il fait apparaître des décalages entre le discours médical sur les voies, peu nombreuses, de la transmission virale, et les dispositifs pratiques très variables qui sont inspirés par des angoisses plus générales projetées sur la maladie, ou aussi par des émotions faisant fi de certains risques. En ce sens, l'analyse sociologique du sida, en montrant l'importance et la pluralité des représentations et des significations accordées à la sexualité, met en question les analyses historiques qui présentent la mort comme le dernier tabou qui subsiste après la démystification de la sexualité et elle suggère que ces analyses sous-estiment très probablement le caractère différentiel des transformations des mœurs sur une longue durée.

« Identité sociale et gestion d'un risque de santé »,
Michael Pollak et Marie-Ange Schiltz,
Actes de la recherche en sciences sociales, juin 1987.

Systèmes de réaction au sida
et action préventive

La révélation et la concentration du sida dans des groupes minoritaires et marginalisés (essentiellement homosexuels masculins et toxicomanes par voie intraveineuse) crée une situation quasi expérimentale de mise à l'épreuve des valeurs de tolérance, de liberté individuelle et des capacités d'une société moderne à répondre rapidement à une menace imprévue pour la santé.

Face aux risques de santé, le sentiment individuel de sécurité est toujours fragile et précaire. Pour être stabilisé, il a besoin de « garants ». Situés à l'extérieur de l'individu, ceux-ci peuvent être d'ordre institutionnel et juridique ou technique. Mais une forte assurance de soi, fruit d'un travail d'apprentissage et de toute la socialisation d'une personne peut, elle aussi, jouer le rôle d'un garant intériorisé et psychologique du sentiment de sécurité [1]. [...]

Cette maladie contagieuse, sexuellement transmise et potentiellement fatale, mobilise angoisses et préjugés, créant des difficultés particulières pour l'action préventive. Si l'on veut éviter des effets non intentionnés, il faut ajuster les messages à différents publics cibles, ce qui n'est pas une tâche facile : comment faire passer le message préventif sans provoquer de dramatisation excessive qui alimenterait des réactions répressives médicalement injustifiées ?

Le travail d'ajustement des messages comporte deux dimensions : les messages doivent être techniquement justes et, en

---

1. F.X. Kaufmann, *Sicherheit als soziologisches und socialpsychologisches Problem*, Stuttgart, WDV, 1973.

même temps, éviter de susciter des sentiments d'injustice [2]. Ainsi, par exemple, la désignation explicite de « groupes à risque » a pu être ressentie comme une stigmatisation délibérée par ceux qui sont ainsi étiquetés. Le manque d'ajustement technique se traduira par la relative inefficacité du message mesurée en connaissances transmises et en réactions provoquées, rationnelles et irrationnelles. Le manque d'ajustement politique se traduira par des effets de mobilisation au nom de principes et de valeurs.

Que des individus ou des groupes s'orientent dans la lutte contre le sida plutôt vers des solutions coercitives administratives ou des « changements librement consentis dans les mœurs », dépend non seulement de la nature du risque tel que le décrit la science médicale, mais des perceptions et des capacités variables de s'y adapter. Au fur et à mesure que s'estompe l'espoir en une solution technique rapide sous forme de vaccin et de traitement efficace, la quête de sécurité se voit canalisée soit vers des garants macrosociaux réglementaires, soit vers l'apprentissage d'une sexualité permettant de se mettre à l'abri du risque par ses propres choix.

Des liens complexes s'établissent alors entre expertise médicale, politique de santé et opinions publiques. Car si, aux yeux de la plupart des experts, l'information et l'éducation constituent actuellement le seul moyen de lutte contre la transmission du virus, la politique doit œuvrer sous la pression de demandes contradictoires. Dès lors qu'il vise une intervention de santé publique en matière de prévention de la transmission de la maladie, le message des experts et des autorités responsables revêt, presque inévitablement, un caractère « dual de réassurance et d'alarme » [3] : certaines publications scientifiques, largement reprises par les médias, évoquent la présence du virus dans les larmes, la salive ou chez les moustiques, en même temps que chercheurs et épidémiologistes affirment, preuves et statistiques à l'appui, que des modes de contamination par simple contact sont exclus ; l'insistance est mise sur

---

2. L. Boltanski, L. Thévenot, *Les Économies de la grandeur*, Paris, PUF, 1987.
3. H.V. Fineberg, « Education to Prevent AIDS : Prospects and Obstacles », *Science*, 1987, n° 239, pp. 592-597.

les précautions à prendre par le personnel médical confronté à la maladie en même temps que sont démentis la réalité des risques de contamination chez le dentiste et à l'hôpital ; de façon générale, le souci d'éviter des réactions de panique, en délimitant précisément les modes de contagiosité (sang, sperme), se heurte à une non moins « nécessaire » sensibilisation qui vise à faire prendre conscience à tous qu'il est aussi de leur responsabilité que « le sida ne passe pas » par eux.

De plus, loin de se confronter au seul discours d'experts, les représentations du risque et de la maladie se fondent sur une diversité d'informations et d'expériences ainsi que sur des habitudes, des traditions, des convictions éthiques et des conditions de vie. Tous ces éléments interviennent quand une personne, ou un groupe, se forme une opinion sur le sida, sur son degré d'exposition au risque et sur les dispositifs individuels, ou collectifs, de lutte contre la maladie jugés nécessaires pour rendre le risque acceptable et tolérable. Grâce à différentes enquêtes et sondages, on peut reconstruire plusieurs systèmes de pensée plus ou moins cohérents sur le risque et les dispositifs jugés aptes à le contenir. Tout d'abord, ces enquêtes sociologiques entreprises après une campagne gouvernementale d'information et une couverture médiatique sans précédent [4] permettent de confronter aux discours des experts les opinions qu'enregistrent les sondages sur les modes de transmission du virus, sur les mesures de prévention souhaitables, sur les caractéristiques des malades et des séropositifs.

Dans cet article, nous nous appuyons essentiellement sur une enquête approfondie réalisée grâce au soutien du conseil régional de la région Ile-de-France en décembre 1987, auprès d'un échantillon représentatif des habitants de la région (900 individus de 18 ans et plus, sélectionnés selon la méthode des quotas). Le questionnaire comprenait 67 questions sur la connaissance du sida, la perception des risques pour la santé et les opinions sur les mesures souhaitées de prévention, les caractéristiques sociodémographiques. Douze questions supplémentaires portaient sur les comportements sexuels et faisaient l'objet d'une procé-

---

4. C. Herzlich, J. Pierret, « Une maladie dans l'espace public. Le sida dans six quotidiens français », *Annales ESC*, septembre-octobre 1988, n° 5, pp. 1109-1134.

dure particulière respectant la confidentialité. Une analyse factorielle de correspondances, faite sur les questions portant sur les mesures souhaitées de lutte contre le sida, a permis de dégager des sous-populations aux attitudes et réactions comportementales similaires [5].

De la menace au risque

Le manque de définition scientifique de la nature d'un risque de santé provoque facilement un sentiment d'incertitude immanquablement générateur de peur et d'interprétations contradictoires, plus ou moins fondées. Dans le cas du sida les découvertes scientifiques entre 1983 et 1985 de l'origine virale de la maladie, puis de ses différentes voies de transmission, ont renforcé la confiance dans le discours médical et progressivement transformé une menace diffuse et inexpliquée en risque évitable [6]. Toutefois, ces informations scientifiques ne

---

5. S. Bastide, J.P. Pajes, J. Lafuma, T. Illiakowulos, « L'opinion publique et le sida ». Enquête Agoramétrie de mars 1988, IPSN-CEA, Laboratoire de Statistiques et d'Études économiques et sociales, juin 1988, mimeo ; M.J. Campbell, W.E. Waters, « Publics Knowledge about AIDS Increasing », *British Medical Journal*, 1987, 294, pp. 892-893 ; W. Dab, J.P. Moatti, L. Abenhaim, S. Bastide, « Premiers résultats de l'enquête sur la perception du risque du sida en Ile-de-France », ORS Ile-de-France, Paris, 1988, miméo. [Note n° 1 : « La perception du sida en Ile-de-France » ; Note n° 2 : « Le sida et les comportements sexuels des Franciliens »] ; W. Dab, J.P. Moatti, S. Bastide, L. Abenhaim, « La perception du sida dans une grande métropole : une enquête en région Ile-de-France », « Communication à la journée scientifique Major Hazards, Crisis, and the Metropolis », Madrid, 28 janvier 1988 ; W. Dab, J.P. Moatti, S. Bastide, L. Abenhaim, M. Pollak, « La perception sociale du sida en région Ile-de-France », *Bulletin épidémiologique hebdomadaire*, 1988, n° 12, pp. 45-46 ; J.P. Moatti, L. Manese, J.P. Le Gales, F. Fagnani, « Social Perception of AIDS in the General Public : a French Study », *Health Policy*, 1988, n° 9, pp. 1-8.

6. J. Heilbron, J. Goudsmit, « A propos de la découverte du virus du sida. Mécanismes de concurrence et de défense dans un conflit scientifique », *Actes de la recherche en sciences sociales*, sept. 1987, n° 69, pp. 98-104 ; J. Leibowitch, *Un virus étrange qui vient d'ailleurs*, Paris, Grasset, 1984.

sont assimilées ni immédiatement ni par tout le monde. L'infection par le VIH n'échappe pas à la règle générale selon laquelle on tend à sous-estimer les risques familiers et courants et à surestimer ceux aux conséquences catastrophiques qui restent invisibles, lointains et abstraits [7]. De plus, on retrouve un phénomène bien connu des historiens des épidémies classiques : le discours rassurant des autorités au début d'une épidémie incite à la méfiance et, par la suite, à une surestimation systématique de la contagiosité [8].

Nombreux sont ceux qui, aujourd'hui encore, voient toujours dans le sida une menace qui nous guette dans la vie quotidienne. Tout d'abord, des hypothèses discutées dans des publications scientifiques avant d'être réfutées, la transmission par la salive et les moustiques, restent gravées dans les mémoires d'un tiers des personnes sondées.

De même, l'évocation de l'éventualité d'une transmission, même si les données épidémiologiques ont confirmé son inexistence ou son caractère totalement exceptionnel, suffit à inspirer à plus de 40 % une méfiance des soins dentaires qui ont le désavantage de pouvoir être associés à un contact avec le sang.

Les toilettes publiques parfois incriminées pour la transmission de MST plus classiques, telle la syphilis, le sont également pour le virus VIH par 28 %. Différents contacts quotidiens avec des personnes atteintes, du baiser à leur fréquentation en milieu hospitalier, en passant par le fait de boire dans un même verre et d'utiliser le même rasoir, sont synonymes de situations contagieuses aux yeux d'une minorité significative de 15 % à 26 %. Il n'est pas étonnant dès lors que plus de 10 % des personnes redoutent que la piscine ou le partage de l'eau puisse les exposer de façon incontrôlable au sang et à l'urine d'individus contaminés. Enfin, l'introduction, en août 1985, du

---

7. B. Fischhoff, S. Lichtenstein, P. Slovic, S.L. Derby, R.L. Keeney, *Acceptable Risk*, New York, Cambridge University Press, 1981 ; Ch. Lefaure, J.P. Moatti, « Les ambiguïtés de l'acceptable. Perception des risques et controverses sur les technologies », *Culture technique*, 1983, n° 11, pp. 11-23.

8. J. Delumeau, *La Peur en Occident*, Paris, Fayard, 1978 ; W. Mc Neill, *Le Temps de la peste*, Paris, Hachette, 1978 ; F.P. Wilson, *La Peste à Londres du temps de Shakespeare*, Paris, Payot, 1987.

dépistage systématique des dons du sang, a sans doute contribué à entretenir une confusion chez plus de 50 % des personnes interrogées entre risque de la transfusion et risque du don.

Si l'information de base sur la transmission du virus par le sang et par le sperme est devenue un savoir communément partagé, les autres voies expressément rejetées par les experts, mais fortement présentes dans les représentations collectives, reflètent soit une mauvaise compréhension du discours des experts (le don du sang, les soins dentaires, par exemple) et un manque de confiance dans les autorités et les institutions de santé (la transfusion), soit des controverses scientifiques fortement médiatisées et dont la résolution est intégrée avec retard dans les évolutions profanes du risque (la salive et les moustiques).

A côté de ces phénomènes de distorsion et de retard qui séparent le discours savant des croyances profanes, l'analogie avec d'autres maladies (la syphilis par exemple), nourrit également la surestimation du risque. L'angoisse plus profondément ancrée du contact personnel avec des personnes contaminantes complète ce tableau des éléments qui sous-tendent les évaluations individuelles du risque de transmission.

S'agissant d'un phénomène d'ajustement de perceptions spontanées aux expertises scientifiques, ces évaluations varient fortement selon le niveau d'éducation qui détermine l'accès aux informations médicales ; ainsi, les plus diplômés sont les plus disposés à épouser le discours médical dominant en même temps que l'éthique afférente, à savoir que le sida, maladie évitable transmise par le sang et le contact sexuel ne nécessite aucune distanciation des personnes atteintes.

Par exemple, il ne se trouve respectivement que 16,5 % et 10,4 % des titulaires d'un diplôme universitaire pour croire que le virus peut se transmettre dans les toilettes publiques ou en buvant dans le verre d'une personne contaminée, contre 37,8 % et 25,7 % dans le reste de la population.

Mais, même dans les fractions de la population disposant du niveau d'éducation le plus élevé, les incertitudes et les ambiguïtés de l'information scientifique et épidémiologique, liées parfois à des controverses d'écoles, marquent les esprits et la perception des risques. [...]

En revanche, les débats sur les possibilités de contamination du personnel médical suffisent à ce que les diplômés du supérieur ne se différencient plus des autres quant à la croyance d'une transmission possible au cours de soins dentaires (40,7 % y croient) ou en étant hospitalisé dans le même service qu'un malade (12,1 %).

A ces exceptions près de l'effet spécifique des ambiguïtés et des incertitudes de l'information scientifique élaborée, plus le niveau d'éducation décroît, plus le sentiment diffus d'incertitude et d'insécurité s'amplifie au fur et à mesure qu'augmente le nombre des voies présumées de la contamination. Cette angoisse amène une minorité de 10 % à 20 % de la population à voir dans les porteurs de virus un danger ambulant.

Si elle est fonction des capacités intellectuelles indispensables à la compréhension de faits scientifiques, l'attitude face au risque dépend également de la confiance qu'accordent les gens aux différentes sources d'information et aux responsables de la santé publique. Tandis que les chercheurs et médecins (90 %) et les associations de lutte contre le sida (73 %) jouissent d'une confiance presque illimitée, les instances politiques, à l'exception du ministère de la Santé, perçu dans cette affaire comme faisant partie du corps médical (62 %) — et ceci d'autant plus qu'un médecin détient le portefeuille ministériel au moment de ces enquêtes —, ne sont guère tenues pour compétentes et dignes de confiance en la matière : 30 % seulement font confiance au gouvernement, 12 % aux élus locaux. Au vu des grandes disparités constatées entre discours des experts d'un côté et opinions sur les voies de transmission de l'autre, ce degré de confiance pourrait surprendre. Mais, contrairement aux autorités politiques, les experts, médecins et chercheurs, restent un recours incontournable, un point de passage obligé [9] de tout espoir et de toute stratégie de lutte, d'où la confiance dont ils sont investis indépendamment des divergences de vues sur la pathologie en question.

---

9. B. Latour, *Les Microbes : guerre et paix*, Paris, Métailié, 1984.

Deux systèmes de réaction « purs »

Deux groupes aux systèmes de représentations et de dispositions cohérents se dégagent de l'analyse comparative des études et reflètent de façon assez pure l'opposition entre une gestion délibérée, jouant sur le libre consentement des personnes, et une gestion répressive du sida.

Nous utilisons ici le terme de « pur » pour désigner des systèmes de pensée caractérisés par la forte cohérence de leur logique interne, ce qui n'empêche nullement leur désaccord avec le discours scientifique dominant. La force de cette cohérence interne rend difficile, comme on le verra, l'infléchissement de tels systèmes de pensée en fonction d'informations scientifiques, par définition hypothétiques et évolutives.

Ceux qui forment le premier de ces deux groupes prennent effectivement leurs responsabilités et ont déjà changé leur comportement sexuel mais n'acceptent aucune interférence avec la liberté individuelle. Les seconds font essentiellement confiance à la répression et à l'exclusion. Cette opposition extrême de réactions face au sida reproduit tout un système d'oppositions qui fondent la distance entre ces deux populations dans l'espace social : en haut et en bas de l'échelle du niveau d'études, des classes sociales, de l'âge, aux deux pôles extrêmes aussi des sentiments religieux, un scepticisme systématique à l'égard de tous les systèmes de croyances (y compris la science) d'un côté, et une religiosité traditionnelle de l'autre. Environ 10 % à 15 % de la population adhèrent à chacun de ces deux systèmes de pensée « purs ».

Le premier groupe, concentré dans les fractions intellectuelles des classes moyennes, d'âge jeune, a l'appréciation la plus réaliste du risque. Célibataires et majoritairement de sexe masculin, ils font partie des 13 % de la population qui redoutent beaucoup ou énormément le sida pour eux-mêmes. Par ailleurs, les statistiques de surveillance attestent le recrutement des premières victimes du sida dans ces mêmes groupes. La confrontation avec une maladie qui touche le même milieu et la même génération provoque une demande d'information précise à l'origine d'un ajustement des convictions et des pratiques aux connaissances scientifiques avec pour effet d'atténuer les peurs « exagérées ». Cette minorité, lecteurs souvent de *Libération*, de l'*Événement du Jeudi* et du *Nouvel Observateur*, ancrée à gauche de l'échiquier politique, aux sympathies écologistes et libertaires, se détache clairement du reste de la population : sa réaction relève d'un changement comportemental et pas seulement d'opinions. Ces hédonistes représentent la génération qui a mené les luttes de « libération sexuelle » et qui, en temps de sida, entend en défendre les acquis, d'où simultanément l'adaptation du comportement sexuel au risque et le refus de tout moralisme et de toute stigmatisation. Si, en Ile-de-France, il apparaît que 9,5 % de la population sexuellement active déclare avoir renoncé à des rapports sexuels par crainte du sida, ce pourcentage se monte à 35,9 % parmi ceux concentrés dans ce groupe, qui ont eu plus d'un partenaire sexuel au cours des six derniers mois. De même, les utilisateurs de préservatifs représentant 12 % de la population sexuellement active et 20,3 % chez les 18-24 ans, sont plus enclins à la pratique du test de dépistage volontaire.

Plus que les autres ils ont une connaissance non médiatisée de la maladie et font presque tous partie des 14 % de la population qui a eu à connaître ou à fréquenter des séropositifs dans leur environnement personnel. Cette proximité avec les personnes atteintes et la compassion pour eux amène à s'identifier avec leur sort et à penser que tout le monde pourrait être touché par cette maladie, tandis que l'imaginaire collectif continue de réserver le sida à toute sorte de marginalité. Se manifestant à l'endroit de l'espace social — professions intellectuelles et intermédiaires dans la tranche d'âge de 20 et 45 ans —, où les contacts entre le monde hétéro et homosexuel se fait le plus facilement, ce système d'attitudes, minoritaire au sein de la population générale, est majoritaire parmi les homosexuels qui sont toujours le groupe le plus touché par le sida [10].

---

10. J.P. Brunet, R. Ancelle, G. Foulon, « La surveillance du sida en Europe », *Revue d'Épidémiologie et de santé publique*, 1986, n° 34, pp. 126-133 ; F. Hatton, P. Maguin, V. Nicaud, G. Renaud, « Mortalité par sida en France », *Revue d'épidémiologie et de santé publique*, 1986, n° 34, pp. 134-143 ; A. Messiah, M. Pollak, A. Laporte, J.B. Brunet, « From Paris Middle Classes to Small Towns and Blue Collar Workers : Socio-

En revanche, plus la maladie est abstraite et lointaine, plus elle est porteuse de fantasmes et de projections. En plus des groupes les plus représentés dans les statistiques de surveillance, homosexuels et toxicomanes par voie intraveineuse, l'imaginaire collectif intègre dans les « groupes à risque » les prostitué(e)s des deux sexes, les « lesbiennes » (de fait pas du tout touchées par la maladie, mais considérées par 51 % comme ayant un risque plus élevé), toute personne qui voyage beaucoup (61 %) et bien évidemment tous ceux qui vivent avec des malades ou des séropositifs (40 %). La vision des « classes laborieuses-classes dangereuses », développée au XIXᵉ siècle, prend aujourd'hui la forme de « marginalité-danger ». Bien que très peu de personnes cherchent encore des raisons religieuses aux maux sociaux (3 % seulement voient dans le sida un châtiment de Dieu), 54 % invoquent spontanément le déclin moral et la libération des mœurs comme cause du sida, favorisée selon 41 % par l'immigration, cet autre moteur supposé de la décadence.

L'association « sida-marginalité-danger » limite la compassion pour ses victimes tenues — contrairement aux cancéreux — pour responsables de ce qui leur arrive et soupçonnées de ne pas informer leur entourage et leurs partenaires sexuels de leur état : les malades du sida sont perçus comme un danger pour les autres. Plus le risque paraît élevé et aléatoire, plus il est défini comme une menace pour tout l'équilibre social et économique, et plus le désir de sécurité s'exprime en réclamant la mise en place de garants institutionnels et juridiques. Le sentiment de devoir faire face à un phénomène incontrôlable potentiellement catastrophique avec lequel, de surcroît, peu de personnes sont familières, maximise l'aversion à l'égard de cette maladie et incite à l'exclusion de ceux qui symbolisent le danger et le déclin.

Malgré le sentiment de ne pas être personnellement exposé

demographic Trends of AIDS Epidemic among French Homosexual Men », Communication à la 4ᵉ Conférence internationale sur le sida, *Abstracts Volume*, 1988 ; M. Pollak, *Les Homosexuels et le sida. Sociologie d'une épidémie*, Paris, Métailié, 1988 ; M. Pollak, M.A. Schiltz, « Identité sociale et gestion d'un risque de santé », *Actes de la recherche en sciences sociales*, juin 1987, n° 68, pp. 77-101.

au risque, les projections sur le sida d'angoisses plus diffuses et une mauvaise connaissance incitent aux attitudes les plus répressives. La peur ne se réfère plus à la vie personnelle, mais au danger que comporte cette maladie pour notre société. Cette perception du sida comme risque majeur pour les équilibres sociaux et économiques croît en bas de l'échelle sociale dans des catégories de la population menacées par la crise économique : certaines fractions des classes populaires et la classe moyenne traditionnelle déclinante des petits artisans et commerçants proches du Front national. Leur propension répressive est d'autant plus marquée qu'elle s'applique aux séropositifs porteurs d'un stigmate supplémentaire : trois fois plus de personnes voudraient voir mis des prisonniers séropositifs en quarantaine, une mesure d'exclusion que 10 % réclament, seulement pour tous les malades. Projetant leurs craintes d'avenir sur le sida et sur l'immigration, ils perçoivent ces phénomènes comme intimement liés, symbolisant le déclin social, économique, moral et national. Ils veulent que la lutte contre la maladie rétablisse en même temps l'ordre traditionnel. Ainsi acceptent-ils plus facilement la levée du secret médical, y compris à l'embauche, au profit des entreprises, mais sont plutôt réticents à l'idée d'une extension de l'éducation sexuelle à l'école et de campagnes publicitaires pour les préservatifs : deux mesures qui reviennent à leurs yeux à accepter la licence et à accélérer la décadence sociale et morale.

Le renoncement à toute intervention répressive est directement lié à l'existence et à la force de garants intériorisés du sentiment de sécurité face au sida sous forme de changements comportementaux. En revanche, le manque de confiance en soi-même et en autrui, et le sentiment d'insécurité qui en résulte, se réfugient dans la quête de garants externes, sous forme de solutions techniques (le test) et réglementaires (l'isolement), seules tenues pour capables de rétablir la sécurité et la certitude dans un système déstabilisé [11].

Dans ces deux cas de systèmes de pensée « purs », les mesures envisagées pour lutter contre le sida visent indissociablement

---

11. A. Evers, H. Nowotny, « *Über den Umgang mit Unsicherheit. Die Entdeckung der Gestaltbarkeit von Gesellchaft* », Francfurt, Suhrkamp, 1987.

la préservation de la vie physique, psychique et morale (de soi-
même et de la collectivité) donc de toutes les convictions et
valeurs qui confèrent du sens à l'existence et résument les expériences successives de toute une vie. Si le souci de l'ordre traditionnel exacerbé par la vision d'un risque biologique
omniprésent incite aux demandes répressives, celles-ci sont
encore renforcées par le manque de confiance dans les autres.
En l'absence d'une connaissance personnelle de victimes, en
l'absence aussi d'un sentiment d'être soi-même exposé, la voie
à la compassion et à la solidarité avec les victimes est fermée
tandis que s'ouvre celle de la recherche des boucs émissaires.
En mettant à l'écart les porteurs de menaces qui pèsent sur
leur vie physique, les partisans de solutions coercitives espèrent inconsciemment tenir à distance toutes celles qui pèsent
sur leur survie économique et sociale.

Parce qu'ils se sentent tout particulièrement exposés, dans
leur existence biologique, sociale et morale, les libertaires et
hédonistes ayant construit toute leur vie (surtout sexuelle) en
rupture avec les normes dominantes, assortissent au contraire
leur lutte contre la maladie d'une affirmation des libertés. Leur
argumentation réaffirme leur conception d'une société éman-
cipée réunissant des êtres égaux, responsables, capables
d'apprendre et de s'adapter aux nécessités d'un environnement
changeant. Mais cette argumentation comprend, elle aussi, une
dimension intéressée : le réflexe au nom des droits de l'homme
s'inscrit inéluctablement dans une stratégie de défense contre
leur propre stigmatisation qu'ils anticipent.

Les systèmes composites

A côté de ces deux systèmes de pensée « purs », on trouve
des systèmes composites issus de compromis entre ce que les
gens considèrent comme techniquement indispensable pour lutter efficacement contre la dissémination du sida en même temps
que politiquement justifiable.

A proximité des hédonistes ayant déjà ajusté leur comport-
tement sexuel, on trouve ceux aux attitudes et dispositions simi-

laires mais qui n'ont encore procédé à aucun changement comportemental jugé superflu parce qu'ils ont un seul partenaire sexuel stable avec lequel ils sont mariés ou vivent en concubinage. Se situant à gauche et valorisant la solidarité, ils font confiance aux séropositifs et veillent jalousement au respect de la confidentialité et du consentement éclairé dans toutes les questions qui touchent au test de dépistage. La stratégie de prévention qui met l'accent sur la responsabilisation convient à leur vision du monde et les réconforte dans leurs convictions.

Une autre sous-population est partisane de mesures de dépistage obligatoire, soit pour des raisons préventives (dans le cas de femmes enceintes et avant le mariage), soit parce qu'ils se méfient de certains séropositifs soupçonnés d'irresponsabilité incorrigible : les toxicomanes, les prostitué(e)s, les prisonniers. L'acceptation, pour cause d'efficacité préventive, de dépistages obligatoires de ces groupes-cibles, les oppose simultanément aux deux groupes aux systèmes de réaction « purs » discutés plus haut. Jugeant illusoire et naïve la confiance accordée aux « groupes à risque » et aux personnes atteintes, ils s'opposent à ceux qui s'érigent au nom des droits de l'homme contre tout dépistage obligatoire. Parce qu'ils jugent de telles mesures de dépistage ciblées suffisantes à la responsabilisation et, si nécessaire, au contrôle des groupes concernés, ils s'opposent tout autant à ceux qui préconisent des mesures d'isolement et d'exclusion : contribuant à atténuer leur peur, le dépistage obligatoire de groupes spécifiques représente en quelque sorte une alternative à des mesures plus coercitives. Cette croyance dans les vertus préventives du dépistage est indissociable de leur situation familiale et de la responsabilité dont ils se sentent investis : responsabilité non seulement pour eux-mêmes mais pour leurs enfants. En effet, on trouve dans ce groupe la plus forte proportion de gens mariés avec plusieurs enfants.

Ces couples mariés ayant entre quarante et soixante ans, se situant au centre ou proches de la droite modérée, se distinguent également par leur penchant scientiste qui s'exprime dans leur goût pour la presse de vulgarisation scientifique et leur soif d'explications causales. Plus que d'autres, ils continuent souvent à croire en une transmission du virus par les moustiques et aux différentes « théories » de l'origine de la maladie, qu'elles soient naturalistes (« la transmission par le singe vert ») ou technologiques (« un virus produit par un accident de laboratoire »).

Les frontières sont floues entre ce groupe et un autre aux attitudes plus répressives encore et s'identifiant à une droite plus dure. Avec la tendance à accuser la libéralisation des mœurs d'avoir favorisé l'éclosion du sida s'accroît le malaise face à tout signe de désordre : d'où l'acceptation d'infractions à la confidentialité du secret médical et à la règle du consentement éclairé préalable au test. A cause des déséquilibres financiers et sociaux redoutés, certains assortissent donc leur demande de dépistage obligatoire des groupes ciblés, avec la possibilité de communiquer les résultats du test à la Sécurité sociale, aux compagnies d'assurances, voire même aux employeurs, sans pour autant aller jusqu'à accepter la mise à l'écart des personnes atteintes.

Tolérance ou exclusion : le fil du rasoir

L'importance numérique des groupes aux systèmes de réaction « composites » (plus de 65 % de la population) atteste l'indécision qui prévaut quand on doit prendre position par rapport au sida, indissociablement perçu comme un risque biologique et social. Cette indécision prouve, s'il en était besoin, à quel point les réactions au sida sont soumises à une contrainte de justification élevée propre à une situation exceptionnelle. La structuration des données par le niveau d'éducation, la classe sociale, l'âge, l'état civil et le nombre d'enfants montre à quel point elles sont, en quelque sorte, préprogrammées par les habitus. La prépondérance statistique de positions intermédiaires et composites plaide en faveur d'une interprétation mettant plutôt l'accent sur une situation marquée par une double contrainte de cohérence avec les discours d'experts (ajustement technique des représentations) et avec des principes civiques (ajustement politique des représentations). Cette situation impose la prudence et suspend l'expression de réactions spontanées [12]. [...]

La prédominance des « systèmes de réactions composites » repère bien une situation d'indécision sociale où rien n'est définitivement garanti d'un possible basculement progressif vers une gestion autoritaire et discriminatoire de l'épidémie au nom de l'inefficacité de la prévention éducative. [...]

Alors qu'elle s'accompagne d'un refus massif des propositions de mise en quarantaine, l'adhésion majoritaire à des mesures de dépistage obligatoire de certains groupes à risque ou chez les femmes enceintes ne peut s'interpréter unilatéralement comme un appel au contrôle répressif. D'autant plus que ces positions s'accompagnent d'un accord pour 75 % des personnes avec la position officielle des pouvoirs publics quant à la nécessité « d'obtenir le consentement préalable de la personne avant tout dépistage ». De même, l'expression d'attitudes de rejet, dans la vie quotidienne, vis-à-vis des séropositifs reste socialement condamnée : 91 % sont prêts à « travailler en leur compagnie », 90 % à « continuer à les fréquenter », 80 % à « aller manger chez eux » et même 76 % à « partir en vacances avec eux ».

Plusieurs facteurs sensibles influencent néanmoins la plus ou moins grande distance à l'égard de la tentation coercitive, notamment au sein de la grande masse de l'opinion qui se retrouve dans ce que nous avons qualifié de groupes à réactions « composites » : la confiance accordée aux autres, en l'occurrence à ceux qui se savent porteurs du virus, pour informer leur entourage, qui n'est franchement partagée que par 45 % ; l'assurance de soi mesurée à la capacité de s'adapter individuellement au risque ; le fait de se déterminer en fonction de soi-même et non de ses proches et enfants (ainsi, parmi les personnes ayant des enfants, il s'en trouve 37 % pour refuser de les « laisser en compagnie d'un séropositif »). Un large

---

12. C'est bien pour cela que notre interprétation des données d'enquêtes est redevable à la fois aux analyses de Pierre Bourdieu : P. Bourdieu, *La Distinction, critique sociale du goût*, Paris, Minuit, 1982 ; P. Bourdieu, « Espace social et génèse des classes », *Actes de la recherche en sciences sociales*, 1984, n° 52/53, pp. 9-10 ; et de Luc Boltanski et Laurent Thévenot (cf. note 2).

consensus s'établit même autour de la nécessité de traduire en justice les séropositifs qui dissimuleraient leur état, favorisant ainsi « sciemment » la propagation de la maladie (ils ne sont que 25 % à s'opposer à cette idée, un refus que le groupe des « libertaires » reste quasiment isolé à exprimer).

Tout se passe comme si l'opinion avait passé un contrat social tacite et conditionnel avec les victimes de l'épidémie qui mesurerait la poursuite de l'actuelle attitude majoritairement solidaire et bienveillante à leur égard, au maintien, de leur part, d'une conduite « responsable » sachant adapter leur destin individuel aux exigences de survie de la collectivité. L'équilibre conjoncturel des systèmes de l'opinion qui ressort des enquêtes confirme une alliance, ou du moins un *continuum*, entre des positions « libertaires » les plus soucieuses d'une gestion de l'épidémie fondée sur la responsabilité et la grande masse des réactions « composites ». Cet équilibre aboutit pour l'instant à la mise à l'écart de la minorité à tentation autoritaire mais des retournements au moins partiels ne sont pas à exclure. Ces retournements peuvent venir de déplacements dans la structure épidémiologique de la maladie (par exemple avec l'augmentation de la proportion des toxicomanes, plus aisément soupçonnables d'un comportement auto-destructeur). De même, des déplacements, en apparence mineurs, dans la perception de la contagiosité au sein des classes moyennes et des fractions intellectuelles, dont on a vu qu'elles s'avèrent particulièrement sensibles aux incertitudes ou ambiguïtés de l'information scientifique, peuvent suffire à briser l'actuel équilibre et à éloigner d'une gestion « tolérante » de l'épidémie.

Au-delà des puissants déterminants idéologiques et sociaux de la perception du risque sida et des opinions quant à la prévention, le constat d'un équilibre instable des systèmes de réaction à l'épidémie désigne une marge d'autonomie et une responsabilité particulière pour les prises de position des experts, c'est-à-dire des communautés scientifiques et médicales d'une part, des autorités politiques, religieuses et morales d'autre part. Les tentatives d'exploitation politique sécuritaire du sida se sont heureusement heurtées, jusqu'à présent, à la différence de ce qui a pu advenir sur les thèmes de la criminalité ou de l'immigration, à un refus quasi unanime de la classe politique en dehors du Front national. De même, l'attachement corporatif à la déontologie et au secret médical, jusque dans des aspects tatillons et conservateurs, est venu ajouter son renfort au refus de mesures coercitives. Celles-ci impliquent en effet fichage et contrôle individualisés.

Deux sources de déstabilisation majeures menacent cependant d'exercer leurs effets à partir des éventuelles controverses d'experts. Le cloisonnement désormais impossible des débats d'experts et des débats sociaux [13] impose à la communauté scientifique de construire une nouvelle forme de déontologie dans la publication des résultats de recherche et le lien aux médias. Il s'agit désormais de prendre garde aux conséquences sociales potentielles de la diffusion précoce de résultats encore non établis, douteux ou partiels. Un exercice difficile dans le contexte du sida où la concurrence entre équipes est sans précédent. L'inévitable tension du message préventif entre réassurance et dramatisation, entre contenus différents selon le groupe-cible [14] risque de s'avérer proprement dévastatrice dès lors que chacun de ses termes s'incarnerait, de façon contradictoire, dans les discours et stratégies corporatives des différents acteurs concernés par la lutte contre la maladie. [...]

Réactions spontanées et intervention politique

Après une campagne gouvernementale d'information, des écarts continuent à séparer les systèmes de représentation du risque des connaissances biomédicales. Par conséquent, on est tenté de définir le problème de la prévention en terme de

---

13. En dehors du sida, ce phénomène qui a déjà joué dans nombre de controverses technologiques (nucléaire, produits toxiques) s'étend à un nombre croissant de champs d'expertise ; voir la polémique récente sur les bases moléculaires de l'homéopathie.

14. M. Pollak, « Le sida : une question de justice », *Actions et recherches sociales*, 1988, n° 3, pp. 25-32 ; M. Pollak, M.A. Schiltz, « Identité sociale et gestion d'un risque de santé », *Actes de la recherche en sciences sociales*, juin 1987, n° 68, pp. 77-101.

271

communication. Or, un tel modèle hiérarchique de « diffusion » des connaissances des experts vers les profanes sous-estime les effets dus au caractère ouvert et inéluctablement hypothétique de tout savoir scientifique et aux divergences et ambiguïtés scientifiques dont on a trouvé les traces dans notre matériel d'étude. Nous avons également constaté à quel point les différents systèmes de réactions au risque sida sont fonction de la confiance en soi-même et envers les autres, confiance qui résume le degré de maîtrise de la réalité dont un individu, ou un groupe, croit disposer. Cette confiance façonne l'élaboration des différents compromis pratiques entre la justesse technique des mesures désirées et préconisées d'un côté, et de l'autre, leur justification politique.

En effet, le sida met en relation la majorité de la population peu ou pas exposée au virus, à des groupes qui le sont fortement. S'agissant d'une « affaire de confiance » en des personnes et des groupes plus ou moins familiers ou étrangers (homosexuels, toxicomanes, prostitué(e)s, etc.), la réaction au sida met en jeu des connaissances sociales probablement encore moins partagées que les connaissances biomédicales sur le virus et sa transmission. Ceci place les responsables de santé publique dans une situation d'impasse de « double contrainte » sociale, en analogie avec les situations de « double contrainte » étudiées par la psychiatrie sociale. Cette situation peut être décrite de la façon suivante [15]. Maladie sexuellement transmissible au taux de diffusion épidémique, le sida contraint les responsables de la santé publique à communiquer sur ce sujet ; or cette communication est rendue compliquée par la diffusion concentrée de la maladie dans des groupes marginalisés. Le sida met en relation des minorités déjà touchées par la maladie et une majorité encore intouchée, mais potentiellement à risque ; le message préventif s'en trouve affecté. Voulant s'adresser simultanément à la majorité non exposée et aux

15. G. Bateson, D. Jackson, J. Weakland, « Towards a Theory of Schizophrenia », *Behavioral scientist*, 1956, n° 1, pp. 251-264 ; G. Bateson, « The Birth of a Matrix or Double Bind and Epistemology », *in* : M.M. Berger, ed., *Beyond the Double Bind. Communication and Family Systems. Theories and Techniques with Schizophrenics*, New York, Brunner and Mazel, 1978.

minorités exposées, le message tend à prendre une structure réflexive négative. Par conséquent, il donne souvent l'impression de nier ce qu'il affirme et d'affirmer ce qu'il nie. [...]

On trouve les traces de cette structure réflexive négative partout : qu'il s'agisse du discours officiel de prévention, publiant les chiffres faisant état d'une maladie contenue dans des groupes spécifiques, tout en insistant sur le fait que « tout le monde est concerné » ; ou du discours militant homosexuel, rejetant la dénomination de « groupe à risque », tout en accusant les autorités de ne pas s'occuper suffisamment de cette maladie parce qu'elle ne touche que des marginaux [16] ; et bien évidemment des réactions spontanées dont font état les sondages et selon lesquels ceux qui se sentent le plus exposés pensent en terme d'une maladie qui peut frapper tout le monde. [...]

Selon Norbert Elias une telle « double contrainte » sociale peut s'opposer à toute distance critique, accroître les réactions émotives et, ce faisant, rendre encore plus difficile la maîtrise de la situation [17]. [...]

Les chances de succès de tels processus d'enrôlement et d'enroulement dépendent largement, comme le suggèrent les données de sondages ici discutées, de la confiance dont les uns et les autres créditent ceux qui, dans les imaginaires collectifs contrastés, sont perçus comme les véhicules du mal. Les homosexuels, les toxicomanes, les prostitué(e)s méritent-ils la confiance qu'une stratégie préventive, renonçant à toute mesure coercitive, semble placer en eux ? Ceux qui, par leurs arguments sommaires, stigmatisent les groupes les plus exposés et les poussent dans une clandestinité timorée, favorisent-ils ainsi la propagation du mal ?

Plus que les informations biomédicales de base, ces questions tendront à s'imposer dans le débat public sur le sida au fur et à mesure que progresse le mal. D'où, pour emprunter un précepte cher à Norbert Elias, la nécessité — si l'on veut éviter l'escalade émotive inhérente à cette situation de double

---

16. H. Mc Closky, A. Bill, « Dimensions of Tolerance : what Americans Believe about Civil Liberties ? », Rapport de la Russel Sage Foundation, New York, 1986.

17. N. Elias, *Engagement und Distanzierung. Arbeiten zur Wissenssoziologie*, Francfurt, Suhrkamp, 1987.

contrainte — d'augmenter la capacité de distanciation de tous, une condition à toute métacommunication sur un risque iné-galement distribué. Cette capacité de distanciation a pour préa-lable la connaissance et la compréhension des conditions sociales de la marginalité et des façons de vivre qui, en temps de sida, ont pu favoriser l'exposition au risque. Or, cette com-préhension peut se nourrir de savoirs issus des sciences socia-les. De même, plutôt que d'étiqueter comme «irrationnelles» certaines prises de position, ne convient-il pas de s'intéresser à leurs conditions de possibilité? Le refus d'adhésion complète à une stratégie «libertaire» renonçant à toute mesure de contrainte résulte, on l'a vu, d'une situation parentale qui rend irréaliste la référence à une conception essentiellement indivi-dualiste de la responsabilité. Se sentant responsables pour leurs enfants autant, sinon plus, que pour eux-mêmes, ces parents entendent par le contrôle social (dépistage obligatoire) renforcer la frontière entre leurs enfants et tous ceux, tels les toxicoma-nes, qui pourraient les exposer à une tentation dorénavant asso-ciée à un risque mortel.

Actuellement, la contamination en provenance des marges est redoutée par une majorité de la population, tandis que les groupes exposés craignent la stigmatisation supplémentaire de la part de la majorité morale. Seule la compréhension des rai-sons qui sous-tendent telle ou telle prise de position opposée permet un dialogue et une réduction des peurs réciproques.

Pour asseoir sa crédibilité, une politique de prévention fidèle au principe du consentement éclairé doit réussir à réduire les fausses croyances concernant la contamination qui demeurent directement associées à la demande de mesures répressives jugées inutiles, coûteuses, voire contre-productives par les experts. Mais elle doit également prouver qu'elle peut aboutir à ses fins, à savoir qu'elle peut induire des changements dans les conduites, à com-mencer par celles des groupes les plus exposés.

Or, s'il est largement démontré que les campagnes d'infor-mation contribuent à l'amélioration des connaissances du public sur la nature de la maladie et ses modes de transmis-sion [18], l'impact de telles actions sur les modifications des

---

18. R. Allard, «Health Beliefs about AIDS as Determinants of Preventive Prac-tices and Coercive Attitudes», *American Journal of Public Health*, sous presse.

comportements dans le sens d'une réduction du risque reste limité.

Ainsi les résultats de l'étude réalisée en Ile-de-France montrent l'existence d'une relation très forte entre une mauvaise réception de l'information (notamment le fait de croire en la transmission à travers des activités courantes de la vie quotidienne) et des prises de position coercitives voire répressives. En revanche, aucune liaison n'est observable entre ces connaissances factuelles et l'adoption de comportements concrets tels que l'utilisation de préservatifs lors des relations sexuelles ou la réduction du nombre de partenaires. D'autres études déjà publiées vont dans le même sens [19]. Il semble donc que les campagnes d'information grand public aient toujours un rôle symbolique. Leur utilité en terme de prévention reste hypothétique.

Les facteurs associés à une modification des comportements concrets sont d'un autre ordre. En Ile-de-France, trois facteurs jouent un rôle propre dans l'adoption des préservatifs tel que le révèle l'analyse multidimensionnelle par l'application d'un modèle logistique : la multiplicité des partenaires sexuels, un statut de célibataire ne vivant pas en couple, et le fait d'avoir déjà pratiqué un test de dépistage. Une autre variable est fortement liée à l'utilisation des préservatifs : l'autoperception d'un risque élevé pour soi-même. Mais étant très liée au plan statistique aux trois variables précédentes, elle ne ressort pas dans l'analyse multidimensionnelle. [...]

Ainsi, faciliter l'accès au test anonyme et volontaire semble constituer un élément important d'une politique de prévention. Passer le test n'est pas un acte isolé qui aurait seulement pour fonction de rassurer l'individu sur son statut. La soumission volontaire au test paraît s'inscrire dans l'adoption d'un ensemble de comportements de « *safer sex* » incluant l'utilisation des préservatifs et la réduction du nombre de partenaires. Indirectement, le succès du test volontaire pourrait également atténuer la demande d'un test obligatoire, d'où l'intérêt de rendre visi-

___

19. R.O. Valdiserri, D. Lyter, L.C. Leviton *et al.*, « Variables Influencing Condom Use in a Cohort of Gay and Bisexual Men », *American Journal of Public Health*, 1988, 78, n° 7, pp. 801-805 ; M. Pollak, *Les Homosexuels et le sida. Sociologie d'une épidémie*, Paris, Métailié, 1988.

ble l'ampleur considérable qu'a déjà pris ce phénomène : en 1987, 14 % de la population sexuellement active d'Ile-de-France, et plus de 50 % des homosexuels, l'avaient déjà pratiqué.

Pour éviter des dérapages dans la lutte contre le sida, l'information sur les risques réels de transmission de la maladie est indispensable mais pas suffisante. La gestion raisonnable de la situation de « double contrainte » dans laquelle nous place le sida dépend de la réduction des risques à la fois par des progrès médicaux thérapeutiques et préventifs (le vaccin), et par l'autocontrôle, celui-ci devant être d'autant plus rigoureux que le risque est proche et probable, et à plus forte raison qu'une personne est séropositive ou malade. Or, cet autocontrôle a d'autant plus de chances de bien s'opérer qu'un groupe de personnes se sent socialement bien accepté.

Il convient également d'être prudent dans le choix des stratégies d'intervention, et de ne pas prendre l'instrument du sondage où s'expriment des attitudes et réactions spontanées comme un indicateur des mesures souhaitables du point de vue de la santé publique. Si l'on veut éviter de tomber dans la « tyrannie de la promotion de la santé » [20], il faut s'appuyer et sur des données scientifiques solides et sur quelques principes et objectifs clairs de justice et d'équité.

« Sociétés à l'épreuve du sida »
Michael Pollak, William Dab, Jean-Paul Moatti,
Sciences sociales et santé, février 1989, vol. VII, n° 1.

---

20. M.H. Becker, « The Tyranny of Health Promotion », *Public Health Report*, 1986, pp. 14 et 15-23.

Histoire d'une cause

La rapide découverte du virus ouvre la porte à tous les espoirs concernant une solution médicale à court terme grâce à la mobilisation exemplaire du monde scientifique engagé dans une « guerre éclair » contre le virus. Or ces espoirs seront vite déçus, et la peur prendra le dessus. Le temps élevé d'incubation de la maladie fait des séropositifs, potentiellement contaminants sans être malades, un objet de préoccupation permanente. Il apparaît que le seul moyen d'action apte à enrayer le mal est la prévention qui, en tant qu'aspect essentiel de la lutte contre le sida, devient la priorité des priorités. Le degré d'exposition et le sentiment d'être susceptible de contracter la maladie décident largement de l'engagement dans cette cause ou de l'indifférence à son égard. D'où de multiples tentatives d'« enrôlement », des conflits autour des priorités et des stratégies. Finalement se pose la question de la permanence de la lutte. Comment décréter en quelque sorte un « état d'urgence permanent » ? Comment maintenir la conscience qu'il s'agit d'un motif digne d'engagement ?

Selon un sondage de l'Institut des hautes études de la sécurité intérieure, début 1990, les Français classent, à 68 %, le sida à la deuxième place dans un « baromètre » des angoisses qui les préoccupent, juste après les drogues (80 %). En même temps, le nombre de ceux qui se mobilisent reste limité et leur profil fait douter de la généralisation du processus au-delà de groupes spécifiques. Si le sida est définitivement inscrit sur l'agenda des problèmes prioritaires de santé publique, l'engagement autour de la maladie a du mal à progresser davantage.

On comprend mieux cette difficulté face à la multiplicité des causes que diverses minorités actives s'emploient à rendre plus visibles à l'opinion publique. Mais, de l'environnement à la

277

protection d'espèces animales rares, des droits de l'homme au tiers monde, les associations ne suscitent qu'un intérêt limité au vu du faible nombre de leurs protagonistes, à savoir 1,9 million de personnes engagées, soit 6,6 % des adhérents au monde associatif pour toute la France et toutes intentions humanitaires réunies. Or la concurrence y est grande : en 1983, par exemple, 47 000 nouvelles associations ont été créées, chacune voulant faire admettre l'importance de « sa » cause.

La sous-population la plus « mobilisable » pour la lutte contre le sida reste les homosexuels masculins : 6 % des répondants à nos enquêtes annuelles s'engagent dans les associations de lutte contre le sida. Le champ en est très fragmenté, avec, toutefois, une position dominante d'AIDES. Si les activistes de toutes ces causes, y compris le sida, semblent voués à ne pouvoir motiver que des sous-populations peu nombreuses, leur premier travail politique consiste à convaincre le plus large public — par médias et personnel politique interposés — et à se persuader soi-même du bien-fondé des objectifs. Qu'une cause soit perçue et acceptée non seulement comme importante, mais encore comme digne d'engagement, dépend d'un intense travail de transformation de « causes particulières » en « causes générales ». Par ce travail se forment groupes et identités collectives dans des associations qui, tout en s'alliant dans la « lutte contre le sida », sont traversées par d'innombrables tensions et luttes.

A priori, rien ne prédestine le sida plus qu'un autre thème à susciter compassion, intérêt et engagement. Car, si le caractère épidémique du phénomène peut facilement convaincre tout le monde de l'importance de ce problème de santé publique, la diffusion concentrée de la maladie dans des groupes spécifiques a pu faire douter, au début, de son caractère général. Touchant au départ essentiellement des groupes marginalisés dans notre société (homo et bisexuels masculins et toxicomanes par voie intraveineuse), ou peu nombreux (hémophiles et polytransfusés), le sida a placé les responsables (publics et gais) devant une situation de double contrainte : comment alerter les populations les plus exposées sans, en même temps, accroître leur stigmatisation ? Cette situation s'est traduite par une sorte de paralysie des pouvoirs publics, laissant ainsi le champ libre au mouvement associatif dont l'action a précédé la leur de plusieurs mois ou années.

Premiers bilans

Après presque dix années d'épidémie dans la plupart des pays de l'Europe occidentale, le temps des premiers bilans est arrivé. Quand, un jour, les historiens écriront l'histoire sociale du sida, la mobilisation dans des formes associatives dépassant le champ médical sera, sans aucun doute, le fait le plus marquant. Et dans les pays industrialisés occidentaux (Amérique du Nord, Australie, Europe), la contribution d'homo et de bisexuels (essentiellement masculins) à cette lutte sera un chapitre incontournable.

En effet, nous pouvons dégager une sorte de modèle des réactions à l'épidémie en trois phases, dont les caractéristiques varient d'un pays à l'autre. Le temps et le degré d'organisation des différents acteurs y jouent un rôle primordial. Une première phase va de l'identification des premiers cas de sida à la pleine prise de conscience du problème. La deuxième phase est celle de la création des premières associations volontaires de prévention et d'aide avant que, dans une troisième phase, les pouvoirs publics n'interviennent pour essayer de coordonner et de contrôler les différentes initiatives.

Les mesures de lutte contre l'épidémie se mettent d'autant plus facilement en place que les traditions de santé publique sont fortement ancrées. D'où un décalage Nord-Sud en Europe, bien connu dans d'autres domaines de la santé publique. Dans les pays scandinaves, le travail de prévention a pu commencer peu de mois seulement après l'apparition du sida. En Finlande, les premières actions d'information et d'éducation précèdent même l'apparition du premier cas dans le pays. Or des écarts de quelques mois dans le début de l'action préventive peuvent avoir une influence d'autant plus grande que la séroprévalence est déjà élevée dans telle ou telle sous-population, ce qui était le cas en France dans la population homo et bisexuelle. Plusieurs conditions président à l'émergence d'un réseau d'associations s'occupant du sida :

— le temps nécessaire à la reconnaissance de la gravité du problème par les communautés les plus exposées et les pouvoirs publics ;

— l'existence et/ou la création de réseaux mobilisables autour de cette nouvelle cause ;

— la capacité d'établir des alliances et un climat favorable à l'engagement ;

— la possibilité de collecter les fonds nécessaires.

On a déjà discuté la première de ces conditions. Passons à la deuxième : les réseaux mobilisables autour de la nouvelle cause. Dans les pays où existent des organisations bien établies de défense des homosexuels (Pays-Bas, pays scandinaves) issues du mouvement de « réforme sexuelle » des années 1940 et 1950, celles-ci ont pu intégrer rapidement le discours de prévention dans leur démarche. Disposant de liens de longue date avec l'administration, elles ont pu établir sans trop de problèmes une concertation avec les pouvoirs publics afin d'élaborer des stratégies de lutte à la fois ciblées et générales. Dans les pays méditerranéens, en Autriche, en Irlande et en Belgique, de telles organisations sont faibles ou inexistantes au moment de l'irruption du sida. Le Royaume-Uni, l'Allemagne, la Suisse et la France se trouvent dans une situation intermédiaire.

En France, le mouvement homosexuel, supplanté par le commerce gai, se trouve, au début des années 1980, dans un état moribond. Les nouvelles associations de lutte contre le sida ne pouvaient donc guère résulter d'une réorientation d'organisations existantes. Sans doute, en provoquant des tensions au sein des organisations homosexuelles, le sida a-t-il suscité des reconversions de la part de médecins gais et de militants prenant en charge ce problème. Mais ce phénomène est quantitativement peu significatif. Certes, les médecins confrontés les premiers aux malades du sida ont poussé à la fois à une large information et à une politique ciblée en direction des groupes les plus exposés. A l'écoute des données préoccupantes venues des États-Unis, ces premiers experts étaient convaincus de la rapide progression de l'épidémie. Mais à l'époque, en France, les conditions ne sont pas encore réunies, pour une réponse rapide et une large mobilisation des populations les plus exposées.

Les premiers réseaux de lutte

Organisés en association, les médecins homosexuels marquent leur réticence devant une telle offensive, qu'ils craignent nuisible à la communauté homosexuelle, comme le montre l'évolution des positions de l'Association des médecins gais à partir du mois d'octobre 1983. Si un premier document met l'accent sur l'incertitude et les « informations souvent contradictoires dont une des conséquences est la fragilisation de la communauté homosexuelle », le ton, en 1984, change radicalement : « L'analyse des données françaises révèle que le sida, en France, est devenu pratiquement une maladie homosexuelle... En matière de prévention, la limitation du nombre de partenaires sexuels, l'abstention du don de sang ainsi que l'usage des préservatifs semblent, à l'heure actuelle, les seules mesures volontaires raisonnables. » Ces deux citations témoignent de l'indécision, des tensions et des conflits qui, à l'époque, ont dû agiter les organisations homosexuelles et contribué à accentuer le retard.

A la même époque, la presse homosexuelle française, elle aussi, poursuit une ligne rédactionnelle ambivalente. Ainsi, on trouve dans *Gai-Pied Hebdo* des articles attaquant le terme épidémiologique de « groupe à risque », de « cancer gai », à côté des premiers articles incitant les lecteurs à la prudence. Le virage est amorcé entre 1984 et 1985 : dorénavant, le sida est pris au sérieux en tant que maladie touchant un grand nombre d'homosexuels. Dès lors, les conseils pratiques de protection abondent.

Qui alimente les premiers réseaux de lutte contre le sida, là où la simple reconversion du militantisme gai ne pouvait pas donner naissance à la mobilisation contre l'épidémie ? En France comme au Royaume-Uni, en Allemagne, en Autriche, en Suisse, et un peu plus tard dans les pays méditerranéens, Italie, Espagne et Grèce, partout s'observe le même phénomène. Partout, les associations de lutte contre le sida ont été créées par le virus lui-même : par les personnes atteintes physiquement et/ou affectivement. Dans tous ces pays, les premières initiatives naissent dans de petits cercles d'amis touchés par la maladie et convaincus qu'il « faut faire quelque chose ». Peu de figures charismatiques joueront un rôle primordial dans la construction de structures fragiles dont personne, au début, ne peut raisonnablement prévoir la longévité. Ainsi, Daniel Defert est à l'origine de l'association AIDES, créée fin 1984 et dont il sera l'animateur infatigable. En revanche, Vaincre le sida (VLS), une association lancée quelques mois auparavant après une scission de l'Association des médecins gais (AMG), par des médecins autour de Patrice Meyer, n'a pas connu le même succès.

Les associations de la première génération (AIDES, Arcatsida, issue d'AIDES, Aparts) recrutent essentiellement parmi les homosexuels masculins, reproduisant assez fidèlement les premières catégories touchées par le sida. Mais, contrairement à celles des pays anglo-saxons et germanophones, les associations françaises, essentiellement AIDES, ont eu tendance à minimiser, dans l'image qu'elles donnent d'elles-mêmes, le fait que leur travail est essentiellement l'œuvre d'homosexuels.

Si l'on trouve une certaine sur-représentation masculine dans la plupart des associations antisida, les autres associations humanitaires ont généralement un recrutement équilibré, moitié hommes moitié femmes. Or, pendant, les premières années, 90 % des volontaires d'AIDES sont de sexe masculin. C'est seulement à partir de 1987 que davantage de femmes rejoignent l'association, mais leur proportion baisse de nouveau à la fin de la décennie. Concentrés dans la classe d'âge de 25 à 45 ans, les cadres supérieurs, les professions intellectuelles et artistiques sont particulièrement nombreux avec plus de 30 % (contre 20 % dans d'autres associations humanitaires). Les artisans et commerçants, les petits employés et les ouvriers, en revanche, sont peu représentés. Ces derniers comptent pour 17 % des adhérents à d'autres associations humanitaires, mais moins de 5 % à AIDES. Autre particularité d'une association de lutte contre une maladie : les médecins, les psychologues et les professions intermédiaires de la santé représentent 20 % des volontaires.

Si la sur-représentation masculine homosexuelle rappelle l'importance de ce groupe dans les statistiques de surveillance du sida, d'autres populations particulièrement touchées ne figurent guère parmi les volontaires. Les hémophiles et les polytransfusés disposent de structures associatives propres et ne ressentent guère le besoin d'une structure supplémentaire qui, de surcroît, les placerait dans une entreprise dominée par les homosexuels. Les consommateurs de drogues par voie intra-veineuse cherchent des services plutôt qu'un engagement per-sonnel.

Du fait de l'importance du militantisme des personnes attein-tes, les associations symbolisent une transformation impor-tante : celle de l'assistanat en mouvement d'auto-support.

Des spécificités marquées

« AIDES n'est pas une association de bien portants pour les malades ! A ses débuts, elle trouvera en son sein son champ d'étude. La maladie ayant pénétré par le haut de l'échelle sociale, elle y trouvera également les compétences dont elle a besoin », souligne Daniel Defert. C'est ainsi que s'organise l'aide matérielle et psychologique, et que se met en place un réseau de compétences qui va profondément affecter les rap-ports médecins-malades. D'où un trait distinctif supplémen-taire de ces associations de la première heure. Si la motivation du gros des premiers volontaires est la proximité avec la mala-die, et accessoirement seulement la solidarité gaie, ils cherchent l'efficacité, le concret et une solution à un problème dont ils ressentent tous l'extrême urgence. D'où la tendance marquée à la professionnalisation, la recherche d'alliés et de contacts satisfaisants avec le monde médical.

Mais les questions sous-jacentes concernant la respectabi-lité et surtout l'identité sont également les moteurs de l'enga-gement de beaucoup de volontaires. Ainsi naît au sein des associations une sociabilité qui permet de rendre dicible un attribut initialement caché (séropositivité et/ou homosexua-lité) tandis que, dans leur présentation destinée à l'extérieur, les associations veillent à minimiser cet aspect et mettent l'accent sur le professionnalisme, l'efficacité et la place prise dans un domaine marqué par la carence et l'indécision des pou-voirs publics. D'un côté se développe une logique « domestique », marquée par l'entraide, la chaleur, le respect du secret (réunions amicales, fêtes...), comme le service d'aide aux malades. De l'autre, une logique « industrielle », soumise à la « productivité », exigeant comptabilité et budget temps. S'y ajoute une logique « marchande » imposée par des contraintes financières permanentes : comment faire rémunérer le travail investi et les services rendus ? Comment assurer au collectif la rémunération des services rendus individuellement par les volontaires ?

La question du passage de l'implicite à l'explicite concernant l'homosexualité et la séropositivité joue aussi un rôle important. De plus, depuis 1989, il faut prendre en compte l'action des pouvoirs publics, leur volonté de coordonner et de structurer les interventions autour du sida, et d'occuper partiellement le terrain préparé par l'action associative.

L'extension des associations des grandes villes vers la province, y compris la transformation d'AIDES en fédération regroupant plus d'une trentaine d'antennes régionales, change le profil des volontaires et la démarche des associations. Dans les régions à faible incidence de la maladie, surtout, les professionnels de la santé et de la toxicomanie sont souvent bien plus représentés que les personnes touchées. Le « non-dit » de la séropositivité y reste, aujourd'hui encore, difficile et lourd à porter. Certes, la diversification du recrutement était souhaitée par tout le monde, mais irrésistiblement elle augmente également le désir de marquage des spécificités. Par exemple : qui peut légitimement parler de la séropositivité ? L'expérience vécue et le témoignage ne sont-ils pas plus importants que le savoir universitaire ? Qui peut s'autoriser à prendre la parole au nom de la cause ? Émergent donc les premières associations de séropositifs qui refusent que d'autres prétendent les « représenter » et parler en leur nom.

D'autres associations se constituent autour de la revendication du fait homosexuel, comme Santé et plaisir gais (SPG) qui ordonne son travail de prévention autour du concept de *safer sex*, de la valorisation de la sexualité, et qui organise les premières *jack off parties* en France. S'impose alors petit à petit la reconnaissance explicite d'un travail de proximité intégrant les choix homosexuels. Ces évolutions ne sont pas sans affecter les associations « historiques », telle AIDES, où se met en place, en 1989, un groupe de prévention gaie. Et le fossé s'atténue entre sociabilité homosexuelle d'un côté, souci de respectabilité dans les rapports avec d'autres acteurs, de l'autre.

Est-il pour autant justifié de parler d'« homosexualisation du sida » après sa « déshomosexualisation » engagée au nom de la lutte contre toute stigmatisation des séropositifs et des malades ? En effet, nier la corrélation (statistiquement incontestable) entre sida et pratiques sexuelles entre hommes avait pour fonction de désamorcer des réactions inconsidérées contre des boucs émissaires. Cette « déshomosexualisation » devait également empêcher le développement, dans la population hétérosexuelle, d'un faux sentiment de sécurité et favoriser la diffusion des démarches prophylactiques, tout particulièrement l'usage des préservatifs. Ces arguments n'ont pas perdu leur raison d'être. L'intégration du fait homosexuel dans l'action associative signale, à notre avis, une assurance de soi et une fierté acquises dans l'action. En ce sens, elle est une nouvelle étape dans la « sortie du placard » qui s'inscrit dans une stratégie non plus de marquage des différences, mais de l'égalité des droits. Il n'est pas étonnant de constater actuellement la montée des revendications nouvelles que l'expérience collective du sida a mises au premier plan : la reconnaissance du partenariat (concubinage), le même droit d'héritage entre partenaires d'un couple d'homosexuel et hétérosexuel, le droit d'adoption d'enfants.

Responsables ou coupables ?

Ces deux phénomènes, l'intégration de la séropositivité et de l'homosexualité, sont à distinguer d'une radicalisation proprement politique. Pour passer du sentiment de subir un destin biologique à celui d'être frappé par une injustice, il faut désigner un ennemi et un responsable humain en plus du virus, qui n'apparaît plus comme le seul agent de l'épidémie. Les hommes politiques sont accusés, au même titre que le virus, d'être coupables de la situation actuelle. Positifs et Act Up, d'un recrutement plus jeune, dans des catégories socioprofessionnelles plus modestes qu'à AIDES, représentent parfaitement cette position.

« Les carences et les retards constatés dans l'action des pouvoirs publics » depuis le début de l'épidémie et « l'inefficacité des actions actuelles » sont au centre de leur argumentation. Le slogan « Silence = mort » s'applique à l'individu et au collectif. Ne pas dire sa propre séropositivité est considéré comme un acte de repli et d'abandon de soi-même, un début de mort sociale avant la mort physique. Ne pas s'engager, ne pas militer, ne pas prendre la parole revient, collectivement, à accepter la disparition et la mort. D'où l'importance accordée à la médiatisation qui, dans notre société, peut seule garantir qu'un problème devienne visible, qu'on lui accorde de l'importance et que les responsables s'en occupent. Act Up rompt ainsi le climat consensuel et développe clairement une stratégie de rupture : « Notre objectif principal est la protestation, la colère... Nous sommes pour un activisme radical, nous sommes lourds de haine. »

Au nom de l'efficacité de cette stratégie, l'ennemi est dénoncé dans la personne du directeur de l'Agence française de lutte contre le sida, Dominique Charvet à l'époque, qu'il s'agit de contraindre à démissionner afin de prouver définitivement l'absence d'une véritable politique de prévention en France : « Il y a des responsabilités dans la situation en France, le sida est une épidémie qui n'est pas gérée, et la politique de l'autruche continue. » A la désignation personnalisée de l'ennemi s'adjoint celle de la force appelée à mener le combat, la « communauté sida ».

Les réactions des membres d'Act Up témoignent d'un rapport profondément changé à leur propre séropositivité, qu'exprime cette phrase souvent entendue : « J'ai été contaminé il y a deux ans, le gouvernement en est responsable. » Ceux qui avaient été infectés pendant la première phase, avant 1985, l'avaient été pour ainsi dire par « destin », en l'absence d'une conscience communément partagée. Plus tard, l'information était disponible à tout le monde. Selon les sondages, les consignes de *safer sex* et du préservatif avaient été bien comprises à partir du milieu de la décennie. Mais pour être comprises, elles n'étaient pas encore bien suivies. Les jeunes, qui, à cette époque, commencent leur vie sexuelle, y entrent en parfaite connaissance du risque de contamination. Mais ils ont encore toutes les chances de tomber sur des partenaires qui, eux non plus, ne se protègent pas encore. Ils n'ont plus d'« excuse », plus de fatalité auxquelles recourir pour tout simplement « vivre avec ». L'auto-accusation d'avoir gâché sa vie lors d'un moment d'inconscience, ce sentiment, où s'entremêlent mauvaise conscience et culpabilité, s'engage alors dans un exutoire par la recherche de « coupables ». Il en résulte le détournement du ressentiment contre le « gouvernement », responsable en dernière instance de tous les maux et accusé de ne pas avoir suffisamment averti les jeunes du risque. Ce mécanisme, qui ne retient que le gouvernement comme acteur significatif et gomme toute la médiatisation autour du sida, est très simpliste. Toutefois, il trouve une justification partielle dans le constat objectif de la relative inactivité des pouvoirs publics dans le domaine de la prévention avant 1987.

Par la force des choses, cette minorité active, elle aussi, s'appuie essentiellement sur des homosexuels masculins, ce qui nous ramène au problème de la définition du sida en termes de « cause ». Cette cause concerne-t-elle tout le monde au même degré ou, au contraire, certains plus que d'autres ? Dans cette seconde perspective, les personnes les plus concernées sont-elles obligées de s'identifier clairement ? Dans presque toutes les associations de lutte contre le sida, dévoiler son homosexualité et sa séropositivité est réservé à la seule appréciation de la personne concernée. Si elle ne fait pas délibérément ce choix, la discrétion est de rigueur. A l'opposé, Act Up a voté le principe du *outing*, à savoir la dénonciation publique de l'homosexualité ou de la séropositivité d'une personnalité jugée hostile ou hypocrite dans la lutte contre le sida. Au respect de la vie privée se substitue l'obligation de l'engagement, à la règle de la discrétion celle de la délation.

Sida-business

Au début de la deuxième décennie de l'épidémie de sida, nous nous trouvons face à un champ associatif extrêmement diversifié. Début 1989, on comptait une quarantaine d'associations de lutte contre le sida ; peu de mois après, la centaine est dépassée. Même si AIDES, dans ce champ mouvant, occupe toujours une position prépondérante, regroupant presque la moitié de tous les volontaires actifs, elle ne peut pas prétendre à l'hégémonie. Cette fragmentation peut contribuer à multiplier les interventions mais, inévitablement, elle est également source de concurrence et de conflits pour les questions de visibilité, de représentativité et de reconnaissance officielle.

Les chercheurs et les médecins traitants sont des alliés naturels des associations, engagés dans la prévention dès les premiers jours de l'épidémie tout en œuvrant contre les peurs et les rejets de malades du sida dans les services hospitaliers, à l'époque où presque rien n'était encore connu de la maladie et des voies de transmission. Sans que les grandes sommités scientifiques, en tête Luc Montagnier, le « père du virus », aient à participer formellement aux associations, leur soutien exprimé dans une interview ou dans des lettres, leur présence dans un comité d'honneur valorisent leur engagement humaniste et leur confèrent du prestige scientifique. Parce que le sida a stimulé et renouvelé les efforts pour humaniser l'institution hospitalière, mieux assurer la prise en charge psychologique, proposer des formes alternatives à l'hospitalisation, il est propice à la mobilisation de tous ceux qui poursuivent ces projets qui, en temps normal, se heurtent à l'indifférence. Les personnels médicaux et paramédicaux sont un point de passage obligé pour toute personne atteinte : cela atténue, par ailleurs, les critiques qui leur sont adressées et qui sont, d'ordinaire, détournées vers les responsables politiques.

Or les liens entre monde politique et monde associatif en France se distinguent radicalement du modèle qui s'est développé dans les pays du centre et du nord de l'Europe : pays scandinaves, Allemagne, Autriche, Suisse, Pays-Bas. Les associations y vivent essentiellement de subventions publiques, qui fournissent quelque 90 % de leur budget. La professionnalisation et l'embauche de salariés y a été plus rapide qu'en France. Cette démarche revient, de fait, à déléguer aux associations les tâches essentielles de la lutte contre l'épidémie. Cela a favorisé l'établissement de relations étroites et continues de négociation, quoique entrecoupées de tensions, sur l'allocation des ressources et des priorités par projets. En tout cas, l'État s'est ainsi doté d'un interlocuteur privilégié, hautement organisé, empêchant du coup une prolifération associative aussi grande qu'en France. Cette situation reflète également la tradition de l'État-providence, pourvoyeur exclusif avec les caisses de Sécurité sociale des budgets sociaux et médicaux. Aux États-Unis, au contraire, les associations doivent recourir à une multiplicité de sources : fondations, collectivités locales, sponsoring d'entreprises, dons individuels. La France représente un cas intermédiaire avec des subventions partiellement publiques et partiellement privées. Malgré la croissance, en peu d'années, des budgets des grandes associations, qui peuvent atteindre plusieurs millions de francs, on mesure mieux les problèmes de collecte de fonds et de trésorerie en comparant la situation d'AIDES à celle de la Deutsche Aids-Hilfe, couvrant un pays de taille comparable.

Depuis 1985, la Deutsche Aids-Hilfe est financée, à 90 % de son budget, par le budget fédéral de la RFA à hauteur de 7 millions de deutschemarks (24 millions de francs) en 1990. Rien que pour son siège social à Berlin, elle emploie 35 salariés. En 1988 (année de transformation en fédération avec des antennes régionales), les dépenses d'AIDES ont été d'un peu moins de 5 millions de francs, dont 39 % seulement provenaient de subventions publiques, le reste étant couvert par des dons et des actions de promotion.

S'inscrivant dans une logique proprement politique, le gouvernement ne s'appuie guère sur les expériences des associations. Ce n'est qu'après la publication du rapport Got et la création des agences gouvernementales — Conseil national du sida, Agence nationale de recherche sur le sida (ANRS), Agence française de lutte contre le sida (AFLS) — que s'instaurera, à partir de 1989, une politique de négociation contractuelle entre pouvoirs publics et associations diverses, notamment pour l'organisation des actions de prévention sur le terrain.

Or toutes les associations ne profitent pas au même degré de l'argent public. Et la négociation de liens contractuels crée des dépendances et des obligations. Certaines associations redoutent de perdre leur autonomie et leur liberté critique face à l'État ; s'y ajoute le ressentiment provoqué par l'inactivité gouvernementale pendant les années antérieures. A côté des associations s'occupant exclusivement du sida, d'autres, tel le Planning familial, ajoutent cette activité à leurs préoccupations traditionnelles d'éducation sexuelle, de conseil familial et d'éducation populaire. Les associations spécialement lancées en réponse à l'épidémie ayant développé le plus grand nombre de services, AIDES et Arcat-sida par exemple, sont mieux placées que les derniers venus. D'où l'évidence : le climat consensuel autour du sida n'est plus menacé, actuellement, par des controverses entre partis politiques mais par la compétition entre associations, dont l'enjeu est la distribution des ressources.

De nouveaux clivages

Le sentiment d'exclusion qu'exprime Act Up face à la mise en place du sida-business illustre à quel point les développements actuels peuvent nourrir la haine et la colère : « L'AFLS (Agence française de lutte contre le sida) joue avec le feu en privilégiant ses rapports avec AIDES et Arcat. Le système de subvention est nécessaire, mais il génère actuellement la plupart des tensions entre associations. Je crois que c'est totalement voulu : c'est un moyen de désorganiser la communauté sida. On l'a constaté dans de nombreux pays [1] ». À côté des conflits de distribution, les controverses sur le bien-fondé de la stratégie de communication retenue en France ne tarderont pas à éclater : a-t-on eu raison d'accorder autant d'importance à la dédramatisation ? Peut-on exclure, comme c'est le cas actuellement, la peur au nombre des motivations à changer de comportement ? La stratégie qui consiste à dissocier systématiquement sida et promotion des préservatifs est-elle vraiment efficace ? N'est-ce pas la preuve d'un échec terrible quand les jeunes classes d'âge continuent d'entrer dans la séropositivité, alors qu'elles sont depuis le début la cible privilégiée des campagnes de prévention de l'AFLS ? Et comment ces jeunes

---

1. Entretien sur Act Up avec Didier Lestrade, « L'ultime frontière », *Gai Pied Hebdo*, n° 464, 1991, p. 53.

classes d'âge peuvent-elles réaliser qu'elles risquent gros quand elles voient les images aseptisées de clips vidéo des publicités sida ? Pour ne pas « dramatiser » le problème, l'AFLS « vend » le sida comme du chewing-gum. Est-ce bien vu ? La réalité prouve le contraire [2].

Au fur et à mesure que se met en place un système de surveillance et de prévention, de nouveaux clivages apparaissent. Ainsi se réalise le modèle de la gestion des risques tel que Robert Castel l'a mis en lumière dans son analyse de la psychiatrie : « La surveillance suppose une co-présence des contrôleurs et des contrôlés dans un espace homogène que balaie le regard. » L'évaluation continue de l'efficacité de la prévention et la collecte systématique d'indicateurs de changements de comportement, de connaissances sur la maladie et la vente de préservatifs complètent ce dispositif et s'ajoutent aux données proprement épidémiologiques. Mais en même temps se forme, on l'a vu, une « communauté sida », une minorité particulièrement radicale choisissant les acteurs de ce dispositif comme cibles privilégiées de ses attaques.

Rien n'illustre mieux ce nouveau clivage que deux scènes, lors du colloque « Homosexualités et sida » tenu au grand amphithéâtre du ministère de la Santé les 12 et 13 avril 1991 : le vendredi, Jean-Paul Jean, conseiller technique du ministre des Affaires sociales et de la Solidarité, adresse la parole aux congressistes en développant les points essentiels de la politique de prévention articulée autour du partenariat entre pouvoirs publics et associations. De plus, il exprime le soutien du gouvernement au projet de partenariat civil (concubinage). Le lendemain, les militants d'Act Up montent à la tribune où se déroule une table ronde sur « Bilan et stratégies d'avenir » et essaient de menotter, sans succès, Dominique Charvet, directeur de l'AFLS. Pour la première fois en France, le passage à la violence physique est franchi dans la lutte contre le sida.

Face à cette histoire, on peut, tour à tour, adopter un point de vue optimiste et pessimiste. A en croire les épidémiologistes, les nouvelles infections ont considérablement diminué, notamment dans la population homosexuelle, à partir de 1986.

---

2. J.-R. Grisoni, « Les œillères de Monsieur Charvet », *Tout va bien, Journal mensuel d'information des séropositifs en colère*, n° 5, 1991, p. 1.

Ce qui démontrerait que les modifications des pratiques (l'usage du préservatif) peuvent être obtenues rapidement grâce à la mobilisation collective. Dans la version optimiste, on peut dire qu'on commence à récolter les fruits d'un effort autogéré pour maîtriser l'épidémie. Cette hypothèse « optimiste » se transforme facilement en cauchemar si la conviction d'avoir maîtrisé l'épidémie donne lieu à l'insouciance des plus exposés et à l'indifférence de ceux qui se sont toujours pensés à l'abri du risque. Dans la population la plus exposée, les homosexuels masculins qui ont le plus adapté leurs pratiques au risque, on n'observe plus de progression du *safer sex* depuis 1989. Un simple calcul de probabilité permet de supposer que l'épidémie repartira là où la séroprévalence est déjà la plus élevée : dans cette population.

L'interprétation pessimiste pourrait détecter, dans les tensions exacerbées entre personnes engagées dans la lutte, les signes précurseurs de déclin du formidable mouvement engagé pour contenir cette épidémie des temps modernes. Dans ce cadre, le recours à la violence physique serait la dernière ressource aux mains de ceux qui, se sentant désappropriés de leur dernière lutte, veulent donner sens à leur vie, qu'ils savent limitée.

L'Homme contaminé, Autrement, n° 130, 1991, pp. 24-39

6

HISTOIRE DES SCIENCES SOCIALES

Présentation

Pour Michael Pollak, comme pour d'autres sociologues de sa génération, les sciences sociales étaient un engagement. Il ne s'intéressait pas à la science pour la science (comme on parle d'art pour l'art) mais à la science en tant qu'elle rejoint, par l'intermédiaire de l'action politique, des interrogations morales. Il est allé vers la sociologie, plutôt que vers d'autres activités plus formelles et plus conformes, au moins en apparence, aux canons de l'excellence scientiste (comme, par exemple, la linguistique ou la psychologie cognitive) parce que la sociologie, fille de la politique, lui permettait, précisément, de concilier désir de connaître et volonté d'agir.

Mais, pour les mêmes raisons, les sciences sociales elles-mêmes ont constitué aussi le premier objet auquel il s'est appliqué. Car il ne mettait pas en elles une confiance aveugle. Sa préoccupation était la suivante : chercher à comprendre sous quelles conditions des activités qui prétendent se rattacher aux sciences sociales, peuvent-elles être mises au service d'une action libératrice ou, au contraire, être transformées en instruments d'oppression (ce qui le conduira, par exemple, bien plus tard, à étudier le détournement de l'anthropologie par les nazis).

C'est avec les moyens de la sociologie empirique qu'il a abordé cette question en entreprenant, dès son arrivée en France, en 1971, une thèse, sous la direction de Pierre Bourdieu, sur la relation entre science sociale et pouvoir, sous la forme d'une histoire de la formation du champ des sciences sociales en France et de la constitution d'un corps d'intermédiaires — les administrateurs de la recherche — entre champ scientifique et champ du pouvoir. Le premier texte que l'on trouvera ici « L'efficacité par l'ambiguïté » — l'un des tout *premiers articles publiés par Michael Pollak —, est issu de cette thèse* [1].

Pour gagner sa vie Michael Pollak menait à la même époque, dans le cadre de l'OCDE, un important travail de documentation et d'analyse sur les sciences sociales en France qui devait fournir les bases à un rapport publié par trois experts à la demande de cette organisation : S. Hoffman, V. Leontieff et H. Tajfel. Cette activité professionnelle dans une institution de gestion et d'évaluation de la recherche lui permettait non seulement d'acquérir rapidement une connaissance exceptionnelle de son terrain, mais aussi d'éviter les pièges de la facilité critique qui guettent souvent un observateur extérieur, en l'obligeant à prendre au sérieux les contraintes qui pèsent sur les acteurs — chercheurs et administratifs — aux frontières du champ scientifique et du champ du pouvoir. Dès ce premier travail, Michael Pollak trouve donc la position qui sera désormais la sienne et qu'il maintiendra, par exemple, lorsqu'il entreprendra de mettre sa propre compétence sociologique au service de la lutte contre l'épidémie de sida : ni exaltation sans nuances des pouvoirs de la raison, serait-elle critique ; ni dévoilement des intérêts cachés sous les apparences du désintéressement scientifique. Tout dépend de l'agencement dans lequel prend place le travail des chercheurs, des dispositifs locaux dans lesquels ils s'insèrent, en sorte que seules de minutieuses études de cas peuvent rendre possible la connaissance des conditions qui favorisent, non seulement l'autonomie de la recherche — qui n'est pas un but en soi —, ni même sa capacité critique — qui n'a pas non plus de vertus propres —, mais surtout son accrochage à des projets sociaux conciliant une volonté de réforme et une exigence de justice et, d'autre part, un refus des formes bureaucratiques ou technocratiques de gestion des hommes.

Dans le second des articles qui composent cette partie de

---

1. Cet article, publié dans *Sociologie et sociétés* date de 1975. M. Pollak publiera l'année suivante dans *Actes de la recherche en sciences sociales* un important article sur le même sujet (« La planification des sciences sociales », *Actes de la recherche*, 2-3, pp. 105-121). Il nous a semblé plus pertinent de reprendre dans ces morceaux choisis le premier de ces deux textes moins connu et plus difficilement accessibles que les articles publiés dans *Actes de la recherche*.

l'ouvrage, « Lazarsfeld fondateur d'une multinationale scientifique », les mêmes préoccupations s'affirment de façon encore plus nettes. Il ne s'agit pas ici, comme pourrait le faire penser le titre, au fond peu approprié au contenu, de dénoncer la domination de la sociologie américaine sur la sociologie européenne ou, moins encore, de défendre une conception nationaliste ou régionaliste des sciences sociales, idées à l'opposé des conceptions de Michael Pollak qui a passé sa vie, au contraire, à faire passer des connaissances et des positions intellectuelles entre pays, entre disciplines, entre milieux.

La question qui intéresse particulièrement Michael Pollak, dans l'itinéraire biographique et intellectuel de Paul F. Lazarsfeld, est celle de la relation entre sociologie critique, solidaire d'un engagement politique, et sociologie appliquée proposant, sur un marché, des services à des clients. En comparant deux destins d'émigrés, celui de Paul F. Lazarsfeld et celui de Theodor W. Adorno, tous deux issus des milieux socialistes de l'entre-deux-guerres, il esquisse une analyse des effets différentiels de l'émigration en montrant comment le premier s'intègre à l'Université américaine, dans laquelle il invente une position nouvelle, mais en sacrifiant ses engagements politiques passés, tandis que le second, qui considérait l'émigration comme provisoire, maintient une position critique, mais sans parvenir à satisfaire aux exigences d'une sociologie appliquée et, finalement, sans chercher à se maintenir sur le marché américain. Mais Michael Pollak ne s'arrête pas à une biographie intellectuelle. Derrière cette opposition entre personnes se profile, en effet, une division, lourde de conséquences pour l'avenir, entre une sociologie empirique, centrée sur les techniques, orientée vers la demande, et détachée de tout projet politique explicite et, d'autre part, une sociologie critique, mais purement spéculative, sans base empirique ni méthodes de vérification. Soit d'un côté, l'exclusion du social hors de la sociologie et, de l'autre, l'exclusion de la sociologie de la théorie sociale.

Michael Pollak reviendra sur ce moment important de l'histoire des sciences sociales dans les dernières années de sa vie lorsqu'il entreprendra, avec Brigitte Mazon, une étude sur la fondation Ford et sur son rôle dans la reconstitution des sciences sociales européennes de l'après-guerre. Cette étude (dont on trouvera à la fin de ce livre le seul fragment dont

*Michael Pollak a eu le temps d'esquisser la rédaction) s'ins-
crivait logiquement dans la suite des travaux sur P. F. Lazarsfeld, puisqu'elle visait, cette fois, le transfert en Europe du
modèle de sociologie empirique et non critique, qui s'était construit aux États-Unis à la fin des années 1930 et au début des
années 1940. Refusant le registre sommaire de la dénonciation
d'un «impérialisme culturel», ce travail avait pour objectif
de mettre en lumière, par une étude comparative des programmes de la fondation Ford destinés à la France, à l'Allemagne
et à l'Autriche, un des aspects de la politique culturelle américaine à l'égard de l'Europe et ses effets sur les bénéficiaires
des financements accordés.*

*Sachant l'importance accordée par Michael Pollak aux rela-
tions entre le champ scientifique et le champ du pouvoir, on
ne s'étonnera pas de la fascination (n'excluant pas la distance
critique[2]) que l'auteur de* Le Savant et le Politique, *a exercé
sur lui. Michael Pollak a consacré plusieurs articles à Max
Weber et, notamment, une importante étude (publiée dans*
Actes de la recherche, *en 1986) à propos d'une enquête empirique sur les ouvriers agricoles de Prusse orientale en 1890.
C'est l'ambiguïté de cette étude peu connue de Weber qui intéresse particulièrement Michael Pollak : d'une part, elle annonce
les développements ultérieurs de la sociologie d'enquête et la
recherche d'une position objectiviste; d'autre part, elle est issue
d'un projet scientifico-politique porté par un groupe de savants
militants qui cherchent à exercer une influence sur le pouvoir
impérial (*Verein für Sozialpolitik*). C'est finalement l'échec de
cette ambition de jouer un rôle politique direct sans pour autant
trahir les exigences scientifiques qui conduit Weber (après une
dépression nerveuse) à théoriser la séparation du savant et du
politique.*

*Le troisième article que nous avons retenu, ne reprend pas
directement ces thèmes mais porte sur la réception de l'œuvre
de Weber dans le champ sociologique français. Il présente un
double intérêt. Il constitue d'abord une importante contribution à l'histoire de la sociologie française. Michael Pollak*

---

2. Comme en témoigne, par exemple, le compte rendu du livre de Wol-
fang Mommsen *Max Weber et la politique allemande*, publié par M. Pollak dans *Le Monde* du 11 juin 1986.

consacre en effet une grande partie de ses analyses à la façon dont Weber est réinterprété, dans différentes écoles et à différents moments, en fonction de conceptions, à la fois politiques et théoriques, de la sociologie et de la place du sociologue dans la cité. Il s'attache particulièrement à montrer comment ce thème de l'articulation entre connaissance et action se trouve, d'une part, réapproprié dans la logique de l'opposition politique bi-polaire qui, à partir de la guerre froide, structure le champ intellectuel français et, d'autre part, engagée dans les débats entre théoriciens et empiristes.

Mais on y trouve aussi concentrés, en l'espace de quelques pages, nombre des thèmes qui apparaissent de façon récurrente dans les travaux de Michael Pollak et qui sont souvent en résonance avec son propre itinéraire biographique : celui de la relation entre cultures et entre traditions intellectuelles différentes ; celui du passage et du passeur qui fait circuler, au prix de reformulations et de compromis, les idées entre pays ou entre disciplines ; celui enfin — qui parcourt toute son œuvre — de l'identité. Elle est conçue, dans les écrits sur les sciences sociales — comme d'ailleurs le plus souvent chez Michael Pollak —, non comme un caractère immuable, mais plutôt comme une exigence éthique qui, face aux demandes contradictoires et aux migrations (voulues ou forcées), marque la persistance de la personne, sa fidélité à elle-même.

L'efficacité par l'ambiguïté

La transformation du champ scientifique
par la politique scientifique :
le cas de la sociologie
et des sciences économiques en France

L'évolution de la sociologie et des sciences économiques

On ne peut comprendre les effets de la politique scientifique, telle qu'elle est institutionnalisée en France au niveau gouvernemental depuis 1958, que si l'on tient compte de l'évolution propre et du fonctionnement particulier des champs auxquels elle s'applique. Le fait que par exemple la sociologie et les sciences économiques en France n'ont acquis leur reconnaissance universitaire définitive que très tardivement (en 1957, année de création d'une licence de sciences économiques, et en 1958, année de création d'une licence de sociologie) explique largement que ces disciplines soient restées marginales dans les institutions universitaires et qu'elles se soient développées dans d'autres organismes de recherche.

Il apparaît dès lors indispensable de mettre en relation le développement de la recherche en sociologie avec diverses caractéristiques de l'enseignement supérieur, en particulier avec la forte concentration de l'université à Paris. Cette situation a eu pour effet, entre autres, d'insérer la sociologie dans un milieu où la recherche était d'abord liée aux préoccupations plus larges du milieu intellectuel, littéraire et artistique parisien, ce qui a longtemps favorisé la prédilection pour un style littéraire, interprétatif de la recherche et le traitement de grands sujets tournés vers l'étude du passé plutôt que celle du monde contemporain, et soumis à la conjoncture de la mode intellectuelle. Aussi n'est-il pas étonnant qu'en France la recherche empirique ne se soit développée que très tardivement dans l'université.

Le développement des sciences économiques a, pour sa part, suivi une logique différente de celle des autres sciences humaines et sociales parce que son foyer se trouvait dans la Faculté de droit. En fonction à la fois de ses débouchés et de ses liens avec les milieux non universitaires, cette faculté apparaît distincte d'autres facultés, par exemple de la Faculté des lettres : la Faculté de droit ne forme en effet pas principalement des enseignants mais plutôt des fonctionnaires et des cadres administratifs, et prépare aux professions libérales ; elle a aussi toujours été plus ouverte sur le monde extérieur et influencée dans son enseignement et ses recherches par des préoccupations administratives et économiques. A cela s'ajoute le fait que les préoccupations économiques, sinon les sciences économiques, ont été présentes depuis un certain temps dans les grandes écoles formant les hauts fonctionnaires, comme l'École polytechnique et, surtout depuis la Seconde Guerre mondiale, l'École nationale d'administration. Cette liaison, favorisée par l'enseignement prépondérant des mathématiques dans les grandes écoles, a conduit à une prolifération de recherches privilégiant la construction de modèles économétriques au service des intérêts administratifs.

La grande crise économique et l'échec du système capitaliste libéral ont provoqué la prise de conscience de la nécessité de mettre en place un contrôle du développement économique et social basé sur une meilleure information[1]. En France, le régime de Vichy a installé des organismes de recherche sous la tutelle des différentes administrations spécialisées, comme l'Institut national d'hygiène, aujourd'hui Institut national de la santé et de la recherche médicale (INSERM), la Fondation Alexis Carell pour l'étude de l'Homme devenue plus tard l'Institut national d'études démographiques (INED), l'Office de

---

1. Voir par exemple C. Gruson, *Origine et espoirs de la planification française*, Paris, Dunod, 1968.

la recherche scientifique coloniale, plus tard l'Office de la recherche scientifique et technique d'Outre-Mer (ORSTOM), et l'Institut national de la recherche agricole (INRA). De plus, le système de rationnement général et de contrôle de la répartition des matières premières exigeait la création d'organismes politiques capables de fournir une information technique suffisante : la Direction des prix et l'Office central de répartition des produits industriels rempliront cette fonction.

Cette évolution de la politique économique mettait directement en question la théorie libérale classique telle qu'elle prédominait avant la guerre dans l'enseignement sous la forme de la théorie du libre-échange basée sur l'étalon-or ou sous celle, essentiellement juridique, des traités sur les finances publiques. La nouvelle politique de planification corporatiste a été mise en œuvre par des fonctionnaires et des hommes d'affaires dont le profil de carrière ressemble à plusieurs égards à celui des futurs planificateurs qui en outre professeront la doctrine de leur pratique : il s'agit de hauts fonctionnaires passés par les affaires bancaires et industrielles, hostiles aux querelles politiques et partisanes et convaincus de la possibilité d'un consensus social dans lequel chacun trouverait son avantage.

Après la Libération, l'événement le plus marquant pour le développement des sciences économiques, et par la suite des sciences sociales dans leur ensemble, a été la planification. Outre l'élargissement des grands organismes sous tutelle des ministères créés par le régime de Vichy, des organismes ayant une vocation d'information statistique et de modélisation économique ont été installés directement dans les ministères, notamment au ministère de l'Économie et des Finances : l'Institut national de la statistique et des études économiques (INSEE) et la Direction de la prévision.

L'importance de ce secteur dont le personnel est recruté parmi les anciens élèves de l'École polytechnique qui ont réussi à monopoliser ce marché explique le poids qu'il a pu avoir sur l'orientation des sciences économiques françaises. La formation mathématique de ces ingénieurs-économistes et leur souci d'application pratique leur ont fait privilégier la quantification et la modélisation mathématique sur la base d'une théorie néo-classique. Une autre orientation de la recherche économique directement inspirée par la planification s'est développée à partir des intérêts pour les mécanismes de décision, surtout ceux du modèle français de «concertation socio-professionnelle». L'idéologie de ces économistes-planificateurs, inspirée par le personnalisme chrétien, transparaît clairement dans certains de leurs ouvrages [2].

Il serait faux de présenter l'évolution des sciences économiques d'une façon trop linéaire. Bien que d'autres sous-champs de recherche économique n'aient pratiquement pas connu d'expansion avant 1950, on peut néanmoins observer certaines évolutions allant dans le sens contraire. Prenons le cas de l'un des premiers grands centres indépendants de la tutelle des instances de politique économique : l'Institut des sciences économiques appliquées (ISEA), rattaché au Conservatoire national des arts et métiers (CNAM) et au Collège de France et dirigé par F. Perroux, a contribué à une réflexion économique qui ne négligeait pas les phénomènes de domination largement absents de la théorie néo-classique. Enfin, d'autres économistes, comme le marxiste Ch. Bettelheim, sont restés marqués, pendant cette période, par la problématique planificatrice tout en s'opposant aux interprétations dominantes.

Pendant cette première période d'après-guerre, la sociologie n'a pas été autant sollicitée par les agents du pouvoir. Elle a connu son premier essor dans des institutions de l'enseignement supérieur distinctes de l'université et grâce au Centre national de la recherche scientifique (CNRS). Créé par le gouvernement du Front populaire [3], celui-ci n'a pu réellement stimuler la recherche sociale qu'après la guerre : c'est ainsi que le Centre d'études sociologiques (CES), qui date de 1946, est devenu la pépinière principale d'où est issue la première géné-

---

2. Cette idéologie de la planification française ressort de tous les textes des premiers planificateurs qui vont jusqu'à y voir une voie entre le «capitalisme sauvage» et le «communisme bureaucratique». Par exemple : P. Massé, *Le Plan ou l'anti-hasard*, Paris, Gallimard, 1965 ; P. Bauchet, *L'Expérience française de la planification*, Paris, Le Seuil, 1958 ; P. Bauchet, *La Planification française du 1er au 6e Plan*, Paris, Le Seuil, 1966 ; C. Gruson, *Origine et espoirs de la planification française*, Paris, Dunod, 1968 ; C. Gruson, *Renaissance du plan*, Paris, Le Seuil, 1971.

3. Créé en 1939, le CNRS est l'héritier de plusieurs organismes qui auraient dû remplir des fonctions comparables d'incitation, de coordination et d'exécution de la recherche.

ration de sociologues d'après-guerre. Ce redépart de la sociologie représente également une rupture avec le durkheimisme, déjà entrepris dès les années 1930 par une nouvelle génération d'intellectuels dont l'un des chefs de file fut R. Aron. A cette rupture qui s'inscrit dans une tradition philosophique, s'ajoute l'importation des méthodes et techniques de la sociologie empirique américaine due surtout à J. Stoetzel, directeur du CES, fondateur de l'Institut français d'opinion publique (IFOP), et formé par des stages à l'Institut Gallup de même que par son contact personnel avec P. F. Lazarsfeld. Cette conception de la sociologie est restée longtemps prédominante [4].

A côté du CNRS, la VIᵉ section de l'École pratique des hautes études (EPHE), créée en 1947 par des historiens novateurs, devient à partir du milieu des années 1950 le pilier principal de la recherche sociologique. Il n'est pas étonnant que ce soit au sein de cette institution, ainsi qu'à l'université après la création d'une licence de sociologie en 1958 et donc de nouvelles positions universitaires que le débat entre la sociologie et la philosophie ait été réouvert. Dans ce contexte, les sociologues ne peuvent plus éluder la question de la théorie et des fondements épistémologiques de leur discipline.

Avant cette période, il y a autant de revues intellectuelles et littéraires que de revues spécialisées qui traitent des nouvelles disciplines : *Les Temps modernes*, *Esprit* et *Économie et Humanisme* n'avaient en effet pour concurrents que *Les Cahiers internationaux de sociologie*, *Les Annales d'économie politique*, *Les Cahiers de l'ISEA* et la *Revue économique*. Vers 1960 par contre, on voit surgir plus de revues sociologiques que de revues économiques (*Sociologie du travail*, *Archives européennes de sociologie*, *Revue française de sociologie*), ce qui répond à la nécessité pour les sociologues, de se démarquer au sein d'un champ intellectuel fortement dominé par la philosophie et l'histoire. Les économistes, pour leur part, souvent intégrés dans des services administratifs, n'eurent pas besoin de ces moyens de communication et de démarcation.

---

4. Pour l'histoire de la sociologie française voir : P. Bourdieu, J.-C. Passeron, « Sociology and Philosophy in France since 1945. Death and Resurrection of a Philosophy without Subject », *in Social Research*, XXXIV, 1, Spring 1967, pp. 162-212.

Cette institutionnalisation et cette professionnalisation de la recherche sociologique donnent ainsi à la discipline le minimum d'autonomie nécessaire pour marquer plus fortement son indépendance à l'égard de sa discipline-mère, la philosophie. Pendant la première moitié des années 1960, la conception positiviste et empiriste de la sociologie marque des points ; les événements les plus visibles en sont la publication des ouvrages méthodologiques de R. Boudon et P. F. Lazarsfeld. En même temps, les conceptions humanistes renvoyant à une philosophie du sujet sont de plus en plus mises en question par une pensée venant des sciences humaines, à commencer par l'ethnologie qui remet l'accent sur le caractère déterminant des structures [5].

Ce gain d'autorité et d'audience par les sciences humaines et sociales aux dépens de la philosophie traditionnelle ne peut être compris qu'en prenant en considération l'implantation de nouvelles institutions dans le champ scientifique depuis 1945. Ainsi le CNRS a-t-il rendu possible une carrière de chercheur à plein temps, libéré des obligations d'enseignement tout en étant relativement autonome par rapport au contrôle du corps universitaire. L'EPHE (École pratique des hautes études) et d'autres établissements d'enseignement supérieur, comme le Collège de France, le Conservatoire national des arts et métiers (CNAM) et la Fondation nationale des sciences politiques, garantissent des conditions de travail plus favorables à la recherche proprement dite que celles qu'offrent les universités où l'organisation en chaires et les charges d'enseignement très lourdes s'opposent à l'éclosion de recherches importantes : ces institutions rattachées au ministère de l'Éducation nationale offrent les garanties d'une forte indépendance de la recherche par rapport aux demandes externes venant des champs du pouvoir (statut de fonctionnaire, financement par subvention, recrutement par cooptation). [...]

---

5. Ce courant est représenté tout d'abord par C. Lévi-Strauss. L'année de parution des *Structures élémentaires de la parenté* (1949) montre bien que ce courant n'avait pas cessé d'exister, mais qu'il avait été dominé par des interprétations philosophiques humanistes.

Un nouveau type de pouvoir

La formulation d'une politique gouvernementale de la science officialise les différentes initiatives informelles prises en vue de parvenir à une certaine adéquation des objectifs économiques, militaires, politiques et de la production scientifique. Parce que la science constitue à la fois un objet à dominer et un objet qu'il convient de s'approprier pour dominer, une telle politique scientifique est nécessairement le lieu d'une tension : pour pouvoir s'approprier les produits scientifiques dans l'intention d'augmenter la productivité ou le contrôle social, il faut trouver d'autres moyens de légitimation que ceux établis par les détenteurs du pouvoir législatif ou exécutif. L'autonomie relativement élevée du champ scientifique, qui garantit la perception sociale de l'objectivité et de l'impartialité de la science, interdit au pouvoir d'exercer directement son autorité. La gestion de la science et sa planification ne sont possibles qu'en maintenant l'illusion de la neutralité des interventions, c'est-à-dire des organismes et personnes qui les préparent.

La politique scientifique intervient aussi au niveau des compétences acquises par plusieurs ministères exerçant la tutelle sur un organisme de recherche. Pour ne pas couper, dans la nouvelle distribution des compétences administratives, la production scientifique de son utilisateur, il fallait trouver un principe d'organisation qui « traverse » les compétences de plusieurs ministères et qui les coordonne sans trop les restreindre. Pour une telle construction, on pouvait se référer à un précédent, le Commissariat général au plan. Dans ses structures comme dans son idéologie, la politique scientifique reprend par conséquent le modèle de la « concertation socioprofessionnelle ».

L'appareil de la politique scientifique, instauré en 1958, fait partie de la transformation institutionnelle intervenue en France après l'arrivée au pouvoir du général de Gaulle. Il comporte un organisme administratif léger, la Délégation générale à la recherche scientifique et technique (DGRST), qui a à son service un système de comités et de commissions disposant officiellement du pouvoir de décision [6]. Le Comité consultatif de la recherche scientifique et technique (CCRST), aussi nommé « comité des sages », composé de douze personnalités choisies en raison de leur « compétence scientifique » conseille le gouvernement dans toutes les questions concernant la recherche. Il intervient aussi dans la discussion budgétaire annuelle. Enfin, une commission de la recherche assistée par des groupes de travail, élabore le plan de la recherche qui trace le cadre de la politique gouvernementale pour une période de cinq ans.

Malgré cette concertation, le champ scientifique est juridiquement subordonné au champ politico-administratif où en dernière instance, les décisions sont prises. Mais ces décisions doivent tenir compte des consultations des différents comités mixtes. En matière de politique scientifique, on assiste à un glissement des mécanismes de légitimation d'un type parlementaire vers des organismes consultatifs auprès du sous-champ politico-administratif responsable, représenté par la DGRST [7]. Tout en augmentant la complexité des circuits de légitimation et ainsi la durée nécessaire à une prise de décision, ces nouveaux mécanismes ont l'avantage d'assimiler les agents directement concernés à l'élaboration des différentes interventions politico-administratives, c'est-à-dire de faire participer les dominés à leur propre domination. Le premier signe de ce nou-

---

6. Pour l'organisation de la politique ainsi que de ses procédures, voir : UNESCO, *Études et documents de politique scientifique*, n° 24 : *La Politique scientifique et l'organisation de la recherche en France*, Paris, 1971. OCDE, *Politiques nationales de la science : France*, Paris, 1966. J. Viet, *Les Sciences de l'homme en France*, Paris, La Haye, Mouton, 1966, pp. 182-185. *La Documentation française illustrée : La recherche scientifique et technique en France*, n° spécial 228-229, Paris, juin-juillet 1967. OCDE, *La Politique des sciences sociales : France*, Paris, 1975.

7. Le développement de la légitimation par des procédures de concertation administrative en excluant de plus en plus le pouvoir législatif s'explique en partie par l'augmentation des fonctions et des interventions de l'État dans des domaines de plus en plus diversifiés, ce qui dépasse les capacités de travail de l'appareil législatif et nécessite un consentement par ceux qui sont directement concernés. Pour une analyse de ce nouveau mode de légitimation, voir : N. Luhmann, *Legitimation durch Verfahren*, Berlin, Neuwied, Luchterhand, 1969. J. Habermas, *Legitimationsprobleme im Spätkapitalismus*, Frankfurt, Suhrkamp, 1973. C. Offe, *Strukturprobleme des kapitalistischen Staates*, Frankfurt, Suhrkamp, 1972.

veau type de pouvoir dissimulé est la fluidité de la population de ceux qui exercent le pouvoir dans différents comités et la quasi-impossibilité de localiser les centres d'initiative. [...]

Les agents

La flexibilité qui caractérise la nouvelle administration permet d'élargir sa base de légitimation par une participation qui croît au même rythme que l'extension progressive des instruments de la politique scientifique à tous les domaines de la recherche. Mais l'efficacité de ce mode de légitimation compliqué et coûteux, dans la mesure où il laisse beaucoup de place à des tactiques de retardement, repose largement sur le choix des agents qui est guidé à la fois par les intentions du pouvoir et par le respect des rapports de force au sein du champ scientifique.

Les critères de choix définis dans les textes législatifs — tels que « la compétence en matière de recherche scientifique et technique » — laisse, théoriquement au moins, un pouvoir arbitraire à ceux dont la tâche est de désigner les membres des commissions. Ceux-ci sont néanmoins contraints à la prudence, c'est-à-dire à respecter, dans certaines limites, les hiérarchies établies entre scientifiques. Deux considérations majeures qui reviennent pratiquement dans tous les entretiens avec les responsables de la composition de telles commissions résument cette prudence : il faut, premièrement, assurer un consensus minimal par l'exclusion d'agents connus pour leurs opinions trop divergentes de l'idéologie du pouvoir installé et secondement, choisir parmi les agents scientifiques ceux qui ont acquis une notoriété parmi leurs pairs et qui sont connus du large public à l'extérieur du champ scientifique.

La reproduction relative des hiérarchies du champ au niveau de la politique scientifique ressort tout d'abord lorsqu'on considère les organismes de recherche auxquels les agents appartiennent. La représentation de toutes les sciences sociales et humaines par une seule personne, le directeur de l'INSEE, lors de l'élaboration du 4e Plan, montre le peu d'intérêt que les pouvoirs publics accordent à ces disciplines au début de la politique scientifique. Pour l'élaboration du 5e Plan, un seul économiste, de nouveau le directeur de l'INSEE, siège à la commission plénière, mais les autres disciplines sont représentées dans le groupe de travail « sciences de l'homme » : on y trouve un sociologue, directeur de recherche au CNRS et professeur d'université. Dans la commission plénière du 6e Plan, le directeur de l'INSEE et un directeur scientifique du CNRS, tous les deux économistes, représentent les sciences sociales et humaines. Quatre économistes, venant du CNRS, de l'université et d'un institut de recherche lié au Commissariat général au plan, et deux sociologues collaborent au groupe de travail « sciences humaines ».

Si l'on compare les carrières ainsi que les espaces positionnels c'est-à-dire les positions occupées simultanément dans plusieurs champs [8], des membres des commissions avec ceux de leurs pairs, on entrevoit comment l'allocation des positions produit des comités quasi représentatifs qui sont en même temps très près des préoccupations dominantes de l'administration et des milieux d'affaires.

On trouve parmi les voies de succès qui mènent à une position de pouvoir les carrières scientifiques les plus traditionnelles, caractérisées par un refus d'accepter des positions en dehors du champ scientifique et des carrières en marge du champ scientifique, dans des organismes de recherche para-administratifs caractérisées par une forte mobilité entre les champs et un fort cumul de positions. Les carrières strictement scientifiques sont la règle parmi les sociologues, tandis que les économistes choisissent les carrières en marge du champ.

Sur la base de cette comparaison entre les représentants des deux disciplines et leurs pairs, il semble que le choix des chercheurs dans des organismes para-administratifs n'ait pas suscité de contestation à propos de la représentativité des économistes choisis : le secteur des organismes de recherche liés à l'administration n'est pas seulement le plus important par le personnel employé, il jouit également d'un grand pres-

---

8. Pour le concept d'espace positionnel, voir L. Boltanski, « L'espace positionnel. Multiplicité des positions institutionnelles et habitus de classe », *Revue française de sociologie*, XIV, 1973, pp. 3-26.

tige au sein de l'administration, prestige qu'il doit à l'application des travaux d'économétrie et de modélisation. Par contre, le choix des premiers sociologues a été fait parmi ceux dont la carrière reflète tout d'abord la recherche du prestige scientifique, ce qui correspond aux normes en vigueur pour les carrières sociologiques qui interdisent une collaboration trop étroite avec l'administration. Le soupçon qu'un rapport ouvert avec l'administration peut provoquer parmi les pairs risque au moins de retarder un avancement. En réalité, une telle collaboration ne devient possible qu'à partir d'une position assez élevée dans la hiérarchie scientifique : seule une grande notoriété peut protéger un agent contre le reproche de l'illégitimité de son action.

Aux différences de carrières des premiers économistes et sociologues correspondent les rôles qui leur sont conférés dans l'élaboration de la politique scientifique, surtout à ses débuts. L'influence des économistes sur les textes des plans se voit dans la présentation des sciences humaines aussi bien que dans la politique décidée pour leur développement. Dans le 4ᵉ Plan, les sciences économiques sont présentées comme modèle pour toutes les sciences humaines qui n'ont pas encore réussi à quantifier les phénomènes étudiés ; le 5ᵉ Plan précise que les sciences humaines doivent être développées pour élargir les instruments de la planification afin de mieux maîtriser les conflits sociaux créés par la forte croissance économique ; le 6ᵉ Plan confirme cette orientation.

On voit bien que la logique de la politique scientifique confère à la recherche en général la fonction d'augmenter la productivité au service de la croissance économique, et aux sciences humaines celle de contrôler l'évolution sociale, de gérer les conflits, et de combattre des « déséconomies externes ». Mais par ailleurs le discours sur la planification de la science devient moins « technocratique » : le 4ᵉ et dans une moindre mesure le 5ᵉ Plan s'appuient encore sur l'hypothèse technocratique selon laquelle une programmation thématique peut produire automatiquement des applications. Le 6ᵉ Plan se fonde sur une vue plus réaliste et moins contraignante en apparence puisqu'il accepte de fonctionner selon la logique propre au champ scientifique. Dans la réalisation des plans, cette relation est inversée : le 4ᵉ Plan n'a guère eu d'influence sur le fonctionnement du champ scientifique, le 5e Plan un peu plus et le 6e Plan a exercé une contrainte relativement forte.

Cette relation inversement proportionnelle entre le discours et les réalisations de la politique scientifique peut faire croire que les sociologues, dont le type de carrière apparaît plus « classique », n'ont joué qu'un rôle de légitimation dans les commissions du plan. Mais étant donné que ces agents défendent également une conception empiriste et néo-positiviste de leur discipline, cette action fait partie de leurs tentatives pour faire prévaloir leur conception de la sociologie chez leurs pairs.

Il apparaît donc que la représentation sociale selon laquelle la sociologie est souvent associée à « contestation » et les sciences économiques à « gestion des affaires » ne correspond pas à la division entre économistes et sociologues dans l'élaboration de la politique scientifique. On peut même dire que ce sont les propriétés de la structure du champ de la sociologie qui façonnent les stratégies de carrière et freinent une collaboration avec l'administration, même dans les cas où celle-ci est envisagée par des chercheurs sur une échelle beaucoup plus importante qu'actuellement.

Le peu de résistance que les chercheurs dans leur ensemble ont opposé dans les différentes commissions à une politique scientifique comme stratégie de domination dont ils sont l'objet, ne peut être interprété que si l'on prend en compte les caractéristiques des fonctionnaires auxquels ces concessions ont été faites. Les représentants de la haute administration ne se distinguent guère des économistes qui siègent dans les mêmes commissions traitant des sciences sociales : la forte intégration et l'interpénétration du milieu de la recherche économique et de la haute administration économique et financière font que les agents occupant officiellement une position principale dans un de ces champs deviennent parfaitement interchangeables quand on compare leur espace positionnel et la carrière parcourue.

Le principe d'explication de la collaboration et de l'accord — au moins tacite — qui se sont établis entre les agents du pouvoir et les économistes d'un côté et les sociologues de l'autre se trouve aussi dans leur appartenance commune à des familles de pensée : presque sans exception, tous les collaborateurs de la politique scientifique ont entretenu un rapport avec

Esprit, groupement intellectuel qui appartient au courant idéologique du catholicisme de gauche intégrant dans sa pensée des éléments des idéologies corporatiste et personnaliste. Ce groupe a fourni après 1945 la plupart des responsables de la planification. Un autre lieu officieux de rencontre entre scientifiques et fonctionnaires est alors le club « Jean Moulin », qui joue un rôle important vers le milieu des années 1960, juste au moment où les sciences sociales entrent plus fortement dans les préoccupations de la politique scientifique. Beaucoup plus que la revue *Esprit* dont les activités restent plutôt restreintes au domaine intellectuel, le club Jean Moulin essaie d'influencer directement les décisions politiques. Et les chercheurs, surtout ceux qui parmi les sociologues aspirent à l'« utilité », y trouvent un public de référence plus « sérieux » que celui du champ intellectuel traditionnel auquel ils sont liés par l'histoire de leur discipline.

Ces relations officieuses selon le critère de l'appartenance idéologique permettent de comprendre que la politique des sciences sociales est tout d'abord le résultat d'une coalition pour promouvoir une conception de la recherche au service de l'élaboration d'une technologie ou d'un engineering social. La quasi-représentativité des instances de la politique scientifique a pour fonction de prévenir la contestation que peuvent opposer les scientifiques. L'écart qui sépare le discours de la réalité de la politique scientifique est une autre ambiguïté qui contribue à l'efficacité de ce processus. A la diminution du nombre des agents scientifiques et à l'augmentation de celui des agents politico-administratifs correspondent un discours de moins en moins « technocratique », mais en même temps des mesures qui influencent de plus en plus le fonctionnement du champ scientifique. Tout se passe comme si, dans un premier temps, les chercheurs croient pouvoir faire des concessions verbales aux agents du pouvoir parce qu'ils sont suffisamment sûrs que ces concessions ne seront pas traduites en mesures concrètes et que dans un second temps, les agents du pouvoir peuvent se permettre à leur tour des concessions verbales après avoir acquis la maîtrise des instruments politiques qui leur permet de transformer le champ scientifique.

Les relations contractuelles

Pendant la période du 4e et du 5e Plan, les programmes contractuels principalement profitent à la conception d'une technologie sociale fondée sur la recherche empirique. Mais ces travaux ne remplissent pas les espoirs de la haute administration. On peut dire que les événements de mai 1968 désavouent cette production tant au niveau scientifique qu'au niveau d'une stratégie de contrôle social. Ce bloc politique renforce une certaine insatisfaction des responsables politico-administratifs à l'égard des résultats des programmes de recherche décidés par des comités composés à part égale par des chercheurs et des fonctionnaires. Par conséquent, les procédures de décision se transforment pendant la période du 6e Plan entraînant une diminution de l'influence des agents scientifiques.

Actuellement on peut distinguer trois modèles de décision pour la passation des contrats : le système de comités composés à part égale de chercheurs et de fonctionnaires, le système d'un secrétariat auprès de chaque administration intéressée par la recherche, qui décide sans intervention des scientifiques — plus de la moitié des crédits contractuels sont déjà distribués à travers ce système —, et finalement le système d'un comité composé exclusivement de chercheurs et nommé par la direction d'un grand organisme de recherche, comme le CNRS.

Les nouvelles relations entre chercheurs et fonctionnaires qui décident du financement des contrats sont la meilleure illustration de la force de l'influence que la politique scientifique peut exercer sur la recherche. Les nouveaux bureaucrates « intermédiaires » entre la recherche et l'administration [9] sont directement confrontés à la contradiction inhérente à une situa-

---

9. E. Goffman décrit de tels « intermédiaires » de la façon suivante : « L'intermédiaire apprend les secrets des deux parties et donne à chacune d'elles l'impression véridique qu'il gardera ses secrets, mais il a tendance à donner à chaque partie l'impression mensongère qu'il est plus loyal envers elle qu'envers l'autre ». *La Mise en scène de la vie quotidienne*, tome I, Présentation de soi, Paris, Minuit, 1973, pp. 144-145.

tion dans laquelle s'affrontent les chercheurs soucieux de garder leur indépendance et une administration préoccupée de résultats « utiles » à court terme. Dans les programmes actuels, ces « intermédiaires » ne s'occupent pas seulement de la discussion des projets de recherche et des questions administratives liées à la passation des contrats. Souvent, ils suivent activement les recherches, par exemple en participant à la définition de l'échantillonnage, en aidant les chercheurs à accéder à l'information et en participant à certains stades de la recherche.

Une partie de chacun des programmes de recherche reflète presque toujours les différentes écoles de pensée selon leur importance au sein du champ scientifique. Une autre partie résulte souvent des préoccupations politiques immédiates du ministère ou directement celles des bureaucrates gestionnaires des programmes. Par conséquent, le recrutement des agents pour les secrétariats des programmes de recherche a joué un rôle très important. Leur choix parmi des fonctionnaires ayant eu auparavant des tâches de planification et parmi d'anciens chercheurs explique largement le choix des projets financés. Les anciens planificateurs sont déçus de la faiblesse du pouvoir d'infléchissement du Plan et les anciens chercheurs sont hostiles à l'« autosatisfaction » de leur milieu professionnel d'origine. Ils se rencontrent dans une double volonté de contester, de l'intérieur, le pouvoir politico-administratif établi et de lutter contre les « mandarins » scientifiques. Conformément à la conception selon laquelle la recherche devrait leur servir comme instrument de contestation au sein de l'administration, ces technocrates marginaux se lient de préférence à des chercheurs également marginaux.

Officiellement, les cadres administratifs des programmes de recherche laissent aux chercheurs une grande liberté pour le dessin du plan de la recherche, du cadre conceptuel et des méthodes. La diversité des intentions scientifiques que poursuivent les agents responsables de ces programmes donne à la politique contractuelle dans son ensemble un aspect libéral. Les thèmes imposés par les contrats de recherche lancés par un grand organisme de recherche tel le CNRS, définissent par contre l'objet d'étude d'une façon très détaillée et indiquent impérieusement la conduite de la recherche. Tout se passe comme si les instances des champs politico-administratif et scientifique chargées de la politique des contrats avaient changé de rôles et de préoccupations : la direction scientifique du CNRS se comporte comme une administration technocratique, certains secrétariats de l'administration se montrent par contre plus soucieux de la liberté et de la qualité scientifique.

La politique contractuelle reflète dans ce paradoxe ce caractère contradictoire qui marque toutes les interventions de la politique scientifique : une mesure demande d'autant plus de légitimation qu'elle exerce une influence directe sur le fonctionnement du champ scientifique. La légitimité reconnue aux chercheurs d'une instance du champ scientifique permet une action plus contraignante de la politique scientifique que la légitimité toujours contestable d'une instance administrative.

A la limite, cette situation pourrait faire croire que certaines administrations jouent un rôle d'innovateurs scientifiques. Cette interprétation méconnaît le caractère de la politique scientifique qui à ce stade vise moins le contenu scientifique que les règles de fonctionnement du champ. Les conditions objectives qui interdisent aux nouveaux bureaucrates de la science toute activité efficace contre ceux qu'ils désignent comme adversaires officiels — les forces au gouvernement — et le dédain qu'ils ont pour le milieu scientifique traditionnel les amènent à exercer un pouvoir au moins là où ils en sont capables : envers les chercheurs. Ainsi sont-ils parmi les plus fervents défenseurs de la contractualisation et luttent-ils contre le statut du chercheur fonctionnarisé qu'ils voient souvent comme cause de l'« inutilité sociale » de la recherche.

On voit bien que les paradoxes de la politique contractuelle correspondent à la fois au degré d'ambiguïté nécessaire à la dissimulation des enjeux de la politique scientifique, et à la stratégie de certains fonctionnaires dominés au sein du champ politico-administratif qui essaient d'améliorer leur position et de se mettre à la place des anciens économistes-planificateurs. Les aspects souvent contradictoires de la politique contractuelle ont permis de diversifier et de multiplier les lieux et les critères d'évaluation des produits scientifiques, ou, tout au moins, de diminuer le poids des pairs dans cette activité.

Conclusion

Cette étude s'est donné comme objectif non seulement d'analyser les fonctions sociales de la politique scientifique, mais surtout de décrire les caractéristiques des agents qui l'ont préparée et la façon dont ils l'ont réalisée. On peut constater que les différentes mesures ont contribué à diminuer considérablement le poids des pairs dans l'évaluation des produits scientifiques.

Le glissement du pouvoir des pairs vers celui des bureaucrates de la science est un processus très progressif et qui, comme le montre par exemple la création de nouveaux organismes distincts des institutions scientifiques traditionnelles, s'opère en marge de l'intérêt (et de la vigilance) des agents scientifiques. Initialement les activités des services techniques publics et des organismes para-publics ne bénéficiaient pas du qualificatif « scientifique », elles s'intitulaient « activités administratives ou études » ; ce n'est qu'en attribuant à ces activités le nom « recherche », et en les incluant dans le domaine d'intervention de la politique scientifique, que ces organismes ont été reconnus petit à petit comme « scientifiques ». Cette extension du champ et les déplacements corrélatifs de ce qu'on appelle la « recherche scientifique » entraînent successivement des hiérarchisations nouvelles au sein du champ et modifient les règles et les normes de son fonctionnement.

C'est donc dire que ces hiérarchies nouvelles ne sont pas uniquement le résultat de conflits internes menant à la rupture des règles et des procédures de travail et à de nouveaux rapports de force dans la logique des « révolutions scientifiques » et des changements de « paradigmes » que décrit Kuhn [10] : elles sont également le produit d'influences externes. Mais ce

---

10. Pour cette conception du développement scientifique par « révolutions » d'un paradigme à l'autre, voir : T. S. Kuhn, *The Structure of Scientific Revolutions*, University of Chicago Press, Chicago, 1962. Kuhn définit une « science normale » comme un ensemble de règles régissant une discipline, un paradigme. Les époques de « science normale » sont marquées par un conservatisme scientifique, tandis qu'un nouveau paradigme doit s'imposer par rupture révolutionnaire.

processus ne peut pas non plus être interprété comme le résultat direct de l'intervention des agents du champ qui n'agissent pas seulement selon les règles propres au champ, mais qui, par leurs efforts pour obtenir des soutiens externes (sous des formes multiples) et donc pour accroître leur force dans les conflits internes, se lient souvent aux agents du pouvoir [11]. Dans le cas étudié ici on peut dire que le renforcement de la domination sur le champ scientifique s'opère surtout par l'intermédiaire de certains chercheurs dont les conceptions scientifiques convergent avec les intentions des agents du pouvoir vis-à-vis de la production scientifique. C'est dire que toute prise de position scientifique inclut également une prise de position politique. Par rapport à la politique scientifique on ne peut parler d'une domination directe ou d'une répression ouverte, mais de techniques clandestines visant dans et par la dissimulation, à la contrôler et à la modifier en agissant sur les agents et sur les positions qu'ils occupent.

Dans les deux disciplines étudiées, la politique scientifique a eu tendance à confirmer et renforcer l'évolution des sciences économiques vers les institutions du champ scientifique les plus proches du pouvoir économique et politique. Ceci correspond à la fonction qui est celle de la recherche économique à grande échelle depuis l'établissement de la comptabilité nationale et de la planification. Les représentants de cette discipline jouent de plus un rôle déterminant comme promoteurs d'une évolution des sciences humaines dans leur ensemble, pour les orienter conformément à la conception selon laquelle elles constituent la base des techniques de gestion et de domination politique.

---

11. Surtout l'interprétation des rôles des scientifiques semble négliger cet aspect qui fait des agents scientifiques le lieu de traduction des règles internes et des influences externes du champ. Ces interprétations restent souvent à un niveau typologique, par exemple : F. Znanietzky, *The Social Role of the Man of Knowledge*, Columbia University Press, New York, 1940 ; J. Ben-David, *The Scientists Role in Society*, Prentice Hall, Englewood Cliffs, New Jersey, 1971 ; une critique de ces typologies est donnée par P. Bourdieu, J.-C. Passeron, J.-C. Chamboredon, *Le Métier de sociologue*, Mouton, Paris, 1968, p. 107 : «On est empiriste formaliste, théoricien, ou rien de tout cela, beaucoup moins par vocation que par destin, dans la mesure où le sens de sa propre pratique advient à chacun sous la forme du système de possibilités et d'impossibilités que définissent les conditions sociales de sa pratique intellectuelle.»

Les effets sur la sociologie sont différents et s'expliquent par la position ambiguë qu'elle occupe entre les champs du pouvoir et le champ intellectuel. La politique menée a plutôt contribué à renforcer les conflits et les divisions internes entre ceux qui souhaitent transformer la discipline en pilier d'une « technologie sociale » et ceux qui y voient plutôt l'instrument d'une analyse critique de la réalité sociale.

L'observation des conflits dont la sociologie est l'enjeu incline à penser que les défenseurs d'une conception empiriste et technologique ont largement perdu leur audience après 1968. Mais le développement objectif de la discipline que cachent les débats intellectuels très agités montre que la sociologie a été parmi les disciplines les plus frappées par la contractualisation et que ses résultats sont de plus en plus inclus dans des travaux administratifs. L'intelligentsia parisienne, souvent invoquée comme obstacle principal à l'émancipation de la sociologie de sa discipline-mère la philosophie, pourrait se révéler comme un paravent chinois derrière lequel le glissement de la sociologie vers une discipline principalement appliquée au service de l'administration a pu se préparer.

Sociologie et société, 1975.

Paul F. Lazarsfeld fondateur d'une multinationale scientifique*

Il n'est pas facile, à première vue, de comprendre que Paul F. Lazarsfeld, symbole d'un empirisme apolitique, pour ne pas dire « antipolitique », ait pu avoir, au début de sa carrière, à la fin des années vingt, le projet de construire une psychologie sociale compatible avec le marxisme, et qu'il ait été aussi un militant très actif dans les organisations de jeunesse socialistes en Autriche. La reconstruction de sa biographie intellectuelle et politique, qui est présentée ici, vise à rendre compte de la continuité qui se maintient à travers les ruptures associées à l'immigration, en même temps que des discontinuités évidentes de son projet intellectuel.

L'engagement politique

Lazarsfeld n'a jamais nié l'influence que son activité militante au sein du parti social-démocrate a eu sur sa décision

* Ce travail n'aurait pas pu être mené sans les entretiens que des amis et collègues de Paul Lazarsfeld m'ont accordés. Je tiens à remercier tout particulièrement Freda Meissner Blau et Paul Blau qui m'ont aidé à connaître le climat intellectuel autrichien et le milieu dans lequel Lazarsfeld passa sa jeunesse, et Rose K. Goldsen, collaboratrice de Lazarsfeld pendant de longues années à l'université de Newark et au *Bureau of Applied Social Research*, actuellement professeur de sociologie à l'université de Cornell. Je tiens à remercier V. Karady et D. Merllié de leurs critiques et de la relecture minutieuse qu'ils ont faite de ce texte. G. Stourzh a eu la gentillesse de me communiquer la liste non publiée des intellectuels autrichiens émigrés aux États-Unis.

de s'engager dans la recherche sociale, mais rares sont les témoignages d'après-guerre qui révèlent ce passé de militant et d'actif responsable politique [1]. Le père de Paul F. Lazarsfeld, un avocat qui militait au parti social-démocrate, donnait des consultations juridiques gratuites aux militants inculpés de délits politiques. Il était ami personnel de presque tous les théoriciens de l'austromarxisme du début du siècle. C'est ainsi qu'en 1916 les enfants Lazarsfeld passèrent leurs vacances dans un hôpital dirigé par Rudolf Hilferding [2]. La mère de Lazarsfeld, Sophie, réussit à faire de son foyer un centre de rencontre d'intellectuels proches du parti, qu'ils fussent ou non militants. A côté de la revue *Der Kampf* qui regroupait les plus importants théoriciens « austromarxistes » (Otto Bauer, Karl Renner, Rudolf Hilferding, Max Adler), ce salon était un des plus importants endroits de rencontre d'intellectuels socialistes. L'engagement socialiste n'était pas la seule raison de cohésion de ce groupe d'intellectuels. Il faut mentionner l'origine juive de la plupart d'entre eux. L'association entre les intellectuels juifs et la social-démocratie en Autriche résulte pour une forte part de l'évolution spécifique du mouvement libéral autrichien au XIXᵉ siècle [3].

Quand, en 1867, le parti libéral accéda pour la première fois au pouvoir, les espoirs réformistes les plus divers se concentraient sur son action en faveur d'un régime constitutionnel

---

1. A l'exception de la préface au livre d'Yvon Bourdet (Y. Bourdet éd., *Otto Bauer et la Révolution*, Paris, EDI, 1968, pp. 7-8) où Lazarsfeld rapporte les liens officiels qu'il entretenait avec la 5ᵉ section de la SFIO et avec Léo Lagrange lors de son séjour d'études à Paris en 1922-1923.

2. Il s'agit du médecin et économiste, auteur du livre *Finanzkapital*, théoricien austromarxiste qui avait souvent publié dans *Der Kampf* avant de s'installer en Allemagne où il était un des ministres des Finances de la République de Weimar. Pour cette période de la vie de Lazarsfeld, voir J. Maitron, G. Haupt, éd., *Dictionnaire biographique du mouvement ouvrier*, I, *Autriche*, Paris, Les Éditions Ouvrières, 1971, pp. 182-184. (Ces informations furent complétées par des entretiens avec des amis autrichiens de Lazarsfeld.)

3. Pour l'histoire des Juifs d'Autriche et de la relation entre Juifs et Autrichiens, voir : Institut für Judaistik der Universität Wien éd., *Das österreichische Judentum, Voraussetzungen und Geschichte, Wien-München*, Jungend und Volk, 1974 ; H. Gold, *Geschichte der Juden in Wien*, Tel Aviv, 1966.

dans la monarchie austro-hongroise : limiter le pouvoir impérial, réduire l'influence de l'Église catholique, établir une représentation parlementaire et garantir les droits individuels. Cette politique suscita dans la communauté juive l'espoir d'échapper enfin à la discrimination. Depuis le milieu du XIXᵉ siècle, on assistait à un mouvement migratoire de Juifs appartenant aux milieux populaires, des régions orientales de l'Empire vers les villes d'Autriche et surtout vers Vienne. A Vienne, le nombre des Juifs était passé de 19 600 en 1856 à 175 318 en 1910. Beaucoup de ces nouveaux arrivants parvenaient à s'engager dans des carrières intellectuelles (lettres, médecine, droit). Cette ascension sociale s'accompagnait de l'assimilation à la culture allemande dominante. Les réformes que pouvait introduire un mouvement libéral à prédominance allemande trouvaient leur limite dans une politique centraliste visant la préservation de l'unité de la monarchie et dans l'ethnocentrisme culturel allemand qui considérait le développement des différents peuples de la monarchie comme une accession progressive à la « civilisation allemande supérieure ». Incapable de trouver une solution au problème des nationalités devant la contestation hongroise et slave, la bourgeoisie de langue allemande, qui avait favorisé l'accession au pouvoir du mouvement libéral, fut progressivement gagnée par un nationalisme pangermanique à forte coloration antisémite. Cette évolution s'est manifestée tout d'abord dans des groupes d'étudiants [4]. Le mouvement chrétien-social, autre grande force politique du pays, qui exprimait les intérêts de la petite bourgeoisie artisanale et commerçante et de la paysannerie, était marqué par un antisémitisme religieux lié au catholicisme militant.

Sur le problème des nationalités (et donc indirectement celui de la communauté juive), le parti social-démocrate dont l'audience ne cessait de croître était le seul à rejeter l'idée du maintien de la domination allemande. Les réflexions que les

---

4. C'est dans le groupe « Akademische Lesehalle Wien » que naîtra à partir de 1880 l'idéologie pangermaniste à forte coloration antisémite. Voir : Marie Louise Testenoire, « Freud et Vienne en 1900 », *Critique*, 339-340, 1975, pp. 828-831. Il n'est pas sans intérêt de noter vers 1875 l'appartenance à ce même groupe d'étudiants libéral-radical de Sigmund Freud, de Victor Adler, fondateur du parti social-démocrate, de l'écrivain Arthur Schnitzler, de Theodor Herzl (fondateur du mouvement sioniste).

théoriciens austromarxistes (surtout Otto Bauer et Karl Renner) ont consacrées à la question nationale sont des essais pour approfondir et concrétiser la pensée marxiste et pour maintenir l'unité de l'organisation [5]. Très tôt, et surtout à partir des années 1880, marquées par une forte vague d'antisémitisme, le parti social-démocrate était perçu par les intellectuels juifs comme le meilleur garant de la sécurité de leur communauté et comme la seule force politique capable de dépasser le nationalisme et le racisme. Beaucoup d'intellectuels juifs qui avaient commencé à militer dans des groupes d'étudiants libéraux, adhéraient au parti social-démocrate, dès sa création, parmi lesquels son fondateur Victor Adler. L'attraction exercée par le mouvement ouvrier sur la communauté juive n'était pas limitée aux intellectuels : on assiste pendant cette période à la naissance de mouvements ouvriers juifs autonomes en Europe de l'Est (en Russie et dans la monarchie austro-hongroise), qui luttaient de concert avec les partis sociaux-démocrates [6].

Une des personnes qui fréquentait le plus assidûment le « salon Lazarsfeld » était Friedrich Adler, fils du fondateur du parti social-démocrate autrichien, très lié avec Sophie Lazarsfeld. C'est à elle que, de sa prison, il adressait ses premières lettres. Personnalité scientifique et politique à la fois, son influence sur Lazarsfeld paraît double. Friedrich Adler, souvent comparé à Rosa Luxemburg et à Karl Liebknecht à cause de son pacifisme et de son opposition à la Première Guerre mondiale, a accédé à la notoriété comme l'auteur en 1916 de l'assassinat délibéré du Premier ministre autrichien, le comte Stürgkh, destiné à abréger les souffrances de la guerre. Mais on oublie trop souvent qu'Adler, élève de Ernst Mach à Zurich

---

5. Ce double souci ressort de la discussion dans l'organe théorique du parti *Der Kampf* où le problème des nationalités domine jusqu'en 1918. On y trouve des analyses très bien documentées sur l'influence des nationalités dans les différentes régions, leurs chances d'accès à la fonction publique, les problèmes linguistiques, etc. Voir également : Otto Bauer, *Die Sozialdemokratie und die Nationalitätenfrage*, Wien, Vorwärts, 1907. Voir aussi l'application de cette théorie à la question juive : Max Adler, *Das Verhältnis der nationalen zur sozialistischen Idee, Bemerkungen zum Paole-Zionismus*, Wien, Zukunft *(Der jüdische Arbeiter)*, 1933, p. 11 *sq.*
6. *Cf.* J. Bunzl, *Klassenkampf in der Diaspora, Zur Geschichte der jüdischen Arbeiterbewegung*, Wien, Europa-verlag, 1976, pp. 119-131.

en même temps qu'Albert Einstein, s'était d'abord voué à une carrière universitaire de physicien. Choisi par Mach pour lui succéder, Adler renonça pour promouvoir la carrière d'Einstein qu'il jugeait plus doué[7]. Son adhésion scientifique à l'empiriocriticisme dont il essayait de démontrer la compatibilité avec le matérialisme historique de Marx dans plusieurs articles de la revue théorique du parti autrichien *Der Kampf*[8] lui valut l'hostilité de Lénine qui l'attaqua dans *Matérialisme et Empiriocriticiscme*. Après la guerre, Adler occupa longtemps le poste de secrétaire de la 2e Internationale où il œuvrait pour un rapprochement avec la 3e Internationale, notamment par la création de l'«Internationale 2 et 1/2»[9].

Lors du procès contre Friedrich Adler, le jeune Lazarsfeld est au nombre de ceux qui manifestent en faveur de l'accusé. Il fréquente différents groupes de lycéens de gauche, parfois en rupture avec le parti, dont certains formeront quelques années plus tard le noyau du parti communiste[10]. Après la guerre, il adhère aux «Faucons rouges» et collabore avec Robert Danneberg, responsable des organisations de jeunesse et de l'éducation socialistes, un des administrateurs les plus éminents de «Vienne la rouge». Dans sa pratique scientifique, Lazarsfeld voulait également suivre son maître Friedrich Adler : il fit des études de mathématiques et de physique et devint, au milieu des années vingt, professeur dans un lycée de Vienne (*Realgymnasiûm* 7). L'empiriocriticisme, développé par Mach en physique et renforcé par la tradition positiviste autrichienne représentée par Schlick (professeur à l'université

---

7. La fécondité scientifique de l'amitié entre Einstein et Adler est décrite par L.S. Feuer, «The Social Roots of Einstein's Theory of Relativity», *Annals of Science*, vol. 27, 3, 1971, pp. 278-298 et 4, pp. 313-344.

8. F. Adler, «Zum 70. Gebûrtstag von Ernst Mach», *Der Kampf*, 5, 1907, pp. 231-239; «Marx und Mach», *Der Kampf*, 10, 1908, p. 452. Voir également ses livres : *Machs Uberwindung des mechanischen Materialismus*, Wien, 1918, *Ortszeit, Systemzeit, Zonenzeit und das ausgezeichnete Bezugssystem der Elektrodynamik*, Wien, 1920.

9. Pour la vie de Friedrich Adler, *cf.* J. Braunthal, *Victor und Friedrich Adler*, Wien, 1964.

10. Voir H. Hautmann, *Die verlorene Republik. Am Beispiel Deutsch-Österreichs*, Europa Verlag, Wien, 1971, p. 65, qui cite Lazarsfeld comme un des militants lycéens qui ont contribué à la constitution d'un réseau illégal de comités lycéens en 1916-1917.

de Vienne) et par le « Cercle de Vienne » lui servit de philosophie de référence. Cette formation est à l'origine de sa conception spécifique de la sociologie. Aucune expérience professionnelle ou politique n'a pu y changer quelque chose, ni même son contact avec la psychanalyse. Pendant les années vingt, des cercles psychanalytiques, surtout Alfred Adler, ont pu s'assurer une certaine influence sur la politique de la municipalité de Vienne en matière d'éducation. Alfred Adler était le responsable de plusieurs centres de conseils pédagogiques pour les parents et pour les écoles [11]. Sophie Lazarsfeld était une élève enthousiaste d'Adler et publia un livre sur l'émancipation de la femme [12]. Des psychanalystes fréquentaient le salon Lazarsfeld. Lazarsfeld lui-même avait collaboré à une étude sur les méthodes d'éducation dans un jardin d'enfants expérimental, une entreprise « freudienne » [13]. Mais toutes ces rencontres restaient passagères. Ses amis intimes rapportent que son admiration profonde était réservée à des physiciens et mathématiciens, tels Friedrich Adler, Einstein et Mach, ses maîtres directs et indirects.

L'événement qui marque la future carrière de Lazarsfeld est son entrée, en 1927, dans l'équipe du couple Charlotte et Karl Bühler, en tant que statisticien. D'origine allemande et juive, les Bühler occupaient dans le champ intellectuel viennois une place en marge de l'université de Vienne. Dirigeant l'Institut de pédagogie de la ville de Vienne, financé principalement par la municipalité socialiste, ils disposaient d'un budget propre de recherche. Cet institut remplissait également une fonction de formation permanente pour les enseignants de la ville. Ils bénéficiaient donc d'un accès privilégié à leur terrain d'enquête. Mais au titre de simples chargés de cours, les Bühler étaient

---

11. Voir R. Orgel, *Alfred Adler, Der Mann und sein Werk*, Wien, Urban und Schwarzenberg, 1956, p. 211.

12. S. Lazarsfeld, *Wie die Frau den Mann erlebt*, Leipzig, Wien, Verlag für Sexualwissenchaft, 1931.

13. Le récit de ces expériences est la première publication de Lazarsfeld, *Gemeinschaftserziehung durch Erziehungsgemeinschaften*, Wien, 1925. Voir P.F. Lazarsfeld, « An Episode in the History of Social Research : a Memoir », *in* D. Fleming, B. Bailyn, *The Intellectual Migration : Europe and America 1930-1960*, Harvard University Press, Cambridge, Mass., 1969, p. 273.

peu intégrés dans l'enseignement universitaire. Ils devaient souvent affronter l'hostilité des étudiants nationalistes. Cette position marginale conférait aux Bühler un rôle novateur dans un univers scientifique particulièrement conservateur. Les sciences sociales enseignées à l'université étaient encore dominées par la doctrine sociale catholique et la pensée corporatiste professées par Othmar Spann, alors que les Bühler s'attachaient à l'élaboration des techniques empiriques capables de faire progresser la psychologie expérimentale et la psychologie sociale sur des bases objectivistes. Les membres de l'Institut de pédagogie se distinguaient par l'intérêt porté à la méthodologie, par des sympathies socialistes et par la forte cohésion du groupe, qui seule leur permettait de mener une entreprise intellectuelle originale. Les rapports de force au sein des universités, administrées par des conservateurs et remplies d'usagers antisémites, étaient particulièrement défavorables aux socialistes et aux Juifs à cette époque. Le rattachement de Lazarsfeld à cet institut n'est donc pas une entrée dans la carrière universitaire.

Après son entrée chez les Bühler, ses activités proprement militantes diminuent, mais il essaie de mener ses recherches en concertation avec les dirigeants du parti. Il créa un petit institut de recherche lié au centre des Bühler et financé sur contrats privés. Lazarsfeld lui-même invoque des contraintes matérielles lorsqu'il fait le récit de la création de ce centre *Österreichische Wirtschaftspsychologische Forschungsstelle* [14]. Son salaire de statisticien et d'assistant à l'institut des Bühler ne lui permettait pas d'abandonner son poste de professeur dans le secondaire. La création d'un centre de recherche commerciale s'offrit comme une solution à ce problème. Cherchant des contrats de recherche auprès d'entreprises commerciales et des mass-media, le centre entreprit par exemple des études sur l'écoute de la radio autrichienne Rawag et accepta également des travaux de collecte de données en sous-traitance pour le compte d'autres instituts de recherche. Ainsi Max Horkheimer et l'Institut de recherche sociale de Francfort se trouvaient parmi ses clients et avaient commandité la partie empirique en Autriche de leur étude sur l'autorité et la famille, entreprise

---

14. P.F. Lazarsfeld, *ibid.*, p. 274 *sq.*

en collaboration avec Erich Fromm. Un autre client important était le parti socialiste qui essayait de fonder ses décisions
sur des informations sociales plus détaillées. Cette infrastructure a rendu possibles les premières grandes recherches socio-
graphiques *Jeunesse et métier* (1931) et *Les Chômeurs de
Marienthal* (1934). Cette étude sur les effets sociaux du chômage prolongé dans la petite ville de Marienthal est l'œuvre
la plus importante de cette époque, élaborée sous la direction
de Lazarsfeld par un groupe de jeunes chercheurs, tous militants au parti socialiste, parmi lesquels Hans Zeisel et sa
deuxième femme Maria Jahoda [15]. Il serait vain de vouloir
évaluer l'apport des différents membres de l'équipe. Mise à
part celle de Lazarsfeld, la contribution de Maria Jahoda est
capitale. La rencontre des intérêts scientifiques et des préoccupations politiques y est évidente. Lazarsfeld avait proposé
d'abord à Otto Bauer, un des dirigeants du parti, un travail
sociologique sur les loisirs, domaine également traité dans des
recherches commanditées par la société radiophonique autrichienne Rawag. Mais Otto Bauer refusa de financer une recherche sur un problème qui ne lui paraissait pas s'imposer dans
la conjoncture économique du moment, d'où le nouvel objet.

Dès cette période, se pose la question de la conception du
socialisme qui engendre ce rapport spécifique entre politique
et recherche sociale. Pratiquement tous les historiens sont
d'accord pour observer que dès les années 1890, sinon dès la
création des partis sociaux-démocrates allemand et autrichien,
le discours révolutionnaire marxiste avait pour fonction d'unir
les courants divergents et cachait une pratique réformiste [16].
Dans la politique social-démocrate en Europe centrale,
l'influence déterminante vient de Ferdinand Lassalle qui, en
opposition à une doctrine révolutionnaire qui dessinait à l'horizon le dépérissement de l'État, arguait que les conditions de
la classe ouvrière devraient être améliorées en s'appuyant sur

---

15. Scientifiquement moins importante, mais significative pour la
composition du groupe est la collaboration de Bruno Kreisky, à l'époque
militant dans les jeunesses socialistes, soulignée par Lazarsfeld dans
l'entretien.

16. Pour l'Autriche, voir N. Leser, *Zwischen Reformismus und Bols-
chewismus. Der Austromarxismus in Theorie und Praxis*, Wien, Europa,
1968.

une politique sociale étatique et qu'il fallait donc investir les appareils d'État. Ce glissement dans la politique social-démocrate du concept de «révolution» et de «fin de l'État et de la domination» vers la «question sociale» et la «politique sociale» a transformé en futurs gestionnaires de l'État toute une fraction de fonctionnaires du parti et des syndicats, déjà habitués avec la croissance des organisations ouvrières à un travail de gestion plutôt qu'à l'action. Ces gestionnaires des «problèmes sociaux» reconnaissaient très tôt que la production d'informations détaillées avait une grande importance pour la formulation de leurs stratégies. Les protagonistes de ce socialisme octroyé d'en haut croyaient pouvoir établir à l'aide de la recherche sociale le profil des intérêts et des souhaits de la «base» qui devrait guider leur action. Cette tradition inclut une méfiance à l'égard de l'action spontanée, y compris de celle de la classe ouvrière, mais fait confiance à l'organisation et à la direction éclairée.

Les effets de l'émigration

La publication de ses deux recherches (*Jeunesse et métier*, *Les Chômeurs de Marienthal*) assura à Lazarsfeld une certaine renommée dans les milieux sociologiques étrangers. Mais plus que ces recherches, c'étaient les travaux de marketing de son centre qui suscitèrent l'intérêt de la fondation Rockefeller qui lui accorda en 1932 une bourse de voyage de deux ans. Indirectement, Lazarsfeld était connu aux États-Unis dans le milieu des études de marché pour avoir mené une série d'interviews sur le choix de savons en sous-traitance pour un bureau d'études américain. Et Lazarsfeld explique dans un article autobiographique que «l'équivalence méthodologique entre le vote socialiste et l'achat d'un savon» avait incité son intérêt pour le marketing qu'il n'a jamais perdu [17]. Son premier article

17. P.F. Lazarsfeld, «An Episode in the History of Social Research : a Memoir», *in* D. Fleming, B. Bailyn, *op. cit.*, p. 279.

publié aux États-Unis sur la technique de l'entretien parut dans une revue de marketing [18].

L'arrivée de Lazarsfeld aux États-Unis correspond à un premier essor de la recherche sociale appliquée depuis le milieu des années vingt. L'administration américaine, d'abord sous la présidence de Herbert Hoover et plus tard de Franklin D. Roosevelt commence à utiliser systématiquement la recherche sociale née dans les milieux d'affaires autour des problèmes de gestion, d'organisation du travail et de marketing, pour la formulation des stratégies politiques. Avec l'augmentation massive des moyens consacrés à la recherche sociale appliquée, les années trente sont la période clé de transformation des sciences sociales américaines, mais aussi du style politique [19]. La « politique » (*politics*) comme activité d'argumentation et de mobilisation des masses est progressivement abandonnée et remplacée par le *policy making*, l'élaboration « scientifique » et le choix entre des solutions alternatives à des problèmes isolés, une activité présentée comme technique, donc réservée à l'élite. La réorganisation et la professionnalisation des sciences sociales pendant cette époque ont eu pour conséquence une liaison très étroite entre politique et recherche, et à la longue un alignement idéologique des universitaires sur le système politique dominant qui détruisit les restes de la méfiance qui caractérise souvent les relations entre les intellectuels et le pouvoir. La manifestation la plus forte de cette transformation est l'émergence dès ces années d'un nouveau type de recherche qui prétend abolir les limites entre l'activité politique et l'activité scientifique, les *policy sciences* [20]. Fidèles à leur tradition typiquement puritaine d'associations charitables et philanthropiques, les fondations privées ont joué un rôle très actif dans cette politique de réorientation des sciences sociales. Intéressées par la « réforme sociale », elles contribuaient au finance-

---

18. P.F. Lazarsfeld, « The Art of Asking Why », *National Marketing Review*, I, 1935, pp. 32-43.

19. *Cf.* B.D. Karl, *Executive Reorganization and Reform in the New Deal : The Genesis of Administrative Management*, Cambridge, Mass., Harvard University Press, 1963.

20. Un des premiers volumes qui trace l'histoire de ces recherches et qui en résume les techniques est : H.D. Lasswell, (éd.), *The Policy Sciences*, Stanford, Stanford University Press, 1951.

ment des programmes sociaux gouvernementaux du New Deal et soutenaient des recherches appliquées aux « problèmes sociaux »[21]. De fait, cette préférence se traduisait par la priorité donnée aux activités de collecte de données et de traduction de recherches empiriques en recettes administratives[22].

Pendant la première année de bourse, Lazarsfeld se consacrait à un apprentissage méthodologique et nouait des contacts avec des centres d'études de marché souvent en dehors des universités. Parmi ses contacts universitaires, on relève des psychologues devenus plus tard connus pour leurs contributions aux techniques statistiques : Luther Fry de l'université de Rochester, Rensis Lickert de l'université de New York, John Jenkins de l'université Cornell. Les organisations professionnelles qu'il contacta en premier étaient la *American Marketing Association* et la *Psychologic Corporation* dont l'objectif fut de promouvoir la psychologie appliquée dans les entreprises. Parmi les sociologues prestigieux à l'époque, Robert S. Lynd, auteur de *Middletown*, fut un contact précieux. Il soutint et aida Lazarsfeld pendant les premières années américaines. A la fin de son séjour aux États-Unis, en 1935, l'Autriche avait traversé une guerre civile, le fascisme catholique sévissait, le parti socialiste avait été interdit, provoquant une première vague d'émigration socialiste. Maria Jahoda qui dirigeait le centre en son absence avait été arrêtée. Sans avoir participé aux événements, Lazarsfeld se trouvait de fait dans une situation d'émigré. Avant la guerre, il ne rentra que deux fois en Autriche, pendant l'été 1935 afin de régulariser son visa d'immigration aux États-Unis, et en 1937 pour aller voir sa famille.

La relation qu'il établit dès ces années avec les États-Unis est moins marquée par ce destin d'émigré que par le fait qu'il y trouvait remplies toutes les conditions de son épanouissement professionnel. Comment interpréter son destin d'émigré ? Est-ce une émigration proprement politique ? Ou plutôt une émigration pour raisons professionnelles ? On peut penser qu'il aurait choisi de rester aux États-Unis, même si son retour avait

---

21. Pour l'histoire et les stratégies des fondations, voir : I.L. Horowitz, *Foundations of Political Sociology*, New York, Harper and Row, 1972, p. 434.
22. *Ibid.*, p. 391.

été politiquement possible. Dans le monde universitaire viennois de l'époque, marqué par un climat raciste et réactionnaire, tout s'opposait à l'ascension professionnelle d'un chercheur tel que Lazarsfeld. Par contre, il possédait tous les atouts nécessaires pour réussir dans le champ universitaire américain. Son passé politique le faisait apparaître avant tout comme une victime du fascisme. Dans la vision que les intellectuels américains se font du travaillisme en Europe, ce passé pouvait être réinterprété comme un engagement pour les valeurs propres aux universitaires « libéraux » qui mettaient à l'époque leurs espoirs dans l'administration démocrate de Roosevelt et le New Deal. Son appartenance à la culture de langue allemande le situait dans une tradition intellectuelle prestigieuse. Son origine juive le classait dans un groupe socioculturel qui s'apprêtait à cette époque à conquérir les universités et à entrer en concurrence directe avec les WASP (*white anglo-saxon protestant*).

L'émigration coïncide avec la fin de ses activités politiques. Les obstacles à un engagement politique aux États-Unis, tels qu'il les décrit dans un entretien [23], absence d'un mouvement ouvrier et de syndicats intègres, difficultés linguistiques, sont évidents. On comprend aussi qu'il n'ait pas pu nouer tout de suite des contacts avec l'émigration socialiste autrichienne qui, pendant les années de l'austro-fascisme, se concentrait en Tchécoslovaquie. Mais avec le triomphe du nazisme en 1938-1939, l'émigration politique a gagné les États-Unis aussi.

L'émigration intellectuelle, à dominante juive, peut être considérée comme la plus grande exportation culturelle et scientifique dans l'histoire autrichienne. A partir d'une liste d'universitaires américains d'origine autrichienne arrivés après 1934, on peut établir un tableau selon les domaines scientifiques qui rend compte de l'importance de ce phénomène, particulièrement marqué en sciences sociales [24].

---

23. Entretien avec Lazarsfeld, *Kölner Zeitschrift für Soziologie und Sozialpsychologie*, 4, 1976, p. 796.

24. Je tiens à remercier Gerald Stourzh de m'avoir communiqué cette liste, établie par lui-même et Friedrich A. Hayek. (Pour l'émigration autrichienne, voir : R. Knoll, *Die Emigration aus Österreich im 20 Jahrhundert*, Contribution au Colloque « Deux fois l'Autriche, après 1918 et après 1945 », Rouen, 8-12 novembre 1977, pp. 12-13.)

Humanités	61	18 %
Sciences sociales	103	30 %
Mathématiques, physique		
Biologie	72	21 %
Médecine	90	27 %
Architecture, technologie	12	4 %
	338	100 %

Friedrich Adler, l'ami de la famille admiré par Lazarsfeld, a créé le *Labor Aid Project*, destiné à l'aide aux réfugiés. Rien n'indique que Lazarsfeld ait essayé de renouer avec les anciens dirigeants du parti arrivés aux États-Unis. Des amis de Lazarsfeld rapportent qu'il était toujours prêt à accorder une aide personnelle aux émigrés qui s'adressaient à lui, mais qu'il évitait plutôt le contact politique. L'intégration relativement rapide dans les universités américaines est caractéristique de toute cette génération d'émigrés intellectuels autrichiens [25]. Mais l'absence de toute relation politique avec d'autres émigrés socialistes indique que Lazarsfeld, qui accepta très vite son émigration comme chose définitive, ne souhaitait pas que ses attaches avec un ghetto d'émigrés puissent nuire à son intégration dans la société d'accueil. Dès le début de son émigration, il tenait à souligner qu'il ne se considérait pas comme « réfugié ».

Continuité ou rupture ? Lazarsfeld décrit lui-même son action de ces années comme résultant d'une « stratégie latente » qui, conçue pour son bureau de recherche en Autriche, fut réalisée aux États-Unis dans des conditions nettement plus favorables [26] : créer un institut de recherche sociale appliquée, nourri par des contrats et maintenant des liens avec une université. En Autriche, ce projet avait été intimement lié à un projet politique. Bien qu'en raison des conditions différentes Lazarsfeld n'ait pas pu poursuivre son projet politique aux États-Unis, il faut constater — en insistant par ailleurs sur les différences — qu'il y a au moins une similitude formelle entre la conception social-démocrate de l'utilisation des sciences

25. E.W. Spaulding, *The Quiet Invaders, The Story of the Austrian Impact upon America*, Wien, 1968, p. 8.
26. P.F. Lazarsfeld, *in* D. Fleming, B. Bailyn, *op. cit.*, p. 296 *sq*.

sociales, et celle qui était en train de s'imposer aux États-Unis grâce à l'expansion du *Welfare State* et à la politique des grandes fondations : une « politique sociale éclairée » pouvait être le résultat direct d'une bonne « recherche sociale », et la politique devait donc être élaborée et mise en œuvre par la coopération étroite entre élites politiques et scientifiques en dehors de toute participation directe des intéressés. Même s'il ne pouvait pas continuer son activité proprement politique, il pouvait maintenir l'illusion d'agir dans le même sens à travers ses recherches pour l'administration du New Deal [27].

L'entreprise de recherche

Avec l'aide de Robert Lynd, à l'époque professeur à Columbia, Lazarsfeld réussit à obtenir en 1935 un poste à l'université de Newark dans le cadre d'un programme financé par l'administration de la jeunesse. Pour la première fois de sa vie il peut mettre en œuvre sa conception d'un bureau de recherche rattaché à une université et disposant de liens contractuels avec des clients privés et publics : principalement des contrats sur les problèmes de la jeunesse et du chômage des jeunes, et des contrats de marketing (ayant pour thème par exemple « comment les femmes décident-elles où acheter leurs vêtements ? » ou « comment les conducteurs choisissent-ils la marque de leur essence ? »). Le projet qui a fait sa renommée parmi les sociologues américains et lui a permis de mener à terme l'institutionnalisation de son bureau de recherche fut le programme de recherche sur l'impact que la radiodiffusion avait sur la société américaine. Le *Radio Research Program* financé par la fondation Rockefeller donnait à son entreprise un cadre financier régulier jusqu'en 1944. Il fut situé d'abord à l'université de Newark et Princeton, puis transféré en 1939 à l'uni-

---

27. Par exemple, P.F. Lazarsfeld, S. Stouffer, *Research Memorandum of the Family in the Depression*, New York, Social Science Research Council, 1937.

versité de Columbia à New York et nommé un peu plus tard le *Bureau of Applied Social Research*.

Lazarsfeld invoque plusieurs facteurs pour expliquer son succès d'innovateur institutionnel dans le champ universitaire américain [28]. Il avait profité de son séjour comme boursier pour nouer des contacts avec les milieux scientifiques et les milieux d'affaires qui devaient s'avérer très utiles ; il avait une expérience de la recherche à la fois psychologique et sociologique ; il était capable d'utiliser les mathématiques indispensables au développement de techniques telles que la construction d'un échantillon représentatif ou de tests statistiques. Il était familier avec les traditions intellectuelles européennes et américaines. En un mot, il était destiné à jouer un rôle de médiation entre activités et univers séparés, qui pour faire avancer la recherche sociale appliquée devaient être mis en contact. Mais, selon Lazarsfeld, ceci ne pouvait être réalisé que par une innovation institutionnelle et non par une carrière individuelle.

Une telle innovation rencontrait tout d'abord des résistances dues au cloisonnement des disciplines traditionnelles, à l'incapacité des universités de l'époque de gérer des budgets et des activités empiriques de grande taille [29]. A cela s'ajoutent la coupure qui sépare traditionnellement les universités des agents du pouvoir économique et politique et la méfiance des chercheurs à l'égard de contacts compromettants. Comme son innovation prit place dans une université peu prestigieuse, Newark, ces résistances ne se firent pas trop sentir. L'avantage de se trouver, malgré une carrière très rapide, en marge du système en raison de son statut d'émigré a également facilité sa tâche dans une entreprise où d'autres avaient échoué avant lui. Il attribue son succès à son statut ambigu d'appartenance à deux cultures [30] : « Le fondateur d'un institut est un cas spécifique d'une notion sociologique bien connue : l'homme marginal qui participe à deux cultures. Il vit sous de multiples pressions qui l'orientent dans plusieurs directions à la fois. En fonction de ses talents et des circonstances il peut

---

28. P.F. Lazarsfeld, *in* D. Fleming, B. Bailyn, *op. cit.*, p. 302 *sq.*
29. Entretien avec P.F. Lazarsfeld, *Kölner Zeitschrift für Soziologie und Sozialpsychologie*, 4, 1976, p. 401.
30. P.F. Lazarsfeld, *in* D. Fleming, B. Bailyn, *op. cit.*, p. 302.

devenir révolutionnaire, surréaliste ou criminel. Dans certains cas, sa marginalité peut le pousser à des innovations institutionnelles ; l'institution qu'il crée le protège et en même temps l'aide à définir son identité. »

Laissé relativement libre dans ses choix scientifiques pendant la première année du projet, le bureau devenait un centre de rencontre de tous ceux qui travaillaient sur des problèmes de communication de masse. Mais le manque d'une perspective cohérente suscita les critiques des responsables de la fondation qui attendaient du projet qu'il aboutisse à des conclusions et des recommandations pratiques adressées aux directeurs des stations de radio. Une « entreprise de recherche administrative » (nom que Lazarsfeld donnait à la recherche contractuelle) exige un cadre d'organisation plus contraignant et le recours à des modèles expérimentés dans d'autres champs d'activités. Dans un entretien où Lazarsfeld présente les principes d'organisation de son entreprise, on décèle clairement ses modèles idéaux qui ne sont autres que l'entreprise commerciale, le parti politique et l'armée : des commandes bien précises, des relations hiérarchiques, une division du travail poussée à l'extrême et, corrélativement, une spécialisation des membres de l'équipe caractérisent ce modèle d'organisation. Lazarsfeld invoque d'ailleurs explicitement ces modèles d'appareil : « Je me considère parfois comme un politicien frustré ; n'ayant jamais eu la possibilité de diriger un appareil de parti, je n'ai dirigé que des instituts de recherche aux États-Unis [31]. »

Les contraintes de « productivité » qu'invoque Lazarsfeld pour justifier son entreprise semblent être la clé de sa stratégie scientifique dans laquelle les aspects organisationnels sont inséparables des aspects cognitifs : à la division du travail et à l'organisation hiérarchique « efficace » correspondent le raffinement de la méthodologie ainsi que la standardisation des concepts et des techniques de recherche. Les deux concourent à la fixation de délais précis pour chaque opération de recherche, pour le calcul *a priori* de la « productivité » en termes de produits (rapports de fin de contrat).

Quand, au début des années quarante, l'administration vou-

---

31. Entretien avec P.F. Lazarsfeld, *Kölner Zeitschrift für Soziologie und Sozialpsychologie*, 4, 1976, p. 403.

lut utiliser les sciences sociales dans son effort de guerre, Lazarsfeld était en mesure de proposer une organisation efficace et des liens déjà éprouvés avec de hauts fonctionnaires. Marginal dans le champ universitaire et partant d'institutions externes ou para-universitaires, l'empirisme sociologique n'a pu réellement s'imposer dans les universités qu'après la guerre grâce au crédit accumulé dans la coopération avec les milieux d'affaires et l'État. Contrairement à la grande théorie universitaire et à la sociographie de l'École de Chicago, aussi fine soit-elle, l'empirisme des sondages prétendait pouvoir offrir des instruments directement utiles : la production d'informations représentatives pour une population globale et la prévision d'événements à partir de sondages. Aucune autre école sociologique ne prétendait pouvoir prédire la réalité sociale. La prévision électorale à l'aide de sondages à partir des années trente était un des arguments de poids en faveur de la *survey research*. Parmi ceux qui exercent le pouvoir, ces techniques suscitaient l'espoir de pouvoir enfin prévoir les réactions des masses et donc de les éviter ou de les manipuler à temps. L'intérêt que les élites économiques et politiques accordaient pendant cette même époque à la recherche sur les mass-media y trouve son explication. Notons en passant que l'intérêt porté à la radiodiffusion s'explique assez directement par la première élection de Roosevelt qui faisait campagne contre une presse écrite dominée par les Républicains, en s'adressant directement aux Américains par la radio. Sa victoire électorale que personne n'avait prévue soulignait le pouvoir de la radio.

Pendant l'effort de guerre où l'argument d'efficacité prime toujours, cette conception de la sociologie a encore augmenté ses avantages compétitifs. A la fin de la guerre, le *Bureau of Applied Social Research* tirait la part principale de son budget de contrats avec le ministère de la Guerre, en particulier de sa contribution à la grande étude *The American Soldier*. Samuel Stouffer, membre du Bureau, était nommé directeur de recherche de l'armée, Robert K. Merton, également chercheur au Bureau, travailla pendant deux ans à Washington avec Stouffer. La lutte contre le fascisme rendait possible une unité d'action entre intellectuels d'horizons idéologiques très différents ainsi que leur coopération avec l'administration américaine, en particulier avec le ministère de la Guerre, difficilement imaginable en période normale. L'*Office of Strategic Studies* (OSS), la future CIA, une sorte de centre de réflexion ayant pour mission de réunir toutes les informations économiques, sociales, psychologiques et ethnologiques utiles à l'action militaire, pouvait compter sur les services de presque tous les intellectuels émigrés, parmi lesquels des esprits aussi antagonistes que Herbert Marcuse et les autres représentants de l'École de Francfort et Paul F. Lazarsfeld. Cette unification idéologique opérée par l'effort de guerre était l'écran derrière lequel l'empirisme préparait son essor d'après-guerre et son emprise sur la sociologie dans son ensemble. Le renforcement pendant la guerre des liens entre le politique et les sciences sociales qui avaient été noués pendant la période du New Deal se traduisit par le renfort de la position empiriste au sein du champ universitaire américain.

Lazarsfeld-Adorno ou le conflit entre l'« expert » et l'« intellectuel »

Bien que l'on ait peine à imaginer une tentative de collaboration entre deux sociologues aussi différents par leurs trajectoires sociales et leurs habitus que Lazarsfeld et Adorno, on ne peut pas réduire à la psychologie, comme on le fait d'ordinaire, leurs conflits scientifiques et politiques. Le choix d'Adorno comme directeur du sous-programme « musique » dans le cadre du *Radio Research Project* semble être moins le fait du hasard que ne le prétendent certains récits [32]. Lazarsfeld voulait rendre service à Horkheimer qui l'avait aidé à fonder son bureau de Newark et qui cherchait du travail pour Adorno récemment arrivé aux États-Unis. Cela dit, des contacts scientifiques entre Lazarsfeld et l'institut de Francfort existaient dès avant la guerre. L'institut des Bühler à Vienne et l'école de Francfort approchaient d'une façon très

---

32. D.E. Morrison, « Kultur and Culture : The Case of Theodor W. Adorno et Paul F. Lazarsfeld », *Social Research*, vol. 45, 2, 1978.

différente des problèmes théoriques et politiques communs :
la psychologie (expérimentale et sociale dans le cas des Bühler, la psychanalyse dans le cas de l'école de Francfort) était-
elle compatible avec une interprétation macro-sociologique,
en l'occurrence le marxisme ? Problème qui, après leur arrivée aux États-Unis, se formule ainsi : comment combiner les
traditions théoriques européennes avec l'empirisme américain [33] ?

On peut lire entre les lignes du récit que Lazarsfeld [34] et
Adorno [35] ont fait de l'échec de cette tentative qu'il doit plus
au cadre contractuel du projet et aux conflits de méthode qu'à
la psychologie. Lazarsfeld a reconnu en privé à plusieurs reprises que sur le fond de l'interprétation des phénomènes Adorno
avait raison, mais il reprochait à ce dernier son manque de
diplomatie dans les relations avec les clients et son refus de
soumettre sa théorie à un test empirique. En fait, Lazarsfeld
attendait d'Adorno qu'il traduise ses interprétations théoriques en questions à soumettre à un échantillon d'auditeurs [36].
Définition inadmissible pour Adorno qui refusait de laisser
réduire sa conception théorique à une simple spéculation capable au mieux de fournir des « hypothèses, mais non du
savoir » [37]. Toute sa contribution était considérée parmi les
membres de l'équipe non comme une tentative d'interprétation de la réalité, mais comme une spéculation qui, pour devenir scientifique, devait se soumettre à une vérification
empirique et statistique. « *Where is the evidence ?* », telle était
la question qui était adressée en permanence à Adorno et à
laquelle il refusait de répondre. L'opposition s'établit en fait
entre une conception épistémologique dans laquelle les différentes méthodes tirent leur légitimité de la capacité de produire
de nouvelles interprétations théoriques et une autre qui réduit
les méthodes à des techniques de recherche destinées à produire des informations. En outre, Adorno reprochait au Bureau

33. P.F. Lazarsfeld, *in* D. Fleming, B. Bailyn, *op. cit.*, p. 323.

34. *Ibid.*, p. 322 *sq.*

35. Th. W. Adorno, « Scientific Experiences of a European Scholar »
in D. Fleming, B. Bailyn, *op. cit.*, p. 338 *sq.*

36. P.F. Lazarsfeld, *in* D. Fleming, B. Bailyn, *op. cit.*, p. 325.

37. Th. W. Adorno, *in* D. Fleming, B. Bailyn, *op. cit.*, spécialement
pp. 339-343.

de s'intéresser non à l'interprétation des phénomènes, mais à la seule production de données empiriques. Et il attribuait cette approche scientifique au cadre social dans lequel elle se définissait. Le financement par une fondation et la nécessité d'aboutir à des résultats tangibles et utiles aux départements de planification des stations de radio interdisaient de mettre en question le système commercial de radios privées des États-Unis. Pour la première fois, Adorno était confronté à la « recherche administrative », déjà dénoncée dans l'étude que Horkheimer avait consacrée à la « théorie traditionnelle et la théorie critique », devenue une sorte de programme de l'école de Francfort [38].

Les problèmes « psychologiques » posés par le « cas Adorno » trouvent leur explication dans ce refus de commercialisation de la production sociologique. La plupart des plaintes contre Adorno venaient des responsables de la fondation et des directeurs de radios interviewés par lui. Ils se plaignaient qu'il « biaisait les interviews », qu'« il n'écoutait pas, mais qu'il utilisait la situation d'entretien pour les critiques », qu'il était incapable de produire des rapports utiles, que son style était obscur et incompréhensible et qu'il n'offrait qu'un pessimisme sans solution [39]. A cette attitude « agressive » à l'égard du client s'oppose celle de Lazarsfeld, très diplomatique et orientée par le souci de trouver des contrats, donc de satisfaire les clients : à la critique « radicale » il oppose une « critique utile aux clients » et la nécessaire adaptation à une situation objective définie par des rapports financiers [40].

Ces deux rapports au marché de la recherche correspondent à deux manières de vivre l'émigration et à deux modes d'insertion dans la société américaine. Politiquement, Lazarsfeld avait un passé de militant, et il avait su répondre aux besoins spécifiques du parti socialiste autrichien en matière de recherche sociale. La plupart des membres de l'école de Francfort étaient, au contraire, des « intellectuels de gauche » qui, bien que certains d'entre eux aient été membres d'un parti pendant de

---

38. M. Horkheimer, « Traditionelle und kritische Theorie », *Zeitschrift für Sozialforschung*, 1937, p. 245 *sq.*

39. D.E. Morrison, art. cité, spéc' pp. 348-354.

40. P.F. Lazarsfeld, *in* D. Fleming, B. Bailyn, *op. cit.*, p. 315 et 337.

courtes périodes, n'avaient guère eu d'expérience concrète du militantisme. Leur action politique, c'était la construction d'une théorie. Socialement, Lazarsfeld est issu de la petite bourgeoisie juive. La plupart des membres de l'école de Francfort, également d'origine juive, proviennent plutôt de la grande bourgeoisie commerciale. De plus, dans les grandes villes allemandes (Francfort, Hambourg, Berlin) ils trouvaient des points d'ancrage dans les milieux intellectuels libéraux de gauche relativement accueillants. Une fois émigré, Horkheimer déclara que l'Allemagne était un pays moins antisémite que bien des pays européens. (Peut-être a-t-il pris son milieu social pour toute l'Allemagne [41] ?) Cette différence d'origine et de position sociales concourt à expliquer les différences d'attitudes à l'égard de l'émigration. Dès son arrivée aux États-Unis, Horkheimer tint à affirmer l'originalité intellectuelle de son institut qui s'inscrit dans la tradition philosophique allemande de l'*Aufklärung*. Il est significatif que les membres de l'école de Francfort aient regardé leur émigration comme transitoire. Leur attachement à la culture allemande (ou aux « meilleurs côtés de celle-ci ») est attesté par le fait qu'ils poursuivent leurs travaux en langue allemande, et surtout par leur répugnance pendant les premières années d'émigration à publier en anglais [42]. Adorno lui-même dit qu'il s'est toujours considéré comme « pur Européen », qu'il ne l'a jamais renié et qu'il a toujours refusé de s'adapter intellectuellement aux manières américaines. Accusé d'être arrogant, il répond que ce reproche est en fait une manière d'attaquer sa critique sociale. Lazarsfeld, à qui on reprochait aussi, au début de son séjour, d'être typiquement européen, arrogant et hautain, a su opérer les ajustements nécessaires pour poursuivre son ascension professionnelle. Et Adorno le rangeait parmi ceux des émigrés qui « voulaient être plus américains que les Américains [43] ». Il ne s'agit évidemment pas d'opposer ces deux façons de vivre l'émigration comme un « bon » et un « mauvais » usage de

---

41. M. Jay, *The Dialectical Imagination. A History of the Francfurt School and the Institute of Social Research 1923-1950*, London, Heinemann, 1973, p. 33.

42. M. Jay, *op. cit.*, pp. 222-223.

43. Th. W. Adorno, *in* D. Fleming, B. Bailyn, *op. cit.*, p. 350.

l'émigration ; mais plutôt de chercher le principe des différences dans les conditions de départ et les stratégies d'insertion dans la société d'accueil. Considérant l'émigration comme provisoire, l'école de Francfort a poursuivi son projet intellectuel avec une force d'imposition que l'émigration ne pouvait entamer ; au contraire, ceux qui, comme Lazarsfeld, acceptent l'émigration comme un fait irréversible et qui font tout pour s'intégrer dans le pays d'accueil sont plus enclins à infléchir leur projet intellectuel.

Ce conflit entre deux stratégies professionnelles et intellectuelles préfigure le schisme que la sociologie devait connaître après la guerre entre une orientation empiriste qui, dans son souci de ne pas susciter de soupçon de la part du pouvoir, se spécialisait dans la collecte des données et le raffinement statistique, et une critique sociale qui se souciait peu de la confrontation avec la réalité. Mais l'opposition entre Adorno et Lazarsfeld indique également une transformation du rôle de l'intellectuel, transformation ressentie et analysée comme telle aussi bien par Adorno qui, se situant dans la tradition de l'intellectuel européen, de l'homme cultivé et érudit (*der gebildete Mensch*, comme il le dit dans un article en anglais), découvre que ce type d'intellectuel est en train de laisser la place à des «experts techniciens» symbolisés par Lazarsfeld [44], que par Lazarsfeld qui ne voit en Adorno qu'un commentateur journalistique incapable de se reconvertir en *social scientist* [45]. Cette opposition entre la spéculation philosophique de l'intellectuel et la recherche scientifique de l'expert ne pouvait être dépassée ni par l'un ni par l'autre. La confrontation personnelle semble plutôt avoir renforcé cette opposition, vouant Adorno à être le symbole d'une critique sociale qui, après tout, relève d'une conception traditionnelle de la culture ; et vouant Lazarsfeld à se mettre au service de ceux auxquels il n'a cessé de prétendre s'opposer, donc au cynisme politique.

---

44. Th. W. Adorno, *in* D. Fleming, B. Bailyn, *op. cit.*, p. 350.
45. D. E. Morrison, art. cité, p. 338.

La conquête du marché américain

L'alliance scellée entre politique et recherche sociale devait peu après la guerre favoriser la consécration universitaire des techniques d'enquêtes et de sondages parfois identifiées à la sociologie. Pendant la guerre, l'administration a commencé à utiliser de façon systématique les sondages d'opinion publique et les analyses de contenu des médias écrits et parlés. Les quatre volumes de *The American Soldier* [46] prouvaient, selon l'avis des promoteurs de cette conception de la sociologie, que la recherche pouvait être à la fois utile à l'administration et à l'avancement de la discipline. En 1948, le Conseil de recherche en sciences sociales organisa une conférence sur les relations entre recherche fondamentale et appliquée (Robert K. Merton fut invité à apporter la contribution principale) [47]. Dans cette bataille pour la légitimité scientifique, la sociographie de l'école de Chicago souffrait de plusieurs désavantages par rapport à la sociologie par sondages, la *survey research* : du fait qu'elle recourait à des techniques d'observation souvent « qualitatives », on lui reprochait d'illustrer plutôt que de prouver, de décrire, alors que les techniques quantitatives et statistiques prétendaient pouvoir prédire. Au nom de l'efficacité, de l'utilité et de la scientificité (grâce à la quantification et à la mathématisation) l'avantage revenait finalement à la nouvelle école de Columbia. Et un représentant de l'école de Chicago disait dans une interview que tout le monde, au moins pendant les années cinquante à soixante, a fait du sondage la démarche clé de toute recherche. Seule l'apparition pendant la deuxième moitié des années soixante de l'ethnométhodologie a pu contester cette domination, et d'une façon périphérique seulement. Dans la lutte pour l'hégémonie universitaire, la théorie traditionnelle représentée principalement

---

46. S.A. Stouffer, *The American Soldier. Studies in Social Psychology in World War II*, Princeton University Press, 1949-1950, 4 tomes.

47. R.K. Merton, « The Role of Applied Social Science in the Formation of Policy : A Research Memorandum », *Journal for the Philosophy of Science*, 16, July 1949, p. 161-181.

par Talcott Parsons à l'université de Harvard jouait un rôle plus important.

Toutes les différences qui séparent les conceptions que se font de la sociologie Lazarsfeld et Parsons trouvent leur détermination dans les logiques qui ont guidé les carrières de l'un et de l'autre. Ayant presque le même âge (Lazarsfeld est né en 1901, Parsons en 1902), ils sont arrivés quasi simultanément à la consécration universitaire. Lazarsfeld a été nommé professeur à l'université de Columbia en 1940, Parsons a été nommé professeur à l'université de Harvard en 1944. Tandis que Lazarsfeld tirait profit de la conjoncture politico-administrative afin de conquérir sa part du marché de la recherche, Parsons a construit sa carrière dans le champ universitaire traditionnel en faisant valoir le prestige des institutions universitaires européennes où il avait fait la plus grande partie de ses études : la *London School of Economics* et l'université de Heidelberg. Ayant fait sa carrière presque exclusivement dans l'institution la plus prestigieuse du système américain, l'université de Harvard, Parsons réussit à imposer sa domination théorique à partir des années 1940.

On ne peut pas parler d'une concurrence directe entre ces deux conceptions diamétralement opposées de la sociologie [48]. Tout d'abord, poursuivant des projets intellectuels trop différents, ils n'avaient pas de terrain où se livrer bataille. D'autre part, il n'y avait pas de préférence prononcée de la part de clients potentiels : dans le climat du début de la guerre froide, le structuro-fonctionnalisme, et en particulier Parsons, remplissaient une fonction proprement idéologique, tandis que l'empirisme à la Lazarsfeld remplissait une fonction instrumentale. On peut comparer la lutte entre ces deux conceptions scientifiques à celle qui oppose deux produits sur un marché : plus ils sont substituables, plus ils se livreront concurrence, plus ils sont complémentaires, moins ils se livreront concurrence. En ce sens, la critique agressive que Lazarsfeld a souvent

---

48. Même lors de son passage à l'université de Harvard en 1959-60, Lazarsfeld consacra beaucoup plus de temps à la modernisation de la Harvard Business School qu'au département de sociologie. Voir P.F. Lazarsfeld, « Working with Merton », *in* L.A. Coser éd., *The Ideal of Social Structure. Papers in Honor of Robert K. Merton*, New York, Harcourt Brace Yovanovitch, 1975, p. 41.

formulée à l'encontre du « caractère préscientifique » de l'école de Francfort [49] contraste avec l'absence de critique et même les efforts touchants qu'il a faits pour trouver quelque exemple d'une dette intellectuelle à l'égard de Parsons.

On peut citer le passage suivant dans une interview de Paul F. Lazarsfeld (*Kölner Zeitschrift Für Soziologie und Sozial psychologie*, 4, 1976, p. 805) : « Je n'ai pas le sentiment d'être en concurrence avec Parsons (...). Mais je vous citerai un exemple qui prouve que Parsons m'a influencé. Dans l'introduction de son livre renommé, *The Structure of Social Action*, il attire l'attention sur les éléments normatifs des relations "moyens-fins" qu'on néglige souvent. Quels sont les moyens particulièrement efficaces pour arriver à une fin sans être normativement acceptés ? Le vol, par exemple, est le meilleur moyen de faire de l'argent. Mais généralement, le vol n'est pas accepté. J'avais également omis l'élément normatif dans les processus de décision jusqu'à ce que Parsons, ou plutôt Parsons par l'intermédiaire de Merton, ait attiré mon attention là-dessus. » Cette attitude est un exemple de plus de sa stratégie de suradaptation à la communauté scientifique d'accueil. Elle tend aussi à prouver que la critique croisée entre pairs est également guidée par des facteurs politiques et économiques : les écrits de l'école de Francfort ne pouvaient pas manquer de rappeler à Lazarsfeld son passé politique et de dénoncer son attitude à l'égard de ses clients, tandis qu'il n'était pas une ligne de Parsons qui pût le mettre en question.

Tandis que la sociologie de Parsons connaissait un déclin à partir de la fin des années cinquante, la sociologie de Lazarsfeld, le *Bureau of Applied Social Research* et l'université de Columbia imposaient leur hégémonie bien au-delà de 1960. Encore au début des années quarante, mais bien après que Lazarsfeld eut conquis sa renommée de chercheur, ce triomphe n'était pas prévisible. Quand en 1940 une chaire de sociologie devint vacante à l'université de Columbia, celle-ci ne l'offrit pas à Lazarsfeld, mais décida de recruter un théoricien.

---

49. Ainsi, parmi les sociologues jugés comme non scientifiques, il consacre un long passage à l'école de Francfort dans son chapitre « Sociologie », *in* UNESCO, *Main Trends of Research in the Social and Human Sciences*, vol. 1, Paris, Mouton, 1970, pp. 61-65.

En fin de compte, le poste fut divisé en deux positions moins élevées et Lazarsfeld fut nommé en même temps que Robert K. Merton, l'élève de Parsons. Pendant un an, ils ne s'adressèrent guère la parole. Après plusieurs mois d'indifférence réciproque, Lazarsfeld se sentit obligé d'inviter son jeune collègue à dîner. Mais au dernier moment, il fut appelé à se rendre à un studio pour diriger une discussion de groupe. Il réussit à intéresser Merton à cette expérience et celui-ci rejoignit quelques mois plus tard le *Bureau* dont il assura la direction de 1942 à 1971 [50]. Appartenant aux deux courants et ayant des attaches avec les deux universités, Harvard et Columbia, Merton se trouvait le mieux placé pour jouer le rôle de médiateur entre le fonctionnalisme et l'empirisme lazarsfeldien, le symbole de cette conciliation étant le concept de « théorie de moyenne portée ». A partir de la fin des années 1940, le *Bureau of Applied Social Research* et l'université de Columbia furent le centre le plus prestigieux des États-Unis (il attire toute une génération de sociologues, Samuel Stouffer, Bernard Barber, Peter Blau, Harriet Zuckermann, Hans Zetterberg, Hanan Selvin, etc. dont quelques-uns prirent plus tard leurs distances comme C. Wright Mills).

Tandis que Merton donnait sa caution théorique et écartait par ses relations personnelles une concurrence directe, les écrits épistémologiques néopositivistes dénonçaient la théorie de Parsons comme tautologique, affaiblissant ainsi sa position au sein du champ sociologique [51]. Mais l'ascension de l'empirisme s'explique d'abord par la politique de Lazarsfeld au sein du champ universitaire. Dès 1944, le *Bureau of Applied Social Research* fut mieux intégré à l'université, le principe des contrats de recherche commerciaux fut admis pour toute l'université, les centres ayant une importante activité de recherche

50. Cette collaboration déterminait l'orientation du *Bureau*. Le livre suivant en fut une sorte de programme. *Cf.* R.K. Merton, P.F. Lazarsfeld, *Continuities in Social Research, Studies in the Scope and Method of the American Soldier*, Glencoe, Free Press, 1950.
51. Selon cette critique, les théories globales de Parsons ne sont même pas falsifiables. Voir C.C. Hempel, *Fundamentals of Concept Formation in Empirical Science*, Chicago University Press, 1952. K.R. Popper, « Über die Unwiderlegbarkeit philosophischer Theorien », *in* G. Szcezesny, éd., *Club Voltaire, Jahrbuch für kritische Aufklärung*, I, 1963, p. 273 *sq.*

furent encouragés à dispenser une formation à la recherche sur le tas [52]. Cette décision renforça l'influence du *Bureau* sur la formation et les programmes en sciences sociales.

Dès ces années, Lazarsfeld consacrait beaucoup de temps à la formation à la recherche empirique, et à la production de sociologues pour des marchés du travail extérieurs aux universités. Il s'ensuit l'importance accordée à la publication de manuels méthodologiques [53]. La sociologie ne devait pas seulement s'émanciper de la philosophie, il fallait encore qu'elle fournisse des spécialistes de la « gestion rationnelle » à l'administration et aux entreprises. A ses yeux, les sociologues étaient appelés à conquérir les nouveaux marchés ouverts par le marketing, la publicité, la gestion. Dans le système américain où les universités se trouvent autant en concurrence économique qu'intellectuelle, cette stratégie devait porter ses fruits. Les contrats de recherche devenaient rapidement un élément financier important. Lazarsfeld rapporte qu'au milieu des années soixante, la moitié du budget de l'université de Columbia provenait de contrats de recherche [54]. Ceci devait inciter d'autres universités à suivre l'exemple. De plus, dans un système où un étudiant doit payer très cher ses études, le choix de l'université se fait largement selon la valeur du diplôme sur le marché du travail. Le nombre d'étudiants ayant une forte influence sur le budget universitaire, l'aptitude à « placer ses étudiants » joue un rôle primordial. Dès les années quarante, l'université de Harvard s'ouvrait donc à cette conception moderne de la sociologie en offrant une chaire à Samuel Stouffer. Dès 1950, des centres copiés sur le modèle du *Bureau of Applied Social Research* et fondés par ses étudiants proliféraient un peu partout dans le pays. Lazarsfeld travaillait donc à transformer le *Bureau* en centre d'enseignement pour sociologues-conseils.

Profitable pour l'université, donc soutenue par l'administration universitaire, la stratégie de Lazarsfeld réussit à s'impo-

52. P.F. Lazarsfeld, *in* D. Fleming, B. Bailyn, *op. cit.*, p. 332.
53. Parmi les manuels qui réduisent la sociologie à la méthodologie, *cf.* notamment Cl. Selltitz, *Research Methods in Social Relations*, New York, Mac Graw Hill, 1959 ; W.J. Goode, P.K. Hatt, *Methods in Social Research*, New York, Mac Graw Hill, 1952 ; H.L. Zetterberg, *On Theory and Verification in Sociology*, New York, Free Press, 1966.
54. P.F. Lazarsfeld, *in* D. Fleming, B. Bailyn, *op. cit.*, p. 332.

ser contre la résistance au nom de la « morale scientifique ». On a rapporté la discussion suivante entre C.W. Mills et Lazarsfeld. Mills : « Pourquoi Lazarsfeld travaille-t-il pour *True Story Magazine* ? Aucun universitaire de quelque conviction qu'il soit ne ferait cela. » Lazarsfeld : « Je ne comprends pas les plaintes de Mills. Ils sont très généreux avec leurs fonds de recherche et me permettent de poser les questions que j'ai envie de poser [55] ! » [...]

Lazarsfeld est certainement un des premiers exemples d'un entrepreneur en sciences sociales, aussi préoccupé par le maintien des contacts avec ses clients (administrations, fondations, entreprises) que par l'enseignement et la recherche. Désormais, son œuvre s'oriente dans deux directions. D'une part, ses thèmes de recherche dépendent de plus en plus de l'état du marché. D'autre part, il se spécialise progressivement dans les problèmes méthodologiques. Cette évolution n'est pas étrangère elle non plus à sa condition d'émigré. Cette approche fait valoir au maximum ses compétences de mathématicien et de physicien mais, surtout dans une société qu'il connaît encore mal et dont il n'a qu'une expérience superficielle, le formalisme méthodologique constitue un refuge qui lui permet de ne pas prendre parti en se mettant au-dessus du monde social, partant d'éviter d'intervenir dans ses conflits. Sa conception de la sociologie qui accorde la priorité à la méthodologie et, plus précisément, à la quantification doit évidemment beaucoup à l'attrait que les sciences exactes, son seul « amour malheureux » comme disait une de ses amies, ont toujours exercé sur lui. Dans l'univers des sciences tel qu'il le voit, la physique et les mathématiques occupent le sommet de la hiérarchie ; la philosophie y occupe une place très basse tandis que la sociologie et les autres sciences humaines ne sont que des disciplines « en voie de développement ».

Parmi ses travaux américains, Lazarsfeld tenait plus particulièrement à son enquête sur les universitaires pendant la période du maccarthysme. A première vue, ce livre lie à nouveau un projet intellectuel à une cause politique. Mais là encore, en se donnant pour objet « l'esprit des universitaires » (*acade-*

---

55. D.E. Morrison, « Paul Lazarsfeld 1901-1976. A Tribute », *Österreichische Zeitschrift für Soziologie*, 1, 2/3, 1967, p. 7.

mic mind) et en réduisant le terrain d'enquête à « l'institution
universitaire », il s'interdit de rendre compte de la genèse du
phénomène étudié (la répression par le maccarthysme sur les
campus) et des influences externes qui ne sont rapportées
qu'indirectement dans la mesure où elles sont mentionnées dans
les interviews. Il s'ensuit que les auteurs se refusent explicitement de juger, même d'analyser les accusations portées contre
des intellectuels. Celles-ci ne sont qu'un facteur du contexte
qui influence l'esprit des universitaires (*cf.* P.F. Lazarsfeld,
Jr Wagner Thielens, *The Academic Mind. Social Scientists in
a Time of Crisis*, New York, Free Press, 1958, p. 69). Tout
est ramené à la perception que des individus atomisés ont du
reflet du maccarthysme dans le contexte universitaire selon les
caractéristiques différentielles des institutions (taille, place
hiérarchique, affiliation religieuse, etc.). Les enseignants-
chercheurs sont classés selon des critères qui sont ceux de sondages électoraux (démocrate/républicain ; libéral, permis-
sif/conservateur) (*ibid.*, p. 113 *sq.*), et selon les critères
d'avancement professionnel définis par l'institution (*ibid.*, p. 3
sq.). En réduisant l'objet sociologique à une typologie psychologique des variations de l'angoisse devant les menaces perçues (*ibid.*, p. 72 *sq.*), ce genre d'analyse suggère que l'attitude
politique se réduit au degré d'angoisse ou de résistance individuelles. Le découpage de l'objet et la méthode interdisent
d'entrevoir d'autres possibilités. Pour le lecteur, le phénomène
du maccarthysme a surgi de l'obscurité et repart des campus,
on ne sait trop pourquoi ni comment. La conclusion insiste
sur le danger que l'intimidation politique vienne à réduire la
productivité scientifique si importante pour le développement
du pays : « Beaucoup de citoyens ont cru servir la sécurité de
leur pays en attaquant des universitaires et ne se sont peut-
être pas rendus compte qu'à travers cela ils mettaient en danger un développement important de l'éducation supérieure
américaine. » (*ibid.*, p. 265.) Loin d'une précaution rhétorique imposée par le climat politique et intellectuel qui prédominait toujours aux États-Unis en 1958, année de parution du
livre, cette conclusion découle logiquement de la méthode
même et de la psychologisation d'un phénomène politique qui
conduisent à percevoir les atteintes à l'autonomie universitaire
comme l'effet d'une aberration morale plutôt que comme un

état conjoncturel des rapports structurels entre différents champs sociaux. On a l'impression que la prédilection de Lazarsfeld pour ce livre tient moins à sa qualité scientifique qu'à la contestation prudente et indirecte des forces dominantes qu'il renferme. Comme s'il s'offrait le plaisir de contester — se sachant en accord avec la majorité de ses collègues au sortir d'une période traumatisante — ceux qu'il avait pris l'habitude de servir.

Lazarsfeld admet lui-même le rétrécissement progressif de ses préoccupations et cela en relation avec les contraintes du marché. C'est par exemple la spécialisation dans l'étude de l'«acte de décision» abstrait de ses conditions sociales. De même, ses innovations méthodologiques proviennent d'études très particulières : ainsi, le développement de la technique du «panel» fut d'abord destiné à observer les changements des intentions de vote pendant la période préélectorale [56]. Elle fut mise au point lors des élections présidentielles de 1940 qui opposaient le démocrate Roosevelt au républicain Wilkie.

Les raisons données par Lazarsfeld pour expliquer le succès de sa stratégie — création d'un institut, concentration sur la méthodologie, choix d'objets de recherche dotés d'une «bonne valeur marchande» — s'opposent à la séparation stricte qu'il croit pouvoir établir entre recherche et politique [57]. Ce «marxiste en congé», qui «s'occupe de politique après les heures de bureau», ne peut pas se dissimuler que l'usage social qui est fait de ses travaux est toujours «politique». Il inspire des stratégies de marché, des campagnes publicitaires ou électorales. L'idée que c'est la maîtrise des techniques qui garantit la «scientificité» et que ces techniques s'appliquent en principe à tous les objets, se rattache à une prudence théorique inséparable d'une prudence politique servant de parade contre la suspicion politique. Cette attitude assure au sociologue un avantage certain sur un marché caractérisé par l'hétérogénéité (aussi politique) des clients. Le clivage de plus en plus accentué entre ses convictions politiques

---

56. P.F. Lazarsfeld, B. Berelson, H. Gaudet, *The People's Choice ; how the Voter Makes up his Mind in a Presidential Campaign*, New York, Duell, Sloan and Pearce, 1944.

57. Entretien avec P.F. Lazarsfeld, *Kölner Zeitschrift für Soziologie und Sozialpsychologie*, 4, 1976, p. 805.

et sa pratique scientifique contribue à transformer son passé socialiste en référence sentimentale et à évacuer de son travail les questions politiques. L'autonomisation de son « discours de méthode » en a été le moyen le plus direct. L'empirisme pratiqué par Lazarsfeld est une sorte d'art pour l'art de la sociologie, une manière de parler du social sans en parler. Mais ce choix à un moment donné de la trajectoire de Lazarsfeld est encore comme surdéterminé par sa situation d'émigré : la carrière politique devenue impossible, il s'engage à fond dans l'autre voie qui lui reste ouverte, la science pour la science. Si, comme il le dit, ses préoccupations méthodologiques ne sont pas exemptes du souci de publier facilement et rapidement, on ne peut pas s'empêcher de penser que l'inflation de ses publications méthodologiques sert de caution scientifique à des travaux qui, du fait des restrictions imposées par le client ou de leur manque d'intérêt pour une revue spécialisée, resteraient impubliables. Ce cas montre bien qu'il est impossible de distinguer clairement entre stratégie de carrière scientifique et stratégie politique [58]. Le discours méthodologique pur, ultime justification de cette conception de la sociologie, s'en prend à tous ceux qui sont restés attachés aux « façons anciennes » de faire de la science, donc ceux qui n'ont pas renié leurs traditions européennes. En abandonnant les préoccupations théoriques et les soucis de pertinence sociale qui caractérisent son œuvre autrichienne, Lazarsfeld a forgé une conception de la sociologie adaptée aux contraintes du marché de la recherche telles qu'elles sont définies par les forces qui dominent ce marché.

La logique de l'expansion

A la limite, la transformation progressive de la sociologie en méthodologie mène à un jeu formel pour lequel les faits sociaux ne sont qu'un prétexte. Comme le rappelle un de ses

58. P. Bourdieu, « Le champ scientifique », *Actes de la recherche en sciences sociales*, nᵒˢ 2-3, juin 1976, pp. 88-104.

collaborateurs, « pour lui, la vie c'était son travail, et le travail c'était son plaisir. Il pouvait passer des heures à jouer avec des modèles mathématiques. Une fois, il m'a même dit que les données en elles-mêmes ne l'intéressaient guère. L'intérêt, c'est de les manipuler par des instruments statistiques. » L'exclusion du social hors de la sociologie ainsi transformée en jeu avec des chiffres devait encore s'accentuer avec la génération suivante représentée entre autres par James Coleman et Morris Rosenberg. La stricte séparation entre énoncé « scientifique » et « jugement de valeur » devait mettre cette sociologie à l'abri du soupçon politique. Et Lazarsfeld, soucieux de l'image de marque du *Bureau*, sortait de son attitude libérale et tolérante lorsqu'un de ses collaborateurs venait à mettre en question cette philosophie de l'apolitisme, comme ce fut le cas avec Robert Lynd qui ne cessait pas de demander : « *Knowledge for what?* », et avec C. Wright Mills.

Mais le caractère politique de cet apolitisme était plus visible encore quand Lazarsfeld s'apprêtait à exporter son produit. En Europe, après la guerre, on assiste à de multiples efforts pour renforcer la capacité des gouvernements à prévoir et à gérer des crises. Dans ce contexte, la sociologie empirique américaine semble présenter une « avance technique » qui pendant cette période attire toute une génération de chercheurs européens. Dans cette ruée vers les États-Unis se rencontrent deux projets. Du côté européen, on cherche un appui externe dans l'effort d'institutionnalisation universitaire de la recherche empirique. Du côté américain, une stratégie scientifique internationale de conquête de nouveaux marchés intellectuels s'accompagne d'un projet proprement politique que poursuivent les grandes fondations (Ford, Rockefeller).

Parallèlement à leur action aux États-Unis, les fondations ont toujours dirigé leurs efforts vers l'extérieur. De même qu'en politique intérieure elles ont souvent joué le rôle d'expérimentateurs de programmes sociaux [59], de même, en politique étrangère, elles préparent souvent des changements de ligne politique et agissent dans des domaines où — pour des raisons

59. R. Magat, *Foundation Reporting*, address presented May 19, 1969, before the Ninth Biennal Conference on Charitable Foundations, New York University.

évidentes — le gouvernement américain doit s'abstenir. En général, les fondations poursuivent une ligne plus « libérale » que le gouvernement tout en souscrivant aux « intérêts américains », leur action réformatrice en matière de programmes sociaux les mettant à l'abri des critiques directes [60]. Ainsi, peu confiantes dans un équilibre fondé sur la seule présence des forces américaines, les fondations ont poursuivi une stratégie visant à favoriser dans les pays européens les changements institutionnels et politiques nécessaires pour les immuniser contre la tentation communiste. L'institutionnalisation des sciences sociales joue un rôle de tout premier ordre dans cette stratégie : elles seules peuvent substituer des approches empiristes rationnelles aux traditions « idéologiques » des Européens et aux démarches globalisantes et, par là, renforcer la progression du pragmatisme et de l'exploration des possibilités de compromis entre forces sociales opposées, ce qui, à la longue, devrait contribuer à rapprocher les systèmes politiques européens, jugés autoritaires et trop hiérarchisés, de l'« idéal » américain.

Bien avant la Seconde Guerre, ce projet a été conçu à l'intention d'abord de l'Allemagne et plus tard de la France [61]. Il a été étendu après la guerre à la plupart des pays de l'Europe occidentale et même de l'Est. A la limite, on pourrait parler d'une sorte de plan Marshall intellectuel. La fondation Ford était l'avant-garde de cette politique expansionniste américaine. Après la guerre, la lutte contre le communisme s'est ajoutée d'abord à la lutte contre le fascisme pour s'y substituer bientôt. Il s'agissait d'endiguer l'influence politique des partis communistes dans les pays de la zone d'influence américaine en Europe et d'empêcher le marxisme de devenir la théorie de référence de tous ceux qui préconisaient des changements

---

60. I.L. Horowitz, *op. cit.*, pp. 442-443 et 449.

61. En 1926-1927, une subvention de 30 000 $ devait permettre d'ouvrir à Paris un bureau de la fondation Rockefeller, un lieu de rencontre et de travail pour des chercheurs en sciences sociales. « L'idée sous-jacente paraissait être que la recherche empirique commanditée et utilisée par des intérêts privés, utilitaires, politiques et financiers pourrait contribuer au développement des sociétés européennes, caractérisées par une forte stratification. » *Cf.* H. Orlans, « The Advocacy of Social Science in Europe and America », *Minerva*, XIV, 1, 1976, p. 2.

sociaux. Le « bras séculier » de cette politique était le plan Marshall tandis que les sciences sociales appliquées à la « solution des problèmes sociaux » devaient en fournir le « bras spirituel ».

Tandis qu'à partir de la fin des années quarante, la fondation Rockefeller ne finançait plus que des projets de recherche, la fondation Ford ne se limitait pas aux modes traditionnels d'assistance (financement de projets de recherche, dons aux universités, bourses individuelles, etc.) et contribuait aussi à l'institutionnalisation de la recherche empirique par le biais de financement destiné à la mise en place de nouveaux grands organismes de recherche. A la faveur du laisser-faire pratiqué dans ce domaine par les gouvernements dans un grand nombre de pays européens, la fondation Ford put bien souvent orienter la politique des sciences sociales d'après-guerre.

Pendant la guerre froide, nombre de ceux qui, au nom de la lutte anti-fasciste, avaient accepté de collaborer avec l'administration américaine dans l'*Office of Strategic Studies* accordèrent leur soutien à cette sorte de plan Marshall intellectuel ; c'est le cas de Lazarsfeld qui prend une part déterminante, après 1951, à cette politique au titre de conseiller de la fondation Ford pour les sciences sociales. Lazarsfeld s'occupa, personnellement, de la création d'un Institut d'études avancées en sciences sociales à Vienne en Autriche, de programmes d'échanges avec la Pologne et la Yougoslavie. Mais indirectement, il contrôlait pratiquement tous les projets : la plupart des conseillers de la fondation en matière de sociologie avaient des liens avec le *Bureau of Applied Social Research* (comme par exemple Bernard Berelson).

L'analyse des dossiers de ces projets suggère que la fondation Ford traitait comme de gouvernement à gouvernement, ce qui s'explique par le montant des moyens financiers en jeu : souvent plus d'un million de dollars par projet [62]. Et la genèse des projets indique clairement que la demande ne vient prati-

---

62. Par exemple, Institut d'études avancées, à Vienne : 1 000 000 $ de 1961 à 1965 ; Maison des sciences de l'homme à Paris : 1 000 000 $ de 1960 à 1964 ; Programme d'échanges avec la Yougoslavie : 1 500 000 $ de 1958 à 1965 ; Programme d'échanges avec la Pologne : 270 000 $ en 1958.

quement jamais des gouvernements, mais de la fondation elle-même. Généralement, ces projets sont préparés de longue date et soumis à une préparation et à un contrôle minutieux. La fondation poursuit un dessein bien précis dont les grandes lignes ressortent des circulaires et mémoires internes et du courrier : réduire le sous-développement des sciences sociales européennes (« Il semble évident que les sciences sociales européennes n'ont pas encore abouti à la "masse critique" qui devait exister aux États-Unis dans les années 1920-1930... ») ; rendre possible l'apparition d'une communauté scientifique en relation avec la communauté scientifique « internationale » (en l'occurrence, il ne peut s'agir que de la communauté scientifique américaine, donc d'une stratégie de rattrapage suggérée aux Européens) ; renforcer la standardisation conceptuelle et technique et faire ainsi disparaître les différences nationales dans la production des sciences sociales [63]. La mise en œuvre de ces objectifs suppose une stratégie de subversion des hiérarchies établies au sein des champs scientifiques nationaux : soutenir les travaux empiriques et appliqués souvent poursuivis par des enseignants-chercheurs occupant des positions dominées, affaiblir les traditions intellectuelles globalisantes. « Bien que certains travaux aient un caractère ésotérique, les chercheurs américains en sciences sociales prennent généralement en considération l'utilité et la rigueur de leur travail. Un nombre croissant de chercheurs européens essaient de renforcer leur travail de la même manière en améliorant la qualité scientifique et l'utilité pour la solution des problèmes contemporains. Mais ils restent en minorité contre un *establishment* intellectuel qui reste sous l'influence très forte de traditions pré-scientifiques. » (Rapport interne : Information Paper, *The Foundations Activities in Europe*, Ford Foundation, March 1968, p. 9, Archives de la fondation Ford.)

Le caractère proprement politique de cette stratégie ressort encore mieux des projets destinés aux pays de l'Est, où la fondation tend à soutenir les forces universitaires anciennes qui résistent à l'emprise des partis communistes, et à encourager

---

63. D.B. Truman, *Report on an Informal Inquiry into Developing Relations among Social Scientists in Europe*, February 1963, pp. 2 et 3 (Archives de la fondation Ford).

en même temps les nouveaux développements empiristes dont on attend qu'ils conduisent à une révision et à un affaiblissement du marxisme. Par exemple, le passage suivant d'un memorandum interne du 10 novembre 1958 de W. Nielsen, directeur de la division des affaires internationales de la fondation Ford, portant sur l'état des sciences sociales en Yougoslavie, p. 2 : « On ne pourrait pas dire qu'il y a de la liberté de pensée dans les universités yougoslaves (...). Le marxisme est le slogan qui oriente l'enseignement (...), mais j'avais l'impression que très généralement les concepts marxistes sont réexaminés (...). Si ces chercheurs en sciences sociales recevaient un peu d'argent et pouvaient commencer à recueillir des données empiriques sur un certain nombre de problèmes, ils accéléreraient et élargiraient certainement ce qu'on appelle d'une façon euphémisée la ''réinterprétation'' du marxisme jusqu'au point où ils approcheraient le révisionnisme total [64]. »

Lazarsfeld était bien placé pour jouer un rôle clé dans cette entreprise de « modernisation » intellectuelle et idéologique de l'Europe par le renforcement du pragmatisme politique et l'affaiblissement du marxisme. Outre une conception de la sociologie qui correspondait parfaitement à cette idéologie, il proposait un modèle d'organisation de la recherche et de liaison avec les clients parfaitement adapté. L'imposition de cette conception de la sociologie dans des contextes déjà investis par d'autres traditions intellectuelles avait pour condition une réécriture de l'histoire de la discipline visant à délégitimer les traditions concurrentes et à fonder l'exclusive légitimité scientifique de son empirisme.

Un article de Lazarsfeld publié dans une encyclopédie des sciences sociales et humaines éditée par l'UNESCO (P.F. Lazarsfeld, « Sociology », *in UNESCO, Main Trends of Research in the Social and Human Sciences*, Paris, Mouton, 1970, vol. 1, pp. 61-165) permet de reconstruire l'image qu'il

64. Cette stratégie d'intervention internationale ressemble fort à celle d'une entreprise économique multinationale : création de filiales (aujourd'hui encore l'Institut d'études avancées de Vienne est communément appelé l'« Institut Ford »), prises de participation dans des sociétés nationales et influence sur la nomination du personnel dirigeant, projets communs destinés à pénétrer des marchés relativement fermés aux étrangers (selon le modèle « Simca-Chrysler »).

s'est faite du champ mondial de la sociologie. La sociologie est présentée comme une « science américaine » ; les travaux d'origine non américaine n'occupent que peu de place. La rareté des références aux auteurs communément considérés comme les fondateurs de la discipline (Durkheim, Weber, Simmel, Marx, etc.) souligne l'ambition de ce texte qui est de prendre le contrepied des courants dominant l'histoire de la discipline afin de redécouvrir et de réhabiliter la tradition empiriste (ou plutôt sociographique) prédurkheimienne. C'est ainsi qu'il peut affirmer qu'entre 1920 et 1950 aucune œuvre importante dans la « tradition classique » n'a été publiée en Europe (p. 67). De même, il met en valeur les aspects les plus empiriques des auteurs classiques : la seule référence importante à Max Weber évoque les enquêtes que celui-ci a dirigées sur les agriculteurs et les ouvriers de l'industrie au début du siècle (p. 64). De façon générale, il reclasse les travaux recensés selon la place qu'ils occupent dans « sa » propre hiérarchie de la scientificité, qui va des sondages et des travaux méthodologiques, de l'étude des concepts et des variables, de l'analyse mathématique des processus et des contextes sociaux (pp. 64-74), aux travaux « macro » sociologiques toujours exposés à « retomber dans l'obscurantisme » (recherches comparatives, processus sociaux dans une perspective historique) (pp. 76-90) et enfin aux différents essais de construction théorique parmi lesquels sa préférence va aux « théories de portée moyenne » (pp. 90-120).

Il s'agissait de vendre, avec la sociologie empiriste, le modèle des relations entre recherche sociale et agents économiques et politiques qui s'était élaboré aux États-Unis pendant les années 1920 et 1930, et en particulier la redéfinition du rôle social de l'intellectuel. En ce sens, il s'agissait d'une sorte de colonisation intellectuelle qui n'était pas perçue comme telle parce qu'elle s'opposait à la fois au communisme et aux philosophies sociales conservatrices ainsi qu'aux structures archaïques des universités de l'époque. L'ambiguïté idéologique du projet était certainement la condition de succès de cet « impérialisme intellectuel » auprès de publics relativement divergents, technocrates, réformateurs modernistes d'un côté, idéologues de la guerre froide de l'autre.

Dimension d'un dessein politique planétaire visant à accélérer la convergence des systèmes politiques et à substituer une vue rationnelle aux interprétations idéologiques prédominantes, cette conception des sciences sociales est symbolisée et réalisée par la stratégie commune de trois hommes, Paul F. Lazarsfeld, le producteur d'une vision «scientifique» du monde social, Sheppard Stone, un des directeurs de la fondation Ford, représentant modéré et réfléchi des intérêts américains, et Adam Schaff, philosophe et sociologue polonais, haut fonctionnaire du parti communiste et convaincu de la nécessité de moderniser les bureaucraties d'État de l'Est. Ces trois hommes couvraient le spectre politique européen et pouvaient promouvoir les sciences sociales empiriques appliquées en s'assurant du soutien de forces politiques normalement opposées. Lazarsfeld avait gardé d'excellents liens avec les partis sociaux-démocrates ; Sheppard Stone était lié plutôt avec les partis chrétiens-démocrates et conservateurs et avait conseillé Adenauer ; Adam Schaff pouvait assurer l'extension de cette conception intellectuelle au-delà du rideau de fer à travers le Centre européen de coordination de recherches et de documentation en sciences sociales à Vienne, fondé avec l'aide de l'UNESCO et dont il assure la direction depuis sa création en 1962. Dans cette Sainte Alliance en faveur de l'empirisme et des sciences sociales appliquées, chacun pouvait demeurer attaché à son idéologie politique, et invoquer en faveur de la nouvelle science son utilité abstraite pour les décideurs : l'amélioration des stratégies de vente pour les *businessmen* américains, un affaiblissement des idéologies archaïques traditionalistes pour les politiciens sociaux-démocrates, le combat contre les utopies communistes pour les conservateurs, la rationalisation de décision pour tous les administrateurs, les merveilles des sondages pour mieux connaître et manipuler l'opinion des masses pour les dirigeants des pays communistes... Tout le monde pouvait y trouver satisfaction.

Infatigable, Lazarsfeld propageait sa conception de la sociologie partout en Europe : en 1948, il conseillait le gouvernement norvégien dans la création d'un institut de recherches sociales où il fut un des premiers professeurs américains. En 1958, il était le premier sociologue occidental à donner des cours à Varsovie et à présider une conférence de l'UNESCO sur les techniques des sondages d'opinion publique. En 1959, il préparait en Yougoslavie le programme d'échanges avec des chercheurs américains. De 1958 à 1964, il jouait un rôle prépondérant dans la préparation de l'Institut de Vienne qui devait également remplir une position stratégique entre l'Est et l'Ouest [65]. En 1962-1963, son passage à la Sorbonne coïncidait avec un moment où la sociologie française s'engageait dans le processus de professionnalisation et de renforcement des liens contractuels avec ses clients et il jouait un rôle clé pendant les premières années de fonctionnement du Conseil international des sciences sociales de l'UNESCO.

On ne pouvait, dans les limites de cet article, proposer des analyses détaillées de toutes ces actions qui montreraient qu'en plus d'un cas, les intentions des promoteurs ont été profondément modifiées dans la réalisation. L'analyse des effets de cette stratégie sur la sociologie française devrait tout d'abord s'appuyer sur la description des évolutions structurelles du champ : création de postes, évolution du financement, du marché des contrats de recherche, du marché des publications, des différents réseaux officiels et officieux qui établissent le lien entre le champ scientifique et les champs du pouvoir tels que les clubs politiques ou des revues comme *Esprit* et *Preuves*. (Sur tous ces points, voir M. Pollak, « La planification des sciences sociales », *Actes de la recherche en sciences sociales*, 2-3 juin 1976, pp. 105-121). Le numéro spécial « Sociologie et industrie : une interrogation mutuelle » de la revue *L'Expansion de la recherche scientifique*, n° 19, 1963, illustre bien l'ambiance de l'époque.

Au début des années 1960, l'entreprise de Lazarsfeld atteint son apogée. Sa conception de la sociologie est devenue dominante presque partout en Europe. Pendant ces mêmes années et face à la demande accrue des administrations à l'Ouest et à l'Est, les grandes bureaucraties internationales, l'UNESCO et l'OCDE, consacrent d'importants travaux au problème de la relation entre politique et recherche sociale. Là encore, l'influence de Lazarsfeld paraît déterminante. C'est à lui que revient la tâche de rédiger le chapitre *Sociologie* dans la très

---

65. C'est même sa fonction principale aux yeux des promoteurs américains ; *cf.* une lettre de Lazarsfeld à Sheppard Stone du 22.6.1959 (Archives de la fondation Ford).

officielle encyclopédie éditée par l'UNESCO [66]. À l'OCDE, il est un des experts chargés du *Rapport sur les sciences sociales et les gouvernements*, destiné à inspirer les politiques des pays membres de l'OCDE dans ce domaine [67]. Par l'intermédiaire du Conseil international de recherche en sciences sociales de l'UNESCO, sa conception de la sociologie acquiert une audience dans les pays de l'Est. L'évaluation positive que Lazarsfeld lui-même a faite de cette influence montre dans quelle mesure cette insertion de la recherche sociale dans la politique lui paraissait exemplaire et prémonitoire pour les développements à venir. Se situant délibérément au-dessus des conflits sociaux, Lazarsfeld avait cru pouvoir imposer sa vision politique à travers l'épanouissement de la recherche sociale empirique. En fait, il n'a fait que contribuer à créer des structures de recherche au service des forces sociales dominantes du moment.

On est ainsi ramené à la question des changements et des continuités dans son projet intellectuel et politique. Comme l'a montré l'analyse de sa période autrichienne, les origines sociales et ethniques et les traditions familiales contribuent fortement à expliquer son engagement politique. S'y ajoute son admiration pour Friedrich Adler qui avait aussi eu une influence déterminante sur les débuts de sa carrière scientifique. Sa prédilection pour l'empirisme en sociologie résulte à la fois de cette formation et du « modernisme » qu'il incarnait face aux sciences sociales officielles, professées à l'université de Vienne. De plus, dans le débat marxiste autrichien, l'empirisme était considéré comme compatible avec les écrits de Marx. Dans un article paru dans l'organe théorique du parti socialiste autrichien, Lazarsfeld présentait la psychologie sociale comme un enrichissement du marxisme qui pourrait contribuer à expliquer les médiations entre infrastructure et superstructure [68]. Née des contraintes matérielles, la recherche contractuelle avec ses liens spécifiques entre chercheur et client

66. P.F. Lazarsfeld, « Sociology », *in UNESCO, Main Trends of Research in the Social and Human Sciences, op. cit.*

67. OCDE, *Les sciences sociales et la politique des gouvernements*, Paris, OCDE, 1965.

68. P. Lazarsfeld, « Die Psychologie in Hendrik de Mans Marx Kritik », *Der Kampf*, 6, 1927, pp. 270-274.

ne suscite pour Lazarsfeld aucun problème d'épistémologie ou de morale scientifique. Par contre, elle est compatible avec une conception réformiste du socialisme qui tend à utiliser la recherche sociale dans l'élaboration de ses stratégies politiques. Déraciné socialement et politiquement, Lazarsfeld ne conservait de ce projet, après son émigration, que la structure formelle : la collaboration et la relation contractuelle entre client et chercheur mise en œuvre dans le *Bureau of Applied Social Research*. Dans la pensée de Lazarsfeld, la coupure entre son travail scientifique et sa pensée politique allait en s'approfondissant. Le mot maintes fois rapporté selon lequel il se désignait comme un «marxiste en congé [69]», indique peut-être que, malgré son ascension professionnelle et son succès aux États-Unis, il est resté politiquement déraciné, qu'il ne s'est jamais identifié à la réalité politique de ce pays, qu'il n'en a jamais vécu comme siens les enjeux politiques et qu'il a gardé la distance qui caractérise l'étranger, placé dans une position d'observateur par rapport aux contradictions et conflits de la société où il vit. Et la participation à la reconquête intellectuelle et politique du marché européen était peut-être une manière de vivre dans le double jeu une vie intellectuelle et politique dédoublée.

Ce qui l'impressionnait le plus dans le parti socialiste autrichien de l'après-guerre, c'était son succès : la force de son organisation mesurée au nombre des sous-organisations et des membres, l'habileté tactique de ses dirigeants, le nombre des ministères qu'il détenait en permanence. Quand, au milieu des années soixante [70], le parti traversait une crise déclenchée par une affaire de transactions financières douteuses, il ressentait — selon les informations données par un de ses amis — «comme un frisson angoissé et agréable». Malgré la crise organisationnelle et les conflits de personnes qui accompagnaient l'appauvrissement idéologique du mouvement, il gardait son admiration pour ces «politiciens habiles», et refusait qu'on les taxe d'«opportunistes». Il avait réussi dans le champ scientifique, ce que ses camarades de jeunesse avaient réussi dans

---

69. D.E. Morrison, *Paul Lazarsfeld 1901-1976. A Tribute,* art. cit., p. 6.
70. Cette crise a mené à une défaite électorale qui écartait du pouvoir le parti socialiste pendant quatre années.

le champ politique. Le fonds d'idéaux communs s'était transformé en admiration réciproque du succès mesuré, en pouvoir scientifique d'un côté, en pouvoir politique de l'autre.

Et la référence nostalgique à l'austromarxisme de sa jeunesse n'était peut-être que l'envers d'un cynisme permettant d'être ouvert à toutes les occasions offertes, pourvu qu'elles servent la promotion du produit qu'il avait à proposer, sa conception de la sociologie. Et si cette analyse peut paraître critique à l'égard de Lazarsfeld, c'est qu'elle reproduit fidèlement l'histoire d'un homme qui a su trop bien exploiter toutes les chances offertes, sans jamais avoir la force de renoncer.

Actes de la recherche en sciences sociales, n° 25, 1979.

La place de Max Weber dans le champ intellectuel français

Avant la fin des années 1960, l'œuvre de Max Weber n'a trouvé qu'une diffusion très limitée en France (E.A. Tiryakian, 1966 ; M. Pollak, 1986). Comment expliquer cette relative étanchéité des sciences humaines françaises, et plus particulièrement de la sociologie, à cet auteur considéré comme un des « pères fondateurs » de la discipline ? L'absence de traductions avant 1959 en est la raison la plus évidente, mais la position encore marginale au sein du champ scientifique français de ceux qui avaient, avant cette date, promu Weber, rend mieux compte de cette réception tardive. Car si le champ scientifique est le lieu d'une lutte de concurrence qui a pour enjeu le monopole de l'autorité scientifique (P. Bourdieu, 1976), une œuvre étrangère se heurte nécessairement à une résistance, dans la mesure où elle risque de déranger l'ordre existant et le rapport de forces entre écoles et groupes autant qu'entre interprétations concurrentes de la réalité.

Il n'est pas étonnant alors que les temps forts de la réception de Max Weber correspondent aux moments de crise et de transformation des sciences sociales françaises : d'abord la dislocation de l'hégémonie du durkheimisme dans les années 1930, les débuts de l'expansion des sciences sociales entre 1958 et le milieu des années 1960 ensuite, et, finalement, le déclin du structuralisme à la fin des années 1970. A chacun de ces moments, le sort de Weber est intimement lié à la trajectoire de Raymond Aron : à son rôle d'intermédiaire entre la culture française et allemande dans les années 1980, à son travail de redéfinition des enjeux sociologiques au moment de l'institutionnalisation et de l'expansion de la discipline, au tournant des années 1960, et au « renouveau aronien » lié à la montée de la génération post-structuraliste, à la fin des années 1970 et au début des années 1980.

Pendant ces moments de crise, Max Weber fait partie des armes des nouveaux entrants, acteurs périphériques s'attaquant à l'orthodoxie établie. La promotion de Max Weber allait de pair avec une distanciation par rapport au contrat tacite d'adhésion à l'ordre qui définit la *doxa* dans le champ sociologique français. Dans ce cadre, la référence à Weber apparaît comme la mobilisation d'une ressource modulable en fonction de projets concurrents. Mais une telle utilisation est soumise à des contraintes spécifiques.

Les chances des promoteurs de se faire reconnaître en même temps que de faire connaître Weber dépendent aussi de leur rapport avec les traditions prédominantes dans la mesure où toute nouveauté scientifique risque d'être rejetée ou ignorée si elle ne peut être rapprochée de connaissances familières, par analogies ou par l'intermédiaire d'opérations logiques simples (G.S. Stent, 1972). Cette adaptation successive de Weber aux traditions sociologiques françaises est un processus cumulatif et conflictuel. En même temps, l'intégration de cet apport nouveau modifie ces traditions. La compréhension des formes sociales de ce processus à différents moments est un préalable à celle des contenus des interprétations données par les sociologues français de Weber, interprétations qui se mettent en place progressivement et à la périphérie avant de s'imposer au centre.

Les étapes

Parmi les auteurs allemands commentés et présentés dans l'*Année sociologique*, Max Weber n'occupe pas de place particulière. Valorisant plus particulièrement les travaux correspondant à leur conception de la sociologie, les durkheimiens, plus attentifs dans les comptes rendus à Simmel, Sombart, Brentano, Schumpeter et Michels, se montrent plutôt réticents à l'égard de Weber, difficilement classable entre l'histoire, le droit, la sociologie et l'économie. Les historiens économistes, eux aussi, reprochent à Weber de ne pas s'appuyer suffisamment sur des faits empiriques, de faire « rarement appel à l'histoire générale », d'avoir « de l'esprit capitaliste et du capitalisme une conception trop simpliste » (H. Hauser, 1927 ; H. Sée, 1926). Tout en reprenant à son compte certaines de ces critiques, Maurice Halbwachs, dans son article « Max Weber un homme, une œuvre », publié en 1929, met en avant la nouveauté méthodologique de l'enquête sur les ouvriers agricoles, caractérisée par une collecte de données d'une ampleur peu courante (M. Halbwachs, 1929). Halbwachs utilise alors Weber, rejeté par l'*establishment* historien, de façon stratégique dans sa tentative de rénovation des traditions durkheimiennes par l'introduction du travail d'enquêtes à grande échelle (A. Desrosières, 1985).

On se trouve, à la fin des années 1920, à un moment où les facteurs d'ouverture et d'innovation issus de l'école durkheimienne s'étaient métamorphosés en facteurs de traditionalisme, apanage de l'*establishment* universitaire (T.N. Clark, 1973 ; J. Heilbron, 1985). Dès lors, la rénovation de la sociologie se faisait à partir de la périphérie par de jeunes intellectuels philosophes, profondément déçus par la transmission routinière de savoirs et à la recherche d'un savoir répondant à leurs inquiétudes et à leur prise de conscience « de la tempête à venir » (R. Aron, 1983). Les camarades de Khâgne, parmi lesquels Jean-Paul Sartre et Paul Nizan, trouvent ce savoir dans la philosophie allemande (Husserl, Heidegger) et dans l'école néokantienne (Rickert, Weber). Dans ce climat de soif intellectuelle et d'engagement, Raymond Aron occupe un rôle central d'intermédiaire entre la sociologie française et allemande. En dehors de quelques pages consacrées à Max Weber dans la traduction française du livre de Sorokin sur les *Théories sociologiques contemporaines* (P.A. Sorokin, 1938), le livre de Raymond Aron sur la sociologie allemande est une des premières présentations systématiques de l'œuvre de Weber en France. Écrit à la demande de Célestin Bouglé, directeur du Centre de documentation sociale de l'École normale supérieure, ce livre satisfait des critères proprement universitaires, tout en permettant une distanciation par rapport au durkheimisme en même temps qu'une distance critique par rapport aux défauts de la sociologie allemande (et de Weber), à savoir un penchant pour une autojustification permanente, les risques d'un relativisme total, l'absence d'étude de cas concret (R. Aron, 1983). Sans encore accorder à Max Weber une place à part, Aron souligne son rôle spécifique dans l'intégration d'une sociologie formelle et systématique (Simmel, Toennies) et d'une sociologie historique. Dans l'œuvre de Weber et des philosophes allemands de Dilthey à Rickert et Windelband, Aron s'intéresse plus particulièrement au rapport entre histoire et théorie sociale et à celui entre savoir et pouvoir politique, d'où l'accent mis dans sa réception de l'œuvre wébérienne sur les essais de théorie de la science ainsi que *Le Savant et le Politique* (R. Aron, 1935). Ce faisant, il touche également l'intelligentsia parisienne, cet important vecteur de la diffusion des idées en France. Sans que ses mémoires permettent d'établir si Raymond Aron a joué un rôle personnel au sein du Collège de sociologie autour de Georges Bataille et Roger Caillois, la lecture de son livre a inspiré les discussions qui s'y déroulèrent (D. Hollier, 1979).

S'identifiant pleinement au personnage et à l'œuvre de Weber, Raymond Aron devient son promoteur infatigable à un moment où l'attirance exercée par la philosophie et la sociologie allemandes tend à croître et où l'évolution de l'Allemagne aurait dû rendre un tel rapprochement peu probable. Ce paradoxe s'explique par les affinités entre les questions existentielles que se posent les jeunes intellectuels et les thèmes de la philosophie allemande. Une période de réflexions diversifiées sur Weber s'ouvre en des lieux fort divers.

A côté de Raymond Aron, Julien Freund, lui aussi, commence ses travaux sur Weber à la fin des années 1930. Des cercles trotskistes en rupture avec l'orthodoxie marxiste se réfèrent également, dès les années 1930, aux écrits de Weber sur la bureaucratie pour s'attaquer aux tendances bureaucratiques dans les partis communistes et en Union soviétique (S. Weil, 1933). La guerre, sans interrompre ces réflexions, en réduit les manifestations extérieures. Après la guerre, la domination exercée par Georges Gurvitch sur la sociologie universitaire et l'hégémonie communiste dans le milieu intellectuel parisien, vouent ces réflexions à une existence « souterraine ». Elles deviennent pleinement « visibles » à la fin des années 1950 seulement.

Les critiques qu'adresse Gurvitch à Max Weber, et indirectement à Raymond Aron, se lisent parfois comme un véritable exercice d'exorcisme, inhabituel dans la littérature scientifique. Son agressivité verbale augmente à mesure que l'on approche de la fin des années 1950 (M. Pollak, 1986). On peut établir un rapport entre la violence des propos tenus par Georges Gurvitch et ses fidèles d'un côté, et les changements intervenus dans la concurrence universitaire en sociologie, de l'autre. Après sa reconnaissance définitive en 1958 par la création d'un diplôme de licence, l'expansion de la discipline ne pouvait qu'être dommageable aux situations de monopole et on est tenté de ne voir dans l'agressivité verbale de Gurvitch et des siens que l'expression d'une réaction aigrie de défense face à la concurrence montante. Cependant, sans nier ces facteurs, on doit considérer qu'une telle réduction des enjeux à une lutte de pouvoir institutionnel occulte les questions proprement théoriques et politiques que symbolise le conflit entre Gurvitch et Aron.

Bien que la sociologie de Gurvitch ne corresponde plus à la classification « positiviste » qui distingue, selon Aron, la sociologie française de la sociologie allemande qu'il juge « spiritualiste », elle partage avec le durkheimisme l'aspiration à devenir une science globale répondant au problème posé par la dissolution des liens sociaux traditionnels dans les sociétés industrielles modernes (Gurvitch, 1958). Pour résoudre ce problème, Durkheim avait imaginé la restauration d'une discipline par une nouvelle morale collective ; Gurvitch voit émerger de nouvelles « sociabilités » qui, la référence proud'honienne interposée, restent empreintes de nostalgies préindustrielles. Présentant Weber comme le penseur de la singularité historique de notre civilisation industrielle occidentale et de sa rationalisation inéluctable (R. Aron, 1935), Aron en fait la référence sociologique par excellence qui devrait permettre une réconciliation définitive de cette science avec la société industrielle, notamment par l'abandon de toute rhétorique implicite ou explicite, utopiste ou révolutionnaire. En caricaturant, on pourrait dire qu'Aron est le sociologue de l'adaptation à la réalité industrielle et à la rationalité qui lui est inhérente et non plus de son dépassement.

L'opposition entre Gurvitch et Aron n'est donc pas un simple conflit entre personnes de caractère différent, mais entre une conception théorique totalisante et dialectique, d'un côté, et antidialectique refusant une théorie générale et globale de l'autre, la première insistant sur la primauté des « nous » (groupes, classes, sociétés) dans la vie humaine que la deuxième interprète essentiellement en termes d'une addition d'expériences individuelles. Politiquement, la première de ces deux conceptions prend l'aspect d'une vision utopique, antiétatique et anticonformiste misant sur la capacité collective des dominés à inventer de nouvelles formes de gestion de la réalité, la sociologie aronienne en revanche affirme l'efficacité des formes de gestion bureaucratisées modernes. D'où le qualificatif de « néohégélien » avec lequel Gurvitch caractérise Aron (G. Gurvitch, 1962).

L'élection de Raymond Aron, en 1957, à une chaire de sociologie à la Sorbonne, augmente les chances de diffusion de Weber en France, une diffusion favorisée par les traductions successives qui débutent, en 1959, avec la publication en français de *Le Savant et le Politique* (M. Pollak, 1986). La plupart des traductions françaises paraissent entre 1959 et 1971 : *Le Savant et le Politique*, en 1959 ; *La Morale économique des grandes religions*, en 1960 ; *L'Éthique protestante et l'esprit du capitalisme*, en 1964 ; *Essais sur la théorie de la science*, en 1965 ; *Le Judaïsme antique*, en 1970 ; le premier tome d'*Économie et Société*, en 1971. La publication des traductions ne reprend que dix années plus tard avec *La Ville*, en 1981, et *La Sociologie du droit*, en 1986. Ces traductions sont accompagnées d'une intense activité de commentaires des textes, d'érudition et d'exégèse (voir surtout R. Aron, 1967 ; J. Freund, 1968, 1969) dans la continuité des débats sur les grands classiques, menés de préférence dans les revues de sociologie générale (*Archives européennes de sociologie*) et de sociologie religieuse (*Archives de sociologie des religions*).

Ces discussions portent tout d'abord sur le bien-fondé des interprétations données par Max Weber sur l'éthique économique des différentes religions, notamment sa thèse sur l'éthique protestante et l'esprit du capitalisme (*cf.* par exemple M. Luthy, 1963 ; J. Freund, H. Luthy, 1964 ; F. Raphaël, 1970) ainsi que sur les enseignements qu'on peut tirer de la démarche wébérienne en sociologie du développement (H. Desrosche, 1961).

Guidées par un souci pédagogique et historique, ces présentations donnent de Weber et de son œuvre une image plus ambivalente que son interprétation « libérale » aronienne. Jouant un rôle essentiel dans la diffusion de Weber en France, ces commentaires n'aspirent pas forcément à l'inscrire dans une conception spécifique de la sociologie. A plus long terme, les traductions constituent en soi une contrainte permettant d'un côté un contrôle plus rigoureux des usages différenciés de textes peu connus, et de l'autre, ouvrant la voie à de nouvelles réflexions, dont on pourra dresser un inventaire comparatif.

Dès lors, cette diffusion participe à la transformation de la sociologie française dont Raymond Aron est l'initiateur et le médiateur sans que lui-même la mène personnellement à bien. Dans sa double lutte contre l'intellectuel engagé (Sartre) et la grande théorie universitaire (Gurvitch), il jette les bases d'une redéfinition de la fonction sociale du sociologue et de la sociologie, d'une transformation du cadre de référence théorique, et met l'accent sur le travail empirique.

La croissance de la discipline et l'arrivée d'une nouvelle génération ont été, sans aucun doute, le moteur essentiel de cette transformation. Aron, lui-même, décrit son rôle comme celui qui prépare le terrain à une génération future de sociologues quand il dit « appartenir à une génération intermédiaire entre celle des disciples directs de Durkheim et la génération pour laquelle la conversion de la philosophie à la sociologie implique les recherches empiriques », à celle aussi qui « n'est pas allée jusqu'au bout de la conversion » (R. Aron, 1983). S'ajoutent à ces éléments structurels des évolutions intellectuelles qui, elles aussi, préparent le terrain à une réception plus large de Max Weber : la critique philosophique des ambitions théoriques globalisantes par Maurice Merleau-Ponty, et la critique marxiste de l'orthodoxie communiste.

Merleau-Ponty consacre un chapitre de son livre *Les aventures de la dialectique* à Max Weber. Il y lève plusieurs des objections adressées à Weber, avant de montrer les « vertus » que contiennent les idées incriminées, à savoir l'autoréflexion, l'élucidation qui permet de « théoriquement et pratiquement prendre possession de notre vie », et la sagesse politique (M. Merleau-Ponty, 1955). Cette argumentation importe autant par ce qu'elle dit explicitement que par les rapprochements qu'elle suggère et qu'elle rend possibles dans le champ intellectuel français. Contre la prétention à l'œuvre globale et totale (Gurvitch), Merleau-Ponty défend une lucidité issue de la conscience d'un savoir toujours limité. Contre un engagement politico-intellectuel qui se réduit à l'invention d'une formule magique donnant un sens à l'histoire, il souligne l'importance de l'analyse du monde politique (Aron). En s'adressant plus particulièrement à ses lecteurs marxistes, il présente les enseignements de Weber comme une des conditions d'une « dialectique sérieuse » : « Nous avons placé en tête de cette étude la tentative de Weber parce que, au moment où les événements allaient mettre à l'ordre du jour la dialectique marxiste, elle montre à quelles conditions une dialectique historique est sérieuse. Il y a eu des marxistes pour la comprendre, et c'étaient les meilleurs. » (M. Merleau-Ponty, 1955)

En France, ces « marxistes wébériens », souvent d'obédience trotskiste, avaient été particulièrement intéressés par les analyses de la bureaucratie qui renforçaient leurs propres analyses du phénomène stalinien. Dans les années 1950, les sociologues des organisations et du travail, qui se situent pour la plupart d'entre eux à gauche, rencontrent les mêmes processus de bureaucratisation dans les entreprises et administrations qu'ils analysent. La revue *Arguments*, lieu de rencontre entre un courant politique et idéologique et des chercheurs formés à l'analyse empirique, consacre en 1960 un numéro au phénomène bureaucratique, numéro qui s'ouvre sur la traduction de la définition wébérienne extraite d'*Économie et Société*. On y trouve des articles tirés de recherches sociologiques (Bernard Mottez, Alain Touraine) à côté d'autres, davantage militants (Georges Lapassade, Pierre Fougeyrollas). Quelques années plus tard, cette discussion est reprise par Jean-Marie Vincent dans *L'Homme et la société* (J.M. Vincent, 1968). A la fin des années 1950 émergent donc des courants de pensée dans lesquels la référence à Weber joue un rôle important et qu'on avait pu détecter dès les années 1930 sous forme de projets individuels. S'établissent alors des affinités intellectuelles entre ceux qui, à l'époque, se battent contre la domination au sein de l'Université, contre le marxisme dogmatique ou contre les deux à la fois. Ces groupes, qui s'opposent sur toutes les autres questions idéologiques, peuvent se saisir de la référence à Weber dans les luttes qu'ils mènent séparément au sein et en dehors de l'Université. La référence à Weber, cette ressource différenciée, devient alors un véhicule dans un processus qui s'étale sur plusieurs années et dont l'enjeu est le renouveau de la sociologie universitaire et des cadres de pensée d'une intelligentsia marxiste. Dans un premier temps, des intellectuels de sensibilité trotskiste et des libéraux plutôt conservateurs ont pu se renforcer mutuellement dans cette lutte sans jamais avoir besoin de s'allier explicitement.

Champs et projets de réception

Après avoir dressé la chronologie et les enjeux de l'introduction de Weber dans la sociologie française, l'analyse des différents usages faits de la « ressource » Weber peut procéder en suivant des champs thématiques et des projets théoriques auxquels correspond, par ailleurs, la préférence marquée pour tel ou tel écrit de Weber.

Malgré le souci pédagogique, presque didactique, de ses présentations successives, le « Weber aronien » est lui aussi le produit d'une lecture sélective guidée par des conceptions à la fois politiques et théoriques. Qu'il s'agisse de son introduction à *La Sociologie allemande contemporaine* (1935), de *La Philosophie critique de l'histoire* (1950) ou des *Étapes de la pensée sociologique* (1967), Aron accorde une importance toute particulière aux deux conférences sur *Le Savant et le Politique*, aux textes de théorie de la science et aux chapitres économiques d'*Économie et Société*. Par contre, la sociologie religieuse et l'analyse historique des grandes religions n'occupent qu'une place assez marginale dans ces présentations (ceci ne revient pas à suggérer une méconnaissance de la sociologie religieuse par Aron, mais un moindre intérêt). Weber devient ainsi un élément privilégié pour un cadre épistémologique dans lequel devraient s'insérer les enquêtes et recherches empiriques. Cette conception scientifique peut servir de légitimation à un libéralisme politique dans lequel disparaissent même les doutes et les inquiétudes wébériennes devant l'emprise croissante du monde rationalisé comparé à une « cage d'acier ». Pour Aron, tout au contraire, une plus forte rationalisation et automatisation mènent à la conquête de nouvelles libertés. Et là où Weber avait vu une lutte irréductible entre valeurs ultimes, cette lecture découvre dans l'équilibre de forces idéologiques un garant du pluralisme. Dans ce cadre, les sciences humaines deviennent les instruments du réajustement social permanent, une idée reprise à son compte par Michel Crozier dans ses tentatives de rapprocher la recherche sociologique de l'action (M. Crozier, 1966).

Cette conception est assez proche de celle qui, dans la tradition américaine, établit une complémentarité entre, d'un côté, la théorie structure-fonctionnaliste, et de l'autre, l'empirisme des enquêtes ou, exprimé en termes d'auteurs, entre Talcott Parsons et Paul Lazarsfeld, Robert Merton et les théories de psychologie sociale jouant un rôle de médiation (M. Pollak, 1984). Dans son souci de revalorisation des grandes traditions théoriques européennes, Raymond Aron aurait certainement refusé une telle parenté, et ce n'est pas un hasard si « les étapes de la pensée sociologique » s'arrêtent avec Durkheim, Pareto et Weber, avec les penseurs européens du tournant du siècle, donc sans s'interroger sur la tentative de synthèse parsonienne.

Mais l'hypothèse d'une telle parenté trouve une sorte de confirmation dans l'évolution ultérieure de la sociologie française. En effet, François Bourricaud et Raymond Boudon apparaissent, à la fin des années 1970, comme les héritiers politiques légitimes de cette sociologie libérale. Pour légitimer leur « individualisme méthodologique », ils prennent Weber comme témoin et fondateur de ce courant, ce qui guide toute la présentation de leur dictionnaire de la sociologie. Or, le projet qui sous-tend cet « individualisme méthodologique » n'est guère différent de celui que ces mêmes auteurs avaient déjà promu dans les années 1950 : François Bourricaud en interprétant Parsons et Boudon en interprétant Lazarsfeld.

Malgré toutes les différences, cette filiation française opère une « dédramatisation » du message de Weber comparable à celle entreprise par Parsons qui avait déjà utilisé Weber pour fonder une vision optimiste du monde capitaliste moderne, en insistant notamment sur le rôle spécifique des « professionnels » et des « compétences spécifiques » s'opposant tout autant à l'idéologie marxiste de l'« homme aliéné », qu'à l'idéologie réactionnaire de l'« homme anomique ». Rappelant les fondements de l'individualisme parsonien, à savoir les traditions de l'humanisme païen et celle du christinanisme, François Bourricaud, en suivant Parsons, fait de « l'individu comme centre de décision » l'objet par excellence de l'analyse sociologique (F. Bourricaud, 1977).

Cette relecture enchantée de Weber, penseur du « désenchantement du monde », se traduit, entre autres, par un statut privilégié accordé dans l'analyse sociologique à la rationalité en finalité, voire par la limitation de l'analyse sociologique à celle-ci. Ceci permet la construction de modèles formels comparables à ceux que propose la théorie économique qui renvoie à l'*homo economicus*. La réalisation du programme de l'« individualisme méthodologique » aboutit facilement à une coexistence entre formalisme théorique et empirisme, à une sociologie donc qui laisse le champ ouvert à un discours moral sur la liberté (R. Boudon, 1977). Constatant que la sociologie wébérienne, radicalement pluraliste, « constitue l'antidote le plus efficace aux diverses variantes du sociologisme scientiste », Boudon et Bourricaud sont amenés à des conclusions politiques proches de celles de Raymond Aron, sous la forme d'un appel moral à la « responsabilité qui est la contrepartie de la liberté du choix » (R. Boudon, 1977).

Cette filiation, qui mène de Aron à Boudon et Bourricaud, débouche actuellement moins sur une pratique sociologique que sur le renouveau dans le champ intellectuel français de la philosophie politique où la référence aronienne est nettement plus marquée encore qu'en sociologie. Ainsi, le « refus du sociologisme » et l'affirmation de l'« individualisme méthodologique » se fait plus généralement au nom de la philosophie, du droit (et, dans une moindre mesure, de l'histoire) contre les sciences humaines et, plus particulièrement, contre le structuralisme (L. Ferry et A. Renaut, 1984 ; Ph. Raynaud, 1980).

Tout naturellement, cette filiation d'une interprétation « néolibérale » de Weber, allant d'Aron aux philosophes de la génération post-68 en passant par Boudon et Bourricaud, connaît une large diffusion grâce aux programmes d'enseignement de l'ENA et de l'Institut d'études politiques. On trouve des variations de cette lecture dans des ouvrages de polémique politique (L. Ferry, A. Renaut, 1985).

La transformation de Weber en penseur du néo-libéralisme politique trouve un aboutissement chez Philippe Raynaud, qui voit en lui le « premier à penser une théorie pluraliste de l'activité rationnelle », à condition bien évidemment de relire Weber à la lumière des sociologues de l'organisation analysant les dysfonctionnements bureaucratiques, Robert Merton, Elton Mayo et surtout Michel Crozier (Ph. Raynaud, 1987). Ce faisant, Philippe Raynaud établit, en 1987, un pont, voire invite à une alliance sous la bannière de l'« individualisme méthodologique », entre — si l'on peut dire — les petits-enfants philosophes d'Aron et ceux qui, à la fin des années 1950, avaient importé Weber en passant par le structure-fonctionnalisme américain de l'analyse des organisations et du monde du travail.

Au départ, Weber avait pu servir dans ce contexte comme un antidote contre l'orthodoxie marxiste avant de devenir un point de référence important aussi bien dans la sociologie de l'action d'Alain Touraine que dans l'analyse du phénomène bureaucratique de Michel Crozier. Mais dans ces deux projets, Weber reste un apport théorique parmi d'autres. Touraine et Crozier ne l'invoquent pas pour légitimer toute leur démarche comme c'est le cas des représentants de l'« individualisme méthodologique ». S'agissant d'une lecture guidée par un intérêt thématique, le fonctionnement des organisations et du monde du travail, ces deux auteurs s'intéressent à l'analyse wébérienne des différents types de rationalité et de domination plutôt qu'aux écrits épistémologiques plus présents chez les auteurs discutés plus haut. Dès sa « sociologie de l'action », Alain Touraine met en lumière une des lacunes de l'interprétation fonctionnaliste de Parsons « qui ne rend pas compte de l'inspiration macrosociologique de Weber, de son souci de comprendre l'originalité des sociétés rationalisées et les étapes du désenchantement — *Entzauberung* — du monde moderne » (A. Touraine, 1965). De même, Touraine reste attaché dans ce livre, scientifiquement et politiquement, à certains thèmes de Gurvitch, à savoir aux différents niveaux d'analyse et, plus particulièrement, au refus d'opposer individu et société, « mais de reconnaître que l'individu ne peut être compris dans ses intentions et ses projets personnels si on le situe par rapport à une situation sociale définie en termes étrangers à ceux de l'action sociale » (Touraine, 1965). Son intérêt macrosociologique concernant la signification des actions collectives aboutira plus tard à son analyse des nouveaux mouvements sociaux. Chez Crozier, l'analyse des organisations mène à une théorie de l'acteur et de ses possibilités de jeu dans un système donné (M. Crozier, 1963 ; M. Crozier, E. Friedberg, 1977) qui le rapproche effectivement de certains développements de Boudon et des auteurs de l'« individualisme méthodologique », dont il se distingue toutefois par un ancrage dans des recherches empiriques concrètes.

Dans la génération post-aronienne, la curiosité de Pierre Bourdieu pour Max Weber ne résulte ni d'une reconstruction historique de la discipline, ni du souci de fonder sa démarche par une référence classique, mais répond à un problème d'interprétation rencontré lors de ses travaux ethnologiques en Algérie. Dans *Le Métier de sociologue*, véritable traité contre tout dogmatisme méthodologique et théorique, Bourdieu définit son rapport aux classiques « en récusant, à partir de l'expérience de la pratique sociologique, certaines oppositions devenues rituelles dans une autre pratique, celle de l'enseignement philosophique... La question de l'affiliation d'une recherche sociologique à une théorie particulière du social, celle de Marx, de Weber ou de Durkheim par exemple, est toujours seconde par rapport à la question de l'appartenance de cette recherche à la science sociologique : le seul critère de cette appartenance réside en effet dans la mise en œuvre des principes fondamentaux de la théorie de la connaissance sociologique qui, en tant que telle, ne sépare aucunement des auteurs que tout séparerait sur le terrain de la théorie du système social » (P. Bourdieu, 1973). On trouve l'application de ce principe d'usage pragmatique de textes classiques pour la construction scientifique dans son article sur le champ religieux où il précise : « Pour se donner le moyen d'intégrer en un système cohérent, sans sacrifier à la compilation scolaire ou à l'amalgame éclectique, les apports des différentes théories partielles et mutuellement exclusives (apports aussi indépassables, en l'état actuel, que les antinomies qui les opposent), il faut tâcher de se situer au lieu géométrique des différentes perspectives, c'est-à-dire au point d'où se laissent apercevoir à la fois ce qui peut et ce qui ne peut pas être aperçu à partir de chacun des points de vue. » (P. Bourdieu, 1971)

Dans son projet d'élaboration d'une sociologie du quotidien et d'une posture esthétique du sociologue, Michel Maffesoli par contre fait un travail de composition théorique à partir des auteurs classiques. Voulant montrer que l'individu et le social qui lui est corrolaire « tendent à s'effacer dans le confusionnel », Maffesoli met l'accent sur une « socialité de base comme fondement de tout être-ensemble ». Récusant ainsi l'importance primaire des associations rationnelles et des intérêts dans la vie sociale, il est celui des sociologues français qui, à l'opposé de l'individualisme méthodologique, revendique à la limite le label d'approche « holiste » qu'il qualifie de « sociétale » (M. Maffesoli, 1985). Dans cette construction, il reprend de Max Weber l'image du polythéisme des valeurs dans les sociétés modernes. Mais contrairement à celui-ci, qui avait mis l'accent sur les luttes irréductibles et mortelles qui peuvent en découler, Maffesoli y voit le garant d'un équilibre contradictoriel et tensionnel qui caractérise le pluralisme moderne. Cette interprétation « dédramatisée » de Weber rapproche cette lecture politique que fait Maffesoli de celle de Philippe Raynaud, dont le distingue toutefois le refus de l'individualisme méthodologique.

De la critique d'une sociologie s'articulant autour des notions d'« intérêt » et de « rapports de forces » est née la préoccupation d'une sociologie compréhensive soucieuse de l'analyse empirique et fortement influencée par l'ethnométhodologie. Patrick Pharo, en établissant la filiation qui mène de Weber à l'ethnométhodologie, en passant par Alfred Schutz, définit ce programme : « de serrer au plus près le sens et les motifs de l'action au moment où elle se déroule, et non pas de réduire les premiers à des mécanismes structurels dont la description ne pourrait avoir qu'un très lointain rapport avec le "sens subjectif" ou le "sens visé" de l'activité » (P. Pharo, 1985). Contrairement à l'« individualisme méthodologique », le programme empirique annoncé ici ne restreint pas le champ d'analyse aux seules actions rationnelles en finalité. Mais tout en invoquant Weber comme une sorte de référence d'origine, ce programme de recherche doit plus à la phénoménologie husserlienne, à la philosophie du langage ordinaire et à l'ethnométhodologie de Harold Garfinkel.

Max Weber : un révélateur

Suivre l'introduction et la diffusion d'un auteur étranger permet d'inventorier la série des obstacles, mais surtout de relever les critères de sélectivité qui guident sa lecture et de relever la diversité des interprétations qui en sont faites. Dans une première période, le rejet de Weber est nuancé par une certaine curiosité à l'égard de sa thèse sur l'éthique protestante. Mais l'incompatibilité de sa démarche avec les traditions positivistes françaises limite sa diffusion avant les années 1930. C'est la crise de ces traditions qui rend légitime la recherche de nouveaux apports à l'étranger. Dès lors, le sort de Weber dans le monde intellectuel français est intimement lié à la trajectoire de Raymond Aron et à son travail de redéfinition des enjeux sociologiques au moment de l'institutionnalisation définitive et de l'expansion de la discipline, au tournant des années 1960, qui inaugurent sa transformation tant du point de vue de ses cadres théoriques que de sa fonction sociale. Cette expansion de la discipline s'accompagne de sa différenciation théorique et méthodologique et de sa structuration.

Pendant cette période, la référence a pu servir de moteur à de telles transformations dans le champ sociologique français. Dans cet article, on a été amené à étudier la référence à un auteur étranger comme une ressource dans les conflits sociologiques en France. Une telle « mise à plat » transforme plutôt l'étranger Weber en révélateur des tensions et des pôles qui structurent la sociologie française, les rendant plus explicites et plus clairs.

Plus particulièrement, on a pu montrer comment l'héritage aronien ressurgit à la fin des années 1970 dans deux conceptions sociologiques proches du pôle du pouvoir : l'« individualisme méthodologique » et les philosophies du néolibéralisme mettent à sa disposition un discours de légitimation à la fois scientifique et politique et, plus ancrée dans l'analyse empirique, la sociologie des organisations promue par Michel Crozier est appliquée à l'analyse concrète du dysfonctionnement et des effets de politiques (et de stratégies) publiques et privées en vue de leur réajustement. Pierre Bourdieu, soucieux de l'autonomie et de l'indépendance scientifiques à l'égard du pouvoir, constitue en quelque sorte le pôle opposé dans le champ sociologique français, sans que cette opposition puisse être caractérisée par un label aussi commode que l'est l'« individualisme méthodologique ».

A cette caractérisation en termes de proximité et de distance sociale entre science et pouvoir, s'en ajoute une autre, intellectuelle, qui insère ces conceptions dans les grandes traditions des théories sociales. Ainsi, Philippe Raynaud oppose l'« individualisme méthodologique » « au courant holiste (prédominant dans la tradition de la sociologie française, depuis Comte et Durkheim), qui considère que la sociologie doit donner la priorité à l'étude des structures qui préexistent à l'individu » (Ph. Raynaud, 1987), un courant dont seul Michel Maffesoli se réclame explicitement. Cette opposition ne s'applique ni à Pierre Bourdieu, ni aux ethnométhodologues discutés plus haut. Leur défi à la fois théorique et méthodologique est plutôt de penser le lien entre l'individuel et le collectif au-delà du naturalisme durkheimien et d'un structuralisme qui a pu prendre parfois une forme rigide et dogmatique.

Ces oppositions théoriques et méthodologiques que révèle l'analyse de la référence wébérienne ne peuvent être complètement réduites ni à des positions politiques, ni à des philosophies « sous-jacentes ». L'introduction, la traduction et la diffusion de Max Weber en France n'ont donc pas abouti à son intégration dans « une » tradition dominante. Tout au contraire, elles ont pu servir de moteur à une transformation du champ sociologique français marquée par la différenciation sociale et intellectuelle de la discipline, ce qui réduit les chances de chaque école de pensée d'accéder à une position hégémonique incontestée.

BIBLIOGRAPHIE

Aron R., *La Sociologie allemande contemporaine*, Paris, PUF, 1935.
Aron R., *La Philosophie critique de l'histoire*, Paris, Gallimard, 1950.
Aron R., *Les Étapes de la pensée sociologique*, Paris, Gallimard, 1967.
Aron R., *Mémoires*, Paris, Julliard, 1983.

Boudon R., Bourricaud F., *Dictionnaire critique de la sociologie*, Paris, PUF, 1982.

Bourdieu P., « Genèse et structure du champ religieux », *Revue française de sociologie*, XII, 1971.

Bourdieu P., *Le Métier de sociologue*, Paris, Mouton, 1973.

Bourdieu P., « Le champ scientifique », *Actes de la recherche en sciences sociales*, nᵒˢ 2-3, 1976.

Bourricaud F., *L'Individualisme institutionnel. Essai sur la sociologie de Talcott Parsons*, Paris, PUF, 1977.

Clark T.N., *Prophets and Patrons. The French University and the Emergence of the Social Sciences*, Cambridge, Mass. Harvard University Press, 1973.

Crozier M., *La Société bureaucratique*, Paris, Le Seuil, 1963.

Crozier M., « La révolution culturelle », *Preuves*, nᵒ 79, 1966.

Crozier M., Friedberg E., *L'Acteur et le Système*, Paris, Le Seuil, 1977.

Desroche H., « Religion et développement, le thème de leurs rapports réciproques et ses vocations », *Archives de sociologie des religions*, nᵒ 6, 1961.

Desrosières A., « Histoire des formes : statistique et sciences sociales avant 1940 », *Revue française de sociologie*, 26, 2, 1985.

Ferry L., Renaut A., *Système et critique. Essais sur la critique de la raison dans la philosophie contemporaine*, Bruxelles, Ousia, 1984.

Ferry L., Renaut A., *La Pensée 68*, Paris, Gallimard, 1985.

Freund J., *Sociologie de Max Weber*, Paris, PUF, 1968.

Freund J., *Max Weber*, Paris, PUF, 1969.

Freund J., Luthy M., « Controverse sur Max Weber », *Preuves*, nᵒ 14, 163, 1964.

Gurvitch G., *Traité de sociologie*, Paris, PUF 1958.

Gurvitch G., *Dialectique et Sociologie*, Paris, Flammarion, 1962.

Halbwachs M., « Max Weber. Un homme, une œuvre », *Annales d'histoire économique et sociale*, nᵒ 1, 1929.

Hauser M., *Les Débuts du capitalisme*, Paris, Alcan, 1927.

Heilbron J., « Les métamorphoses du durkheimisme. 1920-1940 », *Revue française de sociologie*, 26, 2, 1985.

Hirschorn M., *Max Weber et la sociologie française*, Paris, L'Harmattan, 1988.

Hollier D., *Le Collège de sociologie*, Paris, Gallimard, 1979.

Luthy H., « Calvinisme et capitalisme », *Cahiers Vilfredo Pareto*, nᵒ 2, 1963.

Maffesoli M., *La Connaissance ordinaire*, Paris, Méridiens-Klincksieck, 1985.

Merleau-Ponty M., *Les Aventures de la dialectique*, Paris, Gallimard, 1955.

Pharo P., « Problèmes empiriques de la sociologie compréhensive », *Revue française de sociologie*, nᵒ 26, 1985.

Pollak M., « Projet scientifique, carrière professionnelle et stratégie politique », *Actes de la recherche en sciences sociales*, nᵒ 55, 1984.

Pollak M., « Max Weber en France. L'itinéraire d'une œuvre », *Cahiers de l'IHTP*, n° 3, 1986.

Raphaël F., « Max Weber et le Judaïsme antique », *Archives européennes de sociologie*, n° 11, 1970.

Raynaud Ph., « Le sociologue contre le droit », *Esprit*, n° 3, 1980.

Raynaud Ph., *Max Weber et les dilemmes de la raison moderne*, Paris, PUF, 1987.

See H., *Les Origines du capitalisme moderne*, Paris, Colin, 1926.

Sorokin P.A., *Les Théories sociologiques contemporaines*, Paris, Vrin, 1938.

Stent G.S., « Prematurity and Uniqueners in Scientific Discovery », *in* Raspe G., Bernhard S., *Advances in Biosciences*, 8, Oxford, Pergamon Press, 1972.

Tiryakian E.A., « A Problem for the Sociology of Knowledge. The Mutual Unawareness of Emile Durkheim and Max Weber, *Archives européennes de sociologie*, n° 7, 1966.

Touraine A., *Sociologie de l'action*, Paris, Le Seuil, 1965.

Vincent J.M., « Weber ou Marx ? » *L'Homme et la Société*, n° 10, 1968.

Weil S., « Bureaucratie », *Révolution Prolétarienne*, n° 158, 1933.

Droit et société, n° 9, 1988.

7

LA MISE EN FORME
D'UNE CONCEPTION*

---

* Ce texte est une esquisse de rédaction de la dernière étude entreprise par Michael Pollak sur la fondation Ford et son rôle dans la reconstitution des sciences sociales européennes de l'après-guerre.

La mise en forme d'une conception

Entre la semence et la récolte, beaucoup de temps peut s'écouler. Ce constat s'applique à la nature autant qu'à la politique. De plus, certains grains, pour se développer, ont besoin d'un soin permanent. L'histoire que nous présenterons ici s'étale sur plusieurs dizaines d'années, de la fin des années 1940 aux années 1980. Il s'agit d'une histoire dans l'ombre de la grande politique. Peut-on, par des actions de politique culturelle, influencer l'évolution intellectuelle, et ceci non seulement dans son propre pays, mais ailleurs, organiser des rencontres et des colloques, subventionner des revues, financer des projets de recherche, voire des institutions entières ? Comment ces actions façonnent-elles à plus long terme la vie intellectuelle ? Et la récolte ressemble-t-elle aux plantes que les semeurs avaient espéré cultiver ?

Les États-Unis déploient après 1945 et plus encore, à partir de la montée de la guerre froide, au niveau planétaire, une politique culturelle de grande envergure commencée dès le début du siècle. Celle-ci est menée par les grandes fondations, en premier lieu la fondation Ford. Nous nous intéressons à une dimension essentielle de cette politique : la promotion des sciences sociales identifiées comme le moteur de la modernité et de l'harmonisation des systèmes de pensée et des systèmes politiques ; une modernité qui fonderait donc l'amitié et la paix entre les peuples. Cette politique s'inscrit dans le cadre de la confrontation entre systèmes géopolitiques et dans celui, plus complexe à analyser, des traditions de pensée.

Les éléments de la politique culturelle internationale américaine

Dans son livre sur la politique étrangère américaine et les relations culturelles, Frank A. Ninkovitch (Ninkovitch 1981) met en évidence les différents éléments qui, ajoutés les uns aux autres, forment un puzzle qui deviendra la référence obligée et dont tous ceux qui entrent dans ce champ d'activité doivent tenir compte pour s'y maintenir et avoir du succès (Latour 1984). Il s'agit d'un cadre de référence qui n'exclut nullement, on le verra, controverses et conflits. Mais son élaboration, souvent très coûteuse en temps et en travail pour convaincre et enrôler, est indispensable pour donner à un projet collectif consistance et longévité (Cicourel 1973). Ce cadre rend possible à tous les participants d'une interaction (en face-à-face et à distance) de motiver et de justifier leur projet et action présents et, réflexivement, de réinterpréter de façon cohérente ceux menés dans le passé.

Une pièce maîtresse de ce puzzle est la croyance dans les vertus presque illimitées de l'éducation et de l'amélioration possible des individus et des sociétés. Dès 1910, le *Carnegie Endowment for International Peace* développe un programme à mi-chemin entre un carrefour des hommes de bonne volonté et la négociation entre gouvernements. Il s'agit alors de faire émerger des élites aux « mentalités internationales » soutenues par un public et un congrès non pas isolationnistes, mais ouverts au monde. Seules des institutions démocratiques pouvaient favoriser un tel développement.

Contrairement aux politiques culturelles européennes, notamment allemande, inscrites dans une conception bismarckienne de pouvoir de l'État, les fondations américaines mettent l'accent sur l'initiative privée, la confiance dans les relations interpersonnelles entre dirigeants et élites de pays différents. De plus, ils insistent sur l'institutionnalisation d'une jurisprudence pour régler équitablement les disputes internationales. Ninkovitch appelle cette démarche « internationaliste » (opposée à la tradition isolationniste américaine) et l'oppose à une politique culturelle nationaliste soumise aux seuls intérêts de l'État (Ninkovitch 1981, pp. 8-14).

Voilà les premiers éléments du puzzle : éducation des élites et des peuples, démocratie politique, institution d'une jurisprudence reconnue pour régler les litiges internationaux. Avant la Première Guerre mondiale, ces idées n'ont pas vraiment dépassé le stade de conceptions sans encore trouver un ancrage pouvant leur garantir adhésion plus large et longévité. Donner de la force aux bonnes volontés passe par leur institutionnalisation. D'où, après la guerre, l'intensification des échanges culturels et scientifiques, la création de sociétés savantes internationales, avec des financements des fondations, la création d'un Comité de coopération intellectuelle auprès de la Société des Nations auquel participaient les Curie, Einstein et Bergson.

La place des sciences sociales

Le comité américain, interlocuteur de cette structure internationale, lance le premier l'idée des sciences politiques et sociales pour résoudre les questions pressantes du moment (Orlans 1976).

Ces initiatives ne s'arrêtent pas aux échanges des hommes et des idées. Les fondations financent des bâtiments, telle la maison américaine à la Cité universitaire de Paris, soutiennent financièrement le Comité de la Société des Nations avec son institut à Paris, et organisent des bourses et l'assistance technique.

Le programme de la fondation Rockefeller dans le domaine médical est le prototype des interventions intellectuelles américaines au niveau international.

Murard et Zylberman ont bien montré comment ce programme a jeté, sur le même modèle qu'aux États-Unis, les bases d'une médecine préventive de lutte contre la tuberculose, en France et ailleurs, avec établissement d'une carte sanitaire, des campagnes d'éducation et de prévention [1]. Comment pouvait-

---

1. L. Murard, P. Zylberman, « L'autre guerre (1914-1918), la santé publique en France sous l'œil de l'Amérique », *Revue historique*, n° 560, 1986, pp. 367-398 : « La mission Rockefeller en France et la création du Comité national de défense contre la tuberculose (1917-193?) », *Revue d'histoire moderne et contemporaine*, XXXIV, 1987, pp. 258-281.

on mieux faire la preuve de la supériorité de la coopération international que par ce transfert massif de connaissances et de savoir-faire dans un domaine où le bénéfice, la meilleure santé, est inattaquable ? La preuve devait ainsi être faite que les fondations privées étaient mieux placées que les gouvernements pour mener à terme ce type d'intervention extérieure. Dès les années 1920, ce même modèle est appliqué à la promotion des sciences sociales (Mazon 1985, 1988). Déjà l'idée des sciences sociales au service des décisions administratives et économiques fait son chemin. En 1926-1927, une subvention de 30 000 \$ devait permettre d'ouvrir à Paris un bureau de la fondation Rockefeller, un lieu de rencontre et de travail pour les chercheurs en sciences sociales. « L'idée sous-jacente paraissait être que la recherche empirique commanditée et utilisée par des intérêts privés, utilitaires, politiques et financiers pouvait contribuer au développement des sociétés européennes, caractérisées par une forte stratification » (Orlans 1976, p. 2). Apparaît donc l'image d'une Europe rigide et de sciences sociales peu pragmatiques, trop théoriques et empreintes d'idéologie.

Le réalisme des années 1930

Mais une conception aussi angélique et idéaliste résiste mal à l'épreuve des dangers politiques des années 1930 et à la guerre. Le premier de ces dangers est l'influence des pays de l'Axe (Allemagne, Italie, Japon) dans le système éducatif de l'Amérique latine. Ils sont nettement mieux implantés dans cette « antichambre » que les États-Unis eux-mêmes (Ninkovitch 1981, p. 47) : « En 1941 on estimait le nombre d'établissements scolaires financés par les pays de l'Axe en Amérique latine à 862, dont 670 allemands, 58 italiens et 134 japonais. Selon un responsable du CIAA (*Council of Interamerican Affairs*), la conséquence d'un tel réseau dense d'enseignement était le respect pour la culture allemande et, inévitablement, un endoctrinement antiaméricain. » Quand, en 1942, l'Allemagne doit fermer ces établissements scolaires, les États-Unis saisissent l'occasion pour s'y implanter.

Cette évolution liée à la guerre sera déterminante, quelques années plus tard, dans l'élaboration des programmes de la fondation Ford. Si en Amérique du Sud, le Troisième Reich est, pendant les années 1930, un partenaire culturel important de régimes profascistes (Vargas au Brésil, Peron en Argentine) les émissaires américains de l'époque construisent un discours sur la supériorité intellectuelle et culturelle américaine opposée au traditionalisme et à l'esprit spéculatif de l'Europe. Par une opération de réduction, ce discours oppose globalement l'Europe à l'Amérique, le Vieux au Nouveau Monde. Émerge ainsi la doctrine « pan-américaine » qui, en soulignant la commune américanité, deviendra l'arme idéologique sur tout le continent américain pendant les années de guerre. Plus tard elle sera offerte comme moteur de modernisation aux Européens.

Dès 1940, les éléments essentiels de l'opposition Europe-Amérique sont les suivants : l'État autoritaire et tout-puissant européen opposé à la démocratie à l'américaine ; la spéculation philosophique européenne opposée à l'empirisme et à la doctrine pragmatique ; la lourdeur de la grande culture traditionnelle opposée à la culture de masse et de loisirs qui se développe avec la radio, le cinéma et la publicité. Plus de complexe à avoir face aux traditions européennes, plus de détours obligés à faire par les universités prestigieuses allemandes ou françaises pour chercher les signes de consécration intellectuelle : les États-Unis produiront rapidement les meilleurs chercheurs et intellectuels, s'inscrivant dans l'*american way of life*, le meilleur et le plus efficace qui puisse exister !

Pendant les années de guerre la question cruciale d'organisation politique est : quel doit être le poids respectif des secteurs philanthropique et gouvernemental ? Par la force des choses, et contrairement à certaines affirmations, le poids du gouvernement s'est considérablement accru au détriment des fondations. Cette question de rapport de forces va de pair avec les discussions sur la conception la plus appropriée à une politique culturelle internationale. Même si beaucoup (surtout dans les fondations) restent attachés à une conception très libérale des relations culturelles au nom du rapprochement des peuples et des élites, d'autres, tels les responsables des départements d'État et de la Guerre, insistent sur la primauté des intérêts sur l'idéal.

La culture au service des intérêts d'État

Ralf Turner, professeur d'histoire à l'université de Yale, lance, en 1942, la formule exceptionnellement directe et brutale pour les débats américains de l'époque : « Les relations culturelles devraient concrètement soutenir la politique étrangère des États-Unis. » Mais cette exigence, qui rappelle les conceptions d'un État tout-puissant bismarckien, est moralement justifiée par les objectifs généraux américains, à savoir, la promotion de la démocratie et l'opposition à l'autoritarisme (Ninkovitch 1981, pp. 66-68). La synthèse est ainsi faite entre poursuite de pouvoir et de domination d'un côté, et de l'autre, l'internationalisme libéral et ouvert. La puissance américaine est tout simplement identifiée à la protection de tout ce qui est bon et vertueux et à la lutte contre les forces malfaisantes (*evil*).

Les projets politiques élaborés entre 1942 et 1944 dans de multiples séminaires, tables rondes et discussions stratégiques s'articulent autour des points suivants : le pouvoir politique et culturel des États-Unis sera, après la guerre, considérablement renforcé, le retour à la politique isolationniste ne sera plus possible : la guerre devrait aboutir à quelques limitations de la souveraineté des États-nations par un système international : une organisation internationale devrait intensifier les échanges intellectuels et culturels, par des bourses et des colloques, et faire émerger une « socialisation » commune des élites. Avant 1944, les relations avec l'Union soviétique sont considérées comme peu problématiques, du point de vue de la balance du pouvoir après la guerre. Émerge, en revanche, l'idée d'un programme de rééducation des peuples ayant vécu sous des régimes fascistes, notamment les Allemands. De même, les États-Unis devront accepter de jouer, en Europe, un rôle de *leadership*, laissé vacant par la défaite totale de l'Allemagne.

Dans le cadre de la préparation de l'Organisation des Nations unies (dont la charte sera solennellement signée le 26 juin 1945 par les représentants de 51 nations en guerre contre l'Axe) se tiennent, à partir de 1943, les négociations sur un programme international de coopération dans les domaines de l'éducation et de la culture. La conférence de Londres de mars 1944 est une étape décisive. On trouve dans la délégation américaine tous ceux qui joueront plus tard un rôle important dans la reconstruction de l'Europe (plan Marshall) et dans la mise en œuvre des programmes culturels d'après-guerre. D'où le lien organique qui permet de parler d'un plan Marshall intellectuel en prolongation du plan Marshall de reconstruction économique.

Sous la direction du représentant J. William Fulbright (dont le nom restera attaché au programme de bourses), la délégation comprend James Marshall du département d'État, Ralf Turner et d'autres universitaires spécialistes de l'Europe.

Jusqu'à cette date les États-Unis avaient espéré pouvoir œuvrer pour des structures de coopération internationales en accord avec tous les Alliés, y compris l'Union soviétique. Or celle-ci affirme clairement sa préférence pour des relations culturelles bilatérales. Ce conflit a marqué les premiers travaux de l'ONU et de son organisation culturelle, l'UNESCO (*United Nations Educational, Scientific and Cultural Organisation*), et ceci malgré la règle (non respectée) que les représentants par pays à l'UNESCO ne seraient pas nommés comme porte-parole gouvernementaux mais comme représentants libres de la vie culturelle. Notons que l'UNESCO est la première organisation culturelle internationale à inscrire parmi ses attributions la science, y compris les sciences humaines et sociales. Ainsi beaucoup d'interlocuteurs américains — James Marshall, le politologue Robert Mac Iver et Ben Cherrington rêvaient d'une organisation non pas intergouvernementale, mais plus large et démocratique avec l'intervention directe d'associations d'artistes, de sociétés savantes et d'intellectuels indépendants. Au fur et à mesure que se dessine à l'horizon le début de la guerre froide, les responsables de la politique étrangère craignent l'usage que l'Union soviétique pourrait faire des différents forums internationaux au nom d'une politique de subversion. D'où leur volonté d'imposer, avec succès, une délégation non pas large et incontrôlable, mais sous direction et surveillance du gouvernement américain.

Si l'on ne prend pas en considération ces développements politiques, on ne peut pas comprendre les rapports de force, les compromis et les lignes d'action qui prendront forme, dans le domaine qui nous intéresse, au sein des États-Unis. Ces compromis se font entre les tenants d'une politique culturelle soumise aux intérêts de l'État sur la scène internationale et les tenants de l'idéal internationaliste, à savoir ceux qui croient que les échanges culturels renforcent quasi automatiquement l'amitié entre les peuples et la paix. Aucune de ces deux conceptions ne pourra jamais triompher sur l'autre. Leur poids respectif restera tributaire des conjonctures soit de guerre (y compris froide) soit de coexistence pacifique. Ces conjonctures procurent des occasions différentielles d'agir à chacun des deux camps. Mais au fond, est-il justifié de parler de « camp » ? Les mêmes personnes — James Marshall est typique à cet égard —, peuvent, en fonction des configurations du moment, défendre l'une ou l'autre position. De même si, en général, les représentants gouvernementaux poursuivent une politique au nom des intérêts nationaux, ils peuvent très bien soutenir des efforts privés d'échanges, y compris avec des pays ennemis. En revanche, les représentants de la ligue « idéaliste et internationaliste », agissant plutôt du côté des fondations, ne se laissent pas non plus aveugler dans leurs actions quand ils se trouvent confrontés aux « tentatives de subversion de l'ennemi », un cas de figure courant pendant la guerre froide.

Pour comprendre cette situation de compromis fluctuant, ni stable, ni fragile, il suffit de revenir à la conception partagée par tous les intervenants et qui résulte de ce « puzzle » de croyances et de convictions dont nous avons montré la mise en place tout au long de ce chapitre : les vertus de l'éducation, de l'amélioration des mentalités et de l'organisation sociale : la supériorité morale et industrielle du système démocratique et de l'économie du marché, démontrée pendant l'effort de guerre : la supériorité d'une approche empirique et pragmatique sur les systèmes de pensée rigides et idéologiques qu'ils soient de droite (fasciste) ou de gauche (communiste) : le remplacement d'une logique de rapport de forces par une jurisprudence reconnue, y compris au niveau international.

La forme la plus combative, la plus idéologique de cette conception est le « pan-américanisme » qui, avec l'aide des « maisons d'Amérique » et de centres culturels organisera la propagande sur l'*american way of life*. Mais ce côté caricatural ne doit pas nous détourner de l'analyse de la formidable force de ce compromis fluctuant esquissé plus haut. De fait, le compromis est inscrit dans la vision d'une commune humanité à construire aux États-Unis et ailleurs : démocratique, et de mieux en mieux éduquée, prenant des décisions sur un marché libre. En ce sens, les épreuves de force au sein des réseaux ne se jouent pas entre logiques, mais concernent essentiellement les moyens d'action pour promouvoir et faire triompher une commune humanité, elle-même conçue comme le compromis qui réunit ce qu'il y a de mieux et de plus noble dans chacune des cités.

Dans une telle définition de l'enjeu, chacun est amené à développer l'art de la relativisation de ses propres présupposés et de la prise de recul. Chacun sait que la promotion de cette vision de commune humanité, elle-même issue d'une sorte de bricolage d'éléments disparates, n'est possible qu'à condition d'une grande flexibilité et souplesse tactique. Il faut être prêt à saisir toutes les chances qui se présentent et, en même temps, à garder toutes les options ouvertes au cas d'un changement de conjoncture politique. Cette flexibilité et souplesse se retrouve à tous les niveaux, celui des hommes qui circulent entre secteur public, fondations et industrie : celui des institutions qui développent une grande capacité à adapter leur démarche aux circonstances changeantes. La fondation Ford est, on le verra, le modèle accompli de cette vision des choses.

Les élites intégrées dans ce jeu de compromis s'« y retrouvent » et y adhèrent pleinement. Il y a peu de risques de le voir profondément mis en question. Mais les élites ne sont jamais entre elles. Si elles prennent souvent à leur propre satisfaction des décisions en parfaite solitude, celles-ci peuvent être contestées, dénoncées jusqu'à rendre impossible leur réalisation. De telles remises en question viennent nécessairement de l'extérieur, de la part de ceux qui se sentent concernés sans participer. Dans leurs attaques, ces forces recourent à la réduction à un seul des aspects du compromis au détriment des autres « ils font ça uniquement par intérêt économique, la démocratie leur importe peu ». Ceci leur permet de développer une stratégie qui, pour dénoncer l'hypocrisie, joue sur la raillerie et la moquerie pour faire douter les dominants de leur propre conviction. C'est ce qui s'est passé dans la montée des mouvements sociaux, notamment étudiant, tout au long des années 1960.

L'*attraction de l'*american way

Mais avant l'émergence de cette contestation, tous les indicateurs semblent donner raison à la force de l'*american way* : dans les années immédiatement après la guerre le nombre d'étudiants étrangers inscrits dans les collèges et universités augmente de 7 000 en 1943-1944 à 17 000 en 1947-1948 et 26 000 en 1949-1950. Dans une situation dans laquelle il ne pouvait pas y avoir de réciprocité financière à cause des taux de change entre les monnaies européennes et le dollar, les Américains créent, sous l'impulsion du sénateur Fulbright, un système de bourses dont l'attribution est soumise aux impératifs de la politique extérieure américaine, mais en évitant les soupçons d'impérialisme culturel. Ces bourses sont gérées par une multitude de fondations bilatérales de statut juridique privé.

Pour la construction de ces fondations, les négociateurs américains avaient pour instruction de veiller à la majorité américaine dans les conseils d'administration et d'empêcher des contrôles étrangers. En Europe où la vigilance monte dès qu'on touche aux traditions culturelles et à la souveraineté de l'État, le premier pays à s'opposer à un tel arrangement est la France qui réussit à faire changer la formule de « fondation » et à la remplacer par une simple commission composée d'autant de Français que d'Américains. Malgré les négociations avec plusieurs pays de l'Est européen, leur développement et le début de la guerre froide empêchent la signature de conventions comparables à celles conclues avec les pays occidentaux.

Grâce à ce système de bourses des dizaines de milliers de jeunes se préparant aux carrières dans l'administration, dans les universités, dans la politique et les entreprises, ont pu goûter à l'*american way of life* à un moment où leurs pays d'origine étaient encore en pleine reconstruction. Peut-on vraiment s'étonner qu'ils reviennent émerveillés et convaincus du modèle qu'on leur a présenté sous le meilleur angle.

La place de la fondation Ford

S'il n'y a pas encore de synthèse sur l'histoire de la fondation Ford, c'est qu'il s'agit d'un conglomérat d'organisations complexes, avec des relations tout aussi complexes avec d'autres fondations qui dépendent de la maison-mère, disposant d'un budget tout à fait considérable. L'ambiguïté de l'image de la fondation entre « administration de sommes considérables pour le bien public » et le soupçon, pendant la guerre froide, de « travailler pour l'ennemi » a fait de la fondation un objet d'admiration et de rejet.

La fondation Ford a une histoire exceptionnelle, du point de vue politique autant que financier et que retrace un article publié en 1953 par la revue *New Yorker*. A l'époque, la fondation était la plus grande fondation tenue par une famille, 90 % du stock financier était composé d'actions de la Ford Motor Company. Officiellement créée en 1936 la fondation donnait, jusqu'en 1950, des subventions (*grants*) d'une valeur d'un million de dollars par année, au bénéfice d'institutions charitables et éducatives locales dans l'État du Michigan. Cette situation changea radicalement en 1947, année de la mort de Henry Ford et en 1943 de celle de son fils Edsel. Du jour au lendemain la fondation Ford devint la fondation la plus grande et riche avec des stocks (*assets*) de 474 millions de dollars. En anticipant ce saut par rapport aux années 1930 et 1940, le conseil d'administration engageait un comité de huit membres pour définir les objectifs et les domaines d'intervention de la future institution. Le président de ce comité, Rowan Gaither Jr. devait devenir président de la fondation de 1953 à 1956 et président de son conseil d'administration de 1956 à 1958.

Cette personne est essentielle pour le maintien de la continuité de l'action de la fondation pendant la première décennie de son activité (R. Magat, *The Ford Foundation at Work*).

Le réseau Ford

Gaither remplaçait Paul Hoffmann à la tête de la fondation en 1953. Paul Hoffmann, l'administrateur du plan Marshall nommé par Truman, plus tard conseiller du président Eisenhower. Ces deux juristes sont assistés par cinq vice-présidents dont la plupart avaient travaillé dans la préparation du programme à long terme. Dyke Brown, adjoint au président de l'École de droit de Yale et partenaire de Gaither dans la firme de consultation juridique ; Thomas H. Carroll, enseignant à la Harvard Business School et successivement président des Écoles de commerce des universités de Syracuse (au nord de l'État de New York) et la Caroline du Nord ; William Mc Peak, conseiller de la fondation « ancien style », journaliste sur des problèmes agricoles ; Don K Price qui avait commencé son travail comme reporter avant de rejoindre le Conseil des recherches en sciences sociales (*Social Science Research Council*) et une administration qui étudie des problèmes de gouvernement locaux : F.F. Hill est le seul à ne pas avoir travaillé sur le programme à long terme. Il est gouverneur de la Réserve fédérale à New York.

Les premiers dirigeants font tous partie du bon *establishment* masculin, Américains de formation juridique, et engagés dans les *business schools*, à la Banque fédérale. Politiquement ce sont des « libéraux » dans le sens américain de ce terme. En plus on remarque un personnage clé de l'administration de l'aide Marshall à l'Europe. La gestion de la fondation Ford indique son appartenance à la troisième génération de la fondation : la première dirigée souvent par les dignitaires locales (*American Victorian Ladies*), la deuxième plus professionnelle et portée par la génération des travailleurs sociaux. Finalement Carnegie et Rockefeller poussaient dans la direction de fondations à vocation nationale et internationale, souvent attaquée comme la volonté d'établir un gouvernement dans l'ombre. La fondation Ford fait partie de cette dernière catégorie [2].

---

2. Barry D. Kark, Stanley W. Katz, Donors, Trustees, Staffs : « An Historical View, 1890-1930 », *in The Art of Giving, Proceeding of the Third Rockefeller Archive Center Conference*, Oct. 14, 1977, pp. 3-13.

BIBLIOGRAPHIE

Les responsables de cette publication sont conscients des imperfections qui peuvent subsister dans la bibliographie. Ils remercient d'avance celles et ceux qui voudront bien leur signaler les rectifications éventuelles à y apporter.

393

Ouvrages

Pollak Michael, *La Politique des sciences sociales : France*, Paris, OCDE, 1975, 310 p.

Pollak Michael, *La Politique des sciences sociales : Norvège*, Paris, OCDE, 1976.

Pollak Michael, *Im Schatten der Arbeiterbewegung. Zur Geschichte des Anarchismus in Österreich und Deutschland*, (en collab. avec Botz Gerhard, Branstetter G.), Vienne, Europaverlag, 1977.

Pollak Michael, *Gesellschaft und Soziologie in Frankreich : Tradition und Wandel in der Neueren Französischen Soziologie*, Königstein/Ts, Anton Hain, 1978.

Nelkin Dorothy, Pollak Michael, *The Atom Besieged : antinuclear movements in France and Germany*, Cambridge (Mass.), MIT Press, 1981, (paperback, 1982, X-235 p.).

Pollak Michael, *Vienne 1900. Une identité blessée*, Paris, Gallimard, Coll. Archives, 1984, 224 p. Réédition dans la Coll. Folio-Histoire, 1992, n° 46, 214 p.

Oxaal Ivar, Pollak Michael, Botz Gerhard (dir.), *Jews, Antisemitism and Culture in Vienna*, Londres/New York, Routledge and Kegan Paul, 1987.

Pollak Michael, *Les Homosexuels et le sida. Sociologie d'une épidémie*, Paris, Métailié, Coll. Leçons de choses, 1988, 224 p.

Pollak Michael, *Die Grenzen des Sagbaren. Lebensgeschichten von KZ-Überlebenden als Augenzeugenberichte und als Identitätsarbeit*, Francfurt, Campus/Paris, Éd. de la Maison des sciences de l'homme, 1988, 178 p. (Studien zur historischen Sozialwissenschaft, 12).

Heinich Nathalie, Pollak Michael, *Vienne à Paris. Portrait d'une exposition*, Paris, BPI du Centre Georges-Pompidou, Coll. Études et recherche, 1989, 189 p.

Pollak Michael, *L'Expérience concentrationnaire. Essai sur le maintien de l'identité sociale*, Paris, Métailié, Coll. Leçons de choses, 1990, 342 p.

Pollak Michael, *Rassenwahn und Wissenschaft : Anthropologie, Biologie, Justiz und die nationalsozialistische Bevölkerungspolitik*, Francfurt, Anton Hain, Coll. Anton Hain, 9, 1990, 59 p.

Bibliographie

Peschanski Denis, Pollak Michael, Rousso Henry (dir.), *Histoire politique et sciences sociales*, Bruxelles, Complexe, Coll. Questions au XXe siècle, 47, 1991, 285 p.

Articles

Vienne

« Intellektuelle Aussenseiterstellung und Arbeiterbewegung. Das Verhältnis der Psychoanalyse zur Sozialdemokratie in Österreich zu Beginn des Jahrhunderts », in Botz Gerhard, Hautmann H., Konrad H., Weidenholzer J. (dir.), *Bewegung oder Klasse*, Vienne, Europa Institut für Geschichte der Arbeiterbewegung, 1978.

« Une sociologie en acte des intellectuels : les combats de Karl Kraus », *Actes de la recherche en sciences sociales*, nos 36/37, 1981, pp. 87-103.

« Vienne Fin-de-Siècle. Les limites de l'exemple historique », *Vingtième Siècle. Revue d'histoire*, n° 4, 1984, pp. 49-63.

« Psychanalyse et austromarxisme », *Austriaca*, n° 21, 1985, pp. 83-88.

« Die Wiener Moderne : Verlaufsformen einer Identitätskrise », in Wapnewski P. (dir.), *Wissenschaftskolleg Jahrbuch 1983/84*, Berlin, Siedler, 1985.

« Sociologie et utopie d'un art autonome », in Clair J. (dir.), *Vienne 1880-1938. L'Apocalypse joyeuse*, Paris, Centre Pompidou, 1986, pp. 398-411.

« Vienne 1880-1938 », *CNAC Magazine*, janvier 1986.

« Europe centrale. Regard de Vienne », *La Nouvelle Alternative*, n° 8, 1987, pp. 35-37.

« Cultural Innovation and Social Identity in *fin-de-siècle* Vienna », in Oxaal Ivar, Pollak Michael, Botz Gerhard (dir.), *Jews, Antisemitism and Culture in Vienna*, Londres/New York, Routledge and Kegan Paul, 1987.

« Vienne en 1885 », *Psychanalyse à l'université*, 12 (48), 1987, pp. 559-571.

Vienne à Paris. Portrait d'une exposition, (en collab. avec Hei-

395

nich Nathalie), Paris, ADRESSE, 1987. (Rapport de recherche.)

« L'esprit autrichien », *Revue philosophique*, n° 1, 1988.

« Kulturelle Innovation und soziale Identität im Wien des Fin-de-Siècle », *in* Botz Gerhard, Oxaal Ivar, Pollak Michael (dir.), *Eine Zerstörte Kultur. Jüdisches Leben und Antisemitismus in Wien seit dem 19 Jarhundert*, Buchloe, DVO, 1990.

« C'est en ces lieux que naquit le XXᵉ siècle », *Géo*, n° 143, 1991.

Technologies et risques nucléaires

« The Politics of Participation and the Nuclear Debate in Sweden, the Netherlands and Austria » (en collab. avec Nelkin Dorothy), *Public Policy*, 25 (3), 1977, pp. 333-357.

« Problems and Procedures in the Regulation of Technological Risks » (en collab. avec Nelkin Dorothy), *in* Weiss C. (dir.), *Bureaucratic Maladies and Remedies*, Beverly Hills, Sage, 1979.

« The Politics of Nuclear Power » (en collab. avec Nelkin Dorothy), *Transatlantic Perspectives*, GMF, n° 1, 1979, pp. 8-10.

« The Nuclear Establishment and its Ideology » (en collab. avec Nelkin Dorothy), *Social Aspects of Peaceful Uses of Nuclear Energy*, European Coordination Center for Research and Documentation in Social Science, Pergamon Press, 1979.

« Consensus and conflict Resolution : The Politics of Assessing Risks » (en collab. avec Nelkin Dorothy), *Science and Public Policy*, octobre 1979, pp. 307-318.

« Public Participation in Technological Decisions : Reality or Grand Illusion » (en collab. avec Nelkin Dorothy), *Technology Review*, septembre 1979, pp. 55-64.

« Zwischen Verweigerung und Partizipation. Einige Thesen zur politischen Zukunft der Umweltschutz-Bewegung », *in* Nelles W., Oppermann R.(dir.), *Partizipation und Politik*, Göttingen, Otto Schwartz, 1980.

« Political Parties and the Nuclear Energy Debate in France and Germany » (en collab. avec Nelkin Dorothy), *Comparative Politics*, 12 (2), 1980, pp. 127-141.

« Ideology as Strategy : The Discourse of the Antinuclear Movement in France and Germany » (en collab. avec Nelkin Dorothy), *Science, Technology and Human Values*, 5 (30), 1980.

« The Atom Besieged » (en collab. avec Nelkin Dorothy), *Scientific American*, 1980.

« French and German Courts on Nuclear Technology » (en collab. avec Nelkin Dorothy), *Bulletin of the Atomic Scientists*, mai 1980, pp. 36-42.

« The Antinuclear Movement in France » (en collab. avec Nelkin Dorothy), *Technology Review*, novembre-décembre 1980, pp. 36-37.

« L'impact de la contestation antinucléaire » (en collab. avec Nelkin Dorothy), *Le Monde diplomatique*, septembre 1980.

« Industrial Siting and Environmental Protection », *Zeitschrift für Umweltpolitik*, 3, 1981.

« Die westeuropaïschen Gewerkschaften im Spannungsfeld technologiepolitischer Entscheidungen », *Journal für Sozialforschung*, 1, 1981.

« Science, technologie et société : un nouveau champ de recherches », *Pandore*, n° 15, 1981, pp. 39-47.

« A Pregnant Pause : The European Response to the Three Mile Island Nuclear Accident » (en collab. avec Nelkin Dorothy), *in* Moss Thomas, Sills David L. (dir.), *The Three Mile Island Nuclear Accident : Lessons and Implications*, New York, 1981 (New York Academy of Sciences).

« Nuclear Protest and National Policy » (en collab. avec Nelkin Dorothy), *Society*, 8 (5), 1981.

« La régulation technologique : le difficile mariage entre le droit et la technologie », *Revue française de science politique*, 32 (2), 1982, pp. 86-105.

« Staat oder Markt über die Perspektiven technologiepolitischer Kontrolle », *Technik und Gesellschaft*, Francfort, Campus, 1982, pp. 108-132.

« France : The Nuclear Dream Maintained », *Technology Review*, 85 (8), 1982, pp. 14-15.

« Le contrôle politique de la technologie », *in L'État des sciences et des techniques*, Paris, La Découverte, 1983.

« Les surgénérateurs en question. Qui veut de Kalkar ? », *La Recherche*, 14 (140), 1983, pp. 76-78.

« Techniques et régulation sociale du changement technique »,
L'Année sociologique, n° 33, 1983, pp. 332-337.

« Nuclear Power in Europe : Social Movement and Policy
Making », *in* Field W. J.(dir.), *Energy and Security Con-
cerns in the Atlantic Community*, New Orleans, Institute for
Comparative Study of Public Policy, 1984.

« Problemen i.v.m demokratische technologiekeuze », *Het
Ingenieursblad*, 53 (4), 1984, pp. 153-159.

Racisme, déportation, génocide

« Des mots qui tuent », *Actes de la recherche en sciences sociales*, n° 41, 1982, pp. 29-45.

« Survivre dans un camp de concentration. Entretien avec Margareta Glas-Larsson » (en collab. avec Botz Gerhard), *Actes
de la recherche en sciences sociales*, n° 41, 1982, pp. 3-28.

« Doit-on faire une science de l'innommable ? », *Libération*,
Paris, 6-7 mars 1982, pp. 20-21.

« Le rôle d'un récit biographique dans le travail d'historien »
(en collab. avec Botz Gerhard), Pré-actes du IVe Colloque
international d'Histoire orale, Aix-en-Provence, 24-26 septembre 1982, pp. 312-327.

« Encadrement et silence : Le travail de la mémoire », *Pénélope*, n° 12, 1985, pp. 35-40.

« Définir et identifier : Droit et expertise dans la politique
raciale nazie », *Le Discours psychanalytique*, n° 25, 1985,
pp. 22-29.

« La gestion de l'indicible », *Actes de la recherche en sciences
sociales*, nos 62/63, 1986, pp. 30-53.

*Expérience et gestion de crises d'identité. L'expérience con-
centrationnaire*, rapport de recherche, Paris, IHTP, 1986,
149 p.

« Recursos de poder y sentido de la identidad en los campos
de concentración nazis », *in* Vilanova Mercedes (dir.), *El
poder en la sociedad. Historia y fuente oral*, Barcelone,
Antoni Bosch, 1986, pp. 71-80.

« Utopie et échec d'une science raciale », *in* Béjin André,
Freund Julien (dir.), *Racismes, antiracismes*, Paris,
Méridiens-Klincksiek, 1986, pp. 161-202.

« Le témoignage » (en collab. avec Heinich Nathalie), *Actes de la recherche en sciences sociales*, n°s 62/63, 1986, pp. 3-29.

« Aux origines de la politique raciale nazie, le rôle de la science et du droit », *Bulletin de l'IHTP*, n° 27, 1987, pp. 31-47.

« Témoignages et mémoires », (communication présentée au colloque international organisé par la Fondation Auschwitz et l'Université libre de Bruxelles le 27 mars 1987), *Bulletin trimestriel de la Fondation Auschwitz*, n° 15, septembre-novembre 1987, pp. 9-28.

« Témoignages et mémoires », *in Le Procès de Nuremberg. Conséquences et actualisations*, (Actes du colloque international organisé par la Fondation Auschwitz et l'Université libre de Bruxelles le 27 mars 1987), Bruxelles, Éditions Bruylant, 1988, pp. 31-39.

« La science nazie », *L'Histoire*, n° 118, janvier 1988, pp. 86-89.

« Memoria, esquecimento, silêncio », *Estudos Históricos*, vol. 2, n° 3, 1989, pp. 3-15.

« Une politique scientifique : le concours de l'anthropologie, de la biologie et du droit », *in* Bédarida François (dir.), *La Politique nazie d'extermination*, Paris, Albin Michel, 1989, pp. 75-99.

« Ein Forschungbericht und seine Bedeutung. Ein Nachwort », *in* Goldstein J., Lukoff I. F., Strauss H. A. (dir.), *Individuelles und Kollectives Verhalten in Nazi Konzentrationslagern. Soziologische und psychologische Studien zu Berichten ungarisch-jüdischer Überlebender*, Francfurt, Campus, 1991, pp. 193-198.

« Mémoire, oubli, silence », 1991, 36 p. [texte présenté par Jean-Marc Rennes au colloque « Psychanalyse et sciences sociales », Moscou, 31 mars-5 avril 1992, organisé par la Mission interministérielle de Recherche et d'Expérimentation (MIRE), le ministère de la Recherche et de la Technologie, le ministère des Affaires étrangères conjointement avec l'Académie des sciences de Russie].

Homosexualité et sida

« La rationalisation de la sexualité » (en collab. avec Béjin André), *Cahiers internationaux de Sociologie*, 62 (1), 1977, pp. 105-125.

« Sexuelle Revolution, oder : Die Vergangenheit einer Illusion » (en collab. avec Béjin André), *Österreichische Zeitschrift für Soziologie*, 5, 1977, pp. 20-29.

« Die Grenzen der stellvertretenden Befreiung », *Österreichische Zeitschrift für Soziologie*, 4, 1980.

« Les vertus de la banalité », *Le Débat*, n° 10, 1981, pp. 132-143.

« Die Grenzen der stellvertretenden Befreiung (Einige Gedanken zur Erforschung der Homosexualität) », *Österreichische Zeitschrift für Soziologie*, 3, 1981, pp. 80-84.

« L'homosexualité masculine, ou : le bonheur dans le ghetto ? », *Communications*, n° 35, 1982, pp. 37-55. (Nouvelle édition *in* Ariès Philippe, Béjin André (dir.), *Sexualités occidentales*, Paris, Le Seuil, Coll. Points, 1984, pp. 56-80.)

Traductions :

« A Homosexualidade masculina, ou : a felicidade no ghetto ? », *in* Ariès Philippe, Béjin André, Flandrin, Foucault Michel, Veyne *et al.* (dir.), *Sexualidades ocidentais*, Lisbonne, Contexto Editora, 1983, pp. 51-73.

« L'omosessualità maschile, ovvero : la felicità nel' ghetto ? », *in* Ariès Philippe *et al.*, *I comportamenti sessuali dall' antica Roma a oggi*, Turin, Einaudi, 1983, pp. 55-80.

« Männliche Homosexualität — Oder das Glück im Getto ? », *in* Ariès Philippe, Béjin André (dir.), *Die Masken des Begehrens und die Metamorphosen der Sinnlichkeit. Zur Geschichte der Sexualität im Abendland*, Francfurt, S. Fischer, 1984, pp. 55-79. (Nouvelle édition chez Fischer Taschenbuch Verlag, 1986, pp. 55-79.)

« Male homosexuality — or happiness in the ghetto ? », *in* Ariès Philippe, Béjin André (dir.), *Western sexuality. Practice and Precept in Past and Present Times*, Oxford, Basil Blackwell, 1985, pp. 40-61. (Nouvelle édition en « paper back ».)

« Homoseksualiteit onder mannen of : geluk in een getto ? », *in* Ariès Philippe, Béjin André (dir.), *Westerse Seksualiteit. Een bijdragetot de geschiedenis en socio-*

logie van de seksualiteit, Kampen, Nederlandse Editie, Kok Agora, 1986, pp. 89-113.

« La homosexualidad masculina o la felicidad en el ghetto ? », *in* Ariès Philippe, Béjin André, Foucault Michel y otros (dir.), *Sexualidades occidentales*, Barcelone, Ediciones Paidos, 1987, pp. 71-102.

« A homosexualidade masculina, ou : a felicidade no ghetto ? », *in* Ariès Philippe, Béjin André (dir.), *Sexualidades Ocidentais. Contribuiçoes para a historia e para a sociologia da sexualidade*, São Paulo, Editora brasiliense, 1987, pp. 54-76.

« 1 000 homosexuels témoignent » (en collab. avec Laurindo L.), *Gai Pied Hebdo*, n° 193, 1985, pp. 18-21.

« Le 16 mars, vous voterez gay ? 66 % des lecteurs répondent oui ! », *Gai Pied Hebdo*, n° 209, 1986, pp. 22-24.

« Ce que veulent les gais : 3 000 homos répondent. Les gais et le sida », *Gai Pied Hebdo*, n° 257, 1986, pp. 25-27.

« Ambivalent Reactions to AIDS among French Male Homosexuals » (en collab. avec Laurindo L., Schiltz Marie-Ange), *in* Gluckmann J. C., Vilmer E. (dir.), *International Conference on AIDS. Paris 1986*, Amsterdam/New York, Elsevier, 1986, pp. 283-285.

« Les homosexuels face à l'épidémie du sida » (en collab. avec Laurindo L., Schiltz Marie-Ange), *Revue d'épidémiologie et de santé publique*, 34 (2), 1986, pp. 143-153. Trad. brésilienne (de Sergio Carrara) : « Os homosexuais frente à epidemia da AIDS », Cadernos do IMS, 1(3), 1985, pp. 4-30.

« An Unspeakable Disease. Self-Isolation of HIV Infected Patients as a Result of Conflicting Aspirations » (en collab. avec Aime F., Gharakhaninan C., Rozenbaum W., Viallefont A.), 1987, IIIrd International Conference on AIDS, Abstract M. 5. 4., Washington, 1-5 juin 1987.

« AIDS. Risikomanagement unter widersprüchlichen Zwängen, Reaktionen und Verhaltensänderungen unter französischen Homosexuellen », *Journal für Sozialforschung*, 27, 3/4, 1987.

« 75 % des homosexuels ont changé leur sexualité ! », *Gai Pied Hebdo*, n° 294, 1987, pp. 22-25.

« Nur einer von mehreren Faktoren ? », *Rosa Flieder*, 53, 1987, pp. 8-9.

« Le couple homosexuel », *Santé mentale, Individus et Société*, n° 93, 1987, pp. 31-33.

L'adaptation au risque de contamination par le VIH, rapport de recherche à la DGS, Paris, ADRESSE, 1987.

« Identité sociale et gestion d'un risque de santé. Les homosexuels face au sida » (en collab. avec Schiltz Marie-Ange), *Actes de la recherche en sciences sociales*, 68, 1987, pp. 77-102.

« Premiers résultats de l'enquête 1986 : les homosexuels face au sida » (en collab. avec Lejeune B., Schiltz Marie-Ange), *Bulletin épidémiologique hebdomadaire*, 87 (7), 1987, p. 27.

Les Homosexuels face au sida (en collab. avec Schiltz Marie-Ange), rapport de recherche, Paris, CNRS/EHESS, 1987, 2 tomes (tome 1, 65 p., tome 2, 149 p.).

« Safer Sex and Acceptance of Testing. Results of the Nationwide Annual Survey among French Gay Men » (en collab. avec Lejeune B., Schiltz Marie-Ange), 1987, IIIrd International Conference on AIDS, Abstract M. 6. 6., Washington, 1-5 juin 1987.

Les Homosexuels et le sida. Enquête 1988, rapport de recherche, Paris, ADRESSE, 1988.

« Du traumatisme au travail d'espoir », *Santé mentale, Individu et Société*, n° 96, 1988.

« Une identité inclassable », *Sociétés*, n° 17, 1988.

« Pour cause de sida », *La Quinzaine littéraire*, août 1988.

« AIDS : Gesundheitspolitik als aktive Solidarität oder als Kontrolle geselleschaftlicher Minderheiten », *Neue politische Literatur*, 33 (1), 1988.

« La diffusion différentielle de l'épidémie du sida. Une approche sociologique », *Cahiers de sociologie et démographie médicales*, 28 (3), 1988, pp. 243-262.

« Le nouveau désordre amoureux », *Gai Pied Hebdo*, n° 345, 1988, pp. 51-60.

« Aids como fato social », *Ciência Hoje*, 7 (41), 1988, pp. 66-72. (Interview).

« Le sida : une question de justice », *Actions et Recherches sociales*, n° 3, 1988, pp. 25-32.

« From Paris Middle-classes to Small Towns and Blue-collar Workers : Sociodemographic Trends of Aids Epidemic among French Homosexual Men » (en collab. avec Brunet

J.-B., Laporte A., Messiah A.), 1988, IVth International Conference on AIDS, Abstract 4071, Stockholm, 13-16 juin 1988.

« Does Voluntary Testing Matter ? How it Influences Homosexual Safer Sex ? » (en collab. avec Schiltz Marie-Ange), 1988, IVth International Conference on AIDS, Abstract 6024, Stockholm, 13-16 juin 1988.

« Voluntary Testing and seroprevalence. Problems of Interpretation » (en collab. avec Schiltz Marie-Ange), 1988, IVth International Conference on AIDS, Abstract 6024, Stockholm, 13-16 juin 1988.

« Behavorial changes among French Gay Men 1985 to 1987 » (en collab. avec Schiltz Marie-Ange), 1988, IVth International Conference on AIDS, Abstract 6030, Stockholm, 13-16 juin 1988.

« Who is Concerned about What ? The Paris AIDES Hotline as Educational Tool and a Counseling Service » (en collab. avec Folgoas H., Imbert M., de Vincensi I.), 1988, IVth International Conference on AIDS, Abstract 6053, Stockholm, 13-16 juin 1988.

« Safer Sex Groups as a Way of Valorizing and Enhancing New Sexual Behaviour » (en collab. avec Berges O., Pele G.), 1988, IVth International Conference on AIDS, Abstract 6543, Stockholm, 13-16 juin 1988.

« Les homosexuels face au sida », (en collab. avec Lejeune B., Schiltz Marie-Ange), *Bulletin épidémiologique hebdomadaire*, 88 (1), 1988, pp. 2-3.

« La perception sociale du sida en région Ile-de-France » (en collab. avec Abenhäim L., Bastide S., Dab W., Moatti J. P.), *Bulletin épidémiologique hebdomadaire*, 88, (12), 1988.

« Le sida et le comportement sexuel des Franciliens » (en collab. avec Abenhäim L., Bastide S., Dab W., Moatti J. P.), *Bulletin épidémiologique hebdomadaire*, 88 (49), 1988.

« Les conséquences psychosociales de l'infection VIH » (en collab. avec Gharakhaninan C., Rozenbaum W., Viallefont A.), *Revue d'épidémiologie et de santé publique*, n° 36, 1988, pp. 202-208.

« Mirko D. Grmek, Histoire du sida. Début et origine d'une pandémie actuelle », *Annales ESC*, vol. 6, 1989, pp. 1521-1568. (Compte rendu.)

« Les homos et le sida. Un nouvel art d'aimer », *Gai Pied Hebdo*, n° 395, 1989, pp. 51-55.

« Le gouvernement zéro ! », *Gai Pied Hebdo*, n° 395, 1989, pp. 56-58.

« Capotes : encore un effort ! », *Gai Pied Hebdo*, n° 395, 1989, p. 59.

Aids Prevention Activities and their Impact on Attitudes and Behavior. The Case of French Homo- and Bisexuals, rapport de recherche présenté à l'OMS, 1989, 61 p.

« Modifications comportementales des groupes exposés », *in* Montagnier Luc, *et al.*, *Sida et infections par VIH*, Paris, Flammarion, 1989.

« La modification des pratiques sexuelles » (en collab. avec Bochow M., Dubois-Arber F.), *La Recherche*, 20 (213), 1989, pp. 1100-1111.

« Systèmes de réaction au sida et action préventive » (en collab. avec Dab W., Moatti J.-P.), *Sciences sociales et santé*, 7 (1), 1989, pp. 111-135.

« Diffusion des précautions sexuelles et évolution de la séropositivité dans la population homosexuelle française : 1985-1988 » (en collab. avec Boisson P., Schiltz Marie-Ange), 1989, V[th] International Conference on AIDS, Abstract TAP 19, Montréal, 4-9 juin 1989.

« De nouveaux comportements parmi les homosexuels en Europe : le cas de Paris et d'Amsterdam » (en collab. avec Algra Y., Berges O., Dröge W. A. M., Hannema H. I., Pele G.), 1989, V[th] International Conference on AIDS, Abstract TDP 47, Montréal, 4-9 juin 1987.

« Les effets d'une campagne grand public sur les homosexuels français » (en collab. avec Boisson P.), 1989, V[th] International Conference on AIDS, Abstract TEP 6, Montréal, 4-9 juin 1989.

« La contamination par voie sexuelle devant le tribunal du sens commun », *Actes*, n°s 71-72, 1989.

« Les homosexuels face au sida : adaptation au risque, autosurveillance médicale et solidarité », *Le sida. Images et réalités*, Les Actes du XIIIe, Réunion scientifique du 31 mars 1989, 1989, pp. 55-63.

« Introduction à la discussion : systèmes de lutte contre les MST et sciences sociales », *in* Bouvet E., Job-Spira N., Moatti J.-P., Spencer B. (dir.), *Santé publique et maladies à trans-*

mission sexuelle, Paris, John Libbey Eurotext, 1989, pp. 107-112.

« La communication avec le public : contraintes et difficultés », *La Nouvelle Gazette de la transfusion*, avril-juin 1989.

Les Associations de lutte contre le sida. Eléments d'évaluation et de réflexion, (en collab. avec Rosman S.), rapport de recherche, Paris, MIRE-EHESS-CNRS, juillet 1989, 223 p.

« AIDS Prevention Activities in France and Their Impact on Attitudes and Behavior : The Case of Homosexual and Bisexual Men », *in Anthropological Studies Relevant to the Sexual Transmission of HIV*, 1990, Sonderborg (Denmark), Séminaire 19-22 novembre.

« Trends of Self Reported HIV-Status and Sexual Behaviour. Changes Among French Gay Men : 1985-1990 » (en collab. avec Schiltz Marie-Ange), *in Anthropological Studies Relevant to the Sexual Transmission of HIV*, 1990, Sonderborg (Denmark), Séminaire 19-22 novembre.

« Enquête exclusive. Les gais et le sida », *Gai Pied Hebdo*, n° 446, 1990, pp. 52-59.

« La clinique des associations de lutte contre le sida : entre bénévolat et professionnalisation », *L'Information psychiatrique*, 66 (8), 1990, pp. 809-814. (Actes du 3e colloque national du 12 mai 1990 organisé par l'association Didier Seux).

« AIDS Policy in France : Biomedical Leadership and Preventive Impotence », *in* Misztal B. A., Moss D. (dir.), *Action on AIDS. National Policy in Comparative Perspective*, Westport, Greenwood Press, 1990, pp. 79-100.

« HIV Risk Perception and Determinants of Sexual Behaviour » (en collab. avec Moatti J. P.), *in* Hubert M.(dir.), *Sexual Behaviour and Risks of HIV Infection*, Bruxelles, Publication des Facultés universitaires Saint-Louis, 1990, pp. 17-44. (Proceeding of an International Workshop by the European Communities).

« Connaissances, croyances et attitudes relatives au sida en Ile-de-France » (en collab. avec Anes A., Beltzer N., Dab W., Jayle D., Menard C., Moatti J.-P., Quenel P., Serrand C.), *Bulletin épidémiologique hebdomadaire*, 90 (50), 1990.

« Evaluation d'un dépliant *'safer sex'* adressé aux homo- et bisexuels masculins » (en collab. avec Berges O., Boisson P.,

Charfe Y., Marty-Lavauzelle A., Mandopoulos J. M., Pele G.), *Bulletin épidémiologique hebdomadaire*, n° 90 (50), 1990.

« Les voies de recherche pour l'avenir » (en collab. avec Short R., Spira A., Valleron A. J.), *in* Job-Spira N., Spencer B., Moatti J.-P., Bouvet E. (dir.), *Santé publique et maladies à transmission sexuelle*, Paris, John Libbey Eurotext, 1990, pp. 555-560.

« Knowledge, Attitudes, Behavior and Perception Related to AIDS : the French Surveys (1987-1990) » (en collab. avec Dab W., Jayle D., Menard C., Moatti J.-P., Serrand C.), 1990, VIth International Conference on AIDS, San Francisco, 20-24 juin 1990.

« General vs. Targeted Information Efforts. A Comparative Evaluation of the Effects of two Campaigns on French Male Homosexuals » (en collab. avec Schiltz Marie-Ange), 1990, VIth International Conference on AIDS, San Francisco, 20-24 juin 1990.

« Sexual Behavior Changes and HIV-Seroprevalence in the French Male Homosexual Population, 1985-1989 » (en collab. avec Schiltz Marie-Ange), 1990, VIth International Conference on AIDS, San Francisco, 20-24 juin 1990.

« Les attitudes et comportements des Français face au sida » (en collab. avec Anes A., Beltzer N., Dab W., Moatti J.-P., Menard C., Serrend C.), *La Recherche*, n° 223, 1990, pp. 887-895.

« Évaluer la prévention du sida en France. Un inventaire des données disponibles » (en collab. avec Breart G., Brunet J. B., Chaban-Delmas M., Dore V., Ingold R., Karsenty S., Moatti J.-P., Paicheler G., Thiaudière C.), ANRS-AFLS, novembre 1990 (1re édition), septembre 1990 (2e édition).

Aids Prevention for Men Having Sex with Men. Final Report. (Assessing Aids prevention. EC concerted action on assessment of AIDS/HIV preventive strategies), rapport de recherche, Lausanne, Institut universitaire de médecine sociale et préventive, 1991, 91 p. + annexes. (Cah Rech Doc IUMSP, n° 75).

« Constitution, diversification et échec de la généralisation d'une grande cause : le cas de la lutte contre le sida », *Politix*, n° 16, 1991, pp. 80-90.

« *Safer sex* en France. A propos des homo- et bisexuels masculins », *Revue de médecine psychosomatique*, n° 25, 1991, pp. 53-58.

« Homosexuels et bisexuels masculins. La diffusion hétérogène du *safer sex* », *Le Journal du sida*, supplément au n° 31-32, sept.-oct. 1991 (sciences sociales et santé publique : un état de la recherche), 1991, pp. 27-29.

« Le sida. Une épidémie autogérée », *in* Dourlens C., Gailland J.-P. *et al.* (dir.), *Conquête de la sécurité, gestion des risques*, Paris, L'Harmattan, 1991.

« Les gais face au sida : autosurveillance médicale et solidarité » et « Les homosexuels masculins entre le désir de transgression et la quête d'intégration », *in* Guisset M., Requillart D., Rivière L. et Wolff C. (dir.), *Paroles d'amour*, Paris, Syros/Alternatives, 1991.

« Les visages multiples de la mobilisation contre le sida », *in* Pollak Michael, Mendès-Leite R., Van dem Borghe J. (dir.), *Homosexualités et sida*, *Cahiers Gai Kitsch Camp*, Université, Lille, 1991, pp. 13-27. (Actes du colloque international, Paris, 12-13 avril 1991).

Homosexualités et sida (en collab. avec Mendes-Leite R., Van dem Borghe J.), *Cahiers Gai Kitsch Camp*, Université, Lille, 1991, 267 p. (Actes du colloque international au ministère des Affaires sociales et de la Solidarité, Paris, 12-13 avril 1991).

« Nature d'un engagement », *Agora*, 18/19, 1991, pp. 179-181 (Interview).

« Six années d'enquête sur les homo et les bisexuels masculins face au sida. Questions de méthode » (en collab. avec Schiltz Marie-Ange), *Bulletin de méthodologie sociologique*, n° 31, 1991, pp. 32-48.

« Les homosexuels français face au sida. Modification des pratiques sexuelles et émergence de nouvelles valeurs » (en collab. avec Schiltz Marie-Ange), *Anthropologie et Sociétés*, 15 (2-3), 1991, pp. 53-65.

« Changing Determinants of Risk Behaviour in the French Gay Community » (en collab. avec Schiltz Marie-Ange), 1991, VIIth International Conference on AIDS, Abstract THD57, vol. 2, Florence, 16-21 juin 1991.

« Restons vigilants » (en collab. avec Charfe Y., Joseph M.), *Gai Pied Hebdo*, n° 496, 1991, pp. 52-60.

«Utilisation déclarée du préservatif. Résultats de l'enquête KABP en Ile-de-France» (en collab. avec Anes A., Beltzer N., Jayle D., Moatti J.-P., Quenel P.), *Revue d'épidémiologie et de santé publique*, 39, 1991, pp. 487-498.

«Histoire d'une cause», *L'Homme contaminé*, Autrement, Coll. Mutations, 130, 1991, pp. 24-39.

Six années d'enquête sur les homo- et bisexuels masculins face au sida, (en collab. avec Schiltz Marie-Ange). Livre des données, rapport de recherche, Paris, CNRS-ANRS, mars 1991, 115 p. + 34 p.

«L'entrée en homosexualité masculine», *in* CREA, CEFUP (dir.), *Des hommes et du masculin*, Lyon, Presses universitaires de Lyon, 1992, pp. 83-92.

«EC Concerted Action 'Assessment of the AIDS/HIV Prevention Strategies' : Homo- Bisexual Men» (en collab. avec Bochow M., Dubois-Arber F., Schiltz Marie-Ange, Tielman R.), 1992, VIIIth Internatinal Conference on AIDS, Abstract PoD 5194, vol. 2, Amsterdam, 19-24 july 1992. (Actes à paraître en 1992-93.)

«Assessing AIDS Prevention Among Male Homo- and Bisexuals», *in* Gutzwiller F., Paccaud F., Vader J.-P. (dir.), *Assessing AIDS Prevention*, Basel, Birkhaüser, 1992, pp. 137-157. (Selected papers presented at the International Conference held in Montreux, Switzerland, October 29-November 1, 1990.)

«Worte, die töten», *Leviathan*, Zeitschrift für Sozialwissenschaften, vol. 20, 3, 1992, pp. 395-419.

«Evaluating AIDS Prevention for Men having Sex with Men», *Social Science & Medecine*, 1992-1993 (à paraître).

«The Second Plague of Europe : AIDS Prevention and Sexual Transmission Among Men in Western Europe», *in* Cohen M. (dir.), *Changing Sexual Behaviors in the Shadow of AIDS : A Survey of Gay Bisexual Men in Communities throughout the World*, New York, The Haworth Press Inc, 1992-1993.

«AIDS. A Problem of Sociological Research» (en collab. avec Paicheler Geneviève, Pierret Janine), *Current Sociology*, 1992-1993 (à paraître).

«Impact of Media Campaigns against AIDS in the General Public. A French Evaluation» (en collab. avec Anes A., Beltzer N., Dab W., Loundou H., Moatti J.-P., Quenel P.), *in Health Policy*, 1992-1993 (à paraître).

« Rituels homosexuels et *safer sex* » (en collab. avec Pele G., Schiltz Marie-Ange), *in* Mendès-Leite R., Busscher P. O. (dir.), *On the French Research on Homosexualities. Journal of Homosexuality*, New York, The Haworth Press, 1992-1993 (à paraître).

Histoire des sciences sociales

Committee for Scientific and Technological Policy. Social Science Policy. France. Book I. General Report, Paris, OECD, 13th September 1974, 143 p. (multigraphié, non signé).

« L'efficacité par l'ambiguïté. La transformation du champ scientifique par la politique scientifique : le cas de la sociologie et des sciences économiques en France », *Sociologie et Sociétés*, 7 (1), 1975, pp. 29-49.

« Le lieu social de la politique scientifique », *Incidence des rapports sociaux sur le développement scientifique et technique*, Paris, CNRS/CORDES, 1975.

Les incidences de la politique scientifique sur l'évolution du champ scientifique : le cas de la sociologie et des sciences économiques en France, Paris, EHESS, 1975 (thèse de 3e cycle).

« Organizing and Financing as Methods of Influencing Social Research », *in* Crawford Elisabeth T., Perry Norman, (dir.), *Demands for Social Knowledge : the Role of Research Organisations*, Londres, Sage, 1976.

« Wilhelm Reich », *in* Pollak M., *Tausend Jahre Österreich*, Jungend und Volk, 1976, pp. 295-300.

« La planification des sciences sociales », *Actes de la recherche en sciences sociales*, n° 2/3, 1976, pp. 105-121.

« Public Involvement in R & D Policies in Germany », unpublished paper prepared for OECD, 1977.

« Einige Randbemerkungen zur Diskussion über das Anwendungsdefizit der Österreichischen Soziologie », *Österreichische Zeitschrift für Soziologie*, 3/4, 1978, pp. 117-121.

« Paul F. Lazarsfeld, fondateur d'une multinationale scientifique », *Actes de la recherche en sciences sociales*, n° 25, 1979, pp. 45-59.

« Die Wissenschaftsmonies », *Österreichische Zeitschrift für Soziologie*, 1979, vol. 4, n° 3-4, pp. 173-175.

« Vom Konflikt- Zum Kompromissverhalten. Die Sozialpartnerschaft als Sozialisationsmittel politischen Handelns », *in* « Deux fois l'Autriche. Après 1918 et après 1945 », *Austriaca*, 3, 1979, pp. 369-388 (Actes du colloque, Rouen, 8-12 novembre 1977).

« Paul F. Lazarsfeld : A Socio-intellectual Biography », *Knowledge : Creation, Diffusion, Utilization*, 2 (2), 1980, pp. 157-177.

« Paul F. Lazarsfeld : Gründer eines wissenschaftlichen multinationalen Konzerns », *in* Lepenies W., (dir.), *Geschichte der Soziologie*, tome 3, Francfurt, Suhrkamp, 1981.

« Institutionalisierung, Wachstum und Wandel der heutigen französischen Soziologie », *Quantum. Historical Social Research*, 25, 1983, pp. 4-23.

« From Methodological Prescription to Socio-historical Description. The Changing Metascientific Discourse », *Fundamenta Scientiae*, 4, 1, 1983, pp. 2-27.

« Le retour réflexif de la discipline sur elle-même », *L'Année sociologique*, n° 33, 1983, pp. 355-363.

« Eine stilvolle Soziologie der Lebensstile : zu Pierre Bourdieu 'Die feinem Unterschiede' : », *Österreichische Zeitschrift für Soziologie*, 1983, vol. 9, n° 1-2, pp. 198-204.

« Historisation des sciences sociales et sollicitation sociale de l'histoire », *Bulletin de l'IHTP*, 13, septembre 1983, pp. 5-13.

« Projet scientifique, carrière professionnelle et stratégie politique », *Actes de la recherche en sciences sociales*, n° 55, 1984, pp. 54-62.

« Sociologie de la science », *Encyclopaedia Universalis*, 1984, pp. 625-629.

La mobilité des personnels de recherche : Eléments pour l'évaluation d'une politique, (en collab. avec Brian E., Jaisson M., Vallet B.), Paris, ADRESSE, 1984. (Rapport de recherche.)

« La mobilité : trajectoire d'un mot clé de la politique scientifique », *La Mobilité des personnels de recherche : Eléments pour l'évaluation d'une politique*, Paris, ADRESSE, 1984.

« Expertise et réglementation technologique », *in Situations d'expertises et socialisation des savoirs*, Saint-Étienne, CRE-SAL, 1985. (Actes de la table ronde organisée par le CRE-SAL à Saint-Étienne, 14-15 mars 1985.)

« Max Weber précurseur de Hitler ? Les idées politiques du penseur allemand devant le tribunal de l'histoire », *Le Monde*, Paris, 11 juillet 1986.

« Un texte dans son contexte. L'enquête de Max Weber sur les ouvriers agricoles », *Actes de la recherche en sciences sociales*, n° 65, 1986, pp. 69-75.

« Die Rezeption Max Webers in Frankreich. Fallstudie eines Theorietransfers in den Sozialwissenschaften », *in* König R., Neidhardt F., Lepsius M. R. (dir.), *Kölner Zeitschrift für Soziologie und Sozialpsychologie*, Westdeutscher Verlag, 1986, pp. 670-684.

Max Weber en France. L'itinéraire d'une œuvre, Les Cahiers de l'IHTP, n° 3, juillet 1986, 70 p.

« Production de connaissances et gestion sociale, en tant que mise en relation des schèmes cognitifs et opératoires » (en collab. avec Desrosières Alain), 1987, 23 p., contribution au *workshop* de Berlin consacré au thème *Social Science and Societal Developments*, WZB, Berlin, 29 janvier-1er février 1987, multigraphié.

« The Shapes of Scientific Rivalry : Careers, Resources and Identities », *Poetics Today*, 9, 1, 1988. (Numéro spécial : « Interpretation in Context in Science and Culture ».)

« La place de Max Weber dans le champ intellectuel français », *Droit et société*, n° 9, 1988, pp. 189-201.

Mai 68 et les sciences sociales (en collab. avec Bédarida François), Paris, *Les Cahiers de l'IHTP*, n° 11, avril 1989, 159 p., table ronde du 10 juin 1988.

« Signes de crise, signes de changement », *in* Bédarida François, Pollak Michael (dir.), *Mai 68 et les sciences sociales, Les Cahiers de l'IHTP*, n° 11, avril 1989, pp. 9-20. Traduction à paraître : « May 68 and the Social Sciences. Signs of Crises, Signs of Change », *in* Cohen Y., Berger B. (dir.), *May 68 Revisited*, University of Illinois Press, 1992-1993.

« Lazarsfeld's Einfluss auf die internationale Verbreitung der empirischen Sozialforschung : Kontinuität und Wandel eines wissenchaftlichpolitischen Projekts », *in* Langenbucher W. R. (dir.), *Paul F. Lazarsfeld*, Munich, Ölschlager, 1990.

Histoire politique et sciences sociales (en collab. avec Peschanski Denis, Rousso Henry), *Les Cahiers de l'IHTP*, n° 18, juin 1991, 190 p.

« L'historien et le sociologue : le tournant épistémologique des années 1960 aux années 1980 », in *Écrire l'histoire du temps présent. Études en hommage à François Bédarida*, Paris, CNRS Éditions, 1993, pp. 329-339.

Histoire orale

« *Oral History* : Selbständiges Forschungsgebiet oder Krisensympton der Humanwissenschaften », *Quantum. Historical Social Research*, 25, 1983, pp. 129-133.

« L'histoire orale en RFA et à Berlin-Ouest », *Bulletin de l'IHTP*, n° 17, 1984, pp. 18-22.

« La fête d'une autre histoire à Berlin », *Vingtième Siècle. Revue d'histoire*, n° 4, octobre 1984, p. 146.

« Pour un inventaire », *in Questions à l'histoire orale, Les Cahiers de l'IHTP, n° 4, juin 1987, pp. 11-31.*

Divers

« Introduction au numéro spécial consacré à Michel Foucault » (en collab. avec Burger R., Stangl W., Steinert H.), *Kriminalsoziologische Bibliographie*, 5, 1978, pp. 19-20.

« Das Spannungsfeld sozialistischer Politik heute », in Pollak M. (dir.), *Sozialismus in Österreich*, Düsseldorf, Econ, 1979.

« Ambiguity as a Source of Political Efficiency », *in* Forster C. R. (dir.), *Comparative Public and Citizen Participation*, New York, Pergamon, 1980.

« Die Aktualität der intellektuellen Umwege Michel Foucault », *Österreichische Zeitschrift für soziologie*, 10, 1, 1985, pp. 108-110.

« Im Streit der Ideologen », *Frankfurter Allgemeine Zeitung*, 27 août 1986.

« Du conservateur de musée à l'auteur d'expositions. L'invention d'une position singulière », *Sociologie du travail*, n° 1, 1989.

Compte rendu de *Une autre justice, 1789-1799, Annales ESC*, n° 5, 1990, pp. 1239-1267. (Études publiées sous la direction de Robert Badinter.)

« L'entretien en sociologie », *in* Danièle Voldman (dir.), *La bouche de la vérité. La recherche historique et les sources orales, Les Cahiers de l'IHTP*, n° 21, novembre 1992, pp. 109-114.

« Memoria e identidade social », *Estudos Históricos*, vol. 5, 10, Teoria e história, 1992, pp. 200-215.

Table des matières

Préface 5

1 Mémoire, oubli, silence 13

2 Innovation culturelle et identité sociale
dans la Vienne «fin de siècle» 41

3 Technologies et risques nucléaires 67
La régulation technologique : le difficile
mariage entre le droit et la technologie 72

4 Racisme, déportation, génocide 93
Des mots qui tuent 97
Une politique scientifique : le concours
de l'anthropologie, de la biologie et du droit 121
La gestion de l'indicible 140
L'expérience concentrationnaire 149

5 Homosexualité et sida 177
L'homosexualité masculine ou : le bonheur
dans le ghetto? 184
Belle campagne peu efficace 203
Les homosexuels face au sida 208
Systèmes de réaction au sida et action préventive .. 255
Histoire d'une cause 277

6 Histoire des sciences sociales 293

L'efficacité par l'ambiguïté 300

Paul F. Lazarsfeld fondateur d'une multinationale
scientifique 319

La place de Max Weber dans le champ
intellectuel français 361

7 La mise en forme d'une conception 379

Bibliographie 393

Achevé d'imprimer en septembre 1993 dans les ateliers de Normandie Roto Impression s.a.
61250 Lonrai — N° d'imprimeur : I3-1739 — N° d'édition : 141401
Dépôt légal : septembre 1993